A RAINHA EXILADA

CINDA WILLIAMS CHIMA

SÉRIE
OS SETE REINOS
VOLUME II

A RAINHA EXILADA

Tradução
Ana Resende e Regiane Winarski

1ª reimpressão

SUMA

Grafia atualizada segundo o Acordo Ortográfico da Língua Portuguesa de 1990, que entrou em vigor no Brasil em 2009.

Título original
The Exiled Queen

Capa
Marianne Lépine sobre design original de Elizabeth H. Clark

Imagens de capa
De "The Exiled Queen" por Cinda Williams Chima. Ilustração de capa © 2010 by Larry Rostant. Reimpressa com permissão da Disney • Hyperion Books. Todos os direitos reservados.

Mapa
Da série "Os Sete Reinos" de Cinda Williams Chima. Ilustração final © 2009 por Disney Enterprises, Inc. Reimpresso com permissão da Disney • Hyperion Books. Todos os direitos reservados.

Revisão
Raquel Correa
Carolina Rodrigues
Flora Pinheiro

CIP-Brasil. Catalogação na fonte
Sindicato Nacional dos Editores de Livros, RJ

C465r
Chima, Cinda Williams
A rainha exilada / Cinda Williams Chima; tradução Ana Resende, Regiane Winarski. – 1ª ed. – Rio de Janeiro: Suma, 2015.
456p.

Tradução de: *The Exiled Queen*
Sequência de: *O rei demônio*
ISBN 978-85-8105-240-3

1. Ficção americana. I. Resende, Ana. II. Winarski, Regiane. III. Título. IV. Série.

14-16739 CDD: 813
CDU: 821.111(73)-3

[2018]
Todos os direitos desta edição reservados à
EDITORA SCHWARCZ S.A.
Praça Floriano, 19, sala 3001 – Cinelândia
20031-050 – Rio de Janeiro – RJ
Telefone: (21) 3993-7510
www.companhiadasletras.com.br
www.blogdacompanhia.com.br
facebook.com/editorasuma
instagram.com/sumadeletras_br
twitter.com/Suma_BR

Para Linda e Mike — que compartilharam
um mundo de faz de conta e Barbies guerreiras.
Obrigada por terem aguentado todos os animais falantes.

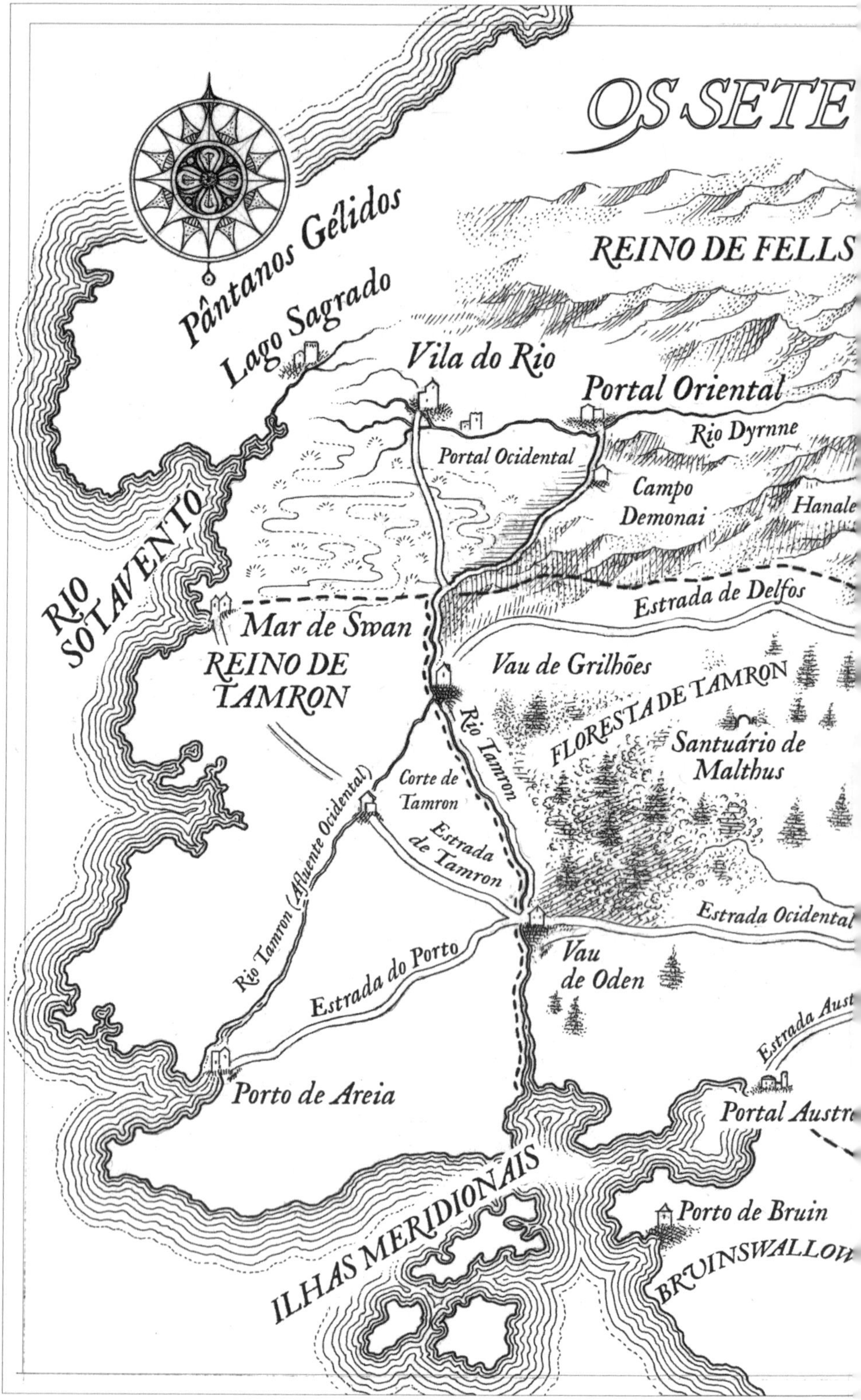
OS SETE
REINO DE FELLS
Pântanos Gélidos
Lago Sagrado
Vila do Rio
Portal Oriental
Rio Dyrnne
Portal Ocidental
Campo
Demonai
Hanale
RIO SOTAVENTO
Estrada de Delfos
Mar de Swan
REINO DE
TAMRON
Vau de Grilhões
FLORESTA DE TAMRON
Santuário de
Malthus
Rio Tamron
Corte de
Tamron
Estrada
de Tamron
Rio Tamron (Afluente Ocidental)
Estrada Ocidental
Estrada do Porto
Vau
de Oden
Estrada Aust
Porto de Areia
Portal Austr
ILHAS MERIDIONAIS
Porto de Bruin
BRUINSWALLOW

REINOS
MAR CONGELADO
Baía dos Invasores
ILHAS SETENTRIONAIS
Lady Gris
O VALE
Fellsmarch
Pontal do Mago
Penhascos de Giz
Rio da Grota de Fogo
Pedra do Forte
Campo Pinhos Marisa
Passo de Pinhos Marisa
Campo da Passagem
Campo dos Caçadores
Corte da Rainha
Platô Alyssa
A Meretriz
Portal Espiritual
Delfos
REINO DE ARDEN
Montanhas Heartfang
Mar Médio
Igreja do Templo
Rio Arden
Torreão Agridoce
OCEANO INDIO
Corte de Arden
Estrada Oriental
Baía de Bastons
Rio Arden
Rio Heartfang
Torreão da Rocha Brilhante
Rio das Fontes Amargas
Portal do Mar
Ponta do Grifo
Os Descampados
ANGRA DE WE'EN
A Garra
Baía Oculta

CAPÍTULO UM

A MURALHA OCIDENTAL

O tenente Mac Gillen, da Guarda da Rainha de Fells, encolheu-se sob o vento que uivava dos descampados ao norte e a oeste. Amarrando as rédeas na frente da sela, ele deixou seu cavalo, Marauder, percorrer por conta própria a meia milha final da descida até a casa da guarnição de Portal Ocidental.

Gillen merecia mais que aquele trabalho miserável naquele canto miserável do reino de Fells. Patrulhar a fronteira era um serviço para o exército: mercenários estrangeiros, os chamados "cães de guerra", ou a guarda nacional das Terras Altas. Não para um integrante da elite da Guarda da Rainha.

Estava longe da cidade havia apenas um mês, mas sentia falta da vizinhança agitada de Ponte Austral, onde havia muita distração nas rondas noturnas: tabernas, salões de jogo e prostitutas. Na capital, ele tinha bons contatos — gente endinheirada —, o que significava muitas chances de fazer trabalho privado extra.

Então tudo dera errado. Tinha havido um motim de prisioneiros na Casa da Guarda de Ponte Austral, e uma rata de rua dos Trapilhos, chamada Rebecca, enfiara uma tocha ardente no rosto dele, cegando um dos olhos e deixando a pele vermelha, brilhante e enrugada com uma cicatriz.

No fim do verão, ele levara Magot, Sloat e alguns outros para recuperar um amuleto roubado em Feira dos Trapilhos. Ele fizera o trabalho às escondidas, sob as ordens de lorde Bayar, Grão-Mago e conselheiro da rainha. Eles reviraram o estábulo arruinado de cima a baixo e até cavaram o terreno, mas não encontraram o faz-feitiço nem Alister Algema, o ladrão de rua que o havia roubado.

Quando eles interrogaram a gentalha que morava ali, a mulher e a pirralha disseram que nunca tinham ouvido falar em Alister Algema e que não sabiam nada sobre amuletos. No fim, Gillen incendiara o lugar com as duas lá dentro. Um aviso a todos os ladrões e mentirosos.

Percebendo a distração de Gillen, Marauder prendeu o freio entre os dentes e partiu em um galope desajeitado. Gillen recuperou as rédeas e retomou o controle depois de alguns sacolejos que chamaram a atenção dos outros guardas. O tenente olhou de cara feia para os homens e fez desaparecer o sorriso do rosto dele.

Era só o que faltava — levar um tombo e quebrar o pescoço em uma corrida morro abaixo para lugar nenhum.

Alguns chamariam a transferência de Gillen para a Muralha Ocidental de promoção. Ele recebera um distintivo de tenente, o comando de um torreão imenso e sombrio e uma centena de outros exilados — todos membros do exército regular —, além de seu próprio esquadrão de casacos azuis. Era um comando maior que seu posto anterior na Casa da Guarda de Ponte Austral.

Como se ele fosse comemorar por comandar um monte de esterco.

O torreão do Portal Ocidental guardava a Muralha Ocidental e a vila funesta e arruinada de Portal Ocidental. A muralha separava as montanhas de Fells dos Pântanos Gélidos. Uma terra de lodaçais e brejos, os Pântanos eram densos demais para nadar e ralos demais para arar, intransponíveis a não ser a pé até as fortes geadas após o solstício.

No fim das contas, o controle do torreão gerava pouca oportunidade para um homem de ação como Mac Gillen. Ele reconhecia seu novo posto pelo que era: uma punição por não entregar a lorde Bayar o que ele queria.

O tenente tivera sorte em sobreviver à decepção do Grão-Mago.

Gillen e seu grupo se espalharam pelas ruas de pedra da vila e desmontaram no terreno do estábulo do torreão.

Quando Gillen conduziu Marauder à estrebaria, o oficial de serviço, Robbie Sloat, levou a mão à testa como saudação.

— Temos três visitantes de Fellsmarch que querem vê-lo, senhor — disse Sloat. — Eles estão esperando por você no torreão.

A esperança surgiu em Gillen. Isso poderia significar novas ordens da capital, finalmente. E talvez um fim ao seu injusto exílio.

— Eles deram o nome? — Gillen jogou as luvas e a capa encharcada para Sloat e passou os dedos pelo cabelo para arrumá-lo.

— Eles disseram que só falariam com o senhor — respondeu Sloat. Ele hesitou. — São bebês de sangue azul. Não mais que garotos.

O lampejo de esperança se extinguiu. Provavelmente eram filhos arrogantes da nobreza a caminho das academias de Vau de Oden. Justamente o que ele não precisava.

— Eles pediram alojamento na ala dos oficiais — emendou Sloat, confirmando os temores de Gillen.

— Alguns nobres parecem pensar que a gente está cuidando de um albergue para pirralhos de sangue azul — resmungou Gillen. — Onde eles estão?

Sloat deu de ombros.

— Estão no salão dos oficiais, senhor.

Sacudindo-se para se livrar da chuva, Gillen caminhou até o torreão. Antes de cruzar o pátio interno, ele ouviu música: uma basilka e uma flauta.

Gillen empurrou as portas do salão dos oficiais com os ombros e deparou com os três garotos, que mal deviam ter completado a maioridade, juntos ao redor do fogo. O barril de cerveja no aparador fora aberto e havia canecas vazias diante deles. Os garotos tinham a expressão preguiçosa e satisfeita de quem havia se banqueteado. Os restos do que fora uma refeição suntuosa estavam espalhados pela mesa, incluindo o cadáver remexido de um presunto imenso que Gillen estava guardando para si mesmo.

Em um canto estavam os músicos, uma garota bonita com a flauta e um homem — o pai, provavelmente — com a basilka. Gillen se lembrou de já tê-los visto na vila, tocando por cobres nas esquinas.

Quando Gillen entrou, a música parou, e os músicos ficaram imóveis, pálidos e de olhos arregalados, feito animais capturados antes de morrer. O pai puxou a filha, que tremia, para debaixo do braço dele, afagou a cabeça loura e falou umas poucas palavras para ela.

Ignorando a entrada de Gillen, os garotos ao redor do fogo bateram palmas preguiçosamente.

— Não é ótimo, mas é melhor que nada — falou um deles com um sorrisinho. — Igual às acomodações.

— Eu sou Gillen — anunciou ele em voz alta, já convencido de que nada de bom viria daquele encontro.

O mais alto dos três rapazes ficou de pé graciosamente e jogou para trás a cabeleira negra. Ao ver o rosto de Gillen, cheio de cicatrizes, o garoto se encolheu e seu rosto nobre se contorceu com nojo.

Gillen trincou os dentes.

— O cabo Sloat falou que vocês queriam me ver — disse ele.

— Sim, tenente Gillen. Eu sou Micah Bayar, e esses são meus primos, Arkeda e Miphis Mander. — Ele fez um gesto na direção dos outros dois, que eram ruivos: um magro e o outro corpulento. — Estamos viajando para a academia em Vau de Oden, mas, como íamos passar por aqui, me pediram que trouxesse uma mensagem de Fellsmarch para você. — Ele desviou os olhos na direção da sala de serviço vazia. — Talvez a gente possa conversar ali dentro.

O coração de Gillen acelerou. O homem olhou para as estolas nos ombros do garoto, bordadas com falcões. A insígnia da família Bayar.

Sim. Reparando melhor, via a semelhança — algo no formato dos olhos do garoto e na pronunciada estrutura óssea do rosto. O cabelo preto do jovem Bayar estava rajado com o vermelho dos magos.

Os outros dois também usavam estolas, embora com uma insígnia diferente. Gatos das Torres. Eles eram três aprendizes de mago, então, e um deles era o filho do Grão-Mago.

Gillen limpou a garganta, nervoso e ansioso.

— Certamente, certamente, Vossa Senhoria. Espero que a comida e a bebida tenham sido do seu agrado.

— Estavam... *satisfatórias*, tenente — retrucou o jovem Bayar. — Mas agora temo que tenham caído mal. — Ele afagou a barriga com dois dedos e os outros dois garotos riram.

Gillen pensou que era hora de mudar o assunto.

— Você se parece com seu pai, sabe. Dá para ver em um instante que você é filho dele.

O jovem Bayar franziu a testa, lançou um olhar aos músicos, depois de volta a Gillen. Ele abriu a boca para falar, mas Gillen se adiantou, querendo terminar o que tinha a dizer:

— Sabe, não foi minha culpa aquela história do amuleto. O tal Alister Algema é um selvagem e sabe se virar nas ruas. Mas vocês escolheram o homem certo para o serviço. Se alguém pode encontrá-lo, sou eu, e vou trazer o faz-feitiço de volta também. Preciso apenas voltar para a cidade.

O garoto ficou totalmente imóvel e fitou Gillen com os olhos semicerrados, os lábios comprimidos em desaprovação. Depois, balançando a cabeça, ele se virou para os primos:

— Miphis. Arkeda. Fiquem aqui. Tomem mais um pouco de cerveja se aguentarem. — Ele agitou a mão na direção dos músicos. — Mantenham esses dois por perto e não os deixem sair.

O jovem Bayar balançou o dedo para Gillen.

— Você. Venha comigo. — Sem olhar para trás, para ver se Gillen o acompanhava, caminhou até a sala de serviço.

Confuso, Gillen o seguiu. O jovem Bayar estava olhando pela janela que dava para os estábulos e apoiou a mão no peitoril de pedra. Ele aguardou que a porta se fechasse atrás dele antes de se virar para Gillen.

— Seu... cretino — falou o garoto, com o rosto pálido, olhos duros e reluzentes como carvão de Delfos. — Não posso acreditar que meu pai contrataria alguém tão estúpido. Ninguém deve saber que você está a serviço do meu pai, entendeu? Se isso chegasse aos ouvidos do comandante Byrne, as consequências poderiam ser graves. Meu pai poderia ser acusado de traição.

A boca de Gillen ficou seca.

— Sim. É claro — gaguejou. — Eu... hum... pensei que os outros aprendizes de mago estivessem com você e...

— Você não é pago para pensar, tenente Gillen — disse Bayar. Ele andou até Gillen, com as costas muito eretas, as estolas balançando com a brisa que entrava pela janela. Conforme Bayar avançava, Gillen recuou até encostar na escrivaninha. — Quando eu digo ninguém, é ninguém mesmo — falou Bayar, e tocou no pingente de aparência maligna em seu pescoço. Era um falcão entalhado em uma gema vermelha e brilhante; um faz-feitiço, como aquele que Gillen tinha falhado em encontrar em Feira dos Trapilhos. — A quem mais você contou sobre isso?

— A ninguém, juro pelo sangue do demônio que não contei a mais ninguém — murmurou Gillen, e o medo era como uma faca em suas entranhas. Ele estava parado, os pés ligeiramente afastados, pronto para se desviar se o aprendiz de mago lançasse chamas nele. — Eu só queria ter certeza de que Vossa Senhoria sabia que eu fiz o melhor que pude para encontrar aquela joia, mas que ela não estava em lugar nenhum.

Um lampejo de desprezo passou pelo rosto do garoto, como se aquele fosse um assunto no qual não queria tocar.

— Você sabia que, enquanto fazia buscas em Feira dos Trapilhos, atrás do amuleto, Alister atacou meu pai e quase o matou?

Sangue e ossos, pensou Gillen, estremecendo. Como antigo dono da rua da gangue dos Trapilhos, Alister era conhecido por ser temerário, violento e implacável. Pelo visto o garoto também era um suicida.

— Lor... lorde Bayar está bem? — *Será que Alister está morto?*

O jovem Bayar respondeu à pergunta feita e à que não foi feita:

— Meu pai se recuperou. Infelizmente, Alister escapou. Meu pai considera a incompetência algo difícil de perdoar. Em *qualquer um.* — A ponta de amargura na voz do garoto pegou Gillen desprevenido.

— Hum... certo — falou Gillen. Ele emendou, se vendo obrigado a se defender: — É um desperdício me manter aqui, milorde. Me mande de volta para a cidade, e eu vou encontrar o garoto, eu juro. Conheço as ruas e as gangues que tomam conta delas. Mais cedo ou mais tarde, Alister vai aparecer em Feira dos Trapilhos, mesmo que a mãe e a irmã tenham dito que ele não ia lá havia semanas.

Os olhos do jovem Bayar se estreitaram e ele se inclinou para a frente, com os punhos cerrados.

— A mãe e a irmã? Alister tem mãe e irmã? Ainda estão em Fellsmarch?

Gillen sorriu.

— Elas foram queimadas, eu acredito. Incendiamos o lugar com elas dentro.

— Você matou as duas? — O jovem Bayar olhou para ele. — Elas estão *mortas*?

Gillen lambeu os lábios, sem saber ao certo onde havia errado.

— Bem, eu imaginei que isso mostraria a todo mundo que é melhor falar a verdade quando Mac Gillen faz uma pergunta.

— Você é um idiota! — Bayar balançou a cabeça devagar, com os olhos fixos no rosto de Gillen. — Nós poderíamos ter usado a mãe e a irmã de Alister a fim de atraí-lo para fora do esconderijo. Poderíamos ter algo para oferecer em troca do amuleto. — Ele fechou o punho no ar. — Nós poderíamos *pegá-lo.*

Ossos, pensou Gillen. Ele nunca conseguia dizer a coisa certa para um mago.

— Você *acha* que sim, mas, acredite, um dono da rua como Alister tem o coração frio como o rio Dyrnne. Você acha que ele se importa com o que acontece à mãe e à irmã? Não. Ele não se importa com ninguém, além de si mesmo.

O jovem Bayar dispensou aquilo com um gesto da mão.

— Agora nunca saberemos, não é? De qualquer modo, meu pai não precisa mais dos seus serviços na caça a Alister. Ele enviou outras pessoas para essa tarefa. Eles conseguiram tirar as gangues de rua da cidade, mas não tiveram sorte em encontrar Alister. Temos razões para acreditar que ele saiu de Fellsmarch.

O garoto esfregou a testa com a palma da mão, como se estivesse com dor de cabeça.

— De qualquer forma, se *um dia* cruzarem com Alister, por acidente ou de outra forma, meu pai quer que o tragam vivo e ileso, com o amuleto. Se você pudesse providenciar isso, seria, é claro, muito bem recompensado. — O jovem Bayar tentou soar indiferente, mas a rigidez ao redor de seus olhos o contradizia.

O garoto odeia Alister, pensou Gillen. Era pelo fato de Alister ter tentando matar o pai dele? De qualquer forma, Gillen podia ver que não havia razão para insistir em seu retorno a Fellsmarch.

— Muito bem, então — disse, fazendo um esforço para disfarçar a decepção. — Então. O que o traz ao Portal Ocidental? Você disse que tinha uma mensagem para mim.

— Uma questão delicada, tenente. E vai exigir discrição. — O garoto deixou claro que duvidava da discrição de Gillen. O que quer que isso fosse.

— Mas é claro, milorde, pode contar comigo — falou Gillen com ansiedade.

— Você ouviu falar que a princesa Raisa está desaparecida? — perguntou Bayar abruptamente.

Gillen tentou manter a expressão neutra. Competente. Cheio de discrição.

— Desaparecida? Não, milorde, não sabia disso. Recebemos poucas notícias aqui. Eles têm alguma ideia...

— Acreditamos que há uma chance de ela ter saído do país.

Ô-ou, pensou Gillen. Então ela fugira. Será que tinha sido uma briga entre mãe e filha? Um romance proibido? Um plebeu, quem sabe? As princesas Lobo Gris eram conhecidas por serem teimosas e aventureiras.

Ele tinha visto a princesa Raisa de perto uma vez. Ela era pequena, mas tinha um corpo bonito, uma cintura que um homem poderia envolver com as mãos. Ela o olhara de relance com aqueles olhos verdes de feiticeira, depois murmurara alguma coisa para a mulher ao lado dela.

Isso tinha sido antes. Agora, as mulheres viravam o rosto quando ele se oferecia para lhes pagar uma bebida.

Antes, a princesa poderia ter se deixado levar por alguém como ele — um militar, homem do mundo. Ele até pensara em como seria...

A voz de Bayar o interrompeu:

— Você está escutando, tenente?

Gillen forçou a mente a voltar para o assunto em questão.

— Sim, milorde. Claro. Hum. Qual foi a última parte?

— Eu *falei* que ela também pode ter se refugiado com os parentes ruivos do pai, no Campo Demonai ou no Campo Pinhos Marisa. — Bayar deu de ombros. — Eles *dizem* que ela não está com eles, que deve ter ido para o sul, saído do reino. Mas a fronteira ao sul está bem protegida. Portanto, ela poderia tentar sair pelo Portal Ocidental.

— Mas... para onde ela iria? Tem guerra por toda parte.

— Ela pode não estar raciocinando claramente — disse Bayar, sua face pálida corando. — Por isso é importante que a gente a encontre. A princesa-herdeira poderia se colocar em perigo. Ela poderia ir para algum lugar onde a gente não possa alcançá-la. Isso seria... desastroso. — O garoto fechou os olhos, remexendo nas mangas. Quando os abriu e viu Gillen fitando-o, deu meia-volta e olhou de novo pela janela.

Hum, pensou Gillen. Ou o garoto é um bom ator ou está realmente preocupado.

— Então precisamos ficar de sentinela aqui no Portal Ocidental — disse Gillen. — É isso que você está dizendo?

Bayar acenou sem se virar.

— Nós tentamos abafar o assunto, mas a notícia de que ela fugiu se espalhou. Se os inimigos da rainha a encontrarem antes de nós, bem... você compreende.

— Certamente — falou Gillen. — Ah, acham que ela está... viajando com alguém? — Aí estava. Essa era uma maneira inteligente de colocar a coisa, para descobrir se ela fugira com algum rapaz.

— Nós não sabemos. Pode estar sozinha ou talvez esteja viajando com os ruivos.

— O que exatamente lorde Bayar gostaria que eu fizesse? — perguntou Gillen, empertigando-se um pouco.

Agora o garoto se virou para encará-lo.

— Duas coisas. Queremos que você organize uma patrulha para a princesa Raisa na fronteira e a intercepte se ela tentar cruzar o Portal Ocidental. E precisamos de um grupo de guardas de confiança para cavalgar até o Campo Demonai e verificar se ela não está mesmo lá.

— Demonai! — falou Gillen, menos animado. — Mas... você não... você não acha que vamos enfrentar os guerreiros Demonai, não é?

— Claro que não — disse Bayar, como se Gillen fosse um idiota. — A rainha notificou os Demonai de que a guarda visitará os campos das terras altas para conversar com os selvagens. Eles não podem recusar. Claro, eles vão saber que vocês estão chegando, então você vai ter que cavar mais fundo para descobrir onde está ou esteve a princesa.

— Você tem certeza de que eles estão nos esperando? — perguntou Gillen. Os Andarilhos das Águas eram uma coisa. Eles sequer usavam armas de metal. Mas os Demonai... ele não tinha a menor vontade de enfrentá-los. — Não quero acabar cheio de flechas dos ruivos. Os Demonai têm venenos que apodrecem o...

— Não se preocupe, tenente Gillen. — O tom de Bayar era ríspido. — Você ficará perfeitamente seguro... a menos, é claro, que seja pego xeretando por aí.

Ele enviaria Magot e Sloat, decidiu. Eles estavam mais bem-preparados para essa tarefa. Era melhor que ele ficasse ali, e atento à princesa. Isso precisaria ser tratado com cuidado e cabeça fria. Além de discrição.

— Imagino que você precise de, pelo menos, um batalhão de soldados para fazer uma busca completa.

— Um batalhão! Eu tenho apenas uma centena de soldados, além de alguns guardas — falou Gillen. — Eu não confio nos mercenários nem nos soldados das Terras Altas. Vai ter que ser um esquadrão, isso é tudo que posso dispensar.

Bayar deu de ombros; não cabia a ele resolver os problemas de Gillen.

— Um esquadrão, então. Eu iria pessoalmente, mas, como sou um mago, é claro que estou proibido de me aventurar nas Montanhas Espirituais. — Bayar novamente acariciou a joia chamativa que pendia de seu pescoço. — E meu envolvimento não poderia deixar de levantar perguntas difíceis.

Sem dúvida levantaria perguntas, pensou Gillen. E por que um aprendiz de mago se intrometeria em questões militares? Proteger as rainhas Lobo Gris era tarefa da Guarda da Rainha e do exército.

— Nós gostaríamos de prosseguir sem atraso — disse Bayar. — Prepare seu esquadrão para partir amanhã. — Gillen abriu a boca para explicar porque não poderia fazer isso, mas o jovem Bayar ergueu a mão. — Bom. Meus companheiros e eu permaneceremos aqui até você retornar.

— Vocês vão ficar aqui? — gaguejou Gillen. Ele não precisava disso. — Olhe, se a rainha quer que a gente vá até as Montanas Espirituais atrás da princesa, deveria mandar reforços. Não posso deixar a Muralha Ocidental sem proteção enquanto nós...

— Se você encontrar a princesa, você a entregará para nós — emendou Bayar, ignorando o protesto de Gillen. — Meus primos e eu a acompanharemos de volta até a rainha.

Gillen estudou o garoto com ar desconfiado. Será que era uma armação? Por que entregaria a princesa àqueles aprendizes de feiticeiro? Por que não a levaria de volta a Fellsmarch e receberia a glória (e a recompensa financeira) pessoalmente?

Algumas vezes, quando ele cumpria tarefas para o Grão-Mago, não tinha certeza de para quem estava trabalhando — se para o mago ou para a rainha. Mas aquilo era importante. Ele queria ganhar mais com aquela aventura do que a gratidão eterna dos Bayar.

Como se lesse os pensamentos de Gillen, o garoto falou:

— Se você encontrar a princesa e a entregar a nós, lhe daremos uma recompensa de 5 mil coroas e providenciaremos seu retorno a um posto em Fellsmarch.

Gillen teve que se esforçar para evitar que o queixo caísse. Cinco mil meninas? Isso era uma fortuna. Mais do que ele imaginara que os Bayar pagariam pelo crédito de devolver a princesa à corte. Alguma coisa estava acontecendo. Algo de que ele não precisava saber, caso um dia fosse questionado.

Isso tornava muito mais atraente expor Sloat e Magot ao risco das Montanhas Espirituais. E era mais uma razão para Gillen manter a atenção na fronteira.

— Eu ficaria orgulhoso de fazer o possível para ajudar a devolver a princesa à rainha, sua mãe — falou Gillen. — Pode contar comigo.

— Sem dúvida — falou Bayar secamente. — Use pessoas que saibam manter a boca fechada e não diga a elas mais que o necessário para fazer o trabalho. Não há necessidade de nenhuma delas saber sobre nosso acordo particular. — Enfiando a mão na algibeira na cintura, ele retirou um retrato pequeno, emoldurado, e entregou a Gillen.

Era a princesa Raisa, apenas a cabeça e os ombros, usando um vestido decotado que exibia bastante de sua pele cor de mel. Os cabelos escuros caíam ao redor do rosto, e ela usava uma pequena coroa, que reluzia com joias. A cabeça estava inclinada, e ela exibia um meio sorriso, os lábios entreabertos, como se estivesse prestes a dizer algo que ele quisesse ouvir. Ela até escrevera algo no retrato. *Para Micah, com todo o meu amor, R.*

Mas havia algo nela, algo familiar, que ele...

A mão de Bayar segurou o braço de Gillen, apertando-o através da lã da túnica de oficial, e ele quase derrubou a pintura.

— Não *babe* no retrato, tenente Gillen — falou Bayar, como se tivesse com um gosto ruim na boca. — Por favor, certifique-se de que seus homens saibam como é a princesa. Lembre que é provável que ela esteja disfarçada.

— Vou me certificar, milorde — disse Gillen. Ele recuou, fez uma mesura e se afastou antes que o jovem Bayar pudesse mudar de ideia. Ou segurar o braço dele novamente. — Que você e seus amigos se sintam em casa — falou ele. Cinco mil meninas comprariam muita hospitalidade de Mac Gillen. — Vou dizer ao cozinheiro para preparar o que vocês quiserem.

— O que é que você vai fazer com os músicos? — perguntou Bayar abruptamente.

Gillen piscou.

— O que tem eles? — perguntou. — Vocês querem que eles fiquem aqui? Poderiam ajudar a passar o tempo, e a garota é bonita.

O jovem Bayar balançou a cabeça.

— Eles ouviram demais. Como eu disse, ninguém pode ligar você ao meu pai, nem saber que você trabalha para ele. — Quando Gillen franziu a testa, ainda confuso, o garoto acrescentou: — A culpa é sua, tenente. Não minha. Vou lidar com meus primos, mas você vai cuidar dos músicos.

— Então — falou Gillen —, você está dizendo que eu devo mandá-los embora?

— Não — respondeu Bayar, alisando suas estolas de mago, sem olhar nos olhos de Gillen. — Estou dizendo que você deve matá-los.

CAPÍTULO DOIS

NAS FRONTEIRAS

Han Alister guiou seu pônei até o ponto mais alto do Passo de Pinhos Marisa. Ele olhou para o terreno denteado, ao sul do reino, na direção das terras baixas escondidas de Arden e adiante. Eram montanhas desconhecidas, lar de rainhas mortas havia muito tempo, com nomes que ele nunca ouvira. Os picos mais altos tocavam as nuvens, as pedras frias eram nuas de vegetação. Os declives mais baixos reluziam com álamos envolvidos pela folhagem de outono.

A temperatura baixara enquanto eles escalavam, e Han tinha sobreposto as camadas de roupas conforme necessário. Agora seu chapéu de lã das terras altas estava puxado sobre as orelhas e o nariz, exposto ao ar frio.

Hayden Dançarino de Fogo impeliu o pônei para o lado de Han, para também olhar a vista.

Eles tinham deixado o Campo Pinhos Marisa dois dias antes. O campo do clã encontrava-se estrategicamente no extremo norte do passo, que era a maior passagem através das Montanhas Espirituais ao sul até a cidade de Delfos e as terras baixas para além de Arden. A estrada que começava no Caminho das Rainhas, na capital de Fellsmarch, diminuía para pouco mais que uma ampla trilha de caça na parte superior do passo.

Embora fosse alta temporada de viagens, eles tinham encontrado pouco tráfego comercial ao longo da trilha — somente uns poucos refugiados com olhos encovados da guerra civil de Arden.

Dançarino ia na frente, na direção do declive sul.

— Lorde Demonai diz que, antes da guerra, as carroças rodavam da manhã até a noite durante esta temporada, trazendo comércio das terras baixas. Comida, principalmente. Grãos, gado, frutas e vegetais.

Dançarino tinha viajado pelo Passo de Pinhos Marisa antes, em expedições comerciais com Averill Pés Ligeiros, mestre comerciante e patriarca do Campo Demonai.

— Agora os exércitos engoliram tudo — continuou Dançarino. — Além disso, grande parte das colheitas foi queimada e estragou, então não há produção.

Então haverá outro inverno de fome em Fells, pensou Han. A guerra civil em Arden existia desde que Han conseguia lembrar. Seu pai morrera nela, servindo como mercenário de um dos cinco sanguinários príncipes Montaigne — todos irmãos e todos querendo o trono de Arden.

O pônei de Han relinchou e bufou depois da longa subida desde o Campo Pinhos Marisa. O ar era rarefeito naquela altitude. Han passou a mão pela crina embaraçada do animal peludo e coçou atrás de suas orelhas.

— Calma, Ragger — murmurou. — Vá devagar. — Ragger mostrou os dentes em resposta e Han deu uma gargalhada.

O garoto tinha orgulho de ser o dono daquele pônei mal-humorado — o primeiro dele. Ele tinha vasta experiência em ser cavaleiro de cavalos emprestados. Passara todos os verões hospedado nas cabanas das terras altas — era enviado da cidade para lá, por sua mãe, que tinha certeza de que ele era amaldiçoado.

Tudo mudara. Os clãs tinham lhe oferecido cavalo, roupas, mantimentos, comida para a viagem, e pagaram sua inscrição na academia de Vau de Oden. Não por caridade, mas porque eles tinham esperança de que Han Alister, o amaldiçoado pelo demônio, se mostrasse uma grande arma contra o poder crescente do Conselho dos Magos.

Han aceitara a oferta. Acusado de assassinato, órfão por causa dos inimigos, caçado pela Guarda da Rainha e pelo poderoso Grão-Mago, Gavan Bayar, ele não tivera escolha. A pressão das tragédias passadas o impeliu — a necessidade de escapar das lembranças de suas perdas e o desejo de ir para outro lugar.

Isso e um desejo ardente de vingança.

Han enfiou os dedos por baixo da camisa e, distraído, tocou o amuleto de serpente que sibilava em seu peito. O poder fluiu dele direto para o faz-feitiço, aliviando a pressão mágica que se acumulara durante todo o dia.

Aquilo se tornara um hábito, escoar o poder que, de outra forma, poderia fugir de seu controle. Ele precisava com frequência se tranquilizar se certificando de que o amuleto ainda estava ali. Han se tornara estranhamente apegado a ele, desde que o roubara de Micah Bayar.

Aquele faz-feitiço pertencera a seu ancestral, Alger Waterlow, conhecido pela maioria das pessoas como o Rei Demônio. Enquanto isso, o amuleto de Caçador Solitário, feito para ele pela matriarca dos clãs, Elena Demonai, jazia no alforje, sem uso.

Ele deveria odiar o faz-feitiço dos Waterlow. Pagara por ele com a vida de sua mãe e de Mari. Alguns diziam que o amuleto era uma peça de magia negra — incapaz de outra coisa além do mal. Mas era tudo que tinha, depois de quase 17 anos de vida, a não ser pelo livro de histórias queimado de Mari e um cacho dos cabelos dourados da mãe; tudo que restara de uma temporada de desastres.

Agora ele e o amigo Dançarino estavam à caminho da Academia Mystwerk, a academia de feiticeiros, em Vau de Oden, e ingressariam no treinamento como feiticeiros, patrocinados pelos clãs.

— Está tudo bem com você? — Dançarino se inclinou na direção dele, com uma expressão preocupada no rosto acobreado, o cabelo trançado balançando ao vento feito cobras com contas. — Você parece enfeitiçado.

— Estou bem — respondeu Han. — Mas queria sair desse vento. — Mesmo em tempo bom, o vento rugia constantemente através do passo. E agora, no fim do verão, ele tinha a picada do inverno.

— A fronteira não pode estar longe — falou Dançarino, as palavras sumindo quando ele as pronunciou. — Quando a cruzarmos, vamos estar perto de Delfos. Talvez a gente possa dormir debaixo de um teto hoje.

Han e Dançarino viajavam disfarçados de comerciantes dos clãs, conduzindo pôneis carregados de mercadorias. As roupas do clã ofereciam um pouco de proteção. Isso e os arcos em suas costas. A maioria dos ladrões sabia que não devia confrontar membros dos clãs das Montanhas Espirituais em seu próprio terreno. A viagem ficaria mais perigosa assim que eles cruzassem para Arden.

Enquanto desciam na direção da fronteira, a estação mudou, do início do inverno para o outono de novo. Passada a linha das árvores, primeiro pinheiros, depois uma floresta de álamos se fechou ao redor deles, oferecendo algum abrigo do vento. O declive suavizou e o solo ficou mais firme. Eles começaram a ver algumas plantações que circundavam cabanas aconchegantes, e pastagens salpicadas com robustas ovelhas da montanha, com chifres compridos e curvos.

Um pouco mais adiante, os jovens depararam com vestígios da guerra iminente no sul. Semiescondidos entre a vegetação, de cada lado da estrada, estavam os despojos: alforjes vazios, partes de uniformes de soldados desertores, tesouros domésticos que haviam se tornado um fardo pesado demais na subida.

Han avistou uma boneca de criança, artesanal, na vala, afundada na lama. Ele puxou as rédeas, pronto para descer e pegar a boneca para que pudesse limpá-la e dá-la para a irmã caçula. Então lembrou que Mari estava morta e não precisava mais de bonecas.

O luto era assim. Gradualmente diminuía para uma dor embotada, até que uma simples visão, som ou cheiro o atingisse como um golpe de martelo.

Eles passaram por várias casas e terrenos, com tochas e chaminés de pedra projetando-se feito lápides ou sepulturas saqueadas. E então uma vila inteira incendiada, com os restos da estrutura de um tempo e da casa do Conselho.

Han olhou para Dançarino.

— O povo das terras baixas fez isso?

Dançarino acenou com a cabeça.

— Ou mercenários perdidos. Tem um torreão na fronteira, mas eles não fazem um trabalho muito bom de patrulhar esta estrada. Os guerreiros Demonai não podem estar em toda parte. O Conselho dos Magos diz que os magos *poderiam* fazer esse trabalho, mas não deixam, e eles não têm os instrumentos necessários, e que isso é culpa dos clãs. — Ele revirou os olhos. — Como se você fosse encontrar magos aqui, mesmo se eles pudessem vir.

— Ei, presta atenção — falou Han. — Nós somos magos e estamos aqui.

Os dois riram. Eles tinham começado a compartilhar um tipo de humor mórbido sobre suas situações difíceis. Era complicado livrar-se do hábito de zombar da arrogância dos magos, o tipo de piadas que quem não tem poder faz sobre os poderosos.

Eles chegaram a um cruzamento de trilhas do leste e do oeste, todas afunilando no passo. O tráfego ficou mais denso e lento, como um creme empelotado. Viajantes passavam aos poucos, na direção oposta, rumo a Pinhos Marisa ou, provavelmente, Fellsmarch. Homens, mulheres, crianças, famílias e viajantes solitários, grupos que se formaram por acaso ou se uniram por proteção.

Carregados com pacotes e sacolas, os refugiados eram silenciosos e tinham olhos encovados, incluindo as crianças, como se pôr um pé à frente do outro os consumisse completamente. Os adultos e os jovens carregavam porretes, bastões e outras armas improvisadas. Alguns estavam feridos, com trapos ensanguentados amarrados ao redor da cabeça, dos braços ou das pernas. Muitos usavam a roupa leve das terras baixas e alguns nem tinham sapatos.

Eles deviam ter saído de Delfos ao amanhecer. Se tinham levado aquele tempo todo para cobrir aquela distância, não conseguiriam atravessar o passo antes de anoitecer. Depois eram mais dois dias até Pinhos Marisa.

— Eles vão congelar lá em cima — disse Han. — Vão cortar os pés nas rochas. Como as crianças vão conseguir subir? O que eles estão pensando?

Um garotinho, com talvez 4 anos, estava chorando, no meio da trilha, com os punhos cerrados e o rosto contorcido de tristeza.

— Mamãe! — gritou ele na língua das terras baixas. — Mamãe! Estou com fome. — Mas a mãe não estava à vista.

Cheio de culpa, Han remexeu na bolsa e retirou uma maçã. Ele se inclinou na sela e a estendeu para o garoto.

— Tome — falou com um sorriso. — Prove isso.

O garoto cambaleou para trás, erguendo os braços para se defender.

— Não! — gritou, em pânico. — Vai embora! — Ele caiu para trás, ainda gritando histericamente.

Uma garota de rosto fino e idade indefinida tirou a maçã da mão dele e correu como se fosse perseguida por demônios. Han observou-a, impotente.

— Deixe para lá, Caçador Solitário — sugeriu Dançarino, usando o nome dos clãs de Han. — Acho que eles devem ter tido experiências ruins com cavaleiros. Você não pode salvar todo mundo, sabe.

Eu não posso salvar *ninguém*, pensou Han.

Eles viraram uma curva e as fortificações da fronteira ficaram visíveis, lá embaixo — um torreão arruinado e uma muralha de pedra rachada, com as fendas preenchidas por espigões de ferro e arame farpado, em vez de serem consertadas. A muralha se estendia ao longo do passo, alcançando os picos de cada lado, e no meio dela havia um imenso portão de pedra que se arqueava na estrada. Pedestres e uma pequena fileira de carroças de comerciantes cruzavam lentamente o portão, rumo ao sul, enquanto o tráfego para o norte corria constante.

Um tipo de vila brotara ao redor do torreão feito cogumelos após as chuvas de verão, formada por galpões rudimentares, cabanas sujas, barracas e carroças cobertas com lona. Um curral simples cercava uns poucos cavalos doentes e vacas magrelas.

Pontos azuis brilhantes se amontoavam ao redor do portal, como álamos de outono. Casacos azuis. A Guarda da Rainha. A apreensão desceu pela espinha de Han como um dedo gelado.

Por que eles estariam de serviço na fronteira?

— Até entendo que eles vigiem os refugiados entrando — disse ele, com uma careta. — Eles iam querer manter fora os espiões e renegados. Mas por que se importariam com quem está *saindo* do reino?

Dançarino olhou Han de cima a baixo e mordeu o lábio inferior.

— Obviamente estão procurando alguém. — Ele fez uma pausa. — Será que a Guarda da Rainha teria todo esse trabalho para pegar *você*?

Han deu de ombros, querendo negar a possibilidade. Se ele fosse tão perigoso, será que não teriam preferido que ele ficasse longe do reino, em vez de dentro dele?

— Parece improvável que Sua Poderosíssima, a rainha, fizesse tudo isso por causa de uns poucos Austrinos mortos. Ainda mais porque não houve mais mortes.

— Você enfiou uma faca no Grão-Mago dela — observou Dançarino. — Talvez ele tenha morrido.

Certo. Tinha isso. Embora Han não conseguisse acreditar que lorde Bayar estivesse morto. Por experiência própria, os maus viviam enquanto os inocentes morriam. Ainda assim, os Bayar poderiam ter convencido a rainha de que valia a pena o trabalho extra para capturá-lo.

Mas os Bayar querem o amuleto de volta, pensou Han. Será que arriscariam que ele fosse encontrado pela Guarda da Rainha? Sob tortura, a história da joia poderia escapar.

De qualquer forma, ele não estava supostamente do lado da rainha? Ele se recordou das palavras de Elena *Cennestre* no dia em que ela revelara a verdade para ele:

Quando você completar os cursos, voltará para cá e usará suas habilidades em benefício do clã e da verdadeira linhagem das rainhas.

Era provável que ninguém tivesse contado à rainha Marianna. Estariam tentando manter tudo em segredo.

— Nós sabemos que eles não estão procurando *você* — falou Han, desviando os olhos de Dançarino. — Vamos nos separar, por segurança. Você vai na frente e eu vou atrás. — Isso evitaria qualquer heroísmo da parte de Dançarino se Han fosse capturado.

Dançarino reagiu à sugestão com uma risadinha irônica.

— Certo. Mesmo com o cabelo coberto, não tem como você passar por alguém dos clãs quando abrir a boca. Deixe que eu falo. Muitos comerciantes passam por aqui. Vamos ficar bem.

Ainda assim, Han percebeu que Dançarino apertou a corda do arco e colocou a adaga da cintura ao alcance da mão.

Han preparou as próprias armas, depois enfiou mechas de cabelo louro debaixo do chapéu. Ele deveria ter tirado algum tempo para escurecer o cabelo de novo, para que ficasse menos reconhecível. Sobreviver não tinha parecido particularmente importante até agora. Han enfiou a mão por dentro da camisa e tocou o amuleto. E desejou, pela milésima vez, saber melhor como usá-lo. Um pouco de bruxaria talvez os ajudasse em uma dificuldade.

Não, talvez não. Melhor seria se ninguém soubesse que Alister Algema, ladrão de rua e suposto assassino, tornara-se subitamente um mago.

De modo excruciantemente lento, eles abriram caminho até a fronteira. Parecia que a Guarda estava fazendo um trabalho minucioso.

Quando chegaram à frente da fila, dois guardas se aproximaram e seguraram os arreios dos cavalos para que parassem. Um guarda em montaria, com uma estola de sargento, parou o cavalo diante deles. Ele estudou os rostos dos dois, com cara feia.

— Nomes?

— Dançarino de Fogo e Caçador Solitário — disse Dançarino na língua comum. — Somos comerciantes do clã de Pinhos Marisa e viajamos para Corte de Arden.

— Comerciantes? Ou *espi*ões? — rosnou o guarda.

— Não somos espiões — respondeu Dançarino. Ele segurou seu pônei, que jogou a cabeça para trás e revirou os olhos com o tom de voz do guarda. — Comerciantes não se metem com política. É ruim para os negócios.

— Vocês andaram se aproveitando da guerra e todo mundo sabe disso — resmungou o casaco azul, exibindo a tradicional atitude do Vale em relação aos clãs. — O que vocês estão carregando?

— Sabonetes, perfumes, sedas, artigos de couro e remédios — falou Dançarino, pondo a mão nos alforjes.

Isso era verdade. Eles planejavam entregar os bens a um comprador em Corte de Arden para ajudar a pagar por seus treinamentos e moradias.

— Vamos ver. — O guarda desamarrou os cestos do primeiro pônei e remexeu nos produtos em seu interior. O cheiro de sândalo e pinho flutuou pelo ar.

— E armas ou amuletos? — indagou o homem. — Alguma peça mágica?

Dançarino ergueu uma sobrancelha.

— Não tem mercado para produtos mágicos em Arden. A igreja de Malthus proíbe isso. E nós não vendemos armas. É arriscado demais.

O sargento olhou para os rostos deles, com as sobrancelhas franzidas em confusão. Han mantinha os olhos fixos no chão.

— Eu não sei — falou o guarda. — Vocês dois têm olhos azuis. Não parecem muito dos clãs.

— Somos mestiços — expôs Dançarino. — Fomos adotados nos Campos quando éramos bebês.

— Foram roubados, é mais provável — disse o sargento. — Assim como a princesa-herdeira. Que o Criador tenha misericórdia com ela.

— O que houve com a princesa-herdeira? — perguntou Dançarino. — Não ouvimos nada sobre isso.

— Ela desapareceu — afirmou o sargento. Ele parecia ser do tipo de pessoa que adorava compartilhar notícias ruins. — Alguns dizem que fugiu. Eu digo que não tem como ela ter ido embora sozinha.

Então é isso, pensou Han, animando-se um pouco. Aquele cuidado extra na fronteira não tinha nada a ver com eles.

Mas o casaco azul não tinha acabado com eles. Olhou ao redor, como se quisesse ter certeza de que tinha reforços, então falou:

— Alguns dizem que ela foi levada pelo seu povo. Pelos cabeça de fogo.

— Isso não faz sentido — disse Dançarino. — A princesa Raisa tem sangue dos clãs, por causa do pai, e ficou no Campo Demonai por três anos.

O casaco azul riu.

— Ora, ela não está na capital, eles sabem disso — falou o guarda. — Talvez venha para esses lados; por isso estamos verificando todo mundo que passa. A rainha está oferecendo uma grande recompensa para quem a encontrar.

— Como ela é? — perguntou Dançarino, como se estivesse farejando a grande recompensa.

— Ela também é mestiça — falou o casaco azul —, mas ouvi dizer que é bonita, mesmo assim. Ela é pequena, com cabelos escuros e compridos e olhos verdes.

Han foi assaltado por uma lembrança de Rebecca Morley, com seus olhos verdes, que entrara na Casa da Guarda de Ponte Austral e tirara três membros da gangue de rua, os Trapilhos, das mãos de Mac Gillen. Aquela descrição serviria para Rebecca. E mil outras garotas.

Desde que sua vida desmoronou, Han não tinha pensado em Rebecca. Muito.

O sargento finalmente decidiu que já os tinha detido por tempo suficiente.

— Muito bem, então, continuem. Melhor vocês se cuidarem ao sul de Delfos. Os combates estão intensos por lá.

— Obrigado, sargento — estava dizendo Dançarino quando uma nova voz interrompeu a conversa, aguda e fria como uma lâmina de aço:

— O que é isso tudo, sargento? Por que a demora?

Han ergueu os olhos e viu uma garota mais ou menos de sua idade abrindo caminho a cavalo entre a multidão de viajantes a pé ao redor do portão, como se não se importasse de pisotear alguns no caminho.

Ele não conseguiu deixar de olhar. Ela não se parecia com nenhuma garota que ele já tivesse visto. Os cabelos platinados estavam amarrados em uma única trança comprida que descia até a cintura, com uma mecha vermelha que percorria todo o comprimento. As sobrancelhas e os cílios eram da cor de algodão, e os olhos tinham uma cor azul-clara, de porcelana, como o céu depois da chuva. Ela estava cercada por uma aura de luz — evidência de poder não canalizado.

Ela cavalgava um garanhão cinza das terras baixas, que tinha o sangue tão azul quanto o dela, e sentava-se ereta na sela, como se quisesse aumentar sua já considerável altura. Os traços angulosos eram familiares. Não era um rosto bonito, mas não dava para esquecê-lo facilmente. Sobretudo quando tinha uma expressão de raiva. Como no momento.

O casaco curto e as saias de montaria eram feitos de tecido fino com borda de couro. As estolas de mago que desciam pelos ombros traziam a insígnia do falcão, e um amuleto reluzente pendia de uma pesada corrente de ouro ao redor do pescoço. Um falcão com um pássaro nas garras.

Han estremeceu, seu corpo reagiu antes da mente, que funcionava devagar. O falcão. Mas aquela insígnia pertencia a...

— Eu... eu sinto muito, lady Bayar — gaguejou o sargento, com a testa cheia de gotas de suor, apesar do ar frio. — Eu estava apenas interrogando esses comerciantes. Por segurança, milady.

Bayar. Por isso Han a achou familiar, porque era parecida com Micah Bayar. Ele só vira o filho do Grão-Mago uma vez, no dia em que pegara o amuleto que tinha mudado sua vida para sempre. O que ela era de Micah? Parecia ter a mesma idade. Irmã? Prima?

— Segure seu amuleto — murmurou Dançarino para Han, enfiando a mão debaixo do casaco de couro de cervo. — Ele vai sugar o poder, então talvez eles não percebam sua aura.

Han assentiu e apertou o faz-feitiço de serpente debaixo do casaco.

— Estamos procurando uma *garota*, idiota — falou lady Bayar, com os olhos claros indo de Han para Dançarino. — Uma garota morena, meio anã. Por que você está perdendo tempo com esses dois cabeças de fogo? — emendou ela, usando o nome que o povo do Vale usava para o povo dos clãs.

Os dois guardas que seguravam os cavalos de Han e de Dançarino rapidamente os soltaram.

— Fiona. Preste atenção no que diz.

Outro mago a cavalo surgiu atrás de lady Bayar, um garoto mais velho, com cabelo cor de palha e corpo excessivamente robusto. Suas estolas gêmeas de mago traziam a insígnia de um cardo.

— O quê? — Fiona olhou para ele de cara feia, e ele se encolheu como um cachorrinho sob o olhar dela.

Ou ele gosta dela ou tem medo, pensou Han. Talvez as duas coisas.

— Fiona, por favor. — O jovem mago limpou a garganta. — Eu não descreveria a princesa Raisa como anã. Na verdade, a princesa é muito...

— Se não é meio anã, então é o quê? — interrompeu Fiona. — Atarracada? Baixinha? Subdesenvolvida?

— Ora, eu...

— E ela é morena, não é? Na verdade, é bem escura por causa da mistura de sangue. Admita, Wil, ela é. — Fiona parecia não gostar de ser corrigida.

Han se esforçou para não demonstrar surpresa. Ele não gostava da rainha nem de sua linhagem, mas nunca esperara ouvir tais coisas de um Bayar.

Fiona revirou os olhos.

— Não sei o que meu irmão vê nela. Sem dúvida você tem um gosto melhor para mulheres. — Ela sorriu para Wil, de modo encantador, e Han entendeu por que o aprendiz de mago gostava dela.

Wil ficou bastante corado.

— Eu apenas acho que deveríamos mostrar algum respeito — murmurou ele, inclinando-se para que o sargento não pudesse ouvir. — Ela é a herdeira do trono Lobo Gris.

Dançarino empurrou o pônei para a frente, esperando passar enquanto os bruxos estavam envolvidos no debate. Han apertou os joelhos nos flancos de Ragger e seguiu atrás, mantendo a cabeça baixa e o rosto virado. Eles passaram pelos feiticeiros e cruzavam o portão quando...

— Você aí! Espere.

Era Fiona Bayar. Han xingou em silêncio, depois assumiu sua expressão de rua, se virou na sela e viu que ela o observava.

— Olhe para mim, garoto! — ordenou a garota.

Han ergueu o olhar diretamente para os olhos azuis de porcelana dela. O amuleto chiou nos dedos dele, e algum espírito diabólico o fez erguer o queixo e dizer:

— Não sou um garoto, lady Bayar. Não mais.

Fiona ficou paralisada, fitando-o, com as rédeas apertadas em uma das mãos. A longa linha da garganta se mexeu quando ela engoliu.

— Não — falou, passando a língua nos lábios. — Você não é um garoto. E também não fala como um cabeça de fogo.

Wil esticou a mão e tocou o braço dela, como se tentasse recuperar sua atenção.

— Você conhece esse... *mercador*, Fiona? — perguntou ele, o desprezo claro em sua voz.

Mas ela continuou observando Han.

— Você está vestido como um mercador — murmurou ela, quase para si mesma. — Você está com roupas dos cabeças de fogo e, ainda assim, você tem aura. — Ela baixou os olhos para as próprias mãos reluzentes, depois para ele. — Sangue e ossos, você tem *aura*.

Han baixou os olhos para si mesmo e viu, para seu horror, que a magia que ardia através dele estava terrivelmente aparente, mesmo sob a luz da tarde. Na verdade, ele estava brilhando mais que o normal, o poder reluzindo sob a pele feito a luz do sol na água.

Mas o amuleto deveria arrefecer aquilo, diminuir. Talvez, em momentos difíceis, ele descarregasse mais mágica do que a peça podia aguentar.

— Não é nada — falou Dançarino depressa. — É por lidar com objetos mágicos nos mercados dos clãs — falou ele. — Às vezes, passa um pouco. Não dura muito.

Han piscou para o amigo, impressionado. Dançarino desenvolvera um talento para enfeitar a verdade, como diriam em Feira dos Trapilhos.

Dançarino segurou as rédeas de Ragger, tentando impelir o cavalo à frente.

— Agora, por mais que a gente queira ficar e responder às perguntas dos bruxos, precisamos seguir em frente se não quisermos dormir na floresta.

Fiona ignorou Dançarino. Ela continuava fitando Han, com olhos semicerrados e a cabeça inclinada. Respirou fundo e se sentou bem ereta.

— Tire o chapéu — ordenou ela.

— Obedecemos à rainha, bruxa. Não a você — retrucou Dançarino. — *Vamos*, Caçador Solitário — rosnou ele.

Han manteve os olhos fixos em Fiona, com a mão no amuleto. A pele pinicava conforme a mágica e o desafio zumbiam através dele feito conhaque. Lenta e deliberadamente, ele pegou o gorro com a mão livre e o retirou, balançando os cabelos. O vento que soprava no Passo de Pinhos Marisa o sacudiu para longe da testa.

— Leve uma mensagem a lorde Bayar — disse Han. — Fiquem fora do meu caminho ou vou acabar com toda a sua família.

Fiona ficou olhando para ele. Por um momento, ela pareceu não conseguir formular nenhuma palavra. Por fim, resmungou:

— Alister. Você é Alister Algema. Mas... você é um mago. Não pode ser.

— Surpresa — falou Han. Erguendo-se muito ereto nos estribos, segurou o amuleto com uma das mãos e esticou a outra. Seus dedos se fecharam em uma bruxaria, como se pensassem por conta própria, e palavras mágicas jorraram espontaneamente de sua boca.

A estrada foi perfurada quando uma sebe de espinhos irrompeu da terra, formando uma muralha espinhosa entre Han e Dançarino e os outros magos. Chegou à altura do peito dos cavalos em questão de segundos.

Assustado, Han afastou a mão do faz-feitiço, esfregando-a nas calças como se pudesse livrá-la dos vestígios da magia. A cabeça dele girou, depois clareou. Ele olhou para Dançarino, que encarava Han como se não acreditasse em seus olhos e ouvidos.

A língua de Fiona finalmente se soltou e ela gritou:

— É ele! É Alister Algema! Ele tentou matar o Grão-Mago! Peguem-no!

Ninguém se moveu. A parede de espinhos continuou a crescer e esticou os ramos espinhentos na direção do céu. Os casacos azuis observavam, abobalhados, o comerciante que se transformara em suposto assassino e fazia aparecer sebes de espinhos em pleno ar.

Dançarino girou o braço em um arco amplo e enviou labaredas em todas as direções. A sebe começou a soltar fumaça, depois incendiou. Ragger empinou e tentou derrubar Han da sela. Os guardas se lançaram no chão, cobrindo a cabeça e gemendo de medo.

Han bateu os calcanhares nos flancos de Ragger, e o pônei assustado avançou pelo portal, seguido bem de perto por Dançarino, curvado nas costas de seu pônei, com os cabelos esvoaçando. À frente deles, os viajantes se jogavam para fora do caminho, mergulhando nas valas de cada lado da estrada. Atrás deles, Han ouvia ordens gritadas e trombetas soando, estridentes.

Bestas soaram, os guardas atiraram às cegas por sobre a guarita. Han se abaixou e encostou a cabeça no pescoço de Ragger, para diminuir o alvo.

— Peguem ele *vivo*, seus idiotas! — gritou Fiona. — Meu pai quer Alister Algema vivo!

Depois disso pararam de usar as bestas, o que foi uma bênção, pois a estrada entre a fronteira e Delfos era ampla e levemente inclinada. Assim que os perseguidores atravessassem ou dessem a volta na barreira de Han, ele e Dançarino se tornariam alvos fáceis.

Han olhou para trás a tempo de ver Fiona explodir um buraco irregular na sebe em chamas. Os dois magos passaram correndo, seguidos por um grupo de guardas montados, nada entusiasmados. Os casacos azuis não deviam ter desejo nenhum de enfrentar alguém que podia lançar chamas e espinhos.

— Aí vêm eles — gritou Han, forçando Ragger a uma velocidade maior.

— Acho que eles decidiram não ficar fora do seu caminho — disse Dançarino, gritando em resposta.

Han sabia que ouviria muito de Dançarino, depois. Se houvesse um depois.

Os magos já estavam se aproximando deles, diminuindo sua vantagem. Uma hora eles os alcançariam, com uma estrada ampla diante deles e cavalos das terras baixas com pernas compridas, que eram mais rápidos. Não havia meio de ele e Dançarino conseguirem superar dois magos com melhor treinamento. Sem falar no trio de casacos azuis.

O que deu em você, Alister?, falou Han para si mesmo. Tinha seus defeitos, mas burrice não era um deles. Um confronto com Fiona Bayar podia parecer tentador, mas nunca envolveria Dançarino em uma disputa que provavelmente perderiam.

Han se lembrou de como a magia parecera atravessá-lo como uma bebida forte. E como uma bebida forte, ela o fizera perder a cabeça. Talvez por isso ele não tivesse percebido o que estava fazendo. Apertando os arreios com força, resistiu a voltar a segurar o amuleto.

— Temos que sair da estrada — gritou ele, cuspindo poeira. — Tem algum lugar onde a gente possa virar?

— Como vou saber? — berrou Dançarino. Ele olhou para a frente e estreitou os olhos diante do sol que se punha. — Já faz muito tempo.

Eles dispararam por quase meia milha e então Dançarino gritou:

— Sabe, *tem* um lugar mais à frente onde a gente pode despistar eles.

A Estrada de Delfos seguia um córrego límpido, compartilhando o vale que ele entalhara através das Montanhas Espirituais e descia rumo ao sul. Dançarino olhou para a esquerda, procurando um marco. Han cavalgou ao lado dele e tentou manter o ritmo perigosamente rápido.

— Por aqui, o Riacho Kanwa vira para oeste e a estrada segue até o sul — explicou Dançarino. — Podemos virar, seguir o riacho e talvez despistar eles. É um desfiladeiro estreito, rochoso e íngreme. Feito para pôneis e não para cavalos das terras baixas. Procure uma pedra com formato de um urso dormindo.

A curva não estava tão perto. Quando o som da perseguição ficou mais alto, Han virou a cabeça e viu que agora os dois feiticeiros estavam havia apenas três ou quatro pôneis de distância deles. Quando Fiona viu que Han estava olhando, ficou de pé nos estribos e soltou as rédeas. Tateando pelo pescoço, ela esticou a outra mão.

Chamas dispararam na direção de Dançarino. Se Fiona não estivesse cavalgando, talvez tivesse realmente acertado. Como estava, as chamas chamuscaram o ombro de Wicked. O pônei relinchou e desviou para a esquerda, batendo em Ragger e quase tirando todos eles da estrada.

Han se esforçou para evitar que o pônei caísse e Dançarino girou a cabeça de Wicked para a frente de novo.

A mensagem era clara: Fiona Bayar queria Han vivo, mas não se importava com Dançarino.

Han puxou a espada, esperando encontrar seus perseguidores logo atrás deles. Quando olhou para trás, ficou surpreso de ver Fiona e Wil se distanciando e lutando para retomar o controle dos cavalos que empinavam e sacudiam. Os casacos azuis se amontoavam atrás deles, tentando evitar colidir com os dois magos. Parecia que as montarias nobres não tinham sido treinadas para cavaleiros que disparavam chamas.

— Ali!

Dançarino apontou mais para a frente, onde um imenso pedregulho de granito se avolumava na estrada, estreitando o caminho da esquerda. Ela se parecia mesmo com um urso adormecido, com a cabeça apoiada em duas das imensas patas. Como se reconhecesse o caminho como um santuário, Wicked lançou-se para a frente, com Han e Ragger logo atrás.

Os casacos azuis e os feiticeiros deviam ter se reorganizado, pois mais uma vez Han pôde ouvir cavalos galopando atrás deles.

Han e Dançarino deram a volta no promontório de rocha, temporariamente fora da vista dos perseguidores. Bem do outro lado, o solo se transformava em desfiladeiros rochosos, vertiginosamente íngremes. O Riacho Kanwa cascateava entre as paredes de rocha além da vista. O rugido da água caindo ecoava pelo desfiladeiro.

— Você quer dizer descer até *lá*? — Han olhou ao redor, atrás de opções. Ragger era seu primeiro cavalo e ele não queria aleijá-lo na primeira semana. Sem falar em tropeçar e lançar os dois de cabeça no penhasco.

Dançarino forçou Wicked a descer o primeiro declive cheio de pedras.

— Já estive aqui antes. Prefiro me arriscar com o Desfiladeiro de Kanwa do que com lady Bayar.

— Tudo bem — falou Han. — Vá na frente, já que você consegue andar mais rápido. Eu vou acompanhar. — Han achava que era menos provável que Fiona lançasse fogo se ele estivesse na retaguarda.

A parte boa era que ninguém iria por aquele caminho se tivesse qualquer opção. Ainda mais em cavalos das terras baixas.

Dançarino e Wicked desapareceram em uma curva na descida do desfiladeiro, avançando imprudentemente rápido. Dançarino e o pônei estavam juntos havia dois anos. Han confiou em Ragger e deixou que ele seguisse atrás de Wicked em seu próprio ritmo, resistindo à tentação de apressá-lo. Han estava ansioso para ficar fora de vista antes que os magos rodeassem a Pedra do Urso Adormecido e começassem a soltar chamas neles lá de cima.

Ragger escolheu seu caminho com cautela pelo desfiladeiro íngreme, fazendo pedrinhas rolarem para o abismo. O pônei andava tão perto da parede de pedra que a perna direita de Han tocava a rocha, esfolando as calças e arranhando a pele.

Quando chegaram ao nível do riacho, o pônei passou por uma série de cachoeiras, depois chapinhou agressivamente pela parte rasa, atrás de Dançarino, querendo ultrapassar o rival.

Han olhou para trás e para cima. E viu dois cavaleiros no alto do desfiladeiro, com a aura de mago emoldurando-os contra o céu claro. Eles estavam discutindo e as vozes altas podiam ser ouvidas desfiladeiro abaixo.

Han imaginou que Fiona insistia para que eles perseguissem Han e Dançarino desfiladeiro adentro, e Wil argumentava contra a ideia.

Boa sorte, Wil, pensou Han, e esporeou Ragger.

Desceram por algumas outras gargantas íngremes, passando por bordas tão estreitas que era como se Han caminhasse no ar. Não olhe para baixo, pensou ele e manteve os olhos fixos na trilha à frente. Eles progrediam com uma lentidão frustrante, comparado ao que poderiam ter feito na estrada.

Muitas vezes, Han olhou para trás, mas não viu nem ouviu sinal de perseguição. Após algumas horas, eles pararam em um prado coberto de relva, para dar água aos cavalos exaustos. O sol desaparecera por trás dos picos elevados, a escuridão sob as árvores se adensava, e voltou a esfriar, apesar da baixa altitude. Han não tinha a menor vontade de cavalgar naquela trilha na escuridão.

Não importava. Eles tinham cruzado a fronteira, e por enquanto, pelo menos, parecia que tinham se livrado dos perseguidores.

Han deitou de bruços e pôs as mãos em concha, pegando água do riacho para beber. A água era cristalina e impressionantemente fria.

— O que deu em você, lá atrás? — indagou Dançarino, agachando-se ao lado dele e mergulhando o cantil na água. — Nós estávamos praticamente livres e então você estragou tudo. Cruzar a fronteira sem ser reconhecido não é emocionante o suficiente para você?

Han enxugou a boca na manga e voltou a ficar de pé.

— Não sei por que fiz aquilo. Não consigo explicar.

— Você não podia ter ficado com o chapéu? — Dançarino voltou a pôr a rolha no cantil e jogou água no próprio rosto, lavando a poeira da estrada.

— Foi como se eu tivesse recebido uma carga de poder do faz-feitiço — explicou-se Han. — Não sei se tem alguma coisa errada com a magia que coloco nele ou se é porque eu não sei o que estou fazendo.

Amaldiçoado pelo demônio, sua mãe dissera. Talvez fosse verdade.

Dançarino, que normalmente era tranquilo, ainda não tinha acabado. Na verdade, estava apenas começando.

— Você não podia ter ficado de boca fechada? A partir de agora, vou chamar você de Cabelo Brilhante. Ou de Fala Muito.

— Me desculpe — pediu Han. Ele não tinha mais nada a dizer. E não podia culpar Dançarino por ficar zangado. Havia sido uma atitude imprudente e desnecessária. Dançarino nunca tinha visto aquele lado do amigo. Era como se ele tivesse voltado à sua época temerária como dono da rua dos Trapilhos.

— Onde você aprendeu a lançar bruxarias? — insistiu Dançarino. — Você disse que não sabia nada sobre magia. Você nem sabia o que era um mago até duas semanas atrás. Eu fiquei tentando lhe ensinar o pouco que eu sei e aí você vem e conjura uma sebe de espinhos. Talvez você é quem devesse me dar aulas.

— Eu não sei como fiz aquilo — defendeu-se Han. — Simplesmente aconteceu. — Dançarino devia estar pensando que ele guardava segredos, que não queria compartilhar seu conhecimento. Quando Dançarino não disse mais nada, Han acrescentou: — Eu não sabia que *você* sabia lançar fogo.

— Eu não sei — falou Dançarino, com um tom grave de traição. — Só escapa daquele jeito, quando fico apavorado. — Ele se pôs de pé, bateu a poeira das perneiras e se afastou para cuidar dos cavalos.

Han retirou o amuleto do pescoço e o girou nas mãos, examinando-o atrás de pistas. Ele tinha que aprender a controlar a coisa. Caso contrário, não havia garantia de que aquilo não voltaria a acontecer.

Agora os Bayar sabiam que ele era um mago em viagem para o sul. Ao menos não sabiam suas intenções nem aonde ia. Han gostava da ideia dos Bayar se perguntando, preocupados, onde ele apareceria a seguir e o que faria então.

CAPÍTULO TRÊS

NA UMIDADE DO OUTONO

Raisa estremeceu e puxou a capa de lã para os ombros. Encharcada com a chuva e coberta por uma camada de gelo, a capa devia pesar mais que ela. Ela se aproximou do fogo e esticou as mãos congeladas. O vapor subiu do tecido molhado.

Talvez, se ela realmente estivesse sentada *nas* chamas, voltasse a ficar aquecida. Ela já cheirava como uma ovelha ensopada, assada em uma fogueira.

Tinha levado uma semana para cruzar a região elevada entre o Campo Demonai e a Muralha Ocidental. Uma semana de tempo congelante e nevascas precoces de outono e de ficar amontoada em tendas enquanto o vento uivava do lado de fora. Raisa fora tola de supor que o tempo melhoraria conforme eles descessem para o Sotavento, o oceano a oeste que ela nunca vira.

Nisso ela se enganara. As nevascas precoces da região elevada transformaram-se em chuvas geladas de granizo — tempestades constantes que tornavam as trilhas traiçoeiras. Eles estavam acampados havia uma semana naquele lugar infeliz no meio do nada. Montaram as barracas em uma pequena ravina que bloqueava os ventos mais fortes e esperaram que o tempo melhorasse.

Teria sido mais fácil viajar pelo Vale do Rio Dyrnne, que percorria uma abertura nas Montanhas Espirituais, de Fellsmarch até a Muralha Ocidental.

Mas havia uma grande chance de que eles fossem interceptados naquela estrada.

— Lady Rebecca?

Raisa precisou de um minuto para perceber que estavam falando com ela. Quando ergueu o olhar, a cadete Hallie Talbot assomava sobre ela com uma caneca de chá quente estendida.

— Pode me chamar de Morley — falou Raisa, automaticamente, e aceitou o chá, bebericando o líquido. Ela não devia permitir que Hallie a servisse, mas isso exigia mais forças do que ela possuía para dizer "não".

Rebecca Morley era seu codinome, que servia para escondê-la dos que procuravam a fugitiva princesa-herdeira de Fells. Os outros Lobos Gris acreditavam que ela era a filha de algum nobre sem importância, para quem os pais haviam comprado uma vaga na academia militar de Vau de Oden. Ninguém sabia quem ela realmente era, a não ser seu amigo Amon Byrne.

Mais cedo, Raisa pedira a Hallie para cortar seu cabelo, mudar sua aparência. A cadete a obedeceu, usando sua faca. As habilidades de Hallie como barbeira eram duvidosas. O resultado foi um gorro desfiado que chegava ao lóbulo da orelha de Raisa, de um lado, e ao queixo, do outro.

O cabelo de Raisa sempre fora motivo de vaidade para ela — comprido e volumoso, uma massa ondulada que descia praticamente até a cintura. Era sua melhor característica física. Ela fechou os olhos e esticou o pescoço, lembrando como Magret o penteava com uma escova de pelo de javali...

— Você ficaria mais aquecida e seca na sua tenda, milad... Morley — falou Hallie, interrompendo os pensamentos de Raisa mais uma vez. — Vai ficar doente aqui fora.

Raisa engoliu uma resposta grosseira. No acampamento, parecia que eles estavam sempre se esbarrando. Tudo era difícil... desde montar uma fogueira a usar o banheiro. O tédio e a convivência íntima deixavam todos irritados.

Bem, ao menos, deixava Raisa irritada. Os outros não se importavam.

— Se eu passar mais um segundo olhando para quatro paredes de lona, vou enlouquecer — resmungou Raisa.

Primeiro, ela dividira uma tenda com Amon, Mick Bricker e Talia Abbott. Eram três por tenda e Raisa era a quarta, por ser extra. Era justo, em um grupo de nove mais um. Todos ficaram amontoados, porém confortáveis.

Então ela acordara no meio da noite e se flagrara aninhada em Amon, com um braço no peito dele e o nariz enterrado em sua camisa de lã. Quando eram crianças, tinham dormido assim uma centena de vezes.

Dessa vez era diferente. Raisa voltou à consciência, subitamente atenta ao aroma familiar dele, às batidas do coração dele sob seu braço, ao corpo rijo. Amon estava deitado de costas, imóvel feito pedra, como se ela fosse uma víbora que poderia atacar se ele se mexesse. Ele estava encostado na parede da tenda, de olhos arregalados, com mãos fechadas em punhos e a testa suada. Sua respiração estava rápida e curta, como se ele estivesse com dor.

Quando viu que ela estava acordada, Amon se desvencilhou dela e saiu da tenda.

Depois disso, ele trocara Mick por Hallie e também se mudara para outra tenda, deixando as três guardas femininas juntas.

Ela não tinha rolado para cima dele de propósito. Nem tinha *atacado* Amon.

Ele era inconsistente. Metade do tempo insistia para que ela agisse como um soldado e na outra metade criava regras especiais que se aplicavam unicamente a ela. Ela nunca saía com a patrulha e nunca ficava de vigia sozinha. Ele disse aos outros que era porque ela era uma cadete do primeiro ano e os outros tinham mais experiência. Ele se transformara em um mandão.

Eles tinham comida suficiente, embora fosse ruim: biscoitos duros, carne desidratada de origem indeterminada e queijo mofando na umidade. As nozes e as frutas secas não eram ruins, mas Raisa não aguentava mais comê-las. No almoço, se ela não terminasse a porção, Amon ralhava com ela até que comesse tudo.

— Você está emagrecendo, Morley. Aqui em cima, você precisa de isolamento. Assim que começarmos a nos mover, vai precisar acompanhar. Não quero que você desmaie de fome. Ninguém vai carregá-la, sendo ou não pele e ossos. — E assim por diante.

E daí que ela estava emagrecendo? Qualquer um emagreceria naquelas condições.

Eles treinavam todas as manhãs. Caminhavam por quilômetros em um círculo amplo ao redor do acampamento, independentemente do tempo. Todos os dias, Amon fazia alguém praticar esgrima com Raisa, para trabalhar seu posicionamento, sua resistência, sua forma. Todos se revezavam, menos Amon Byrne. Provavelmente ele sabia que seria uma luta desigual.

Ainda assim, os combates eram sempre humilhantes. E exaustivos. Todos na Alcateia tinham um alcance maior que o dela. Podiam se manter a uma distância segura e atingi-la quando bem quisessem, acertá-la com a parte chata das lâminas enquanto a mantinham em constante movimento. Era como ter oito irmãos e irmãs para chateá-la.

— Se você vai ser uma cadete — dizia Amon —, vai competir com pessoas que esgrimam desde que conseguiram segurar um bastão. — Pessoas como Amon, que sempre soube que seria um soldado como o pai.

Talvez ele quisesse deixá-la cansada o bastante para fazer com que desistisse da ideia de se esconder entre os cadetes guerreiros da Academia Wien. A ideia *dele* era que ela ficasse no templo, reclusa com os iniciados, cuidando do jardim, lendo, estudando curandeirismo e bordado com os oradores.

Ali seria menos provável que ela fosse reconhecida pelos estudantes locais. Poucos moradores de Fells frequentavam a Escola do Templo em Vau de Oden. Havia outras boas escolas mais perto de casa.

Raisa *sabia* que era arriscado se misturar aos outros estudantes, mas ela aceitaria o risco. Ela já havia passado tempo suficiente enclausurada. Queria aprender sobre o mundo real.

Raisa pousou a caneca em uma pedra, passou os braços ao redor das pernas cobertas e apoiou o queixo nos joelhos. Pela doce Hanalea aprisionada, ela estava cansada daquilo.

Hallie estava de vigia no acampamento. Talia Abbott fazia a patrulha, garantindo que não havia problemas em um raio de mais de 4 quilômetros. Todos os outros estavam agrupados nas outras duas tendas. Menos Amon, que tinha sumido, como sempre.

Amon usava o nome Morley como um bastão para mantê-la a distância. Para enterrar as lembranças da infância que haviam passado juntos, terminando as frases um do outro, usando suas posições e talentos para ajudar e defender um ao outro.

Aquele Amon mais jovem a ensinara a se defender no mundo físico, turbulento e decadente fora da corte. Ele a ensinara as habilidades que a mãe negligenciara: cavalgar sem sela, atirar com arco longo e jogar um tipo perigoso e difícil de futebol montada a cavalo. Ele a ensinara jogos de taberna: dardos, cartas e dados.

Amon tinha sido o meio pelo qual as habilidades que ele havia aprendido com o pai e os primos mais velhos, e nas ruas de Fellsmarch, foram transmitidas a Raisa. Eles tinham treinado com espadas de madeira. E ele mostrara a ela como arremessar uma faca e afiar uma lâmina de verdade. Quando Raisa tinha 12 anos, ele a ensinara a desarmar um oponente em uma luta de rua assim que ele próprio aprendeu.

Raisa possuía os próprios talentos para contribuir nas aventuras de infância. As pessoas tinham uma deferência natural à sua linhagem e lhe concediam uma autoridade que ela não necessariamente tinha. Com Raisa, eles conseguiam se livrar de qualquer coisa que aprontassem.

Claro que nós podemos cavalgar sozinhos, dizia ela ao garoto do estábulo, com uma confiança casual. *Ponha a sela em Devilspawn e Thunderheart. Sim, esses dois. Sim, a rainha aprova. Você quer mesmo incomodá-la?*

Claro que Amon foi convidado para a festa/pode se servir na despensa/ pode escolher armas do arsenal real/ pode cavalgar no cavalo que quiser.

Eles tinham sorte de ter chegado à maioridade. Mas como haviam se divertido!

Então Amon completou 13 anos, idade na qual os cadetes são batizados e enviados à Academia Wien, a academia militar de Vau de Oden. Raisa fora para o Campo Demonai, para morar com a família do pai. Eles ficaram afastados por mais de três anos.

Amon voltara para Fellsmarch aos 17 anos, alto, magro e bonito, uma combinação intrigante de soldado mundano e amigo íntimo. Agora Raisa queria que ele lhe ensinasse coisas diferentes ou aprendesse outras com ela, mas ele não queria cooperar. Alguns beijos tentadores — foi tudo o que tiveram. No início, ele parecia interessado, mas agora...

Não havia chance de casamento entre eles. A mãe dela havia deixado claro que desaprovava o flerte com um oficial da Guarda. Seria por isso que Raisa estava tão interessada nele? Ou seria porque ela estava acostumada a obter o que queria?

Não podia ser isso. A ameaça de um casamento forçado com um mago a enviara para o exílio. Um casamento que violava a Naéming — o acordo que pusera um fim às guerras entre os magos e os clãs. Às vezes parecia que a princesa-herdeira de Fells era a pessoa que menos conseguia o que queria.

Ainda assim, o coração de Raisa batia forte sempre que ela se aproximava de Amon Byrne. Ela notava tudo nele — o modo como se movia, a maneira como se sentava no cavalo, como inclinava a cabeça e mordia o lábio inferior ao resolver um problema, o modo como esfregava o queixo com a barba por fazer no fim do dia.

Sempre que ele voltava os olhos cinzentos para ela, o sangue corria enlouquecido pelo corpo de Raisa, aquecendo cada parte dela... quando não estavam brigando. Ultimamente eles faziam muito isso. Às vezes parecia que ele a provocava de propósito.

E agora ele a evitava. Raisa tinha certeza disso. Ele deixava o acampamento praticamente todos os dias, durante várias horas. Ela não tinha ideia de aonde ele ia, mas não conseguia deixar de pensar que era por causa dela. Sentia-se cansada e inquieta por ficar sentada ali, congelando até a morte.

Na corte, era como se ela nunca tivesse tempo nem para pensar. Ali, ela pensava demais. Remoía as coisas como um cão remoía couro cru.

Talvez ele considere você uma amiga, pensou ela. E não quer estragar a amizade forçando as coisas.

Ora, vocês *são* amigos, mas ultimamente ele mal fala com você.

Ou talvez esteja interessado, mas a considere inalcançável. Ele tem medo de fazer alguma coisa e ser rejeitado ou humilhado.

Ou talvez seja a maldita honra dos Byrne nos atrapalhando. Ele acha você atraente, mas sabe que não tem futuro, por isso não quer se envolver.

Ele apenas não sabe como dizer nada isso. Nunca foi bom com as palavras.

Raisa estava acostumada a falar o que pensava. Não era tão irresponsável quanto Missy Hakkam, suspirando por cada oficial de uniforme, sonhando em se casar com nobres fúteis donos de palácios imensos e cérebros minúsculos.

Eu vou atrás dele, pensou ela. Vamos ter uma conversa franca, sem lágrimas e sem drama, e vamos resolver isso. Mas ela precisava encontrar um meio de sair escondida e sozinha.

— Acho que *vou* descansar um pouco na minha tenda — falou para Talbot.

Hallie resmungou em aprovação e colocou lenha na fogueira.

Deixando a caneca vazia onde estava, Raisa engatinhou até sua tenda, que era apenas um pouco mais quente que o exterior. Pegou seu cinturão e o prendeu no lugar. Agachou-se no fundo da tenda e enfiou a espada na lona. Então deitou de costas e deslizou por baixo da parede dos fundos, de volta para a chuva.

Ao ficar de pé, enfiou a espada no cinto. Mantendo-se atrás das tendas, ela caminhou na direção da entrada do desfiladeiro até chegar à tenda que servia de banheiro, a mais distante das outras. Esperou até Hallie estar ocupada empilhando a lenha, depois se esgueirou pela linha das árvores para fora do desfiladeiro.

Raisa treinara rastreamento com os guerreiros Demonai. Ela examinou o solo até avistar a pegada semicongelada de uma bota em meio ao amontoado de folhas. E ali outra, onde a água se acumulava e congelava em um buraco. Ela seguiu uma trilha marcada no solo macio pelas viagens diárias de Amon para onde quer que fosse.

A princesa seguiu a trilha por cerca de um quilômetro e meio, limpando a chuva do rosto e piscando o gelo dos cílios. A trilha seguiu um riacho límpido e semicongelado por algum tempo, depois virou abruptamente para oeste e subiu até uma floresta de álamos que terminava em um prado elevado. Raisa parou em meio às árvores, na borda do prado, e espiou.

Amon estava parado no meio do prado, apenas de calções e camiseta. O cinto da espada e outros equipamentos estavam arrumados em uma pilha em um canto do campo.

Ele mantinha um bastão comprido nas mãos, e estava em constante movimento, inclinando-se, contorcendo-se, girando. O bastão era um borrão sibilante enquanto ele o girava ao redor da cabeça, para a frente, para o alto, e depois de volta ao chão. Era uma dança complexa, e era evidente que ele estava nisso havia algum tempo. O rosto brilhava de suor e os cabelos escuros caíam em mechas úmidas na testa. A pele soltava vapor no ar gélido.

Raisa olhou para ele — os músculos se movendo para cima e para baixo no peito e nos braços — e todas as boas intenções saíram de sua mente. Ele era bonito e mortal, e totalmente inconsciente das duas coisas. Ele continuava, como se estivesse determinado a se exercitar até a exaustão. Ele não parecia estar se divertindo. Era mais como um castigo. Ela podia ouvir o ruído da respiração dele de onde estava.

Como, pela Senhora, ele podia estar sem casaco? Estava congelante ao ar livre. Raisa estremeceu, o frio penetrando fundo agora que ela havia parado de se mover.

Ela ficou parada, (quase literalmente) congelada, por outro longo momento enquanto sua coragem se esvaía. Era errado ficar espiando. Não importava o que estive acontecendo, ele queria privacidade. Ela encontraria outra hora para desabafar. E voltaria ao acampamento, se esgueiraria na tenda e ficaria lá até que ele voltasse.

Você é uma covarde, pensou ela.

Mas antes que pudesse se mover, Amon parou no meio de uma sequência, com o bastão na horizontal diante de si, a cabeça inclinada. Ele mudou o bastão para a posição vertical girou e olhou diretamente para o local onde Raisa estava escondida.

— Rai? — murmurou ele.

Ossos. Como ele sabia? Timidamente, ela saiu do meio das árvores. Eles ficam parados, olhando um para o outro, em um gramado congelado e pequenos arbustos.

— Eu vim atrás de você — disse ela, finalmente. — Queria saber o que você estava fazendo.

— Você veio sozinha? Onde está Hallie? — indagou ele, olhando ao redor como se outro cadete também estivesse se escondendo nos arbustos.

Hallie deveria estar me vigiando, pensou Raisa. E isso porque era para Raisa ser tratada como outra cadete qualquer.

— Eu saí escondida. Ela pensou que eu estava na minha tenda.

— Você não deveria ter vindo. Não é seguro para você sair sozinha.

— Se não é seguro para mim, não é seguro para você — disse Raisa. — Não está com frio?

— Não, não estou — negou Amon, como se só então a possibilidade tivesse lhe ocorrido.

Ficaram em silêncio novamente.

— É impressionante. Isso que você está fazendo — falou ela. — Como se chama?

Ele examinou a arma em suas mãos como se tivesse se esquecido de que ela estava ali. Ele parecia ausente, distraído.

— Eu aprendi com os Andarilhos das Águas. Eles chamam de *batida*. Os bastões são feitos de pau-ferro, que cresce nos pântanos. Eles não usam armas de metal, mas um bastão pesado é mortal nas mãos de um mestre. — Ele fechou a boca, como se quisesse interromper o fluxo de palavras, que valia um mês inteiro para ele.

— Havia Andarilhos das Águas na academia? — perguntou Raisa, surpresa. — Foi lá que você aprendeu?

Amon balançou a cabeça.

— Não. Eu fiquei seis meses nos Pântanos durante uma das minhas temporadas na Academia Wien. O senhor do pântano, chamado Cadri, foi meu mentor.

— É isso que você faz todos os dias? Quando você sai?

Ele hesitou, depois acenou com a cabeça.

— Quase sempre. Eu... ah... me exercito de várias formas. Ajuda a aliviar a tensão.

Tensão? Raisa estreitou os olhos para ele. Era terrível, é verdade, com a chuva, o gelo, o vento, a comida ruim e tudo mais. Mas era mais entediante que tenso, na opinião de Raisa. Ela quase desejava que alguma coisa emocionante acontecesse para interromper o tédio.

Será que ele realmente estava preocupado com um ataque? Isso parecia improvável, apesar dos avisos de Amon. Eles ainda estavam em Fells, e o Campo Demonai mantinha aquela área bem patrulhada. Além disso, quem se arriscaria a sair naquele clima se não precisasse?

Talvez fosse apenas o estresse de saber que o pai contava com ele para manter a princesa-herdeira a salvo; de não saber o que aconteceria quando eles chegassem a Vau de Oden.

Fazia muito tempo desde que eles tinham se divertido. Raisa tirou as luvas e enfiou-as no casaco, depois foi até ele.

Amon moveu o bastão para a posição horizontal, criando uma barreira entre eles.

— Melhor nós voltarmos para o acampamento — falou ele e moveu a cabeça naquela direção.

Raisa parou a um passo de distância e ergueu o olhar para ele.

— Amon, você poderia me ensinar?

— Ensinar o quê? — perguntou ele, e seus olhos se estreitaram.

— Essa luta coreografada. Como lutar com um bastão. — Ela segurou o bastão, escorregadio de gelo. Ela não podia competir com a esgrima dele, mas podia aprender aquilo.

Seria como nos velhos tempos. Amon fora seu primeiro mestre de armas.

Ele balançou a cabeça.

— É pesado demais para você.

— Você pode tirar a maior parte do peso. Basta me mostrar os movimentos. Se funcionar, eu posso arrumar algo mais leve. — Ela achava que podia funcionar, usando o bastão. Ser pequena não importaria tanto se ela tivesse um bastão longo para compensar seu alcance e a força dos golpes. Quando aprendesse os movimentos, qualquer bastão serviria. Com um bastão reforçado, ela poderia enfrentar um espadachim. E o peso dele fortaleceria seus ombros e braços.

— Você pode se machucar. — Amon parecia estar olhando para toda parte, menos para ela.

— Eu não sou de vidro — disse Raisa sem rodeios. — Vou tentar não machucar *você* também.

Ele limpou a garganta.

— Eu só... não é uma boa testarmos um ao outro.

— Ah, é mesmo? Por que não?

— Apenas confie em mim, está bem?

Amon nunca fora de se sentir ameaçado por garotas competentes. E ele nunca pegara leve com ela nas competições físicas porque ela era menina. Não mais do que Raisa fazia com ele nas coisas em que ela era excelente. Será que ele estava aborrecido por ela querer tomar parte na vida militar dele? Talvez tivesse sido um alívio para ele ficar longe dela, descer até Vau de Oden e conviver com pessoas menos exigentes.

— Sou mais forte do que você pensa — insistiu Raisa. Ela deveria ser, depois de todo aquele treinamento. — Olha. Não temos que lutar um contra o outro. Vamos tentar isso. — Ela passou por debaixo do bastão e ficou dentro do círculo dos braços dele, entre ele e o bastão. Ela se virou de costas para ele e segurou o bastão com as mãos posicionando-as ao lado das de Amon. — Agora me dê um pouco de peso e vamos tentar alguns movimentos.

Amon soltou um longo suspiro de frustração. E resignação. Mais um momento se passou, e ela sentiu o peso do bastão em suas mãos. Amon falou em seu ouvido, e ela sentiu o hálito quente no pescoço.

— Vire para a direita, erga bem alto, abaixe até o chão e ataque para a frente. Vire novamente, rápido para a esquerda, agora se curve na altura da cintura.

Era como um tipo curioso de dança no qual não se podia ver o rosto do parceiro, apenas ouvir a voz dele. Era surpreendentemente graciosa, ancorados como estavam, conectados pelo peso do bastão. Amon parecia estar fazendo um esforço particular para não esbarrar nela. No entanto, os braços dele pressionavam os ombros dela e ela sentia o calor do corpo dele contra suas costas, afastando o frio.

Ela ouviu apenas o sibilo do bastão, o ruído da grama congelada sendo esmagada debaixo dos pés dela, o som da respiração deles. Sua pele pinicava, aguardando cada contato entre eles.

Pouco a pouco, Amon lhe deu mais peso. Raisa se esforçou para manter o bastão em movimento, inspirando o ar frio com arfadas entrecortadas e suando na roupa pesada.

Então aconteceu. Ela escorregou em um pedaço de gelo, Amon tentou equilibrá-la, as pernas deles se entrelaçaram e eles caíram. Ele caiu por cima dela, mas conseguiu se sustentar e evitar achatá-la. Ela ouviu o barulho quando o bastão aterrissou a distância. Pelo menos eles não tinham se acertado na queda.

Raisa deu uma risadinha e então gargalhou, bufando de rir, sem conseguir parar.

— N... nós somos uma dupla perigosa, Amon Byrne.

Ela encostou as mãos no peito dele, e então percebeu que ele não estava rindo. Os olhos cinza estavam cheios de frustração. Passando as mãos por debaixo da cabeça dela, ele a beijou, pressionando-a com força contra o solo congelado. Ela passou os braços ao redor do pescoço dele e retribuiu o beijo.

Pela Senhora, pensou ela. Eu adoro beijar Amon Byrne.

Ele se libertou dela e se sentou.

— Pelo sangue do demônio — falou, com o rosto pálido. E se curvou, parecendo quase doente. — Me perdoe, Alteza. Não podemos fazer isso.

Alteza? Raisa piscou para ele e pensou que aquele beijo era a melhor coisa que tinha acontecido em muito tempo. Mas foi então que uma voz estranha os interrompeu:

— Afaste-se da princesa-herdeira. — A ordem coincidiu com o murmúrio metálico de espadas deslizando para fora de suas bainhas.

Raisa girou e desembainhou a própria espada, agachando-se rente ao chão. Uma dúzia de cavaleiros emergira das árvores e todos usavam o uniforme camuflado dos batedores da Guarda da Rainha. Um deles usava uma estola de cabo ao redor do pescoço. Ele era familiar.

Amon correu para a beira da floresta, onde estavam sua espada e suas roupas, mas um dos cavaleiros girou o cavalo e avançou contra ele, balançando um grande porrete com uma ponta de metal.

— Amon! — gritou Raisa.

Amon se jogou para o lado. O porrete errou sua cabeça, mas bateu no ombro e fez com que ele voasse para o chão.

Os outros guardas desceram das montarias. Dois deles agarraram os braços de Amon e o ergueram. O sangue escorria da ferida no ombro e respingava no solo congelado.

O cabo remexeu sua bolsa, se demorando para retirar um retrato pequeno e emoldurado. Ele olhou do retrato para Raisa e acenou com satisfação, depois o enfiou de volta na bolsa.

— Seu cabelo está diferente, mas é você mesma — disse ele.

— O que significa isso? — questionou Raisa.

— Acalme-se, Alteza — falou o cabo. — Você está segura agora.

— Eu estava segura antes, cabo — falou Raisa, avançando para Amon e seus captores, com a espada esticada diante dela. Era uma tolice confrontar uma dúzia de homens armados com uma espada, mas ela estava tomada pelo desejo de cortar alguém. — Só agora eu me sinto em perigo. Solte o cabo Byrne imediatamente e expliquem-se.

— Alteza, vimos o cabo Byrne atacando você — afirmou o oficial, dando uma olhadela de advertência aos companheiros. — Quem teria imaginado, o filho do capitão da Guarda da Rainha.

— Ele não estava me atacando — disse Raisa. — Estávamos praticando autodefesa.

— Não se preocupe, Alteza — falou o cabo. — Deve ter sido assustador, ser raptada por um integrante da própria guarda. Mas ele não vai mais machucá-la. Vamos nos assegurar disso. — O homem sorriu com frieza, e Raisa se lembrou no mesmo instante de onde ela vira o cabo antes. Era Robbie Sloat, que fora um dos guardas na Casa da Guarda de Ponte Austral no dia em que ela e Amon resgataram os Trapilhos.

— Estávamos indo para o Campo Demonai, atrás de você, princesa — disse Sloat. — Agora não temos mais que ir lá.

Sloat gritou ordens e os outros guardas recolheram a espada e a adaga de Amon e amarraram as mãos dele atrás das costas. Eles tomaram a espada de Raisa, mas não se incomodaram em revistá-la ou em amarrar as mãos dela.

Como Sloat tinha ido parar ali, perto da Muralha Ocidental?

Qualquer que fosse o motivo, ela sabia que significava que eles estavam com sérios problemas.

Sloat encarou Amon, ignorando Raisa.

— Então, cabo Byrne, sei que você não veio até aqui caminhando. De onde vocês vieram? Onde estão seus cavalos e quem mais está com vocês?

Amon não disse nada, com o rosto sério e neutro, e uma expressão terrível e vazia nos olhos.

Sloat bateu o punho na barriga de Amon, e ele se curvou, o ar lhe escapando. Após um longo momento, ele se esticou, ainda sem dizer nada.

— Cabo Sloat. — Raisa gostou de vê-lo hesitar quando ela falou o nome dele. — Pare. Eu posso dizer o que você quer saber.

— Não, Alteza. — Amon balançou a cabeça. — Não diga nada a ele.

— Nós trouxemos três esquadrões conosco, habitantes das terras altas leais à linhagem — falou Raisa e olhou nos olhos de Sloat. — Imagino que eles estarão aqui a qualquer minuto.

Sloat riu, mas Raisa percebeu que ele olhou ao redor, de qualquer forma.

— Quando minha mãe ouvir falar o que você fez — insistiu Raisa —, você vai descobrir o significado de vingança para uma rainha Lobo Gris.

Assustado, Sloat deixou escapar:

— Ora, é mesmo? Bem, não vamos levar vocês de volta para a rainha. Ao menos, não por enquanto.

— O quê? — Foi a vez de Raisa ficar assustada. — Por que não? Que história é essa?

Sloat sorriu.

— Não se preocupe, Alteza. Vamos levar você de volta ao tenente Gillen, e ele disse que a rainha não será um problema.

— Gillen? *Mac* Gillen? — Era o sargento de dentes tortos e cabelo oleoso da Guarda da Rainha, que tinha torturado prisioneiros na Casa da Guarda em Ponte Austral e ameaçara torturá-la. E por isso ele se tornara *tenente*?

A mente de Raisa acelerou. Gillen estava em Ponte Austral, não estava? O que ele poderia ter a ver com... não importava. Gillen era nojento, mas era apenas músculos. Estava sendo controlado por alguém. Sloat devia estar convencido de que não pagaria por isso ou não contaria tanto a ela.

Ela olhou para Amon, ensanguentado e amarrado com firmeza, com os braços ainda imobilizados por dois dos guardas renegados, que, sem dúvida, conheciam sua reputação como lutador. Raisa sabia, por sua expressão concentrada e decidida, que ele estava tentando pensar em algo, em algum meio, para virar o jogo.

Sloat vestiu as luvas.

— Muito bem, vamos sair daqui. Você vem comigo, Alteza. — Ele agarrou o braço de Raisa e arrastou-a até o cavalo.

— E quanto a ele? — perguntou um dos guardas que segurava Amon.

— Levem-no para o bosque e matem — falou Sloat. — Vamos seguir na frente.

— Vocês... não... ousariam! — disse Raisa, fazendo força para se soltar.

— Ora, sim, nós ousaríamos, Alteza — confirmou Sloat com um sorriso, segurando com firmeza um de seus pulsos enquanto girava para subir no cavalo. — Sabe, o cabo Byrne enlouqueceu de desejo e sequestrou a princesa que ele deveria proteger. Quando tentamos resgatá-la, ele resistiu e morreu. E você vai manter sua boca fechada porque não quer que a notícia de que você estava de namorico com um soldado se espalhe. — Parecendo satisfeito com a história que tinha inventado, Sloat se inclinou e esticou a outra mão, querendo erguer Raisa para sua frente, na sela.

Quando o rosto presunçoso de Sloat ficou na altura de seus olhos, Raisa enrijeceu os dedos e os enfiou nos olhos dele, uma técnica que Amon lhe mostrara muitos anos atrás. O soldado uivou, acertando o rosto dela com as costas da mão com tanta força que ela caiu no chão, o ar escapando dos pulmões.

Raisa cuspiu o sangue do lábio cortado. O cabo, a cavalo, assomou sobre ela, esfregando os olhos, com o rosto roxo de raiva. Então ficou rígido, os olhos arregalados, a ira se dissolvendo em surpresa. Ele tateou atrás das costas, voltou a se encolher, e caiu do cavalo, errando Raisa por pouco. Ele ficou com a cabeça e os ombros no chão, um pé preso no estribo. Duas flechas com penas se erguiam de suas costas.

Flechas Demonai.

Bedlam foi o próximo. Os guardas correram, procurando cobertura, incluindo os captores de Amon, que o abandonaram no meio do prado. Os cavalos se libertaram das cordas e se lançaram bosque adentro. Assustado com o corpo preso ao estribo, o cavalo de Sloat relinchou e escoiceou, e Raisa teve que girar para um lado, depois para o outro, a fim de evitar os cascos.

Correndo em zigue-zague, Amon avançou pelo prado e empurrou o cavalo de Sloat com o ombro para que ele não pisoteasse Raisa.

— Vá! — gritou ele, acenando a cabeça na direção das árvores. — Procure abrigo!

Ele era um ótimo alvo, de pé ali, afastando o cavalo com o corpo. Raisa correu semiagachada até Amon. Sacando a faca de seu cinto, ela cortou as cordas que amarravam as mãos de Amon.

— São Demonai. — Raisa arfou no ouvido dele. — Os arqueiros. Do nosso lado.

Mais flechas choveram no prado e outros dois guardas caíram, um deles com uma flecha se projetando da garganta. O ataque era ainda mais assustador porque os arqueiros eram silenciosos e, ao que tudo indicava, invisíveis.

Amon puxou Raisa para a beirada da floresta, empurrando-a para uma árvore.

— Fique aqui — rosnou ele. Pegando seu bastão, ele marchou para o prado, acertando os desertores que corriam em todas as direções.

— Amon! — chamou Raisa. — Tome cuidado. — Ela não tinha muita certeza de que os Demonai distinguiriam Amon dos outros guardas.

Tudo acabou em questão de minutos. Amon ficou parado, sozinho na clareira, respirando pesadamente. Todos os guardas foram abatidos, quatro derrubados por Amon e seu terrível bastão.

Raisa acalmou o cavalo de Sloat, em pânico, e com um puxão soltou do estribo a bota do guarda morto. Sombras na beirada da floresta se fundiram e avançaram, algumas arrastando os corpos dos guardas que correram para o meio das árvores. De repente, havia meia dúzia de Demonai no prado, vestidos com capas de viagem praticamente invisíveis.

Dois deles foram até Raisa. Um era alto e tinha olhos de águia, e ela reconheceu como o guerreiro Reid Demonai, chamado Andarilho da Noite. O cabelo, na altura dos ombros, estava dividido em múltiplas tranças enroladas com fitas coloridas. Raisa o conhecera em Demonai, embora ele não ficasse muito no Campo. Apenas dois anos mais velho que Raisa, ele já era uma lenda, impetuoso e mortal, objeto de muito interesse das garotas nos Campos.

Na verdade, ele e Raisa haviam tido um breve romance durante a temporada dela no Campo Demonai. Mas ela descobrira que um romance com Reid era como lutar uma série de pequenos conflitos diários em uma guerra contínua de egos.

A garota ao lado dele parecia ter a mesma idade de Raisa e se movia com graça nas pernas compridas que Raisa invejou. O cabelo de cachos escuros pendia livre, sem tranças. Embora se vestisse com as cores Demonai e estivesse totalmente armada, ela não usava no pescoço o amuleto de guerreira Demonai.

— Descubra se algum deles ainda está vivo — ordenou Reid para a garota, que se afastou e se ajoelhou ao lado do guarda caído mais perto.

— Princesa Raisa, como você está? — perguntou Reid calmamente, como se eles estivessem se encontrando em uma festa da colheita.

Mas os olhos dele o entregaram. Brilhavam com agitação e alegria ferina. Com o rosto e as roupas borrifados com sangue dos casacos azuis, o guerreiro Demonai parecia orgulhoso e revigorado com a batalha recente. Andarilho da Noite gostava demais de derramamento de sangue.

— Esses homens do Vale machucaram você? — Ele olhou para cima e para baixo, observando o uniforme de cadete dela. — Eu vi o guarda acertar você. — Ele esticou a mão e passou o polegar pelo canto da boca de Raisa, depois limpou o sangue nas perneiras.

— Estou bem, Andarilho da Noite — confirmou Raisa, lambendo o dedo e esfregando o rosto. — Por favor, aceite meus agradecimentos pelo seu serviço à linhagem.

Reid inclinou a cabeça, aceitando o agradecimento, com os olhos fixos nela de um modo que a maioria das garotas consideraria irresistível.

Raisa sentiu a presença de Amon ao seu lado e se virou. Ele encontrara a camisa e o cinto, e vestira os dois. O sangue já empapara o ombro ferido.

— Cabo Byrne, este é Reid Demonai, chamado Andarilho da Noite — apresentou Raisa. — O cabo Byrne é integrante da minha guarda pessoal — falou para Reid.

— Filho de Edon Byrne? — questionou Reid. Quando Amon acenou com a cabeça, o rapaz emendou: — Eu conheço seu pai. Um homem honesto do Vale — falou, como se isso fosse um achado raro.

— Vocês têm um curandeiro? — perguntou Raisa. — Cabo Byrne está ferido.

— Não há necessidade, Alteza — disse Amon, com expressão vazia. — Não é nada sério.

O olhar de Reid passou de Raisa para Amon.

— Você combateu bem, cabo — admitiu Reid. — Quando você... hum... se libertou.

A jovem guerreira voltou após ter terminado sua tarefa.

— Todos estão mortos — anunciou ela.

— Que pena — falou Reid. — Eu gostaria de ter poupado ao menos um para interrogar. — O rapaz inclinou a cabeça na direção da garota perto dele. — Esta é Sabiá Cavadora do Campo Pinhos Marisa, uma aprendiz de guerreiro. As flechas dela acertaram três inimigos hoje.

A garota abaixou a cabeça em cumprimento, as bochechas ruborizando.

Sabiá Cavadora tem uma queda enorme por Reid, pensou Raisa.

— Você lutou muito bem — disse Raisa, sorrindo para a guerreira. — Tenho certeza de que não vai demorar para você portar o nome e o amuleto Demonai.

— Obrigado por virem em nosso socorro. — As palavras de Amon foram impulsionadas por sua honestidade inflexível. — Se não fosse por vocês, eu estaria morto, e a princesa-herdeira seria prisioneira.

Reid deu de ombros, como se dissesse que não tinha sido nada.

— O que levanta uma questão — emendou Amon. — Como vocês vieram parar aqui?

— A gente costuma patrulhar a área — falou Reid. — Vigiar bruxos e invasores. A presença da guarda por esses lados tem sido bem pouca.

— Então vocês não estavam nos seguindo? — perguntou Amon.

Os olhos de Reid se estreitaram. Ele olhou para Sabiá Cavadora, depois de novo para Amon.

— Bem, sim. Estávamos.

— Raisa achou que ele teria mentido se a garota não estivesse ali como testemunha.

— Vocês seriam bem-vindos junto ao nosso fogo — prosseguiu Amon.

— Estávamos vigiando a princesa-herdeira — admitiu Reid, sem pedir desculpas.

— Muito bem — falou Amon. — Que bom que vocês estavam aqui. — Ele não sorriu. — Nós deveríamos voltar para o acampamento — continuou, fitando Raisa. — Hallie pode ter dado falta de você a esta altura, e é melhor irmos embora. O tenente Gillen pode estar por perto.

— Você seria bem-vinda como nossa convidada no Campo Demonai, Rosa Agreste — disse Reid, usando o nome de Raisa nos clãs. — Nós ficaríamos satisfeitos em escoltá-la.

— Nós acabamos de vir de lá — falou Raisa. — Estamos indo para o Portal Ocidental. Estou deixando Fells por enquanto, até poder... resolver as coisas com a rainha.

— Você tem certeza de que isso é prudente? Sair das Montanhas Espirituais? — Reid ergueu uma das sobrancelhas.

Raisa sentiu uma pontada de inquietação, o retorno de seus velhos pressentimentos.

— Não é que eu queira ir embora — falou ela. — É só que nesse momento não me parece prudente ficar.

— Nós podemos protegê-la, Alteza. Ninguém vai tocar em você em Demonai. — Ele sorriu e tocou o arco que cruzava as costas dele. — Ninguém deveria afastá-la do seu direito de nascença. Rogo que você busque a proteção dos clãs.

Raisa engoliu uma resposta grosseira. Afinal, Andarilho da Noite acabara de salvá-la de... Gillen, para começo de conversa. Mas ela não gostou da sugestão de que estava fugindo.

Não era isso mesmo que ela estava fazendo? Será que ela não deveria ficar e reafirmar seu posto? Quando fosse rainha, não poderia fugir dos conflitos.

Como ela não disse nada, Reid pressionou, encorajado pelo silêncio dela:

— Com os perigos daqui, pode parecer mais seguro nas terras baixas, mas isso é uma ilusão. Longe da proteção dos Campos, você será vulnerável a assassinos das terras baixas.

— Não é com minha segurança que estou preocupada — disse Raisa sem rodeios. — Não pretendo começar uma guerra. Não podemos suportar isso agora. Algo assim dividiria o país.

— Está na hora de ensinar uma lição aos bruxos — falou Reid. — Não podemos continuar fazendo a vontade deles enquanto eles passam por cima...

— Se eu quisesse fazer a vontade dos magos, estaria casada agora — interrompeu Raisa. — Vou proteger a linhagem Lobo Gris. Mas não quero escolher entre meus pais. Vou dar tempo para que as cabeças esfriem e o bom senso prevaleça.

— Me parece que a princesa deixou suas intenções bem claras — disse Amon. — Se for só isso, precisamos voltar e desmontar o acampamento antes do anoitecer.

Reid observou Amon por um longo instante. Depois se virou para Raisa e inclinou a cabeça.

— Claro, Alteza. Eu apenas queria que você soubesse que tem opções. Naturalmente, ficaríamos honrados em escoltá-la de volta ao seu acampamento.

Ele deu meia-volta na direção de Sabiá Cavadora, que observava a conversa com grande interesse e surpresa.

Ela provavelmente nunca ouviu alguém dizer não a Andarilho da Noite antes, pensou Raisa.

— Reúna os cavalos soltos — ordenou Reid a Sabiá Cavadora. — E encontre montarias adequadas para a princesa Raisa e o cabo Byrne.

Reid Demonai ficaria feliz com uma guerra, percebeu Raisa. Ele vivia para aquilo.

CAPÍTULO QUATRO

DELFOS

Cidades montanhosas são todas diferentes, pensou Han.

Cidades montanhosas são todas iguais.

A geografia influenciava a arquitetura nas cidades montanhosas. Em Delfos, as casas e outros edifícios ficavam todos juntos, como se tivessem deslizado pelas encostas e se amontoado no espaço disponível ao longo do rio.

As casas construídas na encosta enganavam: eram pequenas, com um andar nos fundos, e altas, com quatro andares na frente. Elas lembravam a Han prostitutas muito maquiadas, que já tinham passado havia bastante de seu auge. Apoiavam-se na lateral da montanha e espalhavam suas saias compridas pelo terreno do vale, as anáguas sujas nas sarjetas. As ruas eram estreitas e entrelaçadas, com calçamento de pedra — um material abundante e barato nas montanhas.

Apertadas no Desfiladeiro de Kanwa, as ruas mudavam subitamente de direção, contornando todo tipo de obstáculo — algumas vezes, perdendo por completo o caminho. Ou assim parecia a Han, embora fosse provável que qualquer estranho à Feira dos Trapilhos pensasse a mesma coisa.

Estava totalmente escuro quando eles enfim desceram para a cidade. Uma cortina de fumaça tornava o ar mais denso, exigindo esforço extra para respirar.

— Fede mais que Ponte Austral — falou Han, enrugando o nariz. Ao menos, era um fedor diferente, desconhecido.

— Eles queimam carvão para se aquecer e cozinhar aqui — explicou Dançarino. — A fumaça fica presa no vale. É pior no inverno; o fogo arde noite e dia.

A guerra fizera a cidade prosperar. Lojas, negócios e habitações mais modestas se misturavam a palácios que davam para a rua e casas geminadas de aparência rica. Algumas das casas ocupavam quarteirões inteiros da cidade, com fachadas de tijolos e pedra entalhada.

— Proprietários de minas — explicou Dançarino. — Mas até os mineiros ganham um bom dinheiro. A guerra em Arden impulsionou o mercado de ferro e carvão, e os preços estão altos. Pés Ligeiros diz que os moradores de Delfos não se importam com o ar fedido. Eles dizem que estão respirando dinheiro. Eles podem manter seu próprio exército e ser independentes tanto de Arden quanto de Fells.

Conforme eles se aproximavam do centro da cidade, o movimento nas ruas aumentava, recordando Han de Fellsmarch em dia de feira.

Era uma multidão diversificada — homens e mulheres de pele negra, de Bruinswallow, vestidos com as roupas listradas e frouxas dos sulistas. Habitantes das Ilhas Meridionais com sua pele escura, joias elaboradas e cabelos pretos. Habitantes das Ilhas Setentrionais, altos, de cabelos louros e olhos azuis, alguns circundados por auras. Vários idiomas se misturavam nas ruas e música exótica tocava nas estalagens e tabernas.

Havia mais evidências da prosperidade trazida pela guerra — lojas elegantes com todo tipo de bens comerciais; joalherias com vitrines luminosas; restaurantes para viagem com comidas exóticas e intrigantes, e cheiros de especiarias. O estômago de Han roncou e a boca salivou.

— Vamos encontrar alguma coisa para comer — falou ele, e resistiu à tentação de roubar um pouco de pão de sal de um vendedor de rua. A fome sempre parecia despertar seus antigos hábitos, mas ele era esperto demais para tentar furtar em território desconhecido, sem conhecer uma rota de fuga.

Você não precisa roubar para comer, lembrou a si mesmo e tocou a algibeira com dinheiro enfiada nas perneiras como se fosse um talismã.

Ao sul, a cidade parecia mais escura que Fellsmarch, tudo era coberto por uma camada de fuligem que absorvia a luz.

— Eles não têm acendedores de lampião aqui? — perguntou Han, enquanto os pôneis cansados caminhavam através de uma nesga de luz que vazava de uma igreja pequena, de degraus altos. Um clérigo, com vestes pretas estampadas com um dourado sol nascente, varria folhas e terra da entrada e fez com que os detritos chovessem na cabeça deles.

Dançarino sacudiu a cabeça.

— Nem lampiões, nem acendedores de lampiões — falou. Ele tocou o amuleto, conjurando luz nas pontas dos dedos enquanto o outro olhava com inveja. Han tocou o próprio faz-feitiço, e o poder chiou por seu braço e explodiu em chamas que voaram até metade da rua, assustando quem passava.

Envergonhado, Han enfiou a mão debaixo do outro braço.

— Demônios! — gritou alguém na língua comum. — Feiticeiros! Blasfemadores!

Han ergueu os olhos, surpreso ao ver o padre vestido de preto avançando pelos degraus e brandindo a vassoura como se fosse uma arma, o rosto desfigurado pela ira.

Ragger deslizou para o lado, revirando os olhos e mostrando os dentes para o padre irado. Han bateu os calcanhares nele, e o pônei avançou, afastando-o do perigo. Dançarino baixou a cabeça e guiou Wicked para um lado enquanto a vassoura sibilava perto dele.

— Abominações! Meretrizes do mal! — gritou o padre atrás dos dois. — Vão embora, instrumentos maléficos do Destruidor! — Ele balançou a vassoura na direção deles e pareceu pensar que os mandara embora.

— Cala a boca, corvo vil de Malthus, ou eu vou destruir *você*! — gritou um mineiro atarracado e barbudo para o padre, causando gargalhada geral. O padre recuou e voltou para dentro, impelido por um coro de xingamentos e ameaças.

— O que foi *isso*? — perguntou Han, quando eles estavam a uma distância segura. — Já me chamaram de um monte de nomes, mas nunca de meretriz do mal.

— Bem-vindo à Igreja de Malthus — falou Dançarino, sorrindo. — A igreja do Estado de Arden. Eles têm uma base em Delfos, mas acho que não são particularmente populares aqui.

O orador Jemson falara sobre a Igreja de Malthus na Escola do Templo de Ponte Austral. Após o desastre da Cisão, o antigo império dos Sete Reinos tinha se fragmentado. Em Fells, a antiga fé continuara, ancorada pelos templos onde os oradores ensinavam a dualidade do Criador e do Destruidor, e sobre as Montanhas Espirituais, onde habitavam os mortos e as rainhas santificadas.

Em Arden, após a Cisão, surgira um orador influente que suprimira e moldara a antiga fé em uma nova direção. São Malthus atribuíra a Cisão ao desprezo do Criador pelos feiticeiros que a causaram. Ele ensinou que a magia não era um dom, mas um instrumento do Destruidor, e que os magos eram demônios a seu serviço. Seduzidas pelos magos, as rainhas de Fells também deveriam ser culpadas. A rainha Hanalea, em particular, era considerada uma bela feiticeira — uma devassa totalmente sem escrúpulos.

Desde então, a Igreja de Malthus prosperara como a igreja do Estado de Arden.

— Você acha que esse é o tipo de recepção que nós teremos em Arden? — refletiu Han.

Dançarino sorriu com ironia.

— Acho que quanto menos bruxaria fizermos em Arden, melhor.

Aquilo era novidade para Han — a ideia de que, por alguma razão, a magia era algo pecaminoso. Os clãs desprezavam os magos, mas era mais uma questão de história e abuso de poder. Afinal, os clãs tinham a própria magia.

Apenas o Rei Demônio — Alger Waterlow, o ancestral de Han — era considerado inequivocamente mau.

— Este lugar parece bom — falou Han, e apontou para um edifício de dois andares com uma varanda ampla, cheia de moradores e soldados. A taberna se chamava Caneca e Carneiro, e a placa de madeira diante dela mostrava um carneiro sorridente erguendo uma caneca de cerveja.

Han sabia escolher tabernas e estalagens. Esses locais tinham sido como um segundo lar para ele desde a infância — era onde comida, bebida e roubos fáceis se juntavam. Dava para saber que lugares valiam a visita só pelo cheiro.

Ele e Dançarino desmontaram. Dançarino ficou com os cavalos enquanto Han abria caminho pela multidão até a varanda e na direção do interior barulhento.

A clientela lá dentro refletia as pessoas na varanda, a não ser por algumas famílias sentadas ao redor das mesas. Alguns tinham vindo direto das minas, com as roupas pretas de fuligem e os olhos brilhando em contraste com o rosto sujo. Os soldados se apoiavam às paredes, vestidos com uma variedade de uniformes — as cores sóbrias de Delfos, o escarlate de Arden, mercenários desempregados que não exibiam cor alguma, alguns habitantes das terras altas e cães de guerra.

De resto, eram estudantes, comerciantes e prostitutas.

Han separou algumas das suas preciosas meninas, reservou um quarto e gastou mais alguns cobres pela chance de tomar um banho. Delfos era bem cara, isso sim.

Han e Dançarino conduziram os cavalos por um beco estreito até o estábulo atrás da estalagem, compraram ração para os pôneis e entraram na taberna pela porta dos fundos.

O jantar vinha incluído na estadia e consistia em ensopado de porco (não de cordeiro), um pedaço de pão preto e uma caneca de cerveja.

Han pegou uma mesa no canto, com as costas para a parede, mas perto da porta dos fundos. Assim ele podia ver discretamente quem entrava e saía da estalagem.

A garçonete os rondava, flertando. Primeiro Han pensou que fosse por charme pessoal, até notar, com um pouco de surpresa, que, apesar dos dias na estrada, ele e Dançarino pareciam tão prósperos quanto qualquer um no cômodo.

Han tinha sido expulso de muitas tabernas em Feira dos Trapilhos e Ponte Austral, suspeito de trapacear nas cartas. Por isso e por sua incapacidade crônica de pagar. Ele descobriu que gostava de se sentar à mesa e comer até encher a barriga, conversando com garotas bonitas sem medo de ser expulso.

— Quais são as notícias da guerra no sul? — perguntou Han à garçonete gordinha com maçãs do rosto salientes. Ele tocou o braço da garota. — Quem está ganhando?

Ela se inclinou para Han:

— Houve uma grande batalha fora da capital no mês passado, senhor. Os exércitos do príncipe Geoff venceram, por isso ele detém Corte de Arden. Ele se declarou rei.

— E quanto aos outros irmãos? Desistiram? — disse Han, curioso se a guerra terminaria logo e sobre o que isso significaria para o futuro dele.

A garota deu de ombros.

— Tudo que sei é o que ouço no bar. Eu acho que o príncipe Gerard e o príncipe Godfrey também estão vivos e, até onde sei, não desistiram.

— E há princesas? — insistiu Han.

Ela estreitou os olhos para ele.

— Sim, tem uma princesa, Lisette. Mas as princesas de Arden são só enfeite. E para casar.

Han olhou para Dançarino, que deu de ombros. Como se podia saber se os herdeiros de um rei sequer eram mesmo legítimos? Os habitantes das terras baixas eram de fato peculiares.

Han observou enquanto a garçonete se afastava e se perguntou quando o turno dela acabaria.

Ele continuou examinando os outros fregueses. Não demorou muito para perceber quem estava armado e quem não estava, que armas carregavam e quem tinha uma bolsa pesada. Pouco depois ele sabia quem era bom com as cartas, ou em outros jogos, e quem trapaceava.

Isso era graças ao curto período em que o próprio Han trapaceava nas cartas. Aquele tipo de roubo era difícil de provar, quando se era bom. Não era tão provável assim que os casacos azuis jogassem alguém na cadeia por tirar dinheiro dos outros nas cartas.

Mas ele tinha aprendido que era fácil ser encurralado em um bar cheio de perdedores irritados. Além disso, jogadores com raiva podiam muito bem esmagar sua cabeça, sabendo ou não se você estava trapaceando. Especialmente se você tivesse 13 anos e não fosse muito grande.

Dançarino estava nervoso e inquieto durante toda a refeição, recuando ao ouvir barulhos súbitos — o bater de panelas e bacias na lareira ou dois bêbados gritando um com o outro. Apesar de conhecer os costumes de Delfos, ele não gostava de cidades, em geral, e menos ainda de multidões. Assim que terminou de comer, pôs-se de pé.

— Vou subir.

— Eu reservei um banho — disse Han generosamente. — Vá primeiro.

Dançarino observou-o com ar desconfiado.

— Não arrume confusão, está bem? — falou ele.

— Sim, Dançarino *Cennestre*. — *Sim, mãe.* Han sorriu para as costas do amigo quando ele se afastou. E fez um gesto para a serva, pedindo sidra. Ele queria se manter alerta e sem pegar no amuleto.

Han examinou preguiçosamente a mesa ao lado, onde quatro homens jogavam realeza e plebe, um jogo de cartas de Fells que Han conhecia muito bem. O homem de frente para Han estava trapaceando. Era gordo, em trajes das terras baixas de Arden, com o rosto redondo exibindo marcas de catapora. Embora estivesse frio no salão comum, ele enxugava o rosto suado com um lenço grande. Cobres, meninas e notas promissórias se empilhavam na frente dele, evidência de seu sucesso.

Não demorou muito para Han descobrir o sistema dele. O cara se movia bastante para alguém tão grande, sempre sacudindo as mãos de um jeito distrativo. Ele usava essa distração para trocar ou esconder cartas. Venceu praticamente toda mão que distribuiu e um bom número das que foram distribuídas pelos outros — perdendo apenas o suficiente para não levantar suspeitas.

Han não estava impressionado. O homem não passava de um trapaceiro comum, com um estilo agressivo, agitado. Os jogadores inteligentes iam e vinham, percebendo que estavam em desvantagem. Mas uma jogadora ficou durante todo o tempo, teimosamente tentando recuperar o dinheiro que perdera.

Ela estava sentada de costas para Han, com um chapéu de aba puxado para baixo na cabeça, a gola virada para cima, os ombros curvados. Han imaginou que fosse uma garota perto do rebatizado, uma habitante das Ilhas Meridionais, pela cor escura da pele e dos cachos. Sob o casaco largo, ela vestia as cores brilhantes preferidas pelos habitantes das Ilhas Meridionais, mas as roupas caíam mal, como se fossem emprestadas, doadas ou roubadas.

Alguma coisa nela era familiar — o modo como inclinava a cabeça e se mexia na cadeira, balançando a perna como se não conseguisse ficar parada. Han ergueu o pescoço, mas não conseguiu dar uma olhada no rosto debaixo do chapéu.

Han bebeu a sidra e tentou ignorar o drama que se desenrolava diante dele, mas seus olhos continuavam a voltar para a garota e suas apostas cada vez mais desesperadas. Ela ficou sem dinheiro e continuou apostando com promissórias.

Ela deveria ser mais esperta, pensou Han. Qualquer um que vença tanto assim está trapaceando.

Finalmente, o homem das terras baixas esvaziou a caneca de cerveja e bateu-a com força na mesa.

— Bem, estou indo — falou ele, em voz alta. — Mace Boudreaux é esperto o bastante para parar enquanto a srta. Sorte ainda está sorrindo.

Dois jogadores olharam com cara feia, reuniram suas pilhas esvaziadas e foram embora.

A garota não se levantou. Ficou sentada imóvel por um instante, depois inclinou-se para a frente.

— Na-na-ni-na-não. Vamos continuar jogando. Você tem que me dar uma chance de recuperar o dinheiro. — A voz dela era suave e musical e tinha o sotaque familiar das Ilhas Meridionais.

A pele de Han se arrepiou em reconhecimento.

— Lamento, garotinha, parei — disse Mace Boudreaux. — Acho que a sorte está contra você. Hora de pagar o que deve. — Ele recolheu o dinheiro diante dele e o escondeu em diversos lugares pelo corpo. Depois empurrou as notas promissórias para a garota do outro lado da mesa.

Ela baixou os olhos para os pedaços de papel na mesa diante dela.

Ela não tem o dinheiro, pensou Han. Acabou tudo.

— Já volto com o restante — falou ela, se levantando e girando para a porta.

O homem esticou o braço e agarrou o pulso da garota, puxando-a para si.

— Ah, não. Não vai, não — rosnou ele. — Não vou deixar você sair da minha vista até pagar.

A garota tentou soltar a mão.

— Eu não ando com essa quantia de dinheiro por aí. Tenho que pegar no meu quarto.

Boudreaux aproximou o rosto da face da garota.

— Então vou com você — falou ele, lambendo os lábios e fitando-a de cima a baixo com um sorriso sacana. — Se você não tiver o dinheiro, pode dar outro jeito de pagar a dívida.

A garota cuspiu no rosto dele.

— Vai sonhando, seu balofo, pelancudo, sujismundo...

— Você quer ir para a cadeia? — rosnou Boudreaux, esfregando a cusparada e dando uma sacudida forte nela.

A garota enrijeceu. Han podia ver pelas cicatrizes ao redor dos pulsos e tornozelos que ela já estivera na cadeia. Ele achou que ela não queria voltar.

— Vou chamar o guarda — ameaçou Boudreaux, e sua voz se elevou. — Eu tenho meus direitos.

Antes que Han pudesse pensar duas vezes, estava de pé perto da mesa deles.

— Ei, calma aí. Só um jogo amigável, certo? Não precisa envolver a segurança, precisa? — Ele deu um tapinha nas costas do homem e um soquinho no ombro dele, sorrindo como um garoto do interior bêbado.

Boudreaux olhou para ele de cara feia, nada satisfeito com a intromissão inesperada.

— Será amigável desde que a garotinha pague o que deve. Eu tenho meus direitos.

— Vocês podem dar um jeito. — Han se virou para encarar a garota e quase caiu com a surpresa.

Era Cat Tyburn, que substituíra Han como dona da rua dos Trapilhos. Ela retribuiu o olhar, imóvel. Han piscou, olhou de novo, e ainda era Cat. Ela havia mudado e não para melhor. Não admirava ele não a tivesse reconhecido de primeira.

Ela sempre fora magra, mas agora estava pele e ossos, como uma viciada em capim-navalha. Os olhos dela pareciam ocupar metade do rosto e estavam baços e sem vida — provavelmente por causa da bebida e do capim. Ela sempre fora orgulhosa, mas agora parecia derrotada. Havia buracos nas orelhas e no nariz onde antes havia prata, e os braceletes e tornozeleiras também tinham desaparecido. Tudo perdido para aquele homem.

A expressão dela indicava que Han Alister era a última pessoa no mundo que ela esperava ver.

Han segurou o braço de Boudreaux para se firmar e disfarçar o espanto. Ao fazer isso, escorregou um baralho extra na mesa para o bolso enquanto sua mente trabalhava furiosamente.

O que ela estava fazendo ali? Cat nascera nas ilhas, mas desde que se conheceram, ela nunca se afastara muito dos poucos quarteirões que formavam Feira dos Trapilhos. Por que ela iria embora quando tinha uma boa gangue, uma boa área e uma vida boa?

Mais importante: como ele poderia ajudá-la a sair daquela encrenca em que se metera? Sem dúvida, não faria bem a ela parar em uma cela de Delfos.

Ele poderia acusar Boudreaux de trapacear, mas ele aprendera havia muito tempo a manter a boca fechada em uma taberna, a menos que conhecesse a clientela. Pelo que sabia, estava cercado pelos melhores amigos de Boudreaux.

Cat ainda fitava Han como se ele tivesse se esgueirado do túmulo e lhe dado um beijo cadavérico.

— Venha cá, garota — ordenou Han com voz arrastada, segurando o cotovelo dela. — Vamos ter uma conversinha. — O corpo dela ficou rígido sob sua mão, mas ela permitiu que ele a puxasse para longe do homem de cara marcada.

Quando estavam a uma distância segura, Han ficou sóbrio de novo.

— O que você está fazendo aqui? — sibilou ele.

— Eu poderia fazer a mesma pergunta — retrucou a garota.

— Eu perguntei primeiro.

A expressão de Cat fechou.

— Eu tive que ir embora de Feira dos Trapilhos.

— Então quem é o dono da rua agora? — perguntou Han, apressadamente. — E onde está Velvet?

— Velvet está morto. — disse Cat. — Todos estão mortos ou sumiram. Não tem necessidade de um dono da rua em Feira dos Trapilhos agora. — Ela estremeceu, as unhas roídas mexendo no casaco. — Eles vieram logo depois que você foi embora. Mataram todo mundo. Sobrevivi porque não estava lá.

— Quem são "eles"? — perguntou Han porque parecia ser o que devia perguntar, embora já soubesse a resposta.

— Demônios. Como aqueles que mataram os Austrinos. — Ela não o encarou nos olhos.

A boca de Han estava seca como poeira.

— Eles... eles estavam procurando por mim?

— Como eu *disse*, eu não estava lá. — Não era uma resposta. — Não sabia aonde você tinha ido. Pensei que tivessem matado você também.

Ossos. Ele deixava morte por onde passava, mesmo quando ia embora. Não admirava que Cat estivesse nervosa.

— Sinto muito mesmo por Velvet — falou Han. — E... por tudo.

Ela apenas olhou para ele, com olhos arregalados, balançando a cabeça para dizer "não".

— Anda, garota! — rugiu Boudreaux. — Vocês dois vão ficar conversando a noite toda ou o quê? Eu quero meu dinheiro.

Han balançou a mão para que o homem ficasse quieto e se inclinou para mais perto de Cat.

— Quanto você deve para seu amigo ali? — murmurou ele.

— Por quê? — questionou Cat com o charme de sempre. — O que isso tem a ver com você?

— Eu não tenho a noite toda — disse o rapaz. — Quanto?

Ela olhou ao redor do cômodo, como se tentasse fugir da pergunta.

— Vinte e sete meninas e alguns trocados.

Pelo sangue e os ossos de Hanalea. Han tinha dinheiro, mas não era suficiente para pagar o que ela devia e ainda chegar a Vau de Oden. E ele não queria ter que mendigar para pagar um trapaceiro.

Han inclinou a cabeça na direção de Boudreaux.

— Ele está roubando você, sabia.

— Não está! — sussurrou Cat e olhou por cima do ombro. — Eu estou roubando ele.

Han sabia que não devia sorrir.

— Bem. — Ele esfregou o queixo. — Ele está fazendo um serviço melhor.

A mão de Cat deslizou para a lâmina em sua cintura.

— Ladrão comedor de esterco. Eu devia saber. Bem, vamos ver como é que ele fica sem o...

— Não. — Han pôs a mão no braço dela para impedi-la. — Vou jogar por você e recuperar o dinheiro.

Cat se afastou dele.

— Não se meta, Algema. Não quero sua ajuda. Eu entrei nisso sozinha e vou sair do meu jeito.

— Cortando a garganta dele? — Han balançou a cabeça. — Talvez em Feira dos Trapilhos. Você não quer se meter em confusão tão longe de casa.

Ela balançou a cabeça.

— Não quero ficar em dívida com você — falou ela.

Bem, isso ele podia entender.

— Você não vai ficar me devendo nada. Sou eu quem tenho uma dívida de sangue com você.

Mais uma vez, ela balançou a cabeça sem dizer nada e engoliu em seco algumas vezes.

— Me deixe fazer isso — pediu Han. — Por favor.

— De qualquer forma, o jogo acabou — falou Cat. — Ele não vai jogar. Já disse.

— Ele vai jogar comigo — afirmou Han, mostrando uma bolsa cheia e balançando-a debaixo do nariz dela.

Os olhos de Cat voltaram a se arregalar. Ela puxou o cabelo para trás, tentando agir com naturalidade, como se visse aquela quantidade de dinheiro todos os dias.

— E se você perder?

— Confie em mim. Não vou. Sou melhor que ele. — Han olhou nos olhos dela, querendo que ela acreditasse, embora não fizesse ideia de por que ela deveria. — Jogue comigo, está bem?

Desviando os olhos do jogador, ele se preparou, mudando o dinheiro de lugar, empilhando e organizando as cartas enquanto Cat observava, estreitando os olhos.

— Tudo certo. Vamos — falou ele, segurando o braço dela e caminhando de volta até a mesa de Boudreaux como se fosse o galo do terreiro. — Vou cobrir a dívida da garota — disse ele para o homem. — Se você jogar comigo.

— Jogar com *você*? — falou Boudreaux com desprezo. — Uh-uhn. Eu falei que já tinha parado. Se você quiser pagar o que a garota deve, vá em frente, garoto. Se você tem o dinheiro.

— Meu pai é comerciante — disse Han com expressão irritada. — Tenho dinheiro suficiente. Viu? — Ele jogou a algibeira cheia na mesa, acertando o copo de cerveja do homem e derramando o que restava. — Desculpe. Não tenho noção da minha própria força. — Ele puxou o lenço do bolso do homem e limpou desajeitadamente o que tinha derramado.

Os olhos ambiciosos de Boudreaux se fixaram na algibeira. Era muito mais do que Cat devia.

— Bem — ele acomodou-se de volta na cadeira —, talvez eu possa ficar um pouco mais. — Ele estalou os dedos para a servente. — Me traga outra cerveja — falou com um sorriso cheio de dentes.

Han devolveu o lenço encharcado a Boudreaux e se ajeitou na cadeira em frente. Tinha funcionado. Ele não tinha problema em se passar por alvo fácil, ultimamente, já que andava fora do jogo. Era mais fácil acreditar em um garoto de 16 anos com uma bolsa cheia de dinheiro do que em um de 12. Tinha sido essa falta de respeito, quando era um *lytling*, que o forçara a parar de apostar para começar a furtar e morar nas ruas.

Agora ele estava mais bem preparado. Podia representar o papel do filho de um mercador que viajava sozinho pela primeira vez. Sem dúvida, um alvo ótimo e carregado.

— Você fica sentada aqui, garota — falou Han, dando um tapinha no assento da cadeira ao lado dele com um olhar malicioso para Cat. — Me dê sorte.

Cat se empoleirou na beirada da cadeira, longe de Han, como se ele tivesse uma doença contagiosa. As mãos se contorciam no colo, o rosto sério e inescrutável.

— Você distribui primeiro, garoto — disse Boudreaux placidamente. O apostador típico. Deixe o alvo vencer primeiro para encorajá-lo a apostar mais na próxima rodada.

Han embaralhou as cartas, a certa altura deixando elas escaparem e se espalharem pela mesa. Cuidado, pensou ele. Não exagere. Ele as recolheu e voltou a embaralhar com a atenção intensa e confusa típica de quem está muito bêbado.

Foi muito fácil vencer a primeira rodada. Boudreaux se rendeu, balançando a cabeça com tristeza, antes que houvesse muito dinheiro na mesa.

— Ha! — comemorou Han e fechou a mão na de Cat. Ela se encolheu, como se tivesse sido picada, e ele a soltou. — Você já me deu sorte. — Ela simplesmente retribuiu o olhar, sem sorrir.

Por que, Alister, *por que* você se mete nessas coisas?, pensou Han.

Em seguida Boudreaux distribuiu as cartas e venceu, embora Han não tivesse permitido que muito dinheiro fosse apostado antes que ele pedisse para mostrarem as cartas. Depois disso, o jogo oscilou para lá e para cá e, no fim, Han estava à frente dele por dez meninas. Ele continuou a se fingir de tolo bêbado, comemorando em voz alta a boa sorte e vaiando quando perdia.

Han nem tinha precisado trapacear até ali. O lenço fora inutilizado, e Han arruinava o truque de Boudreaux ao insistir em cortar as cartas antes da distribuição. Além disso, ele tinha sorte nas cartas naturalmente.

Como a mãe sempre dissera: *Sorte nas cartas ou sorte na vida. Um ou outro. Nunca nos dois.*

O entusiasmo de Boudreaux diminuiu como seus ganhos. Cat ficou apenas ali, sentada, olhando de cara feia, como se Han estivesse jogando com o dinheiro dela.

Hora de acabar com isso, pensou Han. Vou ensinar uma lição a esse trapaceiro, mandar Cat embora com o dinheiro e dormir. O baralho voltou para ele, e dessa vez Han o manuseou como um apostador, colocando seu truque em prática enquanto embaralhava. Boudreaux cortou e Han juntou o baralho de novo enquanto distribuía as cartas. Ele observou o rosto de Boudreaux enquanto examinava as cartas. O apostador colocou a mão perto do peito, como se fosse um bebê, e Han sabia que o tinha nas mãos.

Eles apostaram, aumentaram, apostaram e aumentaram e logo havia pilhas de meninas no centro da mesa. O homem pediu uma carta, e Han lhe entregou a carta do demônio, que selaria o jogo. Han abriu as cartas protegidas pelas mãos, examinou-as, lambeu os lábios, nervoso, e cobriu todas as apostas do oponente.

Cat continuou olhando de Han para as pilhas de dinheiro no centro da mesa, tremendo como fazia quando estava nervosa. Se ele perdesse, estaria no fundo do poço.

Mas ele não perderia.

Àquela altura, alguns fregueses haviam se aproximado para acompanhar a ação.

— E a prata da garota? — perguntou Han, acenando com a mão para o vaso que as continha, conforme as apostas aumentavam. — Coloca isso em jogo e eu cubro com meninas. — Ele sorriu para Cat.

Boudreaux empurrou os braceletes e brincos para o centro da mesa.

— Amostra — falou, espalhando as cartas pela mesa. — Demônio triplo, vermelho dominante. — Ele ergueu o olhar para Han e sorriu como um lobo.

Era uma boa mão. Uma ótima mão. Aquela mão bateria quase qualquer coisa. Exceto.

— Quatro rainhas, Hanalea lidera a linhagem. — Han espalhou *suas* cartas na mesa e se recostou, observando o homem.

Por um longo e tenso momento, Boudreaux não falou nada. Ele baixou o olhar para a mesa como se não conseguisse acreditar no que estava vendo. Estendeu o grosso dedo indicador e remexeu nas cartas diante dele, como se elas pudessem revelar alguma outra coisa.

O apostador das terras baixas abriu e fechou a boca como um peixe, e precisou de várias tentativas antes de emitir algum som.

— Isso... isso não está certo! — rugiu ele e bateu na mesa quase derrubando a nova cerveja.

Han rapidamente arrastou o que ganhara para a bolsa e a jogou por cima do ombro, deixando meninas suficientes na mesa para pagar a dívida de Cat. Nessas situações, o segredo era sair rápido.

Os olhos de porco de Boudreaux se estreitaram com raiva. Ele esticou um braço e segurou a frente da camisa de Han.

— Não tão rápido — sibilou ele.

— Me solte! — falou Han e tentou se soltar.

— Você é um trapaceiro! — gritou Boudreaux e tirou uma imensa faca curva de debaixo do casaco, pressionando-o contra o pescoço de Han. — Um trapaceiro, um ladrão e uma fraude.

Os observadores que cercavam a mesa deram um passo para trás.

A faca foi uma surpresa desagradável. A maioria dos apostadores e dos trapaceiros, no fundo, era covarde, e por isso preferia aquele modo de roubar. Mas Boudreaux tinha o dobro do peso de Han, e o rapaz sabia por experiência própria que não havia ninguém mais furioso que um trapaceiro trapaceado.

Han pensou no faz-feitiço sob a camisa, nas facas na cintura e se perguntou se poderia alcançar os dois ou algum deles sem ter a garganta cortada.

— Agora — falou o homem, com o rosto vermelho a centímetros do rosto de Han, o hálito de cerveja lhe alcançando — devolva a bolsa, garoto, e talvez eu não arranque suas orelhas.

Concentrado na lâmina debaixo de seu queixo, Han não acompanhou muito bem o que aconteceu a seguir. Boudreaux gritou e desapareceu, caindo no chão com força suficiente para trincá-lo. A faca girou pelo cômodo e quase decapitou um mineiro que roncava baixinho na mesa ao lado.

Han se jogou para trás, fora de alcance. Boudreaux contorcia-se no chão, como se tivesse espasmos. E atrás dele, evitando habilmente os braços e as pernas agitados, estava Cat, torcendo um garrote ao redor do pescoço de Boudreaux.

Ah, certo, pensou Han. Cat era habilidosa, além de um demônio com uma faca.

O rosto do apostador ficou vermelho, depois azul, e seus olhos se arregalaram de modo alarmante. Cat inclinou-se em Boudreaux, murmurando para ele alguma lição que queria que ele aprendesse.

As contorções de Boudreaux diminuíram, ficaram mais confusas.

— Cat! — Han despertou do susto e pôs a mão no ombro dela. — Solte o cara. Você não quer ser enforcada por causa dele.

Cat ergueu o olhar para ele e piscou como se saísse de um transe. Ela soltou Boudreaux e se sentou nos calcanhares, guardando o garrote no bolso.

Uma comoção na entrada chamou a atenção de Han. Um conglomerado de uniformes marrons estava na porta, as cores da Guarda de Delfos. Han praguejou, sabendo que perdera tempo demais. Ele se ergueu bem devagar e puxou Cat até ela ficar de pé. Segurando sua mão, Han começou a recuar na direção da porta dos fundos, mas um mineiro com barba espetada, do tamanho de uma pequena montanha, se meteu no caminho deles.

— Melhor você ficar, garoto, e pagar pelo que aprontou — rosnou ele e sorriu como se estivesse pessoalmente ansioso pelo show.

— Eu não fiz nada — reclamou Han, o refrão de toda a sua vida. Era bem típico da sorte dele se meter em uma briga de bar em um reino estranho e ser jogado na cadeia. Isso significaria um fim rápido à carreira de feiticeiro mercenário dos clãs. Ele decepcionaria Dançarino, que teria que viajar sozinho. Qual tinha sido a última coisa que o amigo tinha dito a ele antes de subir para dormir? *Não arrume confusão.*

Han fechou a mão ao redor do cabo da faca, procurando o caminho mais livre até a porta. Depois, devagar, afrouxou a mão. Talvez ele passasse pela porta, mas não poderia ir embora e deixar Dançarino no andar de cima e o cavalo no estábulo.

Cat puxou a mão para se soltar e desembainhou as próprias facas, mantendo-as escondidas junto aos antebraços.

— O que está acontecendo? — questionou um dos casacos marrons. Ele usava uma estola de capitão ao redor do pescoço, com cores estranhas das terras baixas. Apontou para Boudreaux, ainda no chão. O homem esfregou o pescoço machucado e inspirou o ar em grandes golfadas. — O que aconteceu com ele? — perguntou o capitão.

Han abriu a boca, mas o mineiro falou por ele:

— Esse ladrão trapaceiro, Mace Boudreaux, perdeu nas cartas uma vez na vida. Mas parece que é um mau perdedor. Ele pulou no garoto que venceu e nós tivemos que dar um jeito nele.

Para espanto de Han, cabeças acenaram por toda parte.

— Quem deu um jeito nele? — insistiu o oficial.

— Todos nós — respondeu o mineiro, lançando um olhar ao redor, como se desafiasse alguém a contradizê-lo. — Todos participamos.

Parecia que Cat não era a única que tinha perdido dinheiro para Mace Boudreaux. Ele não estava conquistando muita solidariedade da multidão.

— Onde está o garoto que venceu? — indagou o guarda.

Por um momento, ninguém falou, mas então o mineiro perto de Han o empurrou para a frente.

— Foi ele. Ele venceu.

O casaco marrom olhou Han de cima a baixo como se não pudesse acreditar.

— Você é bom nas cartas, garoto? — Ele ergueu a sobrancelha.

Han deu de ombro.

— Eu me viro. — Ele mais sentiu do que viu Cat se movendo para o lado dele. Como antigamente, quando Cat o protegia.

O casaco marrom sorriu e estendeu a mão.

— Nesse caso, eu gostaria de lhe pagar uma bebida — ofereceu ele, e o restante dos clientes assobiaram, bateram palmas e os pés.

Isso serve para mostrar que nunca se sabe quem está no cômodo quando se entra em uma briga, pensou Han.

Foi um sufoco para sair dali depois disso. Boudreaux se recuperou e se afastou, despercebido. Han teve que recusar dezenas de ofertas de bebidas ou teria terminado debaixo da mesa. Cat recuou para um canto, parecendo desaparecer nas sombras, mas, sempre que Han se virava para olhar, os olhos dela estavam fixos nele.

Provavelmente quer o dinheiro dela, pensou ele.

Faltava pouco para fechar quando ele finalmente se libertou da multidão simpática e se juntou à Cat na mesa. Puxando a bolsa, ele retirou uma mão cheia de meninas e as contou.

Ela observou sem dizer nada. Han não esperava um agradecimento efusivo, mas ainda assim. Cat era uma garota com muito a dizer.

Ele empurrou as pilhas de moedas pela mesa na direção dela.

— Aí está, você recuperou o que perdeu e mais.

Ela baixou os olhos para o dinheiro, mas não se moveu para tocá-lo.

— O que é que você tem? — indagou ela. — Aonde você vai, as pessoas abrem caminho. Você entra como um estranho e termina homenageado no bar.

— Do que está falando? — rosnou Han. — Eu não tenho nada; nem família, nem lugar para morar, nem meio de sobreviver.

Ela esticou a mão e tocou a manga do casaco dele com hesitação, como se ele pudesse se transformar em vapor e fumaça.

— Você tem roupas novas e finas e sua bolsa está cheia. Você deu um grande golpe ou o quê?

Imediatamente Han se sentiu ainda mais culpado. Ele comprimiu os lábios e balançou a cabeça.

— Por que você arriscaria seu dinheiro por mim? — insistiu ela.

— Não era meu dinheiro — falou Han. — Eu peguei o de Boudreaux antes de jogarmos.

Como se ele fosse um ladrão das histórias, que tirava dos ricos e dava aos pobres. (Ha). Ele *era* o pobre, geralmente.

— Se você já tinha o dinheiro, por que jogou com ele? — perguntou Cat.

Han deu de ombros.

— Ele precisava perder e eu achei que podia ganhar. Não achei que ele tivesse uma faca. — Ele não falou em voz alta o que mais estava pensando. Se você vence alguém naquilo em que essa pessoa é melhor, é provável que ela desista.

Cat o fitou como se não acreditasse muito nele.

— Você ainda não disse o que está fazendo aqui. Aonde está indo?

Han deu de ombros.

— Também tive que ir embora de Fellsmarch. Pensamos em tentar a sorte em Corte de Arden — mentiu ele. Quanto menos pessoas soubessem para onde eles iam, melhor.

Ela ergueu uma das sobrancelhas.

— Pensamos?

— Estou viajando acompanhado — disse Han, e deixou Cat pensar o que quisesse. — E você? Eu não sabia que você apostava.

— Qualquer idiota pode ver que ainda estou aprendendo — falou ela com expressão severa.

— Ora, não é seguro ganhar dinheiro apostando, a menos que você tenha mais prática em trapacear. Melhor achar outro trabalho nesse meio-tempo.

— Já procurei. — A voz de Cat estava sombria. — Estou aqui há algumas semanas. Tentei trabalhar nas minas, mas eles não contratam se alguém é marcado como ladrão. — Ela ergueu a mão direita, marcada pela lei da rainha. Ao menos, não a tinham decepado.

— E, por falar nisso, como você veio parar aqui? — perguntou Han.

— Estava indo para um lugar chamado Vau de Oden.

Han estava tomando um gole de sidra que quase entrou pelo nariz. Tossindo, ele pousou a caneca.

— Vau de Oden! Por que você está indo para lá?

— Foi ideia do orador Jemson — falou Cat, cutucando as pilhas de moedas. — Ele disse que eles têm escolas por lá. Ele queria que eu frequentasse a Escola do Templo.

— Por que você não vai para a Escola do Templo de Ponte Austral? — falou Han, tentando entender o que aquilo poderia significar para ele. — Por que Jemson mandaria você até Vau de Oden?

— Se eu ainda estivesse em Ponte Austral, estaria morta. Assim como o Velvet. — Cat arrancou o chapéu e o bateu na mesa. — Eles estavam me caçando, os demônios que mataram os outros. Era só uma questão de tempo até me pegarem. Então Jemson disse para eu ir para Vau de Oden. Ele sempre ficava atrás de mim, me falando para ir e estudar música, e ele é amigo da mestra da Escola do Templo de lá. E contou para ela todas essas histórias sobre como eu sei tocar a basilka como um tipo de coro angelical, e ela me aceitou. Ele pagou as despesas, falou que a princesa Raisa dá dinheiro para os estudantes do Templo de Ponte Austral. Ele me deu um cavalo velho e um pouco de dinheiro e me pôs na estrada.

Cat passou a mão pelos cachos. Ela tocava basilka de maneira peculiar. Em Feira dos Trapilhos, tocava para passar o tempo até o anoitecer, quando os Trapilhos iam para o trabalho. Alguns dias, Han simplesmente ficava deitado ali, entre a vigília e o sono, e deixava a música levá-lo para outro lugar.

— Jemson diz que se eu estudar música, arte, leitura e escrita e aprender a falar, talvez eu consiga ser uma camareira, professora ou algo assim. — Cat riu. — Como se eles empregassem uma ladra marcada.

Han tentou imaginar Cat como uma camareira.

Cat ergueu o olhar e leu sua expressão.

— Esqueça. Cheguei até aqui e decidi que não vou. Jemson, ele acha que me encurralou, mas eu não vou fazer os votos.

— Você não tem que fazer os votos para ir para a Escola do Templo — falou Han. — Alguns fazem, mas você...

— Eu não ligo. Não me encaixo lá, com um bando de sangues azuis. Eles são doces como a sidra das terras baixas, na sua frente, enquanto falam mal de você pelas costas.

Ela está com medo, pensou Han. Tem medo de que riam dela. Tem medo de não ser boa o suficiente. Talvez com boas razões. O que ele sabia sobre Vau de Oden? Nada.

Cat empurrou o dinheiro na direção de Han e se levantou.

— Agradeço pelo que você fez, mas não posso aceitar isso.

Han não se mexeu para pegar.

— É seu dinheiro. Não meu. Eu só tomei de um ladrão. Se você não pegar, vai ficar aí para os serventes.

Teimosa, ela balançou a cabeça e mordeu o lábio.

— Sabe — disse Han —, é assim que eu vejo a coisa: eu fiz muita besteira. Estou em dívida com você. Só me deixe fazer isso, está bem?

Era verdade. Ele queria desesperadamente aliviar a carga de culpa que carregava.

— Se você quiser fazer alguma coisa por mim, é isso que eu quero — falou Cat de repente. — Me deixe ir com você.

— O quê? — Han ficou boquiaberto. Tinha sido uma noite inteira de surpresas. — Você nem sabe o que estamos fazendo!

— Não importa — falou Cat. — Não sirvo para a vida do templo, não importa o que Jemson diga. Juro lealdade para você. Como antes.

Como na época em que Han era dono da rua dos Trapilhos, e Cat era seu braço direito. E mais.

Han olhou para Cat com cautela. Será que, com a morte de Velvet, Cat estava tentando reacender o que havia entre eles? Isso parecia uma péssima ideia. Quando estavam juntos, eles brigavam como dois gatos em um saco. Ele já tinha drama suficiente na vida agora.

Como se lesse os pensamentos dele, ela falou:

— Se você está saindo com uma garota, eu não vou me meter. Isso é estritamente quotas. Estritamente negócios.

Os pensamentos tilintavam na mente de Han feito moedas em um jarro de vidro. Cat pensava que se juntar ao seu antigo dono da rua era um meio de evitar ir para a escola. Mas ele também estava indo para lá. Ele não precisava de um grupo nem tinha como manter um. Ele gastaria, em vez de ganhar dinheiro, então não haveria quotas.

Ele olhou para Cat. Ela o fitou com uma expressão severa, batendo o pé porque ele estava demorando demais para responder. Ele não conseguiu deixar de lembrar que quando quis ir para o Campo Demonai com Sabiá, e ela recusara, ela também tinha boas razões.

Se ele recusasse, sem dúvida, ela voltaria àquela vida. Se Cat voltasse às gangues, morreria antes de completar 20 anos, com ou sem demônios.

Talvez Jemson tivesse razão — talvez a escola *fosse* o que ela precisava. Han não receberia muitos agradecimentos por tentar salvá-la. Mas poderia haver um modo.

— Você pode vir — falou Han, por fim. — Mas também vamos para Vau de Oden. Você vem comigo, mas tem que ir para a escola.

— O quê? — Ela ficou imóvel, com as mãos comprimindo a mesa com tanta força que os nós dos dedos ficaram brancos. — Essa é a mentira mais deslavada que eu já ouvi.

— É verdade — confirmou Han. — Por que mais você acha que nós...

— Mentiroso! — Cat balançou a cabeça, com os olhos brilhando. — Você é um mentiroso, um verme, pobretão e sujo, Alister Algema, é isso que você é. Você não vai para Vau de Oden coisa nenhuma. — Cat empurrou a cadeira para trás e ficou de pé, com os punhos cerrados, vibrando de raiva.

— Eu juro — disse Han, se levantando e mantendo a mesa entre eles, para o caso de Cat sacar uma faca. — Desculpe. Eu devia ter falado, mas eu pensei que você...

— Cale a boca, Algema. Se você não quer que eu vá com você, é só dizer. — Ela pegou o dinheiro e enfiou na bolsa. — Você acha que só porque é bonito toda garota quer sair com você. Ora, você não é tão bonito que eu não consiga arrumar outra pessoa.

Ela saiu da taberna, deixando a porta bater atrás de si.

Bem, pensou Han. Pelo menos ela está mais parecida com como era.

CAPÍTULO CINCO

NOS PÂNTANOS

Depois do encontro com os guardas na encosta oeste, Raisa temeu que eles tivessem mais problemas no Portal Ocidental. Mas, quando chegaram à Muralha Ocidental, de manhã cedo, Mac Gillen não estava em parte alguma. Os guardas no portão eram, em maioria, do exército regular, uma mistura de habitantes das terras altas, usando casacos cinza, e mercenários com elegantes roupas listradas.

O sargento de serviço, porém, era da Guarda da Rainha, um homem chamado Barlow. Quando Amon contou a Barlow que eles eram cadetes viajando para Vau de Oden através do Portal Ocidental, o sargento o saudou com ar de zombaria.

— Então vocês não querem passar por Arden, hein? Vocês, cadetes, não querem sujar o uniforme, não é isso? — falou ele, revirando os olhos. — Não vão querer sangue nas suas armas novas e brilhantes antes de vocês as exibirem na escola.

Era o típico desprezo que os soldados civis tinham pelos da academia. Os integrantes da Alcateia se agitaram, mas Amon ignorou. Ele parecia preocupado, falando ainda menos que o normal, desde o incidente com Sloat e o resgate dos guerreiros Demonai.

Decepcionado por Amon não morder a isca, Barlow emendou:

— Bom, cabo, se você acha que este caminho é mais seguro que viajar por Arden, logo vai descobrir que não é bem assim.

— O que você quer dizer? — perguntou Amon, finalmente prestando total atenção em Barlow.

O sargento cuspiu no chão.

— A estrada nova se foi. Os Andarilhos das Águas a destruíram. Eles jogaram um monte de pedras lá.

Amon olhou para ele.

— O quê? Eu ajudei a construir aquela estrada. Por que eles fariam isso?

— Os Andarilhos das Águas andaram atacando além da fronteira, roubando gado e comida — falou Barlow. — Nós acabamos com isso, aí eles estragaram a estrada. Agora, se quiser descer até os Pântanos, vai ter que pegar a estrada antiga. E isso significa descer o penhasco e se agarrar às rochas congeladas pelos dedos dos pés. Os cavalos não vão conseguir.

— Ainda não entendo por que eles destruiriam a estrada — insistiu Amon. — Ela foi construída faz só um ano e meio. Eles estariam se prejudicando.

O sargento deu de ombros, sem encarar Amon nos olhos.

— Acho que não somos mais bem-vindos ali. De qualquer forma, se conseguirem descer sem quebrar o pescoço, vão encontrar o que eles chamam de Pântanos Gélidos. E põe gélido nisso. Vão desejar ter ido por outro caminho. Os Andarilhos das Águas vão fazer vocês chamarem pela mamãe.

— Suponho que você está falando por experiência própria, senhor? — perguntou Raisa. Isso provocou risos dos outros Lobos e um olhar de advertência de Amon.

— Eu estive ali faz pouco mais de um ano — falou Amon para Barlow — e não tive problema. Eu fiquei em Vila do Rio e Lago Sagrado.

— Ficou, é? — O sargento umedeceu os lábios e engoliu. — Ora, tem problema agora. Conflitos por toda a fronteira. Muito sangue por toda parte.

— Está tão ruim assim? — perguntou Raisa. — Não ouvimos falar de nada disso na capital.

— Preste atenção, cadete — falou Barlow, o rosto bochechudo ficando corado de raiva. — Os Andarilhos das Águas têm planos especiais para coisinhas como vocês. Eles vão dar você de comida para os crocodilos gigantes. É assim que eles oferecem sacrifícios aos deuses.

— Não existem crocodilos gigantes, senhor — falou Raisa, revirando os olhos.

O sargento fez um ruído sarcástico.

— É, você diz isso agora. Vamos ver o que vai dizer depois. Se sobreviver para contar. Os crocodilos gigantes crescem até 30 metros e têm dentes do tamanho de espadas, tão afiados quanto. Eu conversei com um homem que viu um engolir um barco inteiro, com todos a bordo.

— Tomaremos cuidado então, senhor — falou Amon e se voltou para Raisa: — Obrigado por avisar. Agora siga em frente, Morley. Ou é você quem vai armar as barracas no escuro.

E agora?, perguntou-se Raisa. Vamos caminhar por todo o trajeto até Vau de Oden? Se não podemos levar os cavalos, não temos escolha.

O sargento ergueu a mão.

— Um minuto — falou ele. — Vocês aí. Cadetes mulheres. Quais são os nomes de vocês?

— Por que o senhor está perguntando? — indagou Amon, colocando o cavalo entre os Lobos e o sargento.

— Ora... — O sargento ergueu o olhar para a guarita, com uma careta. — Tem uns aprendizes de mago ali dentro que querem ver cada jovem dama que passar por aqui.

— E por que isso, senhor? — perguntou Hallie com voz arrastada. — Se vocês estão brincando de cupido, fiquem sabendo que não gosto de bruxos.

Os Lobos Gris riram baixinho, e Barlow ruborizou mais ainda.

— Parece que a princesa-herdeira fugiu, ou foi raptada, ou algo assim — explicou ele. — Então eles estão vigiando para ver se ela cruza a fronteira aqui. Mesmo que, como eu disse, seja idiotice ela vir por aqui.

— Por que os magos estão atrás da princesa? — Amon tentou soar casual. — Esse não é nosso trabalho?

— Bem, foi o que eu pensei — falou Barlow. — Mas, hoje em dia, nunca se sabe. Os magos estão metendo o nariz onde não são chamados.

— Senhor, fico surpresa por magos virem para um local tão remoto quanto este — disse Raisa, tentando manter a voz controlada —, sendo tão acostumados a servos, comida farta e coisas assim.

— Você está certa. — O sargento Barlow fitou Raisa com um pouco mais de aprovação. — São três e não tem nenhum mais velho que você. Ouvi dizer que um deles é filho do Grão-Mago.

Micah! Raisa sentiu um gosto metálico na boca e um arrepio a percorreu. Ela olhou por cima do ombro para Amon, que tinha uma expressão tão neutra quando a de uma estátua no templo.

— O tenente Gillen disse para dar o que eles quisessem — emendou Barlow —, mas eles comem e bebem tudo que temos de melhor, passam a noite acordados, depois dormem o dia inteiro, pedem isso e aquilo, e nunca ficam satisfeitos com o que damos.

"No início, eles ficavam aqui no portão, mas tem tão pouco tráfego que acho que eles não pensaram que valesse o tempo deles. Então agora não se incomodam de vir até aqui, mas querem que a gente prenda qualquer moça que passe e mantenha elas aqui para eles darem uma olhada nelas." Ele cuspiu no chão. "Estamos com poucos homens aqui. Enviei meio esquadrão ao Campo Demonai e eles ainda não retornaram."

Raisa ergueu o olhar para a guarita, uma imensa estrutura de pedra com janelas estreitas que davam para a estrada. Ela se virou rapidamente e resistiu à vontade de esconder o rosto. Sua nuca se arrepiou e seu coração vacilou. Micah Bayar talvez estivesse olhando para ela, naquele exato momento, lá de cima.

A lembrança da traição dele ainda doía. Micah a enfeitiçara com seus beijos mágicos e a ajuda de um amuleto ilegal de sedução. *Acho que poderíamos nos dar bem juntos*, dissera ele. *Assim que resolvermos isso. Isso* sendo o casamento forçado entre eles.

— Bom, senhor, me parece que Talbot, Abbott e Morley são *soldados*, não damas — falou Amon calmamente, embora apertasse as rédeas com tanta força que os nós dos dedos embranqueceram. — Já é ruim o suficiente que magos estejam se metendo onde não são chamados. Você acha que o tenente Gillen gostaria que eles interferissem com os cadetes da Guarda da Rainha?

O sargento Barlow refletiu sobre aquilo por um instante.

— Sabe, acho que ele não gostaria. — Ele fitou a trança cor de palha de Hallie, o corpo magricelo de Talia e o cabelo mal cortado de Raisa. — Nenhuma de vocês parece mesmo uma princesa.

Ele olhou por cima do ombro para a guarita.

— Mas talvez seja melhor vocês irem, antes que os aprendizes de mago saiam da cama.

Eles aceitaram rapidamente o conselho do sargento, atravessando o pavimento de pedras que cercava a guarita e passando entre duas grandes estátuas: a rainha Hanalea e sua filha, Alyssa, fundadoras da nova linhagem de rainhas. As antigas rainhas se encaravam de cada lado da estrada, e suas longas sombras apontavam o caminho. Raisa resistiu à tentação de olhar para trás por cima do ombro. Eles continuaram até que tivessem rodeado a montanha e estivessem bem fora da vista.

— Essa foi por pouco — falou Raisa, puxando as rédeas e falando baixo no ouvido de Amon. — Se Micah tivesse descido até o portão... — Ela não terminou a frase.

Amon acenou com a cabeça.

— Agradeça ao Criador por Barlow não gostar dos magos.

— E aquela história sobre os Andarilhos das Águas? — perguntou Raisa. — Será que ele estava só tentando nos assustar?

Amon balançou a cabeça.

— Não sei. O que ele disse não faz sentido. — Ele se afastou de Raisa e gritou: — Ei, Garret, vá na frente e dê uma olhada na estrada, veja se o que o sargento Barlow disse é verdade.

— Sim, cabo Byrne — falou Garret e tocou os calcanhares nos flancos do pônei.

— Quando um soldado pode desobedecer a uma ordem? — perguntou Raisa.

Amon franziu as sobrancelhas escuras e inclinou a cabeça para trás, olhando para ela.

— Por que você quer saber?

— Quero saber o que esperar da minha guarda, no futuro.

— Bem, os soldados aprendem duas regras importantes. Uma é que você obedece a ordens, mesmo aquelas que não gosta, mesmo aquelas que você discorda. Se não fizer isso, é insubordinação. A outra é que seguir ordens não é desculpa para fazer coisas erradas ou desperdiçar a vida dos soldados desnecessariamente. Um bom soldado é alguém que pensa.

Raisa piscou para ele.

— Mas... isso não é contraditório?

Amon acenou com a cabeça.

— É o dilema do soldado. Na maior parte do tempo, é bastante simples. Se seu comandante manda você limpar a latrina, você faz, mesmo que não queira. Se seu comandante diz para você e para seu grupo comandarem uma missão, você faz isso, mesmo sentindo medo. Se ele diz para você recuar, você abandona o campo, mesmo que seu sangue esteja fervendo.

Raisa assentiu, impelindo Switcher a se aproximar.

— Quando vocês podem dizer não?

— Se você desobedecer uma ordem, é melhor ter uma boa razão. Muitas vezes você tem que decidir em um segundo. Esse é o problema com os guardas, atualmente. Há soldados demais que não sabem a diferença entre certo e errado.

Raisa pôs uma das mãos no joelho de Amon. A perna dele era toda músculos e ossos sob a trama camuflada, e ela sentiu a corrente habitual de energia entre eles.

— Você acha que sabe distinguir o certo do errado? — perguntou ela.

— Acho — respondeu Amon e baixou os olhos para a mão dela. — Meu pai fez questão disso. — Ele falou com tal intensidade que calou Raisa, e ela esperou. Após uma pausa, ele prosseguiu. — Mas não é suficiente distinguir o certo do errado. Você precisa de força para fazer o que é certo, mesmo quando o que você mais quer no mundo é o errado.

Com isso, ele impeliu o cavalo para a frente e quebrou o contato com a mão de Raisa.

Quase uma milha ou mais depois, Raisa notou um som: um rugido abafado, tristonho, que ficava mais alto à medida que eles seguiam viagem.

Enquanto os dois conversavam, os outros tinham se adiantado. Mick voltou.

— São as cascatas do rio Dyrnne, senhor. Cuidado. Estamos praticamente nelas.

Não dava mesmo para subir sem notá-las. Mais à frente, uma névoa branca e congelante obscurecia a trilha. Quando a adentraram, a pele de Raisa se enrugou e os cabelos viraram mechas úmidas. A água pingava da ponta de seu nariz. Amon levantou a gola do casaco do uniforme e afastou o cabelo preto e molhado da testa.

Agora que eles estavam amontoados perto do rio, Raisa podia sentir o odor fraco, porém familiar da cidade onde nasceu. E enrugou o nariz.

Um muro baixo cercava a estrada dos dois lados. À frente, o rio se dividia ao redor de algumas grandes ilhas rochosas e espumavam através de uma série de quedas-d'água enquanto se aproximavam da escarpa. Switcher ficou agitada, dançando nervosamente e balançando a cabeça.

Naquele ponto, a estrada nova virava para o leste, descendo em uma série de zigue-zagues na direção do fundo do vale. A estrada antiga seguia em frente, acompanhando o rio. Não era mais que uma trilha rochosa.

Garret esperava na bifurcação.

— É verdade, senhor. Não tem como passar pela estrada nova. A via foi destruída a menos de uma milha.

E agora?, pensou Raisa. Será que eles teriam que voltar pelo Portal Ocidental e passar de novo por Micah Bayar? Talvez desta vez eles não tivessem tanta sorte.

— Acho que vamos ter que pegar a estrada velha — disse Amon.

Você quer dizer aquela em que vamos ficar pendurados pelos dedos dos pés?, pensou Raisa.

— Desmontar! — gritou Amon, depois falou para Raisa: — Cuidado. As rochas são escorregadias, mesmo para os pôneis. E se eles se assustarem, vão direto para a beirada.

Os Lobos Gris desceram das selas, apertando nervosamente as rédeas dos cavalos. Eles avançaram, as botas esmagando o estranho seixo cinzento da trilha.

E, de repente, eles estavam na beira do mundo que Raisa conhecia, encarando um mar de névoa. Gaviões giravam e davam voltas na beira do precipício, levados para o céu pelas correntes ascendentes.

— Senhora da luz — murmurou ela. Ela deu um passo para trás, sentindo-se tonta, como se pudesse ser levada pelo movimento insistente da água. Amon segurou o braço dela para equilibrá-la.

O rio Dyrnne caía na margem de um amplo penhasco e retumbava no vale abaixo. O rio tinha uma cor verde-escura conforme rolava na beirada, depois explodia em um jato espumoso ao acertar a rocha mais embaixo. A névoa aderia ao cabelo e às roupas, depois congelava de tal forma que, em poucos minutos, eles pareciam um bando de idosos de cabelos grisalhos.

Aquele era um lugar sagrado, cheio de história. Durante a Guerra de Conquista dos Magos, a rainha Regina, a última rainha livre da antiga linhagem, fora encurralada com um pequeno exército de lealistas na beira da escarpa. Ela jogara as filhas no precipício, depois pulara atrás delas para evitar que fossem capturadas. Mas o rio se recusara a engolir a rainha e as princesas, amortecera a aterrissagem delas e as cuspira, vivas, nas margens abaixo. Um milagre pela mão do Criador.

Depois disso, Regina baixou sua cabeça orgulhosa, sabendo que a linhagem estava destinada a sobreviver e que sua redenção viria em algum ponto no futuro. As rainhas passaram três séculos no cativeiro antes de a Cisão libertá-las.

Arrastando-se, Raisa espiou pela beirada. Era como olhar para um mar lácteo, com os traços ocultos debaixo de um manto de névoa. Os Pântanos Gélidos eram um oceano de relva e arbustos, nada alto o bastante para tocar as nuvens.

Raisa estremeceu, sentindo frio por causa da umidade e da perspectiva de subir naquela névoa. Fells alegava governar os Pântanos Gélidos, mas Raisa nunca tinha estado ali e, até onde sabia, a rainha Marianna também não. Como eles poderiam exigir fidelidade de um lugar que conheciam tão pouco?

Entalhada em cada lado da margem, ao longo do rio, ela viu o traçado fraco de uma trilha rochosa, obviamente pouco usada. No topo do penhasco, uma guarita abandonada com muros em ruínas, tombados por repetidas geadas e degelos, e, ao lado, um pequeno santuário para a rainha Regina. No centro havia uma estátua de mármore, manchada e gasta pelo tempo — a destemida rainha embalando dois bebês. Raisa fez o sinal do Criador e se ajoelhou na relva diante do altar da rainha.

Precisamos honrar melhor as tradições antigas, pensou ela. Este é meu sangue, minha herança, negligenciada e recoberta. Antigamente, governávamos os Sete Reinos e agora mal conseguimos lidar com um.

Quando a oração terminou, ela se virou e deparou com Amon, parado ao seu lado. Ele estava de pé, com as mãos enfiadas debaixo dos braços para aquecê-las, o vento agitando o cabelo, estudando a face do penhasco, como se realmente quisesse descer até lá.

— Isso é uma estrada? — perguntou ela e ficou de pé. Claro que não.

— Antes de construirmos a nova, essa era a única estrada. Os Andarilhos das Águas não usam cavalos, por isso não precisavam de uma estrada que cavalos e carroças pudessem usar.

— E você ajudou a construir a nova estrada?

— Sim. Meu pai ofereceu meu suor em troca de aprender os costumes dos Andarilhos das Águas. — Ele fez uma pausa e mordeu o lábio inferior. — Eles têm um sistema de dívidas e pagamentos que chamam de *gylden*. São orgulhosos... preferem que você esteja em débito com eles do que eles com você.

"Lorde Cadri é o líder dos Andarilhos das Águas. Há muitos anos, meu pai salvou a vida dele, depois um acidente de caça em que ele podia ter sangrado até a morte. Desde então, ele tem tentado encontrar um meio de saldar a *gylden*, e meu pai tem tentado mantê-lo em dívida. Não porque ele espera um pagamento, mas porque é uma vantagem para Fells. Papai pediu a lorde Cadri que me hospedasse durante um verão. Isso deveria compensar um pouco da dívida. Mas eu ajudei a desenhar e construir a estrada, então ele ainda deve *gylden* ao meu pai."

— A rainha Marianna sabe que isso está acontecendo? — perguntou Raisa.

Amon deu de ombros.

— Não sei. Acho que não. Ela nunca prestou muita atenção aos Pântanos, por causa da guerra em Arden e dos problemas em casa. Papai tenta garantir que ela não precise fazer isso. Eu não gosto de ouvir que tem problema ao longo da fronteira.

Raisa não conseguiu evitar se lembrar da mãe advertindo-a contra qualquer sonho de um casamento com Amon. *Eles são soldados*, falara a rainha, *e é tudo que serão.*

Você não tem ideia do tesouro que tem nos Byrne, mãe, pensou Raisa.

— Como descemos? — perguntou ela, esfregando a neve derretida do rosto.

Amon se ajoelhou na beirada do precipício e examinou um aparato de metal enferrujado fixado a rocha.

— Usamos cordas como medida de segurança — disse ele. — É arriscado demais descer sem corda. Ele se virou e deu ordens aos outros Lobos, que tiraram rolos de corda das algibeiras.

— E quanto aos cavalos? — perguntou Raisa.

— Eles descem com as cordas também. — Amon abriu a porta decrépita da guarita com o ombro. Raisa ouviu-o remexer em seu interior. Ele emergiu alguns instantes depois, sujo de poeira, com teias de aranha lhe cobrindo o cabelo, mas parecendo satisfeito consigo mesmo. Carregava tiras de couro, encaixes de ferro e torniquetes.

Raisa observou as peças, sem muita confiança. Há quanto tempo elas estavam ali? Será que tinham sido muito danificadas por apodrecimento e ratos? Switcher jogou a cabeça para trás e bufou, como se sentisse o temor de Raisa. A garota acariciou o focinho da égua para acalmá-la.

Amon enrolou a corda com habilidade ao redor da imensa polia fixa à rocha, prendeu-a com um gancho de ferro ligado a um torniquete. Depois enrolou um arreio largo de couro ao redor do corpo e entre as pernas e o prendeu à corda.

— Como você sabe que isso vai funcionar? — perguntou Raisa, imaginando cavalos balançando, batendo na face do penhasco e quebrando as patas.

— Eu já fiz isso antes. — Amon se virou para Mick e Hallie: — Vou descer primeiro, fixar a outra ponta e verificar a situação lá embaixo. Vou puxar a corda três vezes para avisar a vocês quando devem me puxar para cima.

Amon calçou um par de luvas de couro de cervo. Ele agarrou a corda com as mãos, recuou até a beira do penhasco, pulou e desapareceu da vista deles.

Engolindo um grito de desespero, Raisa se inclinou no penhasco e baixou o olhar. O penhasco se projetava para além de uma grande saliência, sem nada além do espaço aberto embaixo. Amon já estava a 30 metros, deslizando a corda pela polia, usando as pernas para chutar e se afastar da face do penhasco. Um instante depois, ele foi engolido pela névoa.

Ele já fez isso antes, Raisa disse a si mesma. Quantos outros segredos ele estava escondendo?

Baixar os cavalos, os soldados e todos os suprimentos pela face do penhasco levou a maior parte do dia. Os Lobos Gris cortaram alguns grossos pinheiros e os usaram para construir um guindaste para os cavalos. Amon vendou os animais, antes que os baixassem em grandes arreios de couro produzidos para aquela finalidade. Esse arranjo manteve os cavalos longe da escapa rochosa, para que eles não se machucassem, e manteve o pânico e os coices dos pôneis ao mínimo. Para alívio de Raisa, as tiras de couro aguentaram.

Raisa desceu no meio da tarefa, quando havia o mesmo número de guardas em cima e embaixo. A não ser por um hematoma feio no cotovelo, onde ela bateu na face do penhasco, algumas queimaduras de corda nas mãos e um local ralado na coxa, onde a faixa irritou a pele, ela chegou intacta. E achou aquela descida revigorante — era como voar. O fato de que ela não conseguia ver todo o caminho até embaixo, por causa do nevoeiro, ajudava.

Amon pareceu tremendamente aliviado quando ela chegou sã e salva.

— Nunca mencione isso para a rainha, está bem? — pediu ele, como se já não houvesse uma lista de coisas para não mencionar a Marianna. — E não diga a meu pai que você desceu sozinha.

Quando todos estavam embaixo, a luz do dia estava se apagando. Eles montaram as tendas na sombra da muralha de pedra e lutaram para acender fogueiras na névoa úmida. Após dar comida e água para os cavalos, eles engoliram uma refeição fria e rápida. Ninguém falou muito. O nevoeiro congelante parecia pressioná-los por todos os lados.

— Estou surpreso que ninguém esteja aqui para nos cumprimentar — disse Amon. — Os Andarilhos das Águas costumam vigiar as Cascatas. Achei que eles viessem encontrar qualquer um que fosse maluco o suficiente para usar a estrada antiga. Vila do Rio fica apenas um pouco para o sul, bem no rio. Amanhã vamos parar ali e prestar respeito, além de pedir permissão para passar.

O vento aumentou e a névoa se agitou e correu como espíritos incansáveis. Algumas vezes, Raisa pensou ter visto faces pálidas observando-os através das árvores, com olhos feito buracos escuros abertos em mortalhas de linho. Foi um alívio rastejar para a tenda com Talia e Hallie e fechar a aba, deixando do lado de fora a paisagem esquisita.

Como seria morar ali permanentemente, envolvida pela névoa?

Os Lobos Gris acordaram cedo na manhã seguinte e levantaram acampamento sem perda de tempo. Todos pareciam ansiosos para montar e cavalgar.

O rio Dyrnne havia se transformado. Ruidoso e agitado acima das quedas-d'água, ele se tornara um rio calmo, plácido e amplo que desaguava, letárgico, em afluentes de todos os lados.

Era uma paisagem estranha — grama alta banhada por cursos d'água e era impossível saber onde ficava a terra firme. Havia árvores caídas por toda parte, como um gigante jogo de varetas, podres e cobertas com um fungo branco e borrachudo. A névoa congelara da noite para o dia, e o solo estalava debaixo das botas. O gelo cobrira as poças e cada folha de grama, ramo e galho, transformando o pântano em um mundo surreal, sem cor.

— Aqui era mais seco — falou Amon. — Eles represaram o rio Tamron, e a água recuou para esses alagadiços. Foi isso que matou as árvores.

A escuridão ao redor deles era opressiva. Um inimigo poderia estar espreitando a alguns passos e não haveria meio de saber. Além disso, a umidade parecia abafar e distorcer os sons, então Raisa não sabia dizer de que direção vinham ou se a fonte estava perto.

Os dentes de Raisa batiam, e não era apenas de frio. Era como caminhar por um pesadelo, quando a qualquer momento um demônio poderia esticar os dedos frios e agarrar você, reclamando-o para o Destruidor. Os cadetes examinavam ao redor, forçando a vista; as mãos nunca se afastavam das espadas. A alegria costumeira se dissolveu na umidade fria.

Após meia hora de caminhada, eles fizeram uma curva e Vila do Rio agigantou-se em meio à nevoa. O que restara dela, pelo menos.

— Pelo sangue do Demônio — murmurou Amon. — Quem poderia ter feito isso?

Já não havia muita coisa lá, de início — apenas um conjunto de frágeis habitações de madeira, construídas ao redor de um pequeno templo na margem do rio. Agora estava em ruínas — a maioria das construções desmoronara ou queimara. Alguns barcos estavam ancorados na margem do rio, parecendo conchas vazias de caranguejo, os cascos partidos ou esmagados. Uma série de estacas estavam cravadas ao longo da margem, os restos do que tinham sido pequenas docas.

Os Lobos Gris desmontaram para revistar o local, procurando pelos habitantes dali. Ao menos não encontraram cadáveres, mas talvez eles tivessem sido jogados no rio ou levados pelos sobreviventes.

Amon se curvou e pegou um cesto de junco, cheio de peixes podres. Ele girou-o nas mãos e cutucou gentilmente com o indicador.

— Bom, aqui *era* Vila do Rio — falou ele em tom sombrio. — Parece que ninguém esteve aqui há, pelo menos, alguns meses.

— Você acha que foram atacados ou que destruíram tudo antes de abandonar? — perguntou Raisa.

Amon deu de ombros.

— Não sei, mas acho que eles foram atacados ou expulsos. Essas pessoas já não tinham muita coisa. Se pudessem, teriam levado tudo. — Piscando por causa das gotas de chuva, ele olhou rio abaixo. — Poderiam ter sido autônomos, vindos do sul. Mas seria muito difícil.

— Para onde será que eles foram? — falou Raisa. — Quer dizer, os Andarilhos das Águas.

— Quem sabe? — Amon assobiou para chamar os outros Lobos, que tinham se espalhado pela vila. — Acho que tudo que podemos fazer é seguir em frente — falou ele quando se reuniram. — Tenham suas armas à mão e fiquem juntos. Morley, você fica comigo.

Eles cavalgaram — durante milhas, pareceu — seguindo o rio, até, como Amon previra, ele se fragmentar em uma teia de córregos em um labirinto sem trilhas. Raisa tinha esperança de que a escuridão clarearia, mas ela apenas pareceu ficar mais densa. Era impossível se orientar olhando para o céu. Para cima, para baixo, para todo lugar — tudo era um espaço branco leitoso.

A friagem úmida começou nos dedos das mãos e dos pés de Raisa, gradualmente penetrando seu âmago, até tremores a percorrerem. Era possível que ela nunca mais voltasse a ficar aquecida.

Amon pegou a bússola e os guiou para o sul. Como não estavam mais seguindo o rio, a viagem ficara ainda mais difícil. Eles chapinharam por poças congelantes e moitas de grama com folhas afiadas que cortavam as patas dos cavalos e as pesadas calças de lona dos cadetes. Eles desmontaram e conduziram os cavalos, temendo que pisassem em buracos ocultos e se machucassem. A luz mudou conforme o sol baixou, mas não havia provas da passagem do tempo, a não ser pelo cansaço de Raisa e pelo buraco no estômago que dizia que ela não comia havia horas.

Ela marchou sombriamente, dando três passos para cada um de Amon. Diversas vezes ele a segurou quando ela tropeçou, como se soubesse que ela estava prestes a cair.

Finalmente, o chão ficou um pouco mais elevado. Os passos ficaram mais firmes à medida que passavam por um bosque de pequenos arbustos com folhas borrachudas e grossas, cobertas de gelo.

Amon grunhiu, satisfeito.

— Era isso que eu estava procurando. Este é o terreno mais elevado em quilômetros. Deve ser mais seco que qualquer outro lugar nos Pântanos, e se a névoa clarear, podemos dar uma olhada por aí. Um pouco mais adiante, a gente pode parar e passar a noite.

Mick resmungou.

— Temos que ficar aqui nesta... *lama* outra noite, senhor?

— Não podemos só seguir em frente? — Garret curvou as mãos, ainda com luvas, e deu batidinhas nas coxas, tentando aquecê-las. — Eu preferia caminhar a sentar e congelar.

— As nascentes do rio ainda estão bem longe — falou Amon. — Não vamos nos livrar desse lugar por alguns dias, não nesta época do ano. Além disso, não podemos caminhar no escuro. Vamos quebrar o pescoço ou terminar mergulhados até a cintura em um pântano.

— Deixe disso, Garret. — Hallie estava animada como sempre. — Você vai se sentir melhor assim que a fogueira estiver acesa e você tiver algo na barriga.

— Se der para fazer uma fogueira com essa umidade — resmungou Mick.

Como eles, Raisa não gostava da ideia de passar a noite naquele pântano congelante, mas aguardava ansiosamente por uma fogueira. E apertou um pouco o passo.

Eles caminhavam em fila indiana, conduzindo os cavalos, a névoa tão densa que eles mal podiam ver a pessoa à frente, quando um grito no final da fila fez com que parassem.

— Hallie! Onde está você? — Longa pausa. — Não fique de brincadeira agora. *Hallie!*

Nada.

— O que foi, Mick? — gritou Amon da posição na frente.

— É... é a Hallie, senhor. Ela sumiu. — Hallie estivera no fim da fila.

— Sumiu? Desde quando? — perguntou Amon.

— Cinco minutos, creio, senhor. Eu olhei para trás e ela não estava lá.

Amon xingou.

— Eu falei para vocês ficarem juntos.

— Nós ficamos — insistiu Mick. — Ela estava bem atrás de mim, juro.

— Formar! — berrou Amon, e os Lobos Gris se reuniram perto dele, apertando as rédeas dos cavalos, com os rostos pálidos e ansiosos. — Muito bem. Vamos encontrá-la. Ela não pode estar longe.

"Garret, Talia, Morley e eu vamos acender uma fogueira e preparar o Campo. O restante de vocês vão formar duas equipes de três e examinar a trilha atrás de nós. Voltem aqui a cada 15 minutos. E tenham cuidado. Se for preciso, amarrem-se uns aos outros. Não quero ter que explicar para meu pai como perdi meu grupo nos Pântanos."

Em circunstâncias normais, teria havido provocações e xingamentos em resposta a isso, mas ninguém estava com ânimo para brincadeiras. Os outros seis cadetes desapareceram na névoa, voltando pelo caminho de onde vieram.

Metodicamente, Raisa preparou a fogueira, tirando palha seca da algibeira protegida no cinto dela e depois os fósforos produzidos pelos clãs. Amon e Garret ergueram as tendas enquanto Talia ficava de guarda. Eles deixaram as armas ao alcance das mãos.

Quinze minutos se passaram, depois 20, 25, e nenhum dos outros Lobos voltou. Pouco depois Raisa já tinha acendido a fogueira, protegida de olhares curiosos por uma parede de juncos congelados e lama. Ela estendera um varão para secar as roupas úmidas. Retirando da bolsa o pão, a carne defumada e as frutas secas que seriam a ceia deles, ela pôs água para o chá para ferver. Ela se obrigou a fingir que tudo ficaria bem.

Conforme o prazo veio e passou, Amon foi de impaciente e irritado para tenso e mudo. Ele pulava a cada som, e havia muitos sons no pântano ao redor — galhos estalando, e grama congelada sibilando como se fosse acariciada por mãos invisíveis. A névoa se aproximou e girava ao redor deles, criando formas monstruosas na fogueira.

Amon ficou olhando as chamas. A fogueira iluminava os ângulos duros de seu rosto. Ele tem apenas 17 anos, pensou Raisa. É somente um ano mais velho que eu e ainda assim recebeu essa responsabilidade imensa. Se alguma coisa acontecer com a gente, ele vai se culpar, porque está no comando. Como isso pode ser justo?

Na névoa, um cavalo relinchou uma saudação. Amon correu até onde os pôneis foram amarrados, com a espada na mão. Ele desapareceu no nevoeiro, caminhando à frente com a espada.

— Hallie! — O grito dele ecoou para Raisa, abafado pelo ar denso.

Momentos depois, ele reapareceu, conduzindo um pônei sem montaria.

— É o de Hallie — falou ele rápido, amarrando-o com os outros.

Talia e Garret examinaram a área ao redor do acampamento, recolhendo qualquer coisa que queimasse que conseguissem encontrar, tomando cuidado para permanecer no campo de visão. Amon cuidou dos cavalos, mas não retirou todos os arreios, como se previsse que eles poderiam ter que sair apressadamente.

Aonde iríamos?, pensou Raisa. Não havia nenhuma boa opção naquele labirinto sem trilhas. Nada que dissesse que um lugar era mais seguro que o outro. Eles poderiam muito bem ficar ali, onde havia uma chance de os outros encontrarem o caminho de volta. Ela rastejou para as tendas e começou a estender os sacos de dormir, dizendo a si mesma que os outros estariam exaustos e dispostos a dormir cedo quando retornassem.

Ela estava terminando de arrumar a terceira tenda quando ouviu um grito, que foi interrompido repentinamente. Depois, pés correndo, alguém caindo em meio aos arbustos, e Amon gritando:

— Garret! Talia?

Raisa congelou onde estava e prendeu a respiração. Um instante depois, pulou quando Amon empurrou a aba da tenda para o lado e se agachou ao lado dela, falando em seu ouvido.

— Eles se foram — disse ele. — São os Andarilhos das Águas, só podem ser. Não sei quantos são, mas acho que temos que supor que eles estão em maior número.

— Será que a gente deveria correr? — murmurou Raisa.

— Se corrermos, também vamos ser pegos. Vou tentar fazê-los vir até mim para descobrirmos o que está acontecendo. Não é costume deles atacar sem serem provocados.

— Talvez as coisas tenham mudado desde que você esteve aqui — falou Raisa, e imediatamente se arrependeu quando viu a dor e a culpa no rosto de Amon.

Ele jogou uma algibeira nos braços dela.

— Tem um pouco de comida e mantimentos aí. Vou sair e pedir uma reunião. Você fica aqui e presta atenção. Se as coisas derem errado, saia pelos fundos e corra. Talvez uma pessoa sozinha consiga evitá-los.

Como seria ouvir Amon morrer e depois fugir por aquele pântano terrível, sozinha, com os assassinos dele em seus calcanhares?

— Não. Não vou — negou Raisa. — Vamos ficar juntos, não importa o que aconteça. Vamos morrer juntos se for preciso.

— Por favor, Raisa — pediu ele, apertando as mãos dela com força. — Isso é minha culpa. Não deveríamos ter vindo por aqui. Eu pensei que sabia onde estávamos nos metendo, mas deveria ter ouvido Barlow. Me dê uma chance de salvá-la, mesmo que eu tenha perdido os outros.

— Todos nós achamos que nossa melhor chance era cruzar a fronteira — falou Raisa. — Inclusive seu pai. Não vou questionar isso agora. Não importa o que aconteça, acho que estamos mais seguros juntos. — Raisa engatinhou para a frente da tenda. — Agora, vamos sair. Acho que é melhor ir até eles do que eles virem atrás de nós.

— Muito bem. — Deslizando para a frente, Amon pôs a mão no ombro dela. — Mas fique atrás, está bem? Eu não quero que eles saibam quem você realmente é. Vou pedir uma conferência.

Eles emergiram na clareira sinistra do acampamento. Amon pegou o bastão de luta no cavalo. Apoiando-o nas palmas das mãos, ele o ergueu horizontalmente à sua frente, depois pousou na grama no meio da clareira. Ele se afastou do bastão com três longas passadas, depois falou em voz alta no que Raisa supôs que fosse a língua dos Andarilhos das Águas.

Mais um idioma que ela não compreendia. Por que ela nunca o estudara?

A resposta era essa: seus tutores e conselheiros em Fellsmarch consideravam os Andarilhos das Águas pouco mais que selvagens. Eles não usavam armas nem ferramentas, não cavalgavam e viviam com simplicidade, em habitações que eles transportavam de um lugar para outro.

Amon aguardou uma resposta e, quando não recebeu nenhuma, repetiu o chamado. Na terceira vez, formas se materializaram em meio à névoa e foram até eles.

Eram três — um jovem, um garoto, na verdade, dois ou três anos mais novo que Raisa, e um homem e uma mulher de meia-idade. Eles tinham em comum sobrancelhas pretas e grossas e narizes fortes e retos. Usavam túnicas de cor clara que dificultava que fossem vistos no meio da névoa congelante. Todos traziam bastões de luta como o de Amon.

O jovem encarou Amon. Em contraste com a arma simples do soldado, o bastão dele tinha entalhes complexos com peixes, serpentes e outras criaturas fantásticas. Era pequeno o suficiente para se adequar à sua estatura e constituição leve. Sua roupa era mais elaborada e decorada que a usada pelos outros, bordada com fios claros e prateados em um desenho que imitava a luz do sol em ondulações e escamas de peixe.

— Bom dia, Dimitri — cumprimentou Amon na língua comum e esticou as mãos na direção do jovem.

— Cabo. — Dimitri não fez nenhum movimento para retribuir o gesto, mas ficou parado, segurando seu bastão, com o rosto impassível. Amon inclinou a cabeça, estudando a expressão de Dimitri, e baixou as mãos para as laterais do corpo.

— Bom dia, Adoni e Leili — falou Amon, virando-se para o homem e a mulher mais velhos. Eles estavam rígidos e sem expressão, com os bastões formando um ângulo com o corpo.

Após uma pausa inquietante, Dimitri curvou-se e pousou o bastão no chão, próximo ao de Amon. Ele se esticou e deu um passo para trás.

Amon se empertigou, parecendo aliviado.

O homem e a mulher mais velhos seguiram o exemplo de Dimitri, embora nenhum parecesse satisfeito com isso. Eles ladearam Dimitri, parando um de cada lado, um pouco atrás dele.

— Podemos conversar na língua comum para que todos possam entender? — falou Amon e esticou uma das mãos na direção de Raisa.

Dimitri olhou para seus companheiros e eles deram de ombros.

— Vocês querem dividir a fogueira? — perguntou Amon e fez um gesto na direção da pequena fogueira de Raisa.

Os Andarilhos das Águas estavam sérios, como se relutassem em compartilhar até mesmo aquele pequeno símbolo de hospitalidade deles.

Ossos, pensou Raisa, estremecendo. Sem dúvida, eles vão nos matar.

Finalmente, Dimitri retirou a capa, jogou-a no chão e sentou-se nela. Os outros fizeram o mesmo, ajeitando-se ao redor do fogo.

Amon também se sentou, com Raisa ao lado dele.

— Esta é Rebecca Morley — falou Amon e tocou o ombro de Raisa.

— Vocês estão casados? — perguntou Leili, do nada. Ironicamente, a língua comum soava mais formal que os outros idiomas usados nos Sete Reinos.

— Não. — Amon balançou a cabeça e suas bochechas ruborizaram. — Ela é uma cadete. Do primeiro ano.

— Outro soldado, então — falou Dimitri.

— Não um soldado — explicou Amon. — Apenas uma estudante.

— Ainda assim um soldado — insistiu Dimitri, olhando para Adoni e Leili, que assentiram. A inquietação que formigava em Raisa se intensificou. São os conselheiros dele, pensou ela. Ele os procura para orientação. E eles nos odeiam.

— Você é o líder agora? — perguntou Amon a Dimitri.

— Sou — respondeu Dimitri, tocando com o dedo, constrangido, a bainha com um bordado intrincado nas mangas.

— E seu pai? — perguntou Amon naquela maneira direta. — Onde ele está?

— Meu pai morreu em Vila do Rio — disse Dimitri.

— Sinto muito por lorde Cadri — falou Amon. — Como aconteceu?

— Por que você veio aqui com soldados? — interrompeu Dimitri.

— Estamos indo para a academia em Vau de Oden — explicou Amon. — Parei em Vila do Rio para pedir a bênção do viajante e descobri que tinha sido destruída.

— Sim — concordou Dimitri. — Vila do Rio foi destruída. Destruída por soldados de Fells, no meio do verão.

Pela doce Hanalea! Raisa abriu a boca, depois a fechou sem dizer nada.

— Na Muralha Ocidental, me contaram que tem havido problema ao longo da fronteira — disse Amon. — O que está acontecendo?

O homem mais velho falou na língua dos Pântanos, suas mãos cortando o ar. Dimitri olhou para Raisa, depois traduziu rapidamente.

— A rainha de Fells nos envia um rio Dyrnne cheio de venenos. E piora a cada dia. Os peixes não podem viver. Mata as plantas que colhemos para comer. Nossos filhos adoecem e morrem. Ainda assim, quando nós reclamamos, ela não faz nada. Isso tem sido um problema há muito tempo, mas agora está pior do que nunca.

Amon assentiu.

— Eu sei. Os refugiados da guerra de Arden se acumularam em Fellsmarch. Acampam nas margens e esvaziam os penicos no rio. Isso piorou a situação.

Desde que Raisa lembrava, o rio estivera em uma situação ruim. Os sistemas de esgoto em Fellsmarch tinham sido construídos havia séculos, durante alguma época próspera e de atenção pública. Mas nos últimos tempos, com o custo de manter um exército mercenário e os impostos decrescentes devido à queda do comércio pela guerra, nunca parecia haver dinheiro suficiente para pagar por reparos.

Os clãs reclamavam que mantinham o rio limpo nas Montanhas Espirituais apenas para que os habitantes do Vale o utilizassem como um reservatório de imundícies.

— Se não podemos mais alimentar nossa família — emendou Dimitri —, não teremos opção além de tirar de outros. Em especial, daqueles que causaram o problema. Por isso enviamos batedores pela fronteira e pegamos comida em Tamron e Fells.

— E a guarda destruiu Vila do Rio em retaliação — falou Amon.

Dimitri assentiu.

— Sim. Eu estava longe, na época. Eles vieram do forte no topo da escarpa, usando a estrada que você e eu construímos. E queimaram ou demoliram todas as casas, destruíram os barcos, arrasaram as docas, e levaram nossas redes, nossas ferramentas, o peixe seco e o grão que tínhamos estocado para o inverno. Eles mataram todos que não fugiram, do idoso mais velho ao mais novo dos bebês. Eles amarraram as mãos e os pés das crianças e as jogaram vivas no rio para que se afogassem.

Raisa se recordou do que Barlow dissera: *Os Andarilhos das Águas andaram atacando na fronteira, roubando gado e comida. Nós pusemos um fim nisso.*

— Sangue e ossos — murmurou ela. — Eu sinto muito.

Dimitri olhou para Raisa, franziu a testa de modo desaprovador, depois se voltou para Amon.

— Minha mãe está morta, bem como minhas irmãs. A maioria dos homens da aldeia foi assassinada, meu pai e o pai dele, meus irmãos e todos os meus tios, menos Adoni. Quem escapou está reunido em Lago Sagrado, perto do mar.

Dimitri fez um gesto de impotência.

— Aqueles que sobreviveram provavelmente morrerão de fome no inverno. Pescamos no mar, mas nossos barcos não foram construídos para as tempestades de inverno em Sotavento. E nossos estoques de comida para o inverno foram destruídos.

— Dimitri, Adoni, Leili, isso não pode continuar — disse Amon, os olhos acinzentados escuros de raiva. — Não vou permitir que continue. Vocês sabem quem comandou os que atacaram vocês?

— Que importância tem isso? — falou Leili com uma amargura tranquila. — Os soldados são todos iguais. — Ela esticou os braços vazios. — Meus bebês estão mortos.

— Agora eu sou o líder no lugar do meu pai — disse Dimitri. — Tio Adoni e a prima Leili são meus conselheiros. Continuamos cruzando a fronteira e pegando o que podemos dos habitantes das terras altas. Destruímos a estrada nova, o que vai dificultar deslocar homens, cavalos e armas. Mas uma hora os habitantes das terras altas vão se esgueirar pela escarpa e atacar Lago Sagrado, e esperamos que nos joguem no mar. Estamos numa luta até a morte. Então você compreende por que não recebemos soldados aqui.

— Não estamos aqui para lutar. Vocês sabem disso — falou Amon.

— Sabemos? — retrucou Adoni, com o rosto duro e impassível.

— Onde estão os outros cadetes? — perguntou Amon, olhando nos olhos de Dimitri. — Eles ainda estão vivos?

— Estão — confirmou Dimitri. O coração de Raisa acelerou, até que ele disse: — Mas não por muito tempo.

— Você me conhece, conhece meu pai. — Amon se sentou bem ereto, com as mãos nos joelhos. — Meu pai salvou a vida do seu pai. Nunca mentimos para vocês. Tudo que queremos é seguir até Tamron, e deixá-los em paz.

— Não há paz — disse Dimitri. — Não mais.

Adoni se inclinou para Dimitri e falou alguma coisa na língua dos Pântanos.

— Meu tio diz que minha dívida foi paga com a vida do meu pai e de meus tios. Fells nos deve *gylden* por centenas de vidas. Suas mortes ajudariam a pagar novamente a dívida.

— Meu pai não teve nada a ver com a destruição de Vila do Rio — retrucou Amon. — Ele nunca afogou uma criança. Provavelmente nem sabe sobre isso.

— Ele é o capitão da Guarda da Rainha — falou Leili na língua comum. — É o responsável, junto com a rainha e o exército. Talvez a perda do filho o ajude a reconhecer a dor que ele causou.

— Você e seus companheiros morrerão com honra — concedeu Adoni —, porque seu pai é um homem honrado.

— Você sabe que não sou seu inimigo — disse Amon, olhando para cada um dos Andarilhos das Águas. — Nem meus cadetes. Meu pai tem voz na corte. Se nos deixarem ir, vou fazer o possível para que ele fale em seu nome. Nos matar não vai ajudar e vai fazer ele se virar contra vocês. Vocês criarão uma dívida de honra que não podem pagar.

Raisa sabia o que mais ele estava pensando: Se matarem a princesa-herdeira, não haverá chance de reconciliação. Nunca mais.

— Lamento — falou Dimitri. — Você era meu amigo. Talvez possamos ser amigos novamente na outra vida. Mas não neste mundo. Muitas mortes nos separam agora.

Ele desistiu, pensou Raisa. Acha que acabou. É como um morto, perambulando, esperando parar de respirar. E seus homens pagarão o preço.

Raisa fitou a névoa e piscou por causa das gotas de chuva congeladas e das lágrimas de frustração. O nevoeiro serpeou e aumentou, e uma loba gigante, branca e cinza se sentou e a encarou, passando a língua pelos dentes afiados como navalhas. Os olhos verdes brilharam sob a luz da fogueira e uma camada de gelo reluzente prateava o pelo dela.

O Lobo Gris — símbolo da linguagem de Raisa. Significava risco. Oportunidade. Um ponto de virada.

Eu me recuso a morrer aqui, falou Raisa para a loba. *Tenho apenas 16 anos. Ainda tenho muito a fazer.*

A loba se sacudiu, jogando pedaços de gelo no fogo. As chamas crepitaram e faiscaram. Ela mostrou os dentes, rosnando, depois deu três latidos agudos.

Era algum tipo de sinal? Uma trilha a seguir?

Raisa ficou de joelhos, inclinando-se para a frente, com os punhos cerrados.

— Se você pretendia nos matar desde o começo — perguntou a Dimitri —, por que concordou com uma reunião?

Todos os três a fitaram, a fúria dela os surpreendendo.

— Você se intitula o líder de seu povo. Se você é, precisa salvá-los.

Dimitri piscou para ela.

— Você não compreende — começou ele.

— Acho que compreendo — disse Raisa. — Vila do Rio foi destruída. Sua família foi morta. É uma coisa terrível. Você está tomado pela tristeza. Se sente paralisado. Qualquer um se sentiria, no seu lugar. Mas você não pode se permitir ao luxo de ficar triste.

Amon apertou o joelho de Raisa.

— Morley, cale *a boca* — rosnou ele.

— Ele precisa ouvir isso — falou Raisa. — Ele vai nos matar de qualquer forma, então o que importa se ele não gostar de ouvir? — Ela se pôs de pé e caminhou de um lado para o outro, batendo o punho na palma da mão para dar ênfase. — Vocês *sabem* que não somos seus inimigos. Vocês *sabem* que não representamos perigo para vocês. E sabem que nos matar não vai manter o exército de Fells longe de seu território. A única razão para nos matar é a vingança, para diminuir a dívida que vocês sentem que a rainha de Fells tem com vocês.

Ela deu meia-volta, encarando Adoni e Leili.

— É tão fácil. Seus conselheiros estão encorajando você a fazer isso. Eles também estão tristes e isso vai fazer vocês se sentirem melhor por um tempinho. Vocês vão sentir que estão fazendo *alguma coisa*, quando agora vocês se sentem inúteis.

"Mas você é o responsável pelo seu povo, e nos matar vai prejudicá-los. Os líderes não podem fazer o que é mais fácil. Você não faz o que quer fazer."

Amon estava imóvel, com as mãos apoiadas nas coxas, como se, ao se mover, ele pudesse causar uma explosão. Adoni e Leili a observavam com uma mistura de surpresa e irritação.

— Fique quieta, garota — rosnou Adoni. — Não precisamos de um soldadinho das terras altas para nos dizer o que podemos e o que não podemos fazer.

Mas Dimitri ergueu a mão para calar o tio, sem tirar os olhos de Raisa.

— Eu não tenho que me vingar, é o que você está dizendo. O que eu *tenho* que fazer? — perguntou ele secamente.

— Você tem que tomar a decisão que é melhor para os Pântanos, não importa o que você quer. Não importa qual é a tradição. Você tem que fazer a coisa certa. Se deixar a gente ir, cabo Byrne vai levar suas reclamações até o pai dele e a rainha. Ele vai falar em seu nome, e eu também.

Raisa percebeu que era uma promessa difícil de manter, dado seu exílio autoimposto. Ela encontraria um jeito. De alguma forma. Se sobrevivesse àquele dia.

Ela voltou à fogueira e se agachou diante de Dimitri.

— O que vai beneficiar mais seu povo: nos matar ou nos deixar ir?

— Essa garota é boa com as palavras — falou Leili para Dimitri. — Por que deveríamos acreditar nela?

Dimitri entrelaçou as mãos e tocou o queixo com os indicadores, pensativo.

Talvez por suspeitar que o sobrinho estivesse vacilando, Adoni falou:

— Lorde Dimitri, nós podíamos deixar o cabo Byrne ir. Isso faria com que o capitão Byrne ficasse lhe devendo. Então mate o restante. — E então olhou com expressão severa para Raisa, como se ela fosse a primeira da lista.

— Isso não é aceitável — falou Amon. — Eu sou responsável pelo meu grupo. Não vou embora deixando-os para morrer. Vocês acham que meu pai receberia de volta um covarde?

— A escolha é sua. — Leili deu de ombros. — Fique e morra com eles se você insiste.

Dimitri continuou fitando Raisa, como se estudasse seu rosto atrás de pistas. Depois ele desviou os olhos dela para o local onde a loba cinzenta aguardava, na floresta, com os olhos verdes fixos no grupo ao redor da fogueira. Dimitri ficou rígido, piscou e esfregou os olhos.

Raisa se virou, acompanhando o olhar do garoto. A loba se ergueu, se sacudiu e trotou para o meio da névoa. Seu rabo peludo foi a última coisa a desaparecer.

Dimitri ergueu-se abruptamente, com o rosto pálido e determinado.

— Leili, Adoni, vamos conversar em particular. — Eles se afastaram um pouco e começaram uma discussão intensa.

— Vá embora — disse Amon para Raisa. — Vou distraí-los para que você possa fugir.

— Não — retrucou Raisa. — Eu vou ficar. Ele precisa de uma chance para tomar a decisão certa. Se eu correr, vai parecer um truque, e eles vão matar você e todos os outros.

— Ora. Provavelmente estamos cercados de qualquer jeito — resmungou Amon e estreitou os olhos para a névoa. — Você é doida e sabe disso, não sabe? — emendou ele, sem olhar para ela.

Não, não sou doida, pensou Raisa. Estou com raiva. Estou enojada e arrasada com o que foi feito em nome da linhagem Lobo Gris.

Os três Andarilhos das Águas voltaram para a fogueira. Adoni e Leili pareciam muito infelizes, o que deu esperança a Raisa.

— Eu me decidi — anunciou Dimitri. — Nós deixaremos que você e seus cadetes vivam, cabo, então você pode levar nossas reclamações para seu pai e ele pode usar sua influência com a rainha. Vocês dois nos dariam sua palavra de que vão fazer isso? — Ele desviou os olhos de Amon para Raisa: — Incluindo a falastrona?

— Eu vou fazer tudo em meu poder para que atendam às suas reclamações — falou Raisa, então mordeu o lábio, percebendo que não soara muito como um soldado.

— Onde você encontra cadetes como essa, cabo Byrne? — Dimitri ergueu uma sobrancelha. Ele se virou para Adoni e Leili: — Tragam os outros soldados. Eu vou esperar com esses aqui. — Quando os dois hesitaram, ele acrescentou: — Como eu disse, eles não são nossos inimigos.

Os conselheiros de Dimitri deixaram o acampamento, olhando por cima do ombro.

Dimitri aguardou até eles saírem de perto, depois disse:

— Um de nossos grupos trouxe notícias das terras altas. Comentaram que a princesa-herdeira de Fells fugiu. — Ele olhou diretamente para Raisa ao dizer isso.

Amon moveu-se ligeiramente para a frente, colocando-se entre Raisa e Dimitri.

— Por que você acha que ela foi embora? — perguntou Dimitri, ainda encarando Raisa.

— Talvez ela quisesse descobrir o que realmente está acontecendo no mundo para que ela pudesse ser uma governante melhor — disse Raisa e deu de ombros, sentindo o calor da reprovação de Amon.

— Dizem que ela já faz tudo como quer — falou Dimitri. — Dizem que ela criou um programa para educar e alimentar os pobres na capital que se chama Ministério da Rosa Agreste.

— Ela faz o que pode, lorde Dimitri — disse Raisa. — Rosa Agreste é o nome que a princesa-herdeira tem nos clãs e também é o emblema dela. Veja, vou lhe mostrar. — Cruzando o acampamento até onde os pôneis estavam amarrados, ela enfiou a mão na algibeira, tomando o cuidado de se mover lenta e deliberadamente. Raisa tirou um pedaço de seda bordado com o emblema da rosa com espinhos. Voltou-se para Dimitri e entregou a seda a ele.

— Este cachecol tem o emblema da princesa-herdeira. Assim que ela retornar a Fellsmarch, você pode usar como um passe. Se um dia você precisar da ajuda dela ou precisar enviar uma mensagem a ela, mande este cachecol com o mensageiro, e garanto que você será atendido.

Dimitri ficou imóvel por um momento, com o tecido dobrado nas mãos. Depois, guardou o cachecol na túnica, com cuidado, e inclinou a cabeça.

— Um dia, milady, a princesa-herdeira será rainha. E ela vai me dever *gylden*. — Ele sorriu.

Raisa retribuiu o sorriso de Dimitri.

— Sim, ela vai — concordou a garota. — E um dia talvez você ensine a princesa Raisa a lutar com o bastão.

— Aguardarei ansiosamente. Por enquanto, vou dar meu próprio emblema a ela para que se lembre de mim. — Dimitri pegou o bastão, colocou-o nas palmas e estendeu-o para Raisa. — Para a futura rainha de Fells. Já está mesmo pequeno para mim, de qualquer forma — acrescentou ele, esticando-se o máximo que podia.

Raisa aceitou o bastão com seriedade, sentindo o peso equilibrado em suas mãos.

— Vou providenciar para que ela o receba. Parece ser do tamanho certo.

Lorde Dimitri virou-se para Amon:

— Vou devolver as armas dos soldados. Mas preciso de sua promessa de que eles não vão usá-las contra nós.

Uma dúzia de Andarilhos das Águas emergira da névoa, conduzidos por Adoni e Leili, e guiando Mick, Talia, Hallie e os outros Lobos Gris desaparecidos. Os cadetes formavam um grupo e olhavam de Amon e Raisa para seus captores, mudos.

Garret e Hallie pareciam machucados e exaustos, como se tivessem enfrentado uma luta difícil. O restante parecia abalado, mas ileso.

— Devolvam as armas deles — falou Dimitri. Os Andarilhos das Águas entregaram as espadas, adagas, cintos, arcos e aljavas. Os habitantes do pântano seguravam as peças de metal com desgosto evidente. Raisa deslizou o novo bastão para o cinto, junto com a espada.

Dimitri traçou um mapa grosseiro na terra para mostrar-lhes o caminho.

— A névoa deve clarear enquanto marcharem para o sul. Vocês encontrarão as nascentes do Tamron depois de dois dias de caminhada.

Ele ofereceu-lhes pão para a jornada, mas Amon recusou educadamente, sem dúvida lembrando que os Andarilhos das Águas passavam fome em Lago Sagrado.

Eles subiram nas montarias e viraram os pôneis mais uma vez para o sul, confiando na bússola de Amon e nas indicações de Dimitri. Nenhum dos Lobos olhou para trás, como se, ao fazer isso, pudessem quebrar qualquer feitiço que tivesse controlado seus captores.

Hallie esperou até que eles estivessem bem longe, antes de esporear o cavalo até ficar ao lado de Amon.

— O que aconteceu? Eu pensei que vocês dois estavam mortos e que logo também estaríamos, quando, de repente, eles nos desamarram, nos levam de volta ao acampamento e nos tratam como se tudo fosse algum tipo de engano.

— Morley aqui explicou a lorde Dimitri tudo sobre as responsabilidades de um governante — falou Amon. Os olhos cinzentos estudaram Raisa com curiosidade, como se ele pudesse, de alguma maneira, descobrir o tipo de mágica que ela fizera.

— Hã? — Hallie olhou de Raisa para Amon. — Não estou entendendo.

— Parece que Morley é boa com as palavras — disse Amon, e, apesar das perguntas de Hallie, não explicou mais nada.

CAPÍTULO SEIS

DEMÔNIOS DAS TERRAS BAIXAS

Han e Dançarino deixaram Delfos cedo na manhã após o jogo de cartas, sem ver Cat Tyburn novamente. Han se perguntou o que ela teria decidido fazer: ficar em Delfos, seguir viagem ou voltar para casa.

O casaco azul na fronteira tinha razão em uma coisa — Arden, ao sul de Delfos, era um lugar perigoso. Han e Dançarino viajaram por uma paisagem marcada pela guerra — sítios queimados e colheitas pisadas pelas botas dos soldados. Se o príncipe Geoff pretendia declarar vitória, como a servente disse-ra, teria um trabalho duro pela frente.

Mercenários rudes e soldados armados se amontoavam nas estradas, com ou sem uniforme, alguns portando a insígnia desconhecida de várias famílias em guerra: o Gavião Vermelho, as Duas Águias, a Torre na Água e o Corvo na Árvore.

Han e Dançarino evitaram todos eles. A última coisa que queriam era serem obrigados a se alistar no exército de algum lordezinho e morrer no fim de uma guerra de estrangeiros. Eles dormiram nos bosques, frequentemente sem o conforto de uma fogueira, que poderia chamar a atenção de olhos hostis. Os muitos desvios lhes custaram um tempo precioso.

Conforme viajavam para o sul, as montanhas diminuíram para planaltos elevados, que depois deram lugar a planícies amplas e bosques nos quais o vento, a água e o homem transformavam a terra. Mesmo nos bosques, Han sentia-se estranhamente exposto e vulnerável. Ele estava acostumado à moldura tranquilizadora de montanhas e colinas, muralhas e edifícios, definindo e encurtando o horizonte.

Han não conseguia afastar a sensação inquietante de que estavam sendo observados e seguidos. Ele pôs feitiços de proteção ao redor do acampamento, mas parou de fazer isso quando guaxinins os mantiveram acordados a noite toda. Nada mais perigoso tentou se aproximar deles. Ele pôs de lado suas preocupações sobre o território desconhecido e seus insistentes pensamentos sobre estarem sendo perseguidos desde Fells.

Han podia ver por que Arden era chamada de "a cesta de pão" dos Sete Reinos. O solo era profundo, rico e negro, com menos pedras que o esqueleto duro e acidentado de Fells. Han tivera esperança de que poderiam complementar o pão, a salsicha e as frutas secas com alimentos frescos das fazendas ao longo do caminho. Mas eles encontraram pouca coisa para comer e menos ainda para comprar. Era como se alguma peste da época da Cisão tivesse varrido os campos, levando tudo o que havia de alimento.

Embora os dias de outono fossem mais curtos e a névoa cobrisse os campos de manhã, o clima parecia teimosamente preso ao último verão. Eles viajavam rápido o suficiente apenas para se adiantarem à mudança das estações.

Quando não podiam mais suportar o fedor dos corpos jogados na estrada havia tempo demais ou encarar outra refeição de pão e salsicha dura, eles paravam em estalagens, evitando o salão comum, a não ser para a refeição da noite. Eles usavam os amuletos, mas os mantinham escondidos sob a camisa, torcendo para evitar problemas em um reino onde a magia era proibida.

Nas estalagens, Han e Dançarino pagavam por velas, se retiravam para seus quartos e estudavam os livros de encantamentos que Elena tinha adquirido para eles. Quando acampavam, treinavam usar a magia, se aproveitando da experiência limitada de Dançarino. Durante as longas horas de cavalgada, mantinham as mãos nos amuletos, armazenando poder para os dias à frente.

Dançarino estudou, por conta própria, outro de seus livros — fino e puído, com folhas translúcidas escritas na língua dos clãs e ilustradas com desenhos de amuletos e talismãs. Ele desenhou objetos mágicos e símbolos de poder no diário.

Ele não desistiu de ser um ourives de artefatos mágicos, não importa o que Elena diga, pensou Han.

Embora estivesse morto de cansado todas as noites, Han dormia inquieto, com o amuleto de serpente aninhado nas mãos. Algumas noites ele era assolado por pesadelos bizarros, imagens de lugares que nunca vira, pessoas que nunca conhecera. Ele jamais se lembrava dos sonhos, mas acordava cansado, com dor de cabeça, como se tivesse continuado seus estudos noite adentro.

Após o episódio na fronteira, Han temia acidentes mágicos, mas, conforme adquiriu mais controle, as explosões de poder cessaram. Podia fazer nascer uma sebe de espinheiros onde quisesse. Na maior parte do tempo era inútil, mas era o feitiço mais interessante que ele sabia.

Algumas vezes era tomado pela preocupação. Se aquele amuleto já pertencera ao Rei Demônio, se ele o tivesse usado, como Han estava fazendo agora, poderia estar cheio de magia negra, demoníaca. Talvez isso o deixasse maluco, assim como ao dono anterior.

Mas essas preocupações não podiam competir com a atração sedutora do faz-feitiço, com sua capacidade de drenar o poder e devolvê-lo transformado. Os feitiços que ele e Dançarino tentavam eram simples e práticos. Naqueles dias, eles nunca precisavam de pederneira e ferro para atiçar o fogo — podiam conjurá-lo no ar. Eles estudaram feitiços para acalmar os cavalos e atrair os peixes de fora dos córregos para suas mãos. Usavam feitiços de viajantes para desencorajar mosquitos, fazer nós rapidamente, e evitar que a chuva ensopasse suas roupas.

Às vezes, Han ficava impaciente, frustrado pelos atrasos da viagem e temendo que houvesse coisas demais a aprender e não tivesse tempo suficiente. Quanto tempo levaria para aprender tudo que precisavam saber? E então o que ele faria com aquele conhecimento? Servir aos clãs, como prometera? Enfrentar o Conselho dos Magos em nome de uma rainha que o traíra e provavelmente não queria sua ajuda? Ou ele poderia encontrar um meio de usar aquilo para seus próprios fins?

Se ao menos seu dom tivesse sido liberado a tempo de salvar a mãe e a irmã. Agora aquilo parecia o cúmulo da ironia — um remédio administrado após a morte do paciente.

Os idosos dos clãs não se importavam com isso. Lorde Averill e Elena *Cennestre* o tinham algemado e limitado, estrangulando a magia que agora jorrava através dele. Eles o tinham observado lutar para alimentar a família, nas ruas de Feira dos Trapilhos, e nunca abriram aquela torneira de poder até que servisse aos propósitos deles. E quando o fizeram, sua mãe e Mari estavam mortas.

Han dedicaria sua lealdade a certas pessoas, como a mãe de Dançarino, Willo, a matriarca de Pinhos Marisa, o orador Jemson, do Templo de Ponte

Austral, o eremita Lucius Frowsley, além de Cat e Dançarino. De resto, ele serviria a si mesmo, esperando e observando até conseguir tirar vantagem. Ele não bancaria mais o tolo.

Conforme se aproximaram da cidade de Corte de Arden, o trânsito na estrada ficou mais denso. Havia tantos soldados ali quanto ladrões em Feira dos Trapilhos. Han e Dançarino viajavam durante o dia. Era melhor perder-se em uma multidão à luz do dia do que se destacar no escuro.

Perto da capital, as fazendas eram maiores e pareciam estar sob uma proteção poderosa, provavelmente do rei Geoff. Camponeses trabalhavam nos campos, colhendo trigo, aveia, feijões e feno, com guardas armados a vigiá-los. Han se perguntou se os guardas estavam ali para proteger os fazendeiros ou mantê-los trabalhando.

As macieiras gemiam com o peso dos frutos — variedades que Han nunca vira, verdes, amarelas e cor-de-rosa, além das vermelhas. O Falcão Vermelho de Arden balançava das propriedades ao longo da estrada, e soldados usavam as insígnias por toda parte. O recém-declarado rei Montaigne mantinha a capital e as propriedades ao redor com mão de ferro, mas sua influência não parecia se estender ao interior.

Eles encontraram mais templos das terras baixas, construídos no estilo austero da Igreja de Malthus. Passaram por grupos de sacerdotes e irmãs consagradas, como bandos de corvos negros aos olhos de Han.

— Os sacerdotes são todos homens, pelo que ouvi dizer — disse Dançarino. — Estranho.

— O que as irmãs fazem? — perguntou Han.

— Na maior parte do tempo, rezam. Cantam e ensinam. E fazem caridade.

Han e Dançarino tinham planejado contornar a cidade e chegar à Estrada de Tamron pelo oeste, mas logo perceberam que a cidade era imensa, expandida, desorganizada, e eles se afastariam muito do caminho se fossem dar a volta nela.

Naquela noite, pararam em uma estalagem nos arredores da cidade. Ela atraía uma multidão diversificada: soldados, fazendeiros e até um ou dois corvos de Malthus.

O jantar era pés de galinha e pão preto, com a sidra desagradavelmente adocicada do sul. Em casa, o fogo na lareira seria bem-vindo naquela época do ano, mas naquela noite amena a porta estava aberta e a lareira, fria.

Meia dúzia de homens ocupava duas mesas, pedindo mais comida e bebida em voz alta sempre que acabavam. Eles tinham aparência de soldados, mas não usavam insígnias nem uniforme. Um deles, um homem robusto com 20 e poucos anos e barba por fazer, tinha uma aura incandescente ao redor dele que indicava que ele tinha o dom e transbordava magia.

Han o fitou com curiosidade. O soldado devia ter um amuleto, talvez escondido debaixo da camisa, mas não parecia saber o truque de drenar magia para diminuir sua aura. Sorte dele que somente outros com o dom pudessem ver aquilo.

Uma irmã malthusiana sentava-se sozinha na mesa mais perto da porta. Um prato semivazio estava diante dela, mas ela fazia o atendente ir e vir para encher sua caneca.

As virgens de Malthus gostam de cerveja, pensou Han, divertido. Ele vira ao menos uma em cada taberna e salão comunitário desde que chegara às terras baixas.

Em contraste, o sacerdote malthusiano, magro e alto, encolhido em um canto nos fundos, mexia na refeição, absorto em um livro grande, com capa de couro e páginas muito finas. Algumas grandes chaves douradas pendiam de um cordão ao redor da cintura do sacerdote, a única ornamentação que usava, exceto pelos óculos ricamente adornados, que pendiam de uma corrente ao redor de seu pescoço.

De repente, o sacerdote ergueu o olhar e viu que Han o fitava. De cara feia, ele inclinou a cabeça no livro sagrado na mesa. Pelo menos Han achava que fosse um livro sagrado. Era difícil imaginar aquele homem de cara amarrada lendo um romance ou uma história de aventura. Curiosamente, o sacerdote não usava o óculos para ler o texto.

Han terminou a refeição e se recostou, relaxado e sociável.

— Vamos subir? — perguntou Dançarino, que tinha terminado muito antes de Han. Como sempre, Dançarino estava ansioso para subir, ler e estudar encantamentos, longe da multidão.

Han, no entanto, não queria deixar o salão comunitário e se esconder no cômodo minúsculo e sem janelas no sótão. Estaria abafado e quente, e eles tinham que ficar no escuro ou pagar pelas velas, pois não havia luz natural. Além disso, uma das criadas bonitas tinha piscado para ele, e ele estava esperando para ver o que acontecia.

— Vamos ficar um pouco mais — disse Han, espalhando uma grossa camada de manteiga no pão macio da taberna, muito diferente de seus biscoitos duros.

Dançarino deu de ombros e acenou com a cabeça, bocejando para deixar clara sua posição.

O sacerdote ergueu seus óculos peculiares até a altura dos olhos e examinou o cômodo. Quando o olhar passou por Han e Dançarino, ele se empertigou e fixou-se nos dois, com olhos artificialmente grandes, como olhos de coruja, através das lentes.

O sacerdote baixou os óculos e olhou para eles com expressão severa.

— Pecadores! Idólatras!

Han e Dançarino ficaram imóveis por um longo instante.

— Você acha que ele está falando com a gente? — perguntou Dançarino sem mover os lábios.

— Como ele pode saber que somos pecadores? — murmurou Han e assumiu um ar de confusão polida. Era para isso que serviam os óculos? Identificar pecadores?

O sacerdote se ergueu com um farfalhar de tecido e caminhou na direção deles, com um braço estendido e o outro agarrado ao pingente de sol nascente, como um feiticeiro agarraria um amuleto.

— Arrependam-se, nortenhos! Arrependam-se, aceitem a santa igreja e vocês estarão salvos.

Han pôs-se de pé e acenou na direção das escadas. Talvez, se eles fossem para o quarto, como Dançarino já havia sugerido, o homem então se acalmasse.

— Pare com isso, padre Fossnaught — pediu o soldado com o dom e sorriu. — Se o senhor mandar os pecadores embora, esse lugar vai perder todos os fregueses.

Dois outros soldados se ergueram e juntaram os livros e os papéis do padre Fossnaught, entregando-os ao sacerdote.

— O senhor vai para casa e reza por eles, está bem? — disse um deles.

O sacerdote partiu, lançando olhares severos por cima do ombro.

— Obrigado — agradeceu Han ao soldado com o dom. — Ele faz isso com frequência?

— O padre Fossnaught é inofensivo, apenas um pouco zeloso demais ao compartilhar a fé da Igreja de Malthus — explicou o soldado. — Espero que não tenham se chateado. — Ele esticou a mão e Han a apertou, perguntando-se se o soldado notaria a picada de feitiçaria.

Além do poder, a mão do estranho era calejada pelo uso de armas.

— Meu nome é Marin Karn — apresentou-se ele. — Vou pagar outra rodada para compensar pelo aborrecimento. — Ele fez um gesto para o bar. — Sidra, não é?

Han acenou com a cabeça, sem ver uma saída. Ele queria recusar e sabia que Dançarino também. Para começo de conversa, se eles tivessem subido, o incidente nunca teria acontecido. Mas parecia sensato não ofender quem interferira a seu favor. Sobretudo, porque eram soldados. Sobretudo, porque o tal Karn talvez soubesse que os dois tinham o dom.

Karn pegou duas canecas de sidra do bar.

— Então, pelo sotaque, parece que vocês são *mesmo* nortenhos — falou Karn e puxou uma cadeira até a mesa deles. — O que os traz a Arden?

— Somos comerciantes — comentou Han, seguindo a história combinada. Ele tomou um gole de sidra, que pareceu mais amarga que doce. Devia ser o fim do barril. — Temos os mais belos tecidos, contas e bordados que você vai ver em todos os Sete Reinos. Você tem alguém especial? Temos enfeites que conquistariam o coração de qualquer dama.

Karn balançou a cabeça.

— Não, nenhuma namorada. — Ele olhou para Han com curiosidade, depois se inclinou para mais perto e falou: — Você não teria objetos mágicos, teria?

Han balançou a cabeça.

— Eles não são permitidos aqui nas terras baixas.

Karn deu uma risada.

— Apenas checando, meu rapaz. Tenho que perguntar. Não quis ofender.

— Você e seus companheiros são os homens do rei? — Provavelmente Dançarino queria saber se Karn estava perguntando sobre objetos mágicos como um oficial.

— Nós? — Karn deu de ombros, indiferente. — Somos mercenários, entre um trabalho e outro, como vocês diriam. Estamos esperando para ver como as coisas vão ficar.

Dançarino bocejou de novo, apoiou o queixo no punho e parecia ainda mais sonolento que antes. Ele bebera a sidra depressa, provavelmente esperando que pudessem subir logo para o quarto.

Han tomou outro longo gole de sidra, bebendo-a quase até o fundo. Lá estava de novo, aquele sabor amargo misturado à doçura enjoativa. Sua mente parecia confusa e embotada.

Ele olhou para Dançarino, que agora estava caído na mesa, com a cabeça baixa e a respiração profunda e regular.

— Acho que seu amigo já bebeu o suficiente — disse Karn. — Ele bebeu rápido.

Dançarino *tinha* bebido rápido, mas a sidra não tinha tanto...

Alga-do-sono. Han piscou para Karn, compreendendo tudo. Era alga--do-sono — e muita — misturada com a sidra. Alga-do-sono derrubava uma pessoa rapidinho.

Segurando o cabo da faca, Han a puxou da bainha. Ele tentou se erguer, mas o corpo não obedecia mais a seus comandos. Ele foi dominado pela fadiga, os olhos pesaram e se fecharam por conta própria.

— Calma — disse Karn, tirando a faca dele. — Acho que a sidra era mais forte do que você pensou. É melhor levarmos vocês para casa.

— Deixe. Vamos ficar aqui — resmungou Han em protesto. Seus lábios pareciam dormentes.

Karn enfiou a mão gorda debaixo da camisa de Han e agarrou o amuleto de serpente.

— Aaaaagh! — gritou ele, soltando o objeto e batendo a mão na coxa.

Han se curvou para proteger o faz-feitiço.

— Me deixe em paz, seu brutamontes, ou eu vou... — se interrompeu ele, incapaz de lembrar o que pretendia fazer.

Karn não fez novas tentativas com o amuleto. Em vez disso, ele e um dos outros soldados ergueram Han. Dois outros arrastaram Dançarino até a porta.

O que é isso?, perguntou Han, agarrando o amuleto e inutilmente tentando firmar os pés no chão. O que eles querem de nós?

E então ele não pensou em mais nada.

Han acordou com uma terrível dor de cabeça por causa da alga-do-sono e um estômago embrulhado. Sinal da má qualidade do produto. Ele nunca venderia aquele tipo de coisa.

Ele estava deitado em um colchão de palha no soalho de pedra, envolto em um cobertor de lã sujo. Assim que sua cabeça parou de girar, ele se sentou com cuidado. Não foi fácil... suas mãos estavam firmemente amarradas nas costas, e seus tornozelos estavam presos também. Ele testou os nós e tentou soltar as mãos, ou esfregar as cordas no chão até ruírem. Não conseguiu nada além de pulsos machucados. Estava amarrado com tanta força que seus dedos pareciam salsichas gordas e desajeitadas.

Dançarino estava caído, com o rosto virado para baixo, a alguns passos, também amarrado, mas ainda dormindo profundamente. Eles estavam em um quarto escuro, pouco iluminado pelo luar que passava pelas janelas trancadas e por debaixo da porta. O ar frio da noite atravessava as rachaduras na parede e percorria o chão, fazendo Han se arrepiar. Não estava sentindo o fedor da cidade. O chocalhar dos galhos acima e o cricrilar dos grilos indicavam que eles estavam no interior.

O faz-feitiço de Han se fora. Tinham encontrado um meio de tirá-lo dele. Ele sentiu a perda profundamente — como se alguém tivesse arrancado seu coração. Todo o poder que ele armazenara estava agora nas mãos de outra pessoa.

Dançarino se mexeu e gemeu baixinho. Provavelmente sentia a mesma dor de cabeça que Han.

Han apressou-se para perto dele.

— Dançarino! Acorde!

Os olhos de Dançarino se abriram, embora ele tenha precisado de alguns momentos para se concentrar no rosto de Han. Então, daquele seu jeito, entrou em um estado calmo de alerta.

— O que está acontecendo? — murmurou ele através dos lábios rachados. — Meu amuleto sumiu.

— Foram os soldados do salão comunitário. Eles queriam nossos faz-feitiços. Não sei como sabiam que a gente tinha os amuletos.

— Um deles tinha o dom — resmungou Dançarino. — O tal Karn. — Ele fechou os olhos de novo. — Eu me sinto péssimo.

— Eles nos drogaram com alga-do-sono — falou Han.

— Se tudo que queriam eram os amuletos, por que estamos aqui? — A língua de Dançarino parecia grossa na boca, a fala ainda arrastada por causa da droga.

Han deu de ombros e fez a dor formigar por seus braços.

— Você consegue se soltar?

Dançarino testou as cordas e balançou a cabeça. Quem quer que os tivesse amarrado sabia o que estava fazendo.

Han examinou o cômodo atrás de algo afiado, alguma coisa que ele pudesse usar para desgastar a corda. A lareira de pedra em uma das paredes era uma opção. A lareira estava fria, mas podia haver uma grade de ferro ou pedras irregulares que ele poderia usar para cortar.

Han tinha começado a se mover na direção da lareira quando ouviu passos e vozes se aproximando. Uma chave chacoalhou na fechadura, a porta se abriu com força e três homens entraram.

Um deles era Marin Karn, o soldado com o dom que os drogara e sequestrara. Karn trazia uma lanterna imensa, que apoiou na cornija, lançando uma luz amanteigada em tudo. Uma algibeira de couro estava jogada no ombro e Han soube imediatamente que os amuletos estavam nela. Ele olhou por cima do ombro para Dançarino, que acenou, com os olhos fixos na bolsa.

O segundo homem era magro, de altura mediana, com cabelos castanhos e olhos azul-claros, vestido como um soldado de sangue azul. O broche preso à capa trazia o emblema de um gavião vermelho e suas roupas eram feitas dos tecidos mais finos. A espada em seu quadril, porém, parecia bem usada.

Um pouco mais velho que eles, o rapaz se movia com a graça perigosa de um gato das torres.

O terceiro homem era o sacerdote malthusiano que os confrontara no salão comunitário. Ele entrou e parou, baixando os olhos para Han e Dançarino como se eles fossem maus e perigosos — predadores fascinantes, mas desamparados. Isso fez Han se lembrar de algumas pessoas na feira que pagavam uma moeda para ver um velho urso acorrentado a um toco de árvore.

De perto, o sacerdote fedia a suor velho e fanatismo.

O sangue azul retirou as luvas caras e as bateu contra a palma da mão enquanto baixava os olhos para Han e Dançarino, com o rosto bonito em um esgar de desprezo.

— São eles? — O sangue azul cutucou Han com a bota. — São os mágicos do norte sobre os quais você falou?

— Mágicos! — gritou Karn para Han e Dançarino na língua comum, como um amestrador querendo que seus animais fizessem um show melhor. — Curvem-se diante de Gerard Montaigne, rei de Arden.

Han obedientemente curvou o pescoço enquanto pensava muito rápido. O rei de Arden? Han não sabia muita coisa sobre a nobreza, mas achava que o rei de Arden não dormia em um sítio desmoronando.

— Você tem certeza de que ninguém sabe disso? — Montaigne perguntou para Karn. Ele falava a língua do sul, mas era parecida o suficiente com a língua comum para que Han pudesse compreender. — E quanto aos seus homens? Soldados não conseguem manter a boca fechada.

— Eles acham que esses dois são espiões do norte — falou Karn. — Eu falei que queria interrogar em particular. Eles estão na patrulha, então não viram vocês entrarem.

— Eu ainda não gosto disso — disse Montaigne com a voz ríspida e fria. — Falei que não queria ter nada a ver com feitiçaria. — Ele desviou o olhar para o sacerdote. — Fico surpreso que você esteja envolvido nisso, padre, dada a posição da igreja em relação a usuários de magia.

O padre Fossnaught tocou as chaves em sua cintura.

— Tenho estudado os mágicos e seus modos. Eles são criaturas más e nojentas, sim, mas acredito que, se controladas adequadamente, podem ser utilizadas.

— Nós lhes damos uma opção — emendou Karn. — Eles podem se arrepender e usar a feitiçaria para a glória suprema de São Malthus. Ou vão queimar.

A pele de Han se arrepiou, como se as chamas já estivessem lambendo sua carne.

— A *principia* não compartilha dessa opinião — explicou Montaigne.

Fossnaught estremeceu.

— É verdade. Há uma divergência de opiniões sobre se há ou não outro meio de salvar os feiticeiros que não sejam as chamas. Creio que a opinião do padre Broussard é um tanto quanto... míope. — Ele fez uma pausa, depois virou os olhos para o céu. — Por outro lado, Sua Santidade também acredita que o príncipe Geoff deveria ser coroado em Corte de Arden, como o filho mais velho sobrevivente de nosso falecido rei. A *principia* está comprometida com a sucessão pela ordem de nascimento. Eu, porém, acredito que a mão do Criador está nesta guerra. Se o senhor vencer, e acredito que vai, então deve ser a vontade do Criador que seja coroado rei.

Montaigne esfregou o queixo e acenou com a cabeça. Han podia ver que o jovem príncipe gostava daquela linha de pensamento.

— Se vou correr esse tipo de risco, quero fazer com alguma probabilidade de sucesso — disse Montaigne. — Ainda assim, você me traz um par de garotos desalinhados. Se eles tivessem alguma habilidade para a magia, você não teria conseguido pegá-los.

Karn limpou a garganta.

— Eles não parecem grande coisa, sim, mas, como disse, é difícil capturar um mágico plenamente instruído. Esses dois serão mais maleáveis. Não sei quanto treino eles tiveram, mas seus amuletos estão cheios de poder.

— O que *você* sabe de tais coisas? — Montaigne lançou um olhar severo a Karn, e este desviou os olhos.

Este príncipe de Arden não sabe que seu capitão tem o dom, pensou Han. Karn manteve segredo. Ao que parece, por uma boa razão.

— Se nós usarmos uma arma que não compreendemos, é provável que ela exploda em nossas caras — prosseguiu Montaigne. — Lembra o que aconteceu com o pó de fogo?

Karn não respondeu. Provavelmente sabia quando falar e quando calar. Han se perguntou quanto o capitão de fato sabia sobre magia e mágicos, como os chamavam. Será que ele podia ter recebido algum treinamento em um lugar como Arden, onde a magia era proibida?

Montaigne mordeu o lábio inferior.

— Se os faz-feitiços são tão poderosos, não podemos só usar as peças e nos livrar desses dois? — perguntou ele, como se Han e Dançarino fossem meramente embalagens mágicas a serem descartadas. Ou o príncipe de Arden supôs que eles não podiam compreender a língua das terras baixas ou não se importava.

Fossnaught balançou a cabeça.

— Mágicos e amuletos trabalham juntos, Alteza. Um não funciona sem o outro.

— De qualquer forma, esses mágicos devem ter protegido os amuletos contra o uso por outra pessoa — emendou Karn. — O faz-feitiço do garoto louro fez bolhas na minha mão quando eu tentei pegá-lo. — Karn ergueu a mão, enrolada em ataduras.

Han não olhou para Dançarino, mas sabia que ambos pensavam a mesma coisa — eles não faziam ideia de como proteger os amuletos de alguém. Ele não sabia por que Karn não conseguira tocar seu faz-feitiço, a menos que o poder armazenado de Han fosse incompatível com o de Karn.

A menos que fosse amaldiçoado pelo demônio.

Tudo que ele sabia era que a perda do amuleto o deixara com uma sensação nauseante de vazio. Ele se sentia oco e faminto pela magia que perdera. Como poderia ter se apegado tanto ao amuleto em tão pouco tempo? Han o queria de volta desesperadamente.

— Esses aprendizes de mágicos vão se voltar contra nós na primeira oportunidade — argumentou Montaigne. — Nunca vamos poder confiar neles.

O padre Fossnaught remexeu na bolsa e retirou dois pares de algemas de prata e dois pares de chaves.

— Essas são antigas peças mágicas chamadas amarra-mágicos. Eu comprei de um comerciante de peças mágicas. Os cabeças de fogo fabricaram isso durante as guerras dos mágicos, para controlar os prisioneiros. Você põe as algemas no mágico e guarda a chave. Se ele desobedecer as ordens, o portador da chave pode infligir dor excruciante. Com o tempo, eles são condicionados a obedecer.

O sacerdote fez uma pausa. Seu olhar foi até Han, frio como as mãos de um açougueiro no inverno, fazendo com que ele se arrepiasse.

— Posso demonstrar, se Vossa Majestade quiser.

Você pode tentar, pensou Han, na esperança de que eles tivessem que desamarrá-lo para colocar as algemas. Ele tinha usado braceletes mágicos durante toda a vida, até Elena *Cennestre*, do clã Demonai, removê-los. Ele não teria nenhum bracelete novo ao redor de seus pulsos, se pudesse evitar.

Montaigne pegou um dos conjuntos de algemas e examinou como se fosse um brinquedo novo atraente, mas perigoso. Sem erguer o olhar, ele falou:

— Isso não vai ser necessário. Deixe-nos, padre. Volte para a cidade. Avisaremos sobre o que ficar decidido.

O padre Fossnaught tomou fôlego, como se fosse retrucar. Depois suspirou e abaixou a cabeça.

— Muito bem, Majestade. Estarei em meus aposentos na catedral e aguardarei sua decisão. Pode enviar a notícia da maneira de sempre. — O sacerdote guardou um par de algemas na bolsa e esticou a mão para o príncipe. — Majestade, se não precisa...

— Vou ficar com elas — falou o príncipe de Arden.

O sacerdote fez uma reverência e saiu, olhando várias vezes para trás, infeliz por abandonar seus brinquedos de tortura. Era evidente que ele queria um lugar à mesa.

Montaigne continuou a fitar as algemas.

— Como você usaria esses dois mágicos contra os exércitos de Geoff, capitão Karn?

Ao ouvir isso, os olhos castanhos se iluminaram de entusiasmo.

— Nas guerras dos mágicos, os feiticeiros podiam queimar dúzias de soldados de uma vez. Eles podiam chamar o nevoeiro para que o inimigo caminhasse até um penhasco. Espalhavam medo e cansaço entre os soldados inimigos até eles darem meia-volta e correrem. Falavam com os pássaros e os usavam para espionar e empregavam força mágica para interrogar os prisioneiros. Rompiam cercos atravessando as muralhas.

— É difícil de acreditar — disse Montaigne, e entregou as algemas a Karn.

— Há relatos por escrito de testemunhas confiáveis nos arquivos da igreja — comentou Karn. — O padre Fossnaught estudou o assunto.

— Se a notícia se espalhar, isso poderia fazer alguns cidadãos religiosos se voltarem contra nós — falou o príncipe.

— Mas o padre Fossnaught diz... — começou Karn.

— Cedric Fossnaught é ambicioso — interrompeu Montaigne. — E volúvel como uma mulher. Ele não perdoou a igreja por tê-lo dispensado quando ele apoiou a *principia*. Ele acha que um novo rei em Corte de Arden poderia ser bom para ele.

— Não há nada de errado com isso — disse Karn. — Precisamos de eclesiásticos do nosso lado.

— É um risco grande demais — retrucou Montaigne.

— Com seu perdão, mas tudo é um risco, Majestade. — Karn escolheu as palavras como alguém que caminha em carvões em brasa. — Estamos perdendo. Duprais e Botetort ainda estão com o senhor, mas Matelon está hesitando. Geoff controla a capital e a maior parte do reino.

— De quem é a culpa, capitão? — Montaigne tocou um anel ornado na mão esquerda. — *Você* é meu estrategista, *você* conduz meus exércitos, portanto *você* é o responsável pela situação atual. — O príncipe cuspiu cada *você* como se fosse pão velho.

Karn ergueu as mãos com as palmas para cima.

— Os eclesiásticos estão cansados. Eles esvaziaram seus tesouros e negligenciaram as colheitas por dez longos anos. Só querem que a guerra acabe.

— A guerra acabará quando eu me sentar no trono de Arden, não antes — falou Montaigne. — Se os eclesiásticos querem paz, devem jurar lealdade a mim. — Ele fez uma pausa, fixando o olhar gélido no capitão. — Talvez você esteja pensando em ir com Geoff também?

— Não, Majestade — respondeu Karn. — Sou um soldado leal, sabe disso. Além do mais, Geoff nunca me aceitaria... não depois do que aconteceu no Torreão da Rocha Brilhante. — O rosto dele se contorceu. — A *sensibilidade* dele foi ofendida quando ordenei que a cidade fosse saqueada e todos fossem mortos. Ele tem *princípios*. Se as coisas forem como Geoff quer, eu vou pagar por aquilo.

Karn já tentou ir atrás de Geoff, pensou Han. E essa foi a resposta que ele recebeu.

Montaigne fitou Han e Dançarino por um longo minuto, depois balançou a cabeça.

— Não. Já é ruim o suficiente que eu não possa confiar nos eclesiásticos. Não vou para a batalha com mágicos nas minhas costas — falou ele.

— Mas, Majestade — protestou Karn —, o que eu faço com esses dois?

— Mate-os — disse Montaigne e deu meia-volta.

— Vossa Majestade nos mataria sem saber o que podemos fazer? — protestou Han na língua comum. — Não quer nem ver uma demonstração? Devolva nossos amuletos e nós lhe daremos feitiçaria como nunca viu antes.

Montaigne parou na entrada e olhou de novo para Han, com o rosto tão rígido e sem expressão quanto os penhascos ao longo das escarpas.

— Sem dúvida — falou ele. Depois se foi.

Karn fitou o príncipe por um longo instante. Depois xingou com vontade e jogou as algemas mágicas contra a parede.

Han se flagrou quase sentindo pena do capitão. Karn estava tentando ganhar uma guerra para o príncipe, e o príncipe não estava cooperando.

Mas a solidariedade pelo capitão não durou muito. Após olhar Han e Dançarino de cara feia, como se fosse culpa deles, Karn cruzou o cômodo e pegou novamente a algibeira.

Ajoelhando-se ao lado deles, o homem desamarrou a aba e retirou três pacotes grandes, enrolados em couro. Ele desdobrou o couro e expôs os três amuletos — o de serpente, o dançarino de fogo de Dançarino e a peça de um caçador solitário que Elena fizera para Han.

O amuleto do Rei Demônio se iluminou e lançou uma luz nauseante e esverdeada na face de Karn, como se soubesse que estava nas mãos do inimigo.

Karn desembainhou uma adaga e, inclinando-se para eles, encostou a ponta da arma no pescoço da Dançarino.

— Muito bem, aprendizes de mágicos — rosnou ele. — Tirem as bruxarias dos faz-feitiços e me digam como usá-los.

— Você não vai conseguir usar os amuletos — disse Dançarino, girando o tronco para trás para aliviar a pressão da lâmina. — Você precisa da gente.

— Mesmo? — Karn soltou o ar e apertou a lâmina com mais força, até que o sangue escorresse. — Você tem certeza disso?

— Por que deveríamos dizer qualquer coisa? — perguntou Han. — Você vai nos matar de qualquer jeito.

— Verdade — concordou Karn. — Eu vou. Mas tem maneiras diferentes de morrer. Maneiras lentas e maneiras rápidas. Maneiras difíceis e fáceis. Talvez eu deixe você olhar enquanto faço o selvagem em pedacinhos. Depois será sua vez.

Os olhos cor de lama de Karn ganharam um brilho febril. O jovem capitão sentia certo entusiasmo na tarefa. A mente de Han, enevoada pelas drogas, se revirou atrás de ideias. Ele não sabia como tornar seu amuleto acessível a Karn, mesmo que quisesse.

Não adiantaria gritar ou pedir ajuda. Han estivera ouvindo com atenção desde que acordara. E não tinha escutado nada além de insetos noturnos e o chocalhar de galhos ao vento.

Montaigne e Karn tinham decidido manter em segredo o fato de que estavam considerando usar magia. Eles os levaram para um lugar isolado, muito longe da capital controlada pelo irmão mais velho de Gerard.

— Muito bem — disse Han. — Vou desfazer a bruxaria. Mas você tem que soltar minhas mãos. — Quando Karn franziu a testa, ele completou: — Vou precisar do meu amuleto também. Preciso segurá-lo. Somente o mago que coloca o encantamento de proteção pode tirá-lo.

Karn fitou Han nos olhos por um longo momento, depois acenou com a cabeça, relutantemente.

— Muito bem. Mas, se você tentar alguma coisa, seu amigo é um homem morto.

Como se aquilo fosse uma ameaça válida. Ambos estariam mortos dali a uma hora, se Karn fizesse o que queria. E se ele matasse Dançarino rapidamente, seria um tipo de bênção.

Han não sabia se Dançarino veria as coisas daquele jeito.

Karn empurrou Han para se deitar de bruços e cortou com a faca as cordas que amarravam suas mãos, deixando os pés do rapaz amarrados.

Han dobrou os dedos, com a respiração sibilando de dor, conforme o sangue retornava. Ele girou e se sentou, esticando os ombros, esperando, querendo estar são novamente antes de tentar qualquer coisa. Karn pegou uma ponta do couro que envolvia o amuleto e deslizou-o para mais perto de Han. Depois segurou um punhado de cabelos de Dançarino e puxou a cabeça dele para trás, deslizando a lâmina debaixo do queixo.

Han pegou o faz-feitiço entre as mãos. O poder o atravessou, acabando com sua dor e a substituindo por uma raiva selvagem que não queria mais nada além de destruir o homem diante dele. Uma raiva que não se importava nem um pouco com a faca no pescoço de Dançarino. O coração dele batia com força no peito. Um encantamento borbulhou em seus lábios, e ele abriu a boca para falar.

A porta foi reaberta com estrondo. Han se virou e esticou a mão para os intrusos.

Era Gerard Montaigne, com olhos arregalados e lábios roxos na luz amarelada da lanterna. E atrás dele, impelindo-o para frente, estava Cat Tyburn, com seu garrote ao redor do pescoço do príncipe de Arden e a lâmina encostada em suas costelas.

CAPÍTULO SETE

DE VOLTA À ESTRADA

Por um longo momento, ninguém se moveu. Então Dançarino bateu com a cabeça no queixo de Karn. Karn soltou a faca, que caiu entre eles. Em vez de tentar alcançá-la, Karn se jogou para cima de Cat e Montaigne. Os três caíram no chão em uma confusão enlouquecida, com Montaigne e Karn gritando por socorro.

Dançarino encontrou a faca de Karn. Segurando-a entre as palmas das mãos, ele se reclinou, cortando as cordas. Poder ondulou livremente do amuleto de Han, e a lanterna explodiu e lançou cacos de vidro e óleo ardente. O cômodo mergulhou na escuridão, a não ser pelo brilho do faz-feitiço do Rei Demônio. Han passou a corrente por cima da cabeça, enfiando o amuleto na camisa. Usando uma lasca de vidro, ele libertou os tornozelos. Depois passou as mãos pelo soalho de pedra à procura dos outros amuletos.

Cat se aproximara dele. De alguma forma, ela se livrara da confusão enquanto Karn arrastava o pretendente a rei de Arden até a porta.

— *Rápido* — murmurou ela. — Temos que correr. Tem soldados na floresta e, com todo esse barulho, eles vão chegar logo.

Dançarino se ajoelhou, inclinando-se para a frente, também à procura dos amuletos.

— Aqui está o seu. — Ele estendeu a mão para devolver a Han o amuleto de Caçador Solitário, sujo de sangue. Dançarino devia ter cortado as mãos enquanto tateava pelo chão.

Cat fitou o amuleto, com expressão perplexa.

Do lado de fora, ouviu-se barulho de pés vindo na direção deles. Eram os soldados de Montaigne chegando.

— Vossa Majestade? — gritou alguém. — O que houve? Alguma coisa errada?

— Aqui! — berrou o príncipe de Arden. — Estou sendo atacado por assassinos do norte.

Os soldados passaram pela entrada, prendendo-os lá.

Desesperado, Han enfiou a mão na camisa e segurou o amuleto de serpente. Mais uma vez, o poder o tomou. Ele esticou o braço e recitou um encantamento desconhecido. Karn se jogou contra o príncipe, tirando-o do caminho enquanto as chamas irrompiam dos dedos de Han, engolindo os soldados na entrada. Han sentiu cheiro de lã queimada e carne chamuscada enquanto os soldados tentavam voltar por onde tinham vindo. Eles se empilharam contra a porta, gritando de medo ao mesmo tempo em que amaldiçoavam quem bloqueava a fuga.

O coração de Han batia forte no peito. Ele já tinha matado antes, mas em brigas de rua, lâmina contra lâmina. Nunca com magia.

Ele se forçou a soltar o faz-feitiço e se virou para Cat, que o encarava de boca aberta.

— Tem que estar aqui em algum lugar — disse Dançarino, ainda agachado no chão.

— Deixe para lá — falou Han, e puxou o braço do amigo. — Não vai servir para nada se você estiver morto.

Fácil dizer isso, pensou ele. Eu tenho dois amuletos.

Dançarino finalmente se ergueu, abandonando a busca com visível relutância, pressionando as mãos que sangravam contra a camisa.

— Vamos. — A entrada estava bloqueada por um monte de cadáveres fumegantes. Han bateu as mãos contra a janela, e as venezianas explodiram para o lado de fora. Erguendo-se no parapeito, ele girou as pernas e pulou para o chão. Dançarino e Cat se esgueiraram atrás dele.

— Lá estão eles! — gritou alguém.

Dava para entender por que ninguém correu para pegá-los.

Eles dispararam, ziguezagueando pelo terreno, pulando por cima de galinheiros e contornando galpões até encontrarem o abrigo acolhedor das árvores.

O medo lhes deu uma velocidade que os soldados do príncipe de Arden não conseguiam alcançar. Eles passaram da floresta para o terreno de uma fazenda, pulando por cima de sulcos, cruzando plantações de milho e cercas vivas e muros de pedra. Mesmo quando não ouviam mais o som de perseguição, continuaram a correr, seguindo uma trilha de terra que deu em uma estrada mais ampla, algumas milhas depois.

Finalmente, eles rastejaram para trás de uma sebe alta, para recuperar o fôlego. Han se largou no chão, com a cabeça pendendo, desejando que seu coração se acalmasse. Ele se sentia trêmulo e fraco, o corpo todo formigando, como se tivesse mastigado capim-navalha.

Dançarino parecia bem pior que Han: pálido, trêmulo, suando. Ele apoiou a cabeça nas mãos como se não pudesse sustentá-la sozinho.

— Como você fez aquilo? — perguntou Cat, olhando fixamente para o rosto de Han como se fosse *ela* quem merecesse respostas. A garota apertou os pulsos dele, virando as palmas das mãos para cima. — Como você aprendeu a lançar chamas daquele jeito?

— O que *você* está fazendo aqui? — retrucou Han. — Pensei que não quisesse vir. — Então ele se lembrou daquela sensação de ser observado, que o assolara desde Delfos. — Você andou nos seguindo, não é? Eu pensei ter ouvido alguém se esgueirando ao redor do acampamento, algumas vezes.

— Ora, que bom que segui — falou Cat. — Já que eu salvei sua lamentável...

Ela deixou a voz morrer e fitou o peito dele, com olhos arregalados, depois esticou a mão na direção do amuleto de Han.

— Não toque nisso — disse ele, enfiando-o debaixo da camisa.

— Era isso que os demônios estavam procurando — murmurou Cat. — Em Feira dos Trapilhos. Eles ficavam perguntando sobre um amuleto, uma peça mágica, com formato de cobra e com...

— Quando foi que você conversou com demônios? — questionou Han. — E por que iriam...

— Sangue e ossos! — interrompeu Cat, fitando os dois como se estivessem crescendo chifres neles. — Vocês são malditos bruxos, é isso que são. Não é possível.

— Vocês dois se conhecem? — perguntou Dançarino, pressionando a palma da mão contra a testa, como se estivesse doendo.

Cat se agachou e se afastou deles, com olhos semicerrados e uma faca em cada mão. Ela parecia realmente apavorada.

— Pare com isso, Cat. — O tom de Han era gentil. — E guarde suas facas. Nós somos magos, é verdade, mas não vamos machucar você.

Cat parou de recuar, mas não se aproximou. Passou a língua pelos lábios e apontou uma faca para Dançarino.

— E, por falar nisso, quem é ele? Eu nunca ouvi falar de um bruxo cabeça de fogo.

— É uma longa história — começou Han, ainda sem ter certeza de que perguntas queria responder. — Cat Tyburn, conheça Hayden Dançarino de Fogo. Dançarino é meu amigo do Campo Pinhos Marisa. Conheço Cat de Feira dos Trapilhos. Nós costumávamos liderar um grupo juntos.

Cat e Dançarino se encararam enquanto os dois mundos de Han colidiam naquele lugar desconhecido.

— Ele é um *cabeça de fogo* — disse Cat. — O que você está fazendo com *ele*? — Como se o fato de Dançarino ser um cabeça de fogo encobrisse o fato de os dois serem magos.

— Ele é meu *amigo* — falou Han. — Passei quase todos os verões com os clãs, desde que eu era pequeno.

A não ser pelos três verões que tinha passado com Cat, como dono da rua de Feira dos Trapilhos.

— Como nos encontrou aqui? — perguntou Han a Cat, para mudar o assunto.

— Eu vi os soldados arrastando vocês para fora da estalagem e imaginei que você estivesse encrencado — disse Cat, ainda olhando feio para Dançarino. — Então eu segui vocês. — Ela riu com sarcasmo. — Eu não acreditei. O grande Alister Algema caindo no golpe da sidra-do-sono.

Uma revelação atingiu Han.

— Você era a irmã malthusiana que bebia feito um homem — comentou ele, recordando-se da iniciada com véu, no salão comunitário. Em todos os últimos salões comunitários em que estivera, agora que pensava nisso.

— Pelo menos eu não caí da mesa como um aprendiz de bebum — disse Cat, com um risinho irônico.

— Bem, obrigado por nos resgatar — agradeceu Han. — Você provavelmente salvou nossa vida.

— Não tem *provavelmente* aí — falou Dançarino e sorriu para a garota. — Obrigado. Você pensou rápido. Você reage bem sob pressão.

— Então — continuou Cat, ainda olhando para Han e ignorando Dançarino —, eu acho que está precisando de alguém para tomar conta de você. Acho que precisa de uma ajuda melhor.

Ela fez um muxoxo para Dançarino, depois balançou seus cachos.

— Você está planejando criar um novo grupo em Corte de Arden ou o quê? — Juntando o cabelo, Cat o amarrou com um pedaço de pano. O lenço dos Trapilhos. — Parece que tem um monte de bolsas cheias e pouca competição. Confie em mim, ninguém ia querer brigar com um bruxo por causa de território.

Ela nunca acreditou que íamos para Vau de Oden, pensou Han. Imaginou que eu ia voltar para aquela vida e deixá-la de fora.

— Olhe. Dançarino não é do meu grupo. Como eu falei, nós vamos para Vau de Oden, e não é para roubar. Vamos para a escola.

— Por que você não vem com a gente? — sugeriu Dançarino, subitamente, embora não soubesse da oferta de Jemson. — Todo tipo de pessoa frequenta as escolas de lá, e tem todo tipo de matéria. Deve ter alguma coisa que lhe interesse.

Han e Cat o encararam.

— Não preciso de sua compaixão, cabeça de fogo — rosnou Cat. — Se você acha que só porque é amigo de Alister Algema pode...

— Cale a boca — disse Han. — Você pode vir com a gente, mas vai ter que se entender com Dançarino e tem que ir para a escola. Não pense que não somos gratos por você ter salvado nossa vida, mas esse é o acordo. É pegar ou largar.

— Você me trocaria por ele? — perguntou Cat, os olhos arregalados e impressionados.

— Não é ele quem está me pedindo para fazer uma escolha.

Cat estremeceu, passando os braços em volta do próprio corpo. A lua fazia um leve ângulo e iluminava apenas parcialmente o rosto dela, reluzente com as lágrimas que lhe desciam pelas bochechas.

Cat Tyburn? Chorando?

— Ei, o que é isso? — falou Han. — Não pode ser tão ruim assim.

— Eu vou. — Ela enxugou os olhos com as mangas enquanto fungava. — Eu vou à Escola do Templo. Não tenho outro lugar para ir. Todos se foram. Não posso ficar em Feira dos Trapilhos, nem em parte alguma da cidade.

Han a encarou, sem saber o que dizer, mais uma vez esmagado pela culpa. De certa forma, ele era responsável por ela. Fora ele a causa de todas as suas perdas.

Ainda assim, seus instintos estavam em alerta. Por que Cat ia querer alguma coisa com ele, quando era o culpado pela perda de tudo que ela possuía;

os Trapilhos, o território, Velvet? Ela deveria odiá-lo. E Cat não era do tipo que perdoava facilmente.

A menos, como disse, que ela não tivesse escolha.

— Muito bem — concluiu ele. — Que bom que tudo se acertou. Agora temos que ir. Assim que eles desistirem de nos caçar por aqui, vão esperar que a gente volte para a estalagem. Queremos chegar lá antes deles, pegar os cavalos e ir embora. — Ele não ia deixar o pônei para trás, não depois de esperar uma vida inteira para ter um.

Dançarino ficara em silêncio durante toda aquela conversa, mas agora ele balançava a cabeça.

— Vocês dois vão em frente. Eu vou voltar. Não posso deixar ele lá desse jeito.

— Deixar... ah. Seu amuleto. — Han pôs a mão no ombro de Dançarino, e o rapaz se contorceu, irritado, como se já soubesse o que Han ia dizer. — Você não pode voltar. Eles vão matar você.

— Eu posso entrar e sair do acampamento antes que eles saibam que estou lá — insistiu Dançarino. — Vou me encontrar de novo com vocês na estalagem. Se eu não aparecer, vocês dois vão sem mim.

— Você não acha que eles já pegaram o amuleto de novo? — perguntou Han. — Você não acha que eles esperam que você volte por ele? Não temos ideia de quantos soldados estão com eles. Você quer terminar lutando na guerra ardenina?

— O que eu vou fazer em Vau de Oden sem um amuleto? — Dançarino ergueu as mãos, com as palmas para cima. — Carregar água e acender fogueiras? Limpar as latrinas?

Han se sentiu culpado por ter dois amuletos e Dançarino não ter nenhum. *O amuleto do caçador solitário foi feito para mim*, pensou ele. *Eu deveria lhe dar o amuleto dos Waterlow.*

Mas ele não queria. O amuleto dos Waterlow fervilhava de poder — ele o preenchia havia semanas. O faz-feitiço de caçador solitário parecia escuro e vazio em comparação, como um templo que não fora consagrado.

Mas como ele não tinha se conectado com o objeto, talvez ele se ligasse a Dançarino.

Além do mais, sempre que outra pessoa tentava tocar o faz-feitiço de serpente, ela se queimava.

Han retirou o amuleto de caçador do pescoço e balançou-o diante de Dançarino.

— Tente este. Eu não usei. A maioria dos feiticeiros não arruma amuletos personalizados. E tem sorte de ter qualquer um.

Dançarino fitou o amuleto que girava, olhando-o seriamente, como um comerciante diante de um diamante falso em um suporte de latão dourado. Ele esticou um dedo, cauteloso, e o tocou. O objeto reluziu em saudação quando o poder ondulou entre eles.

Dançarino suspirou, balançando a cabeça.

— Vou ter que começar tudo de novo — disse ele.

Mas pegou o amuleto de caçador de Han, passou a corrente pela cabeça e enfiou o faz-feitiço sob a camisa. Sua aura diminuiu assim que o amuleto começou a drenar poder.

Será que Karn consegue usar o amuleto de Dançarino de Fogo? Espero que ele se queime, pensou Han.

Ele subiu em uma árvore para obter uma vista melhor. As luzes de Corte de Arden diminuíam contra o sol nascente ao leste. Ele calculou que estavam a poucas milhas a oeste da cidade.

Han desceu mais uma vez.

— Vai levar um tempinho para resolver as coisas lá atrás. Podemos voltar para a estalagem para o café da manhã — afirmou ele. — Quando estivermos na cidade, eles não vão se arriscar a vir atrás de nós em plena luz do dia. Vamos embora.

CAPÍTULO OITO

VAU DE ODEN

Os Lobos Gris levaram mais de uma semana para chegar à fronteira do reino de Tamron. Os riachos semelhantes a teias de aranha dos Pântanos finalmente se aglutinaram no amplo e preguiçoso rio Tamron. Ele serpenteava para o sul, contornando ilhas e bancos de areia como se não se importasse com para onde ia.

Os Andarilhos das Águas enfileiravam balsas e barcos de um extremo a outro do rio, à vontade, pois havia pouca correnteza. Os Lobos viajaram, sobretudo, à noite, ficando bem longe das margens e contornando amplamente os campos dos Andarilhos das Águas. Depois da experiência em Vila do Rio, eles não sabiam como seriam recebidos.

Atravessaram a fronteira uma noite, depois que a lua já estava no céu. Não precisavam ter se incomodado. O torreão que vigiava a estrada do rio, no lado de Tamron, estava abandonado — ocupado somente por gatos selvagens e exércitos de ratos, que conviviam pacificamente. O pátio do estábulo estava cheio de sarças e capim. Parte da construção fora devorada por cupim.

— Tamron deve ter enviado os exércitos para o sul e para o leste, para reforçar a fronteira com Arden — disse Amon, chutando um balde enferrujado caído entre as plantas. — Parece que eles não estão preocupados com os Andarilhos das Águas aqui.

Eles dormiram naquela noite abrigados no castelo em ruínas. Amon colocou Raisa em um canto do que devia ter sido a sala dos oficiais e se postou, com o saco de dormir, perto da porta. Os outros Lobos dormiram no pátio.

Raisa podia ver as estrelas acima, onde parte do telhado de madeira apodrecera. Era bom ter paredes fortes ao redor dela, depois da experiência nos Pântanos. Ainda assim, ela se mexeu e revirou, sem conseguir dormir. Mais uma vez, questionou a decisão de deixar Fells. A saudade de casa era como uma pedra fria em seu peito.

As montanhas a chamavam, com todas as rainhas falecidas em seus túmulos de pedra. *Raisa*, murmuravam, *Raisa* ana'*Marianna* ana'*Lissa e todas as outras* ana's *até Hanalea. Volte para casa.*

Eu me recuso a cooperar com a reescravização da linhagem Lobo Gris, pensou ela.

Por fim, levantou-se e caminhou até a entrada, parando diante de Amon Byrne, onde ele se deitara, enrolado no cobertor. Ele girou para ficar de barriga para cima e abriu os olhos.

— Qual é o problema? — murmurou. — Por que está acordada?

— Por que eu nunca consigo pegar você de surpresa? — indagou ela.

Amon sentou-se e esfregou os olhos com as palmas das mãos.

— Por que não tenta fazer isso de dia?

Raisa bufou.

— Se não consigo fazer quando você está dormindo, como eu ia conseguir quando está acordado?

— Só estou dizendo que seria mais conveniente durante o dia. — Ele bocejou.

Ah. Certo. Raisa enfiou as mãos nos bolsos.

— Sinto muito. Não queria acordar você. É só que não consigo dormir. — Ela fitou os pés nas grossas meias de lã que não eram muito necessárias no estranho clima do sul.

— Humm. — Ele passou a mão pelo cabelo bagunçado. — Aqui. Sente-se — disse ele, batendo em um banco de pedra ao lado da porta. Raisa se sentou. Ele saiu de debaixo dos cobertores, vestindo apenas a calça, e sentou-se ao lado dela.

Ela segurou a mão de Amon e deitou a cabeça no ombro dele. Traçou as veias nas costas de sua mão com o dedo indicador. As mãos dele eram grandes, com dedos grossos, hábeis. Ela as adorava.

Uma voz sussurrou em sua mente. *Eu vou me apoiar em Amon Byrne pelo resto da vida.*

Após um breve silêncio, ele falou:

— Se serve de alguma coisa, acho que você tomou a decisão correta. De sair de Fells, quero dizer.

Raisa piscou para ele.

— Como você sabia que era isso que estava me incomodando?

— Foi um palpite. — Amon desviou o olhar e deu de ombros. — Você não é de fugir de uma briga e pode lutar de igual para igual com praticamente qualquer um. Mas como você poderia enfrentar sua mãe e o Grão-Mago ao mesmo tempo?

— Mas minha mãe é a rainha. Como posso esperar que outros se ajoelhem diante de mim se eu me rebelar contra minha governante? Como meu povo pode confiar em mim se eu fugi?

Amon baixou os olhos para suas mãos dadas. Pela primeira vez, ele não as afastou.

— Você escolhe uma batalha que pode ganhar e escolhe o momento e o local. Não deixe o inimigo escolher.

— É isso que eles ensinam na Academia Wien?

— É isso que meu pai diz. Os Bayar não teriam se arriscado a forçar esse casamento e irritar os clãs se não tivessem certeza do resultado.

Raisa suspirou. De algum jeito, naquele lugar escuro e solitário, naquele outono peculiar, o que tinha acontecido no Castelo de Fellsmarch no dia de seu rebatizado parecia um melodrama estrelado por outra pessoa.

— Eles podiam estar errados. Os Bayar, quer dizer.

— Sim, podiam — disse Amon, com voz contida. O que significa que ele duvidava disso.

— Às vezes, ela resiste a lorde Bayar — insistiu Raisa, impelida, por alguma razão, a defender a mãe. — Talvez seja mais uma questão de influência do que de controle.

— Talvez. Ainda assim, se você tivesse ficado, estaria casada com Micah Bayar.

Micah. Raisa ergueu o olhar para as estrelas, concentrando-se, tentando afastar a lembrança do rosto de Micah, dos beijos que faiscavam por ela como chamas no papel.

— Vamos falar sobre o que vai acontecer quando chegarmos a Vau de Oden — disse ela, subitamente ansiosa para mudar de assunto.

— Eu acho que você não reconsiderou a ideia de ir à Escola do Templo, não é? — perguntou Amon, pouco esperançoso.

Raisa suspirou.

— A não ser pela temporada no Campo Demonai, eu estudei arte, música e idiomas durante toda a minha vida. Preciso aprender a fazer alguma outra coisa.

Ela ergueu o olhar para o rosto dele, querendo que Amon compreendesse.

— Ir para Vau de Oden é arriscado, mas também é uma oportunidade. Nenhuma das rainhas Lobo Gris já foi para lá, pelo menos não nos últimos tempos. Vou aprender coisas que minha mãe não pode me ensinar. O reino está sitiado e nosso tempo está acabando. — Raisa subitamente percebeu que estava apertando com muita força a mão de Amon e afrouxou um pouco.

Amon olhou para ela pelo canto dos olhos.

— Por causa do que aconteceu com os Bayar?

Raisa balançou a cabeça.

— Não são apenas eles. Eu sinto como se a areia estivesse sumindo debaixo dos meus pés. — Ela deu uma risada amarga. — Estou falando como minha mãe, a rainha melancólica. Mas, ao contrário dela, *não* estou disposta a trocar soberania por proteção. — Raisa fez uma pausa. — O problema com o dom da profecia é que nunca tenho certeza de que é uma visão verdadeira ou apenas a tristeza dominando.

"Lorde Bayar tem razão em uma coisa: vamos ficar sob ataque do sul assim que os Montaigne pararem de lutar uns contra os outros. Nunca serei um soldado, mas preciso saber mais sobre diplomacia, política e estratégia militar. Preciso conhecer melhor meus inimigos."

— Então você quer ir para a Academia Wien.

Ela acenou com a cabeça.

A lua se libertou de um véu de nuvens e a luz se derramou nas ruínas.

— Micah e Fiona Bayar estarão na Academia Mystwerk como novatos — falou Amon e ergueu uma sobrancelha. — Os Mander também.

Ela suspirou.

— Acho que vou esbarrar com eles, mais cedo ou mais tarde.

— Talvez mais tarde, se tivermos sorte. — Ele esfregou o nariz. — Uma vantagem da Academia Wien é que ela fica do lado oposto do rio em que fica Mystwerk. Guerreiros, engenheiros e contadores, as ciências práticas, treinam de um lado do rio. Feiticeiros, curandeiros e os artistas do templo treinam do outro. Eles não se misturam muito.

— Mesmo? — Raisa estava surpresa. — Por que não?

Amon sorriu, e seus dentes brancos reluziram contra a pele queimada de sol.

— Qualquer aprendiz de mago de túnica vermelha que perambule para os lados da Academia Wien corre o risco de ser jogado no rio. A maioria das pessoas do nosso lado vem do sul, e elas não gostam de nada mágico.

— Eles não ficam com medo de encarar um mago? — perguntou Raisa.

— É de se pensar que sim. — Amon acenou com a cabeça. — Mas há regras estritas sobre ataques mágicos na academia. Na verdade, sobre qualquer tipo de agressão. Acho que você já ouviu falar da Paz de Vau de Oden.

Raisa acenou com a cabeça.

— É incrível que eles consigam impor isso. E como a escola fica entre Arden e Tamron, fico surpresa de que ninguém tenha tentado controlá-la.

— Arden e Tamron adorariam controlar a academia, com toda a riqueza e conhecimento — disse Amon. — Arden desaprova Mystwerk por causa do treinamento dos magos. A Igreja de Malthus quer fechar Mystwerk, e eles já tentaram dominar a escola antes. Mas os professores e os alunos lutam para defendê-la. Você tem os magos mais poderosos, as melhores mentes militares e de engenharia nos Sete Reinos. Ninguém mexe com eles há um longo tempo. — Raisa aguardou, mas Amon parecia determinado a encurtar aquela longa história.

— Você acha que vou ter problema para entrar na Academia Wien? — perguntou Raisa.

— Meu pai disse que escreveria cartas de recomendação aos mestres da Escola do Templo *e* da Academia Wien. Ele ensinava na Academia Wien, então tem alguma influência. — Amon fez uma pausa, como se debatesse se deveria continuar ou não. — Mas Taim Askell é o mestre da Academia Wien, e ele pode ser difícil.

— Difícil? Como?

— Vamos esperar para ver, não quero falar de problemas que podemos nem ter. — Ele ergueu o olhar para o céu. — Mas me prometa que você vai para a Escola do Templo, se não puder entrar na Academia Wien?

— Vamos esperar para ver — disse Raisa. *Eu vou entrar*, falou para si mesma. *Não vou perder meu tempo em Vau de Oden.*

— Se você for reconhecida, pode ter que ir embora imediatamente — falou Amon e apertou a mão dela com mais força.

Ela assentiu.

— Eu compreendo. Mas não vejo um lugar mais seguro para onde ir. Arden não é. Tamron é uma possibilidade, acho — disso, pensando em Liam Tomlin.

— E quanto ao extremo sul? Bruinswallow ou Angra de We'en? — perguntou Amon.

— Foi você quem sugeriu Vau de Oden, em primeiro lugar — emendou Raisa. — Além disso, eu não *conheço* pessoas em Bruinswallow nem em Angra de We'en. Esse é meu problema. Eu não *estive* em parte alguma, não conheço ninguém fora do meu próprio reino, a não ser as pessoas que foram à minha festa do rebatizado. Eu poderia acabar em algum lugar onde sacrificam princesas estrangeiras aos deuses. — Ela fez uma pausa, mas Amon não sorriu. — Não posso ficar sob o controle de mais ninguém. E quero ficar perto o suficiente para enviar uma mensagem à minha mãe.

Os olhos de Amon se estreitaram.

— Você não está falando sério, Rai. É perigoso demais.

— Ela precisa saber que estou viva — insistiu Raisa. — E que eu ainda a amo e que vou voltar. Não quero que ela duvide disso.

— Como você planeja enviar uma mensagem que não leve diretamente a você? — perguntou Amon. — Aqui estou eu, preocupado de você esbarrar com Micah e você está planejando ficar de pé, acenar para lorde Bayar e dizer: "Estou aqui!"

— Não vou escrever para lorde Bayar — resmungou Raisa.

— Dá no mesmo — retrucou Amon. — Além disso, por causa da guerra, não é tão fácil assim mandar correspondência de Vau de Oden para Fells.

— Eu não sei como vou fazer! — explodiu Raisa. — Por que tudo que eu quero é tão perigoso? Tudo que vale a pena, pelo menos. Alguns riscos vale a pena correr.

Amon resmungou alguma coisa baixinho.

— O que foi, cabo? — indagou Raisa. — Eu não consegui ouvir.

Amon enrijeceu o maxilar e olhou para a frente, com as sobrancelhas franzidas.

— *O quê?*

— Eu *disse*, Alteza, que a diferença entre nós dois é que, se você acabar morrendo, não vai ter que se culpar todos os dias pelo resto de sua vida.

As bochechas de Raisa ficaram quentes conforme o sangue corria para o rosto.

— Você realmente acha que alguém está tentando me matar? — questionou ela baixinho. — Não é mais provável que eu seja levada de volta para Fells para me casar com Micah, se for reconhecida e capturada? — Ela deu de ombros. — Se acontecer, vou lidar com isso. Enquanto estiver viva, vou achar um jeito. Eu prometo uma coisa: *não vou ser uma rainha cativa.*

Amon ergueu o olhar para o céu, o luar prateado desceu por seu rosto, iluminando o peito e os braços. Ele parecia estar em uma disputa interna sobre se devia ou não falar.

— Antes você comentou sobre profecias — falou Amon, finalmente. — Eu não posso me livrar da sensação de que você está arriscando mais que um casamento ruim. — Ele limpou a garganta e fez um gesto na direção do saco de dormir. — Melhor tentar dormir um pouco, Alteza. Temos um longo caminho a percorrer amanhã.

Ao contrário de Fells, onde grande parte da terra era rochosa e íngreme demais para plantações, Tamron inteira parecia ser controlada e cultivada. Grandes pomares se estendiam até o rio, os galhos arqueados das árvores carregados com frutas — pêssegos, maçãs e estranhos frutos amarelos e cor de laranja que fizeram a boca de Raisa se contrair quando ela mordeu.

Plantações de trigo, feijões, milho, abobrinha e abóboras rodeavam grandes casarões, e em volta delas ficavam as cabanas de agricultores que cultivavam os campos. As casas, estruturas imensas e elegantes com janelas no andar térreo; não tinham sido construídas para defesa. Tamron estava em paz havia muito tempo.

Era difícil acreditar que havia uma guerra acontecendo a apenas algumas milhas a leste.

Amon relaxou visivelmente assim que eles cruzaram a fronteira, ficando quase falante para um Byrne. Havia pouca caça, então adquiriram provisões nas feiras das vilas ao longo do percurso. Amon fez questão de que eles sempre pagassem um preço justo por tudo.

Raisa recuperou um pouco do peso, e não era preciso insistir para que ela devorasse a comida do sul, fresca e variada. O peso que ela recuperou, em grande parte, foi em músculos, pois os exercícios diários continuaram. Raisa treinava todos os dias com o novo bastão e descobriu que ele era surpreendentemente eficaz, mesmo contra um espadachim. O uso da espada estava melhorando também, embora ela nunca fosse ser uma campeã, por causa do tamanho.

Conforme seguiam o rio Tamron para o sul, ela ficou impressionada com o quanto a geografia, o clima e o terreno influenciavam as economias das nações e definiam necessidades e ofertas.

As indústrias que prosperavam no norte dependiam de matéria disponível prontamente por lá — pedras preciosas, ouro e prata, lã, peles e couro. O Vale era a única extensão de terra de tamanho considerável que podia ser arada.

Por isso os clãs se tornaram mestres no comércio, comprando e vendendo bens produzidos por eles e por outros. Mas isso tornava Fells vulnerável em tempos de guerra, quando o comércio era interrompido. Ficava difícil alimentar as pessoas.

Quando os Sete Reinos estavam unidos, bens, dinheiro e pessoas fluíam livremente entre eles, tornando o todo mais forte que suas partes.

Viajando por Tamron, Raisa pensou no príncipe Liam Tomlin, herdeiro do trono de Tamron, que fora à festa de seu rebatizado. Isso havia sido apenas dois meses antes, mas parecia que uma vida inteira tinha se passado desde que o flerte deles no salão de baile fora interrompido por Micah Bayar. O que poderia ter acontecido se Micah não a tivesse arrastado para o que seria um casamento clandestino?

Liam alegara estar procurando uma noiva rica. Depois de ver um pouco de Tamron, Raisa estava começando a entender que o herdeiro daquele reino também valia muito. Ela não tinha interesse em desistir de seu reino, mas como seria, pensou, combinar os interesses de Fells com os de Tamron? Antes da Cisão, eles tinham sido unidos, como dois dos Sete Reinos governados pelas rainhas Lobo Gris.

Raisa estava determinada a controlar seu futuro matrimonial, a desenvolver seu próprio plano. Havia uma diferença entre se casar para o bem de Fells e servir aos interesses de outras pessoas.

Conforme eles se aproximavam de Vau de Oden, a estrada ficou congestionada com tráfego — carroças carregando legumes, grãos e até porcos e galinhas para a feira. Também havia estudantes e a diversidade deles era enorme. Alguns viajavam em grandes carruagens, com escoltas de homens, servos e carroças com malas atrás.

— São os do primeiro ano. — Amon sorriu. — Novatos. Vão ter uma grande surpresa. Eles chamam Vau de Oden de "o grande nivelador" por uma razão. Todos têm o mesmo espaço: uma cama com uma gaveta embaixo. Eles vão ter que mandar de volta boa parte disso ou encontrar um lugar para guardar do lado de fora da academia.

Alguns estudantes iam a cavalo, sozinhos ou em grupos, em montarias que iam de garanhões de sangue azul a cavalos de fazenda, de saudáveis a doentes. Outros iam a pé, com calçados gastos pela estrada e mochilas nas costas. Carroças alugadas chacoalhavam com alunos sacolejando na traseira, os olhos fechados por causa da poeira.

As estalagens ao longo do caminho estavam lotadas. Quando conseguiam encontrar uma mesa para a ceia, eram cercados por eruditos de todas as partes dos Sete Reinos, até de Bruinswallow, Angra de We'en e das ilhas. O clamor dos idiomas fez Raisa desejar testar suas habilidades linguísticas. Mas eles pareciam falar mais rápido do que os tutores dela.

Os Lobos Gris encontraram amigos no caminho — colegas cadetes na estrada de volta à Academia Wien. Como uma cadete novata, Raisa atraiu atenção considerável. Alguns garotos começaram a conversar com ela. Um soldado de Tamric foi particularmente insistente, oferecendo cerveja e lisonjas, até que a incansável cara feia de Amon o afastasse.

— Ele parecia simpático — comentou Raisa, observando-o deixar o lugar apressadamente.

— Eu o conheço — respondeu Amon, sério. — E ele não é.

Lojas em cidades pequenas e vendedores ao longo da estrada exibiam tudo que os estudantes poderiam precisar — papéis em muitas cores, penas e mata-borrões; enciclopédias encadernadas, com muitos centímetros de grossura, que os vendedores ambulantes alegavam conter todo o conhecimento.

Um comerciante estava parado perto de uma estante de óculos de leitura para olhos enfraquecidos por horas de estudo. Outro oferecia jarros de tintas, rolos de papel e lona, pincéis de todos os tipos, blocos de madeira, pequenas facas afiadas para entalhar imagens para xilogravura.

Faltava pouco para o anoitecer quando eles subiram uma pequena colina e a academia apareceu diante deles. A distância, bem parecia uma fortaleza dividida pelo rio Tamron, protegida por altos muros de pedra. Espiras dos templos, domos com folhas douradas e telhados de azulejo se projetavam acima dos muros e reluziam sob o sol poente, como se fossem glacê abundante em uma torta de pedra.

O tráfego na estrada à frente diminuíra gradualmente. Os estudantes mais experientes tinham chegado antes da hora da ceia e, sem dúvida, já estavam sentados à mesa. Como em sintonia com esse pensamento, o estômago de Raisa roncou alto.

Amon puxou os arreios com dificuldade. Seu cavalo, Vagabond, estava ansioso para avançar, já prevendo o jantar e um celeiro mais adiante.

Raisa não estava tão certa de como seria recebida, como um acréscimo inesperado. Desejava um banho longo e quente. Ela e Switcher tinham o mesmo cheiro. Se já tivera a esperança de impressionar Amon Byrne com seu charme e beleza recém-adquiridos, aquela chance se fora para sempre. Ele a vira em todo tipo de feiura.

Amon, claro, parecia adaptado à vida na estrada. Viver ao ar livre lhe dera um tipo de verniz áspero, hirsuto, que o deixava ainda mais atraente.

— Está ficando tarde — observou Raisa, direcionando Switcher para perto de Vagabond. — Talvez a gente deva encontrar uma estalagem hoje à noite e ir para a Academia Wien de manhã.

— Vamos ter que ficar nos dormitórios hoje — explicou Amon. — As estalagens vão ficar cheias, com as aulas começando daqui a poucos dias. Chegamos de noite de propósito. Tem menos chance de a gente esbarrar com alguém que conhecemos do lado de fora do portão ou no lado Mystwerk do rio.

— Você sabe que, mais cedo ou mais tarde, eu vou ser reconhecida — disse Raisa, mantendo a voz baixa para que os outros não a ouvissem. — Vamos ter que lidar com isso.

— Quanto mais tarde, melhor — resmungou ele. Amon baixou o olhar para a cidade, acariciando o pescoço de seu cavalo. — Vai dar tudo certo enquanto ninguém souber que você está aqui. Quando souberem, vai ser impossível protegê-la.

— A maioria dos meus súditos nunca me viu de perto. — Ela sorriu, pesarosa. — E os que viram não me reconheceriam sem a tiara na cabeça.

Amon não retribuiu o sorriso.

O rapaz se virou na sela para encarar os outros.

— Esperem aqui e descansem os cavalos. Eu vou desmontar e checar como está tudo. — Sem esperar resposta, ele apertou os calcanhares nos flancos de Vagabond, e eles partiram pela estrada, descendo o vale.

Amon ficou longe por duas horas. Quando retornou, tinha uma expressão sombria e resignada.

— Está tudo bem — falou ele, mas as palavras não combinavam com seu comportamento. — Conversei com mestre Askell e arranjei abrigo nos dormitórios para esta noite. Vamos.

Enquanto eles desciam o extenso morro até o rio, Raisa se inclinou para Amon.

— O que está acontecendo? — perguntou ela. — O que foi que mestre Askell falou?

— Ele quer conhecer você — explicou Amon, esfregando a parte de trás do pescoço.

— Isso é bom, não é?

— Depende.

Eles não entraram na academia pelo portão principal, mas deram a volta até o portão dos fundos, no lado sul. Dois cadetes os deixaram passar e trancaram o portão.

Switcher seguiu Vagabond sem que Raisa o guiasse, permitindo que ela olhasse ao redor enquanto cruzavam o terreno da academia.

A escola era do tamanho de uma pequena cidade, mas tinha mais espaços verdes que qualquer uma que Raisa já tivesse visto. Antigos edifícios de pedra salpicavam o gramado, ligados por passarelas cobertas, pavimentadas com tijolos e entrelaçadas com flores que se abriam à noite. A fragrância intoxicante os envolvia, trazida pelo ar quente e úmido.

Luzes ardiam na cozinha e nos salões de jantar. A maioria dos estudantes ainda estava jantando, embora alguns tivessem começado a caminhar de volta para os dormitórios, conversando e chamando os amigos através do terreno, em todas as línguas dos Sete Reinos. Outros se moviam lentamente pela estrada principal na direção do rio, livres das tarefas escolares, já que as aulas ainda não tinham começado.

— Que prédios são esses? — perguntou Raisa, apontando.

— É o lado Mystwerk do rio — respondeu Amon. Ele fez um gesto para um edifício de pedra ornamentado que dominava alguns acres. — Esse é o Salão Mystwerk, o prédio mais antigo da academia. Supostamente, a academia foi fundada quando um mago construiu uma cabana na margem do rio e começou a receber os aprendizes.

Raisa observou o Salão Mystwerk, inclinou a cabeça para trás e assimilou a imensa torre com o sino. Será que Micah Bayar estava em algum lugar por ali?

Quanto tempo Micah teria esperado por ela na Muralha Ocidental? Será que desistira dos planos de ir a Vau de Oden para ir atrás dela?

Eles passaram por elaborados jardins de ervas, cheios de flores, algumas conhecidas, outras não.

— São os jardins dos curandeiros — informou Amon, notando o interesse de Raisa. — Pessoas de todas as partes vêm para cá treinar para serem curandeiras, ou tratadas no Salão do Curandeiro.

À frente, uma ponte de pedra fazia um arco bem alto na água, ladeada por lojas e barracas de vendedores, a maioria fechada para a noite. As tabernas ainda estavam abertas, e grupos de estudantes saíam às ruas.

— A ponte e as lojas ao longo da Rua da Ponte são uma espécie de fronteira, onde estudantes dos dois lados se misturam. Amon apontou para Raisa com a mão enluvada. — Por isso, *você* precisa ficar longe da Rua da Ponte.

Amon abriu caminho na ponte. Vozes altas saíam da porta aberta de uma taberna do lado direito, acompanhadas por dois estudantes metidos em uma briga. Um deles vestia um uniforme de cor marrom, o outro vestia a túnica vermelha dos magos. Outros estudantes saíram da taberna e se juntaram ao arco-íris de cores das academias.

— Deve ser alguma discordância filosófica — falou Amon, circulando com cuidado a multidão.

— E a Paz? — perguntou Raisa.

Amon deu uma gargalhada.

— Os guardas do reitor lidam com as brigas entre os estudantes.

Ele apontou para três homens de aparência severa, com monótonos uniformes cinza, que caminhavam pela rua atrás deles na direção dos estudantes que brigavam.

— Eles enchem as ruas aqui, principalmente de noite, e você é levado até o reitor, se for pego — continuou Amon. — Agressores graves ou reincidentes são expulsos da academia, sem poder recorrer. Os estudantes costumam tentar resolver as coisas sozinhos.

Eles chegaram ao extremo oposto da ponte e desceram para as ruas do lado da Academia Wien. Ali os edifícios eram mais novos, embora ainda tivessem centenas de anos e fossem feitos da mesma pedra cinzenta, que devia ter vindo de uma escavação nos arredores. Os dormitórios eram menos elaborados, mais funcionais, mas ainda havia na arquitetura uma beleza simples que atraía Raisa.

A academia de guerreiros era um complexo de edifícios, uma cidadela que consistia em áreas de treinamento, forjas de armas, dormitórios, estábulos, edifícios com salas de aula e pastos para o gado.

— Todos os estudantes da academia guardam seus cavalos ali — explicou Amon. — Mesmo que não estejam na Academia Wien.

Eles passaram por alguns edifícios baixos e compridos que, pelo cheiro, tinham que ser os estábulos. Parando perto de um deles, desmontaram. Raisa retirou a sela de Switcher e a escovou. Um cadete os conduziu até uma fileira de baias. Eles garantiram que as montarias tivessem água e grãos antes de colocar as algibeiras nos ombros e caminhar até um imenso edifício de pedra. *Salão Wien* estava entalhado na entrada.

Um homem estava sentado a uma mesa, na entrada, com um grande livro de registros diante dele.

— Amon Byrne, com sua companhia de Fells — informou Amon. — Já conversei com mestre Askell.

O homem assentiu.

— Bem-vindo de volta, comandante. Mestre Askell disse que você vai ficar no Salão Grindell. Todos vocês. — Murmurou o homem para Amon, se inclinando para a frente.

Comandante? A mente exausta de Raisa não conseguiu assimilar aquilo. Em vez disso, ela estudou distraidamente os nomes e as datas gravados de cada lado da entrada — era uma lista dos comandantes de turma que remontava à Cisão. O nome *Byrne* aparecia a intervalos regulares nos últimos mil anos. Mais recentemente, Edon Byrne, o pai de Amon. E Amon Byrne.

Ela sentiu a presença de Amon atrás dela, um arrepio entre as omoplatas.

— Tem um monte de Byrne ali — disse ela, apontando.

— É um tipo de tradição. — Ele pegou as algibeiras dela e as entregou a Mick. — O restante de vocês pode ir se acomodar no Salão Grindell — falou ele. — Peguem lençóis extras para Morley e para mim, e ponham as coisas de Morley no terceiro andar. Talbot e Abbott, vocês ficam com Morley. Assim que as camas estiverem arrumadas e as coisas guardadas, vão jantar. Não esperem por nós.

Ele se virou para Raisa.

— Você vem comigo, Morley. Mestre Askell está nos esperando.

Temos que ir vê-lo *agora*?, pensou Raisa. O cansaço havia superado a fome e ela desejava poder simplesmente cair na cama. Em voz alta, disse:

— Eu tinha esperança de tomar um banho primeiro. Será que eu poderia ao menos lavar o rosto?

— É melhor sermos pontuais — disse Amon. — Ele vai se importar mais com sua aparência se concordar em admitir você.

Os outros Lobos recolheram cobertores e lençóis de um pequeno depósito e deixaram o edifício por uma porta lateral. Raisa e Amon subiram uma comprida escada de pedra até o terceiro andar. Amon bateu em uma grossa porta de madeira, no topo da escada.

— Entrem — falou uma voz grave.

Taim Askell estava de pé diante de sua mesa quando eles entraram. Era um homem alto, talvez um pouco mais alto que Amon, mas provavelmente tinha metade do peso dele a mais. O corpo robusto e musculoso dominava o cômodo, embora o escritório tivesse um bom tamanho. O rosto tinha vincos e rugas causados por longos anos ao ar livre, e havia marcas nos cantos dos olhos que diziam que ele sorrira em algum momento do passado.

Ele não estava sorrindo no momento.

Uma túnica de professor estava dobrada nas costas da cadeira; a não ser por isso, a sala estava limpa e organizada, tudo em seu lugar, exceto por uma resma de papéis espalhada pela mesa.

Prateleiras cobriam as paredes, cheias de livros que combinavam, encadernados em couro preto, gravado com letras douradas — histórias de campanhas militares. Um mapa dos Sete Reinos cobria a parede oposta à porta e um mapa emoldurado de Carthis em sépia pendia atrás da mesa.

— Mestre Askell — disse Amon em língua comum, encostando o punho no coração para saudá-lo. — Comandante Byrne apresentando-se, como ordenado, com a candidata Rebecca Morley, senhor.

Raisa repetiu a saudação de Amon, e se perguntou quanto mestre Askell sabia.

— Relaxe, comandante, e... candidata Morley — disse mestre Askell, em língua comum com um sotaque de Arden. — Sente-se. Ele apontou para duas cadeiras com espaldares retos. Foi mais uma ordem que um convite.

Raisa sentou-se com as costas retas, na ponta da cadeira, e apoiou a mão nas coxas. Tentando parecer mais alta e mais substancial. Mais merecedora de ser aceita.

Askell não se sentou. Em vez disso, ele assomou sobre os dois como o Destruidor no Dia do Juízo. Como se não pretendesse lhes conceder mais que uns poucos minutos de seu tempo.

— Isso não vai demorar, garanto — respondeu mestre Askell, reforçando a impressão inicial de Raisa. — Eu tornei um hábito entrevistar cada candidato que deseja ingressar na Academia Wien, sobretudo aqueles que solicitam privilégios.

— Privilégios, senhor? — Raisa olhou para Amon, que fitava o vazio, com um músculo tenso na mandíbula. — Não tenho certeza do que quer dizer, senhor. — Raisa preferia pecar por excesso do que por falta de "senhor".

— Exatamente o que você espera de nós, Morley? — Askell cruzou os braços.

O tom hostil fez Raisa falar.

— Eu imagino que minhas expectativas sejam iguais às de qualquer outro cadete, senhor — falou ela. — Espero me beneficiar do estudo com os professores da Academia Wien e da interação com a diversidade de alunos.

— É mesmo? — Askell inclinou a cabeça. — E como, exatamente, sua presença aqui beneficiará a Academia Wien? E o mundo, em geral?

Raisa piscou para ele, sua mente cansada estava lenta demais para responder:

— Hum...

Askell emendou, como se realmente não esperasse uma resposta:

— O comandante Byrne me disse que você vem da nobreza e que, apesar de ser mulher, você é a herdeira da linhagem de sua família, como é... hã... o *costume* no norte — emendou Askell.

Por sua expressão, Raisa imaginou que ele desaprovava aquele costume.

— Nós atraímos muitos candidatos de famílias nobres. Muito mais do que podemos acomodar. Algumas famílias veem o serviço militar como um meio de desenvolver o caráter ou tratar certas inaptidões. Outros consideram um meio de se livrar de filhos inconvenientes ou de filhas menos promissoras.

Cansada como estava, seu temperamento começou a aflorar.

— Eu lhe garanto, mestre Askell, senhor, que meus pais não me mandaram para cá por nenhuma dessas razões — disse ela rigidamente.

Askell ergueu uma sobrancelha.

— Assim parece. Você veio sem uma carta de apresentação dos seus pais, o que é raro. Talvez você tenha fugido para se juntar ao exército, então. Talvez você considere isso uma rebelião contra eles.

— Eu não fugi para me juntar ao exército, senhor — falou Raisa. — Estou aqui atrás de uma educação que me prepare para desempenhar minhas obrigações com minha família e Fells.

— Nós *temos* uma carta de recomendação do nosso ex-aluno Edon Byrne. — Askell fez uma pausa, como se esperasse que Raisa comentasse, mas ela não falou nada. — E seu próprio comandante pediu por determinadas acomodações para você. Isso desperta preocupação imediata. A maior parte dos candidatos espera até ser admitida para solicitar tratamento especial. Você realmente acha que a Academia Wien é adequada para você?

— Mestre Askell, talvez eu... — começou Amon, mas o mestre balançou a cabeça.

— Eu perguntei a Morley, comandante — disse Askell, sem tirar os olhos de Raisa. — Eu preciso ter certeza de que sua presença aqui não será uma distração que vai afetar a educação dos outros cadetes. Temos responsabilidade com eles, assim como com você. Nossos alunos se organizam igualitariamente. Atos de favoritismo agem contra isso.

Raisa olhou fixamente para Askell.

— Estou curiosa, senhor, em relação às acomodações que o comandante Byrne solicitou para mim, já que ele não me falou sobre isso.

Por um longo momento, Askell ficou em silêncio, como se a resposta de Raisa não fosse o que ele esperava. O mestre caminhou até o aparador, ergueu um bule e pôs na lareira para aquecer.

Ele se virou e se apoiou na cornija.

— O comandante Byrne pediu que todos os cadetes de Fells sob seu comando, e você, fiquem alojados juntos no Salão Grindell, quando nossa política é misturar cadetes de reinos diferentes nos dormitórios e nas classes. Também não é comum abrigar alunos do primeiro ano, como você, com alunos do quarto ano, como o comandante.

"Além disso, ele pediu que um currículo único seja criado para você. Um currículo que ultrapassa os limites escolares, combinando ciência militar, rigoroso treinamento físico, geografia, diplomacia, história e finanças. Na verdade, ele propôs um currículo que provavelmente ocuparia você durante todas as horas do dia e muitas horas da noite."

— O quê? — disse Raisa e não fez esforço em esconder a surpresa. — Eu não tinha ideia, senhor, de que o comandante Byrne estava tão interessado em planejar minha educação. — Ela se virou e fitou Amon, que desviou os olhos dos dela. Ao ver seu rosto corado, ela percebeu o que lhe custara usar sua influência com Askell para tentar garantir tratamento especial para ela. Ele não costumava fazer aquele tipo de coisa.

Ela se voltou para Askell.

— No entanto, ao ouvir isso, senhor, parece perfeito para mim.

— Você está chegando tarde na academia — falou Askell. — Os outros cadetes da sua idade estão aqui há três anos. Seria um desafio dominar o currículo normal, o que dirá um tão... exigente.

— Estou acostumada a trabalho duro, senhor — respondeu Raisa, erguendo o queixo. — Além disso, não sou totalmente ignorante. Eu morei com os clãs, nas Montanhas Espirituais, por três anos, em Fells.

— É mesmo? — questionou o mestre e seu rosto exibia o desprezo dos moradores das terras baixas pelos clãs. — Eu não vejo como isso se aplica à sua entrada em uma academia militar.

Edon Byrne diz que eu cavalgo como um guerreiro Demonai, Raisa ficou tentada a dizer.

— Se eu puder opinar, foi por isso que sugeri um currículo um pouco diferente para Morley, senhor — disse Amon. — Como o senhor sabe, grande parte dos primeiros três anos aqui na academia corresponde ao treinamento físico: cavalgar, rastrear, trilhar e habilidades de sobrevivência. Muitas dessas coisas Morley já aprendeu nos campos das terras altas. Ela também tem treinado duro no último mês com armas das terras baixas. Acho que o senhor vai descobrir que...

— Se isso pudesse ser feito em um mês, seríamos muito mais eficientes, não é, comandante Byrne? — perguntou Askell, esvaziando um saquinho de chá no bule. Usando um pedaço de pano para proteger a mão, ele o levou até a escrivaninha e o pôs no pedestal gasto.

Finalmente, Askell se sentou na cadeira de espaldar alto e olhou para Raisa como alguém olharia para uma criança intrometida. Raisa já tinha recebido aquele olhar muitas vezes, e sempre a deixava irritada.

— Sua intenção é realmente ser um soldado, Morley? — perguntou Askell. — Não faria mais sentido para você estudar ciências mais delicadas? Cura, arte e filosofia são tópicos importantes. São cursos mais típicos para alguém da sua posição.

— Minha *posição* ou meu *gênero*, senhor? — indagou Raisa. — O senhor disse que a Academia Wien está cheia de barões e duques. Eu só consigo pensar em uma diferença entre mim e eles.

— Há mulheres na Academia Wien — respondeu Askell rigidamente. — Sem dúvida, o comandante Byrne lhe contou isso.

— Há mulheres, sim — disse Raisa, a voz tremendo de raiva. — E todas são do norte, provavelmente filhas de soldados, não é? Nenhuma dama criada com mordomias?

Askell olhou para ela por um longo instante, depois balançou a cabeça.

— Nenhuma dama criada com mordomias — admitiu ele. Então ao menos ele era honesto.

Raisa ergueu-se com os punhos fechados nas laterais do corpo.

— Para responder à sua pergunta: não, senhor, eu não pretendo ser um soldado. Mas reis, duques e lordes enviaram seus herdeiros à Academia Wien por mais de mil anos. Não para transformá-los em soldados, mas para transformá-los em líderes melhores.

"Já me encheram de filosofia, arte e ciências mais delicadas, como o senhor as chama. Se eu puder costurar, cantar ou recitar para sair de uma crise, estarei bem-preparada. Vim até aqui porque dizem que este é o melhor lugar nos Sete Reinos para receber instrução. Eu vim aqui para preencher as lacunas da minha educação, me preparar para a época em que tomarei decisões sozinha, quando o conhecimento sobre liderança, engenharia e ciência militar podem fazer a diferença entre o sucesso e o fracasso."

Raisa olhou para Amon, sentado e imóvel, a não ser pelos olhos cinza movendo-se dela para Askell e de volta para ela.

— O que o comandante Byrne propôs parece ser exatamente o que eu preciso. Mas vou treinar como um simples soldado, se isso é o que tenho que fazer para obter educação. Vou morar onde o senhor mandar. Não estou pedindo acomodações do senhor. Se eu fracassar, fracassei. Mas talvez eu aprenda alguma coisa nesse meio-tempo. Senhor.

Raisa fez uma mesura ao mestre, saudando-o como Amon fizera.

— Obrigada pelo seu tempo, senhor. Vou deixá-lo discutindo o assunto com o comandante Byrne. — Ela saiu da sala, sabendo que provavelmente arruinara qualquer chance que tinha de ficar na Academia Wien.

Lágrimas de raiva ardiam em seus olhos conforme descia as escadas com passos pesados. Ela parou no patamar do segundo andar para se recuperar antes de descer o restante dos degraus. Quando ser admitida na Academia Wien se tornara tão importante? Dois meses atrás, ela não tinha nenhum plano de ir para Vau de Oden. Será que era apenas um desejo infantil de algo que lhe fora negado? Será que era algo que ela não queria até Askell resistir?

Por outro lado, dois meses atrás ela não sabia dos planos de Gavan Bayar de subverter a Naéming e adquirir poder casando o filho com a futura rainha de Fells. Ela precisava voltar preparada para as batalhas que estavam à sua frente.

Amon Byrne se tornara uma pessoa realmente imprevisível. Quando ele planejara aquele esquema escolar para ela? E quando pretendia lhe contar? Tinha sido arrogante da parte dele, mas ainda assim ela não podia deixar de se sentir emocionada.

O que ela faria se Askell se recusasse a admiti-la? Ela não tinha muita escolha. Precisava ficar em Vau de Oden. Mas, se cruzasse o rio para ir à Escola do Tempo, seria muito mais provável que fosse vista por Micah Bayar ou seus amigos. Além disso, perderia a proteção dos Lobos Gris.

Raisa perguntou ao homem na recepção no primeiro andar como chegar ao Salão Grindell. Sem dúvida, eles a deixariam dormir ali por uma noite, mesmo que a expulsassem no dia seguinte.

Quando ela chegou ao dormitório, o restante dos Lobos Gris já tinha jantado. Eles trouxeram pratos para Amon e Raisa, mas ela havia perdido o apetite. Ficou sentada na cadeira acolchoada ao lado da lareira fria, no salão comum, muito depois de os outros irem para a cama, acalentando uma xícara de chá e esperando o retorno de Amon.

Finalmente, ouviu os passos familiares. Ele parou na entrada, uma silhueta alta, olhando para ela.

— Achei que você estaria dormindo — disse ele.

— O que Askell falou? — perguntou Raisa.

Amon se aproximou da luz e se ajoelhou ao lado de sua cadeira. Ele fechou as mãos calejadas nas dela e aquela energia estranha, selvagem, fluiu entre eles. O tempo pareceu se esticar, e ela podia ver mais à frente, aquela mesma cena se repetindo, um futuro que os encontraria envelhecendo juntos.

Uma profecia? A pele de Raisa formigou e o coração acelerou. O que aquilo significava?

— O que você tem? — murmurou Amon, um olhar divertido no rosto. — Eu já disse, recentemente, que você é incrível, Alteza?

— Recentemente, não — retrucou Raisa, e engoliu em seco. — Nunca disse.

— Sinto muito por não ter lhe contado minha ideia. Achei que mestre Askell diria logo que não e não queria que você se decepcionasse. Pensei que você poderia se animar mais com a Escola do Templo se não soubesse que eu tinha uma alternativa.

— O que Askell falou? — repetiu Raisa.

— Dimitri estava certo. Você é boa com as palavras — disse Amon, e balançou a cabeça. — Mestre Askell aprovou seu currículo e a moradia. Você começa depois de amanhã.

CAPÍTULO NOVE

A ESTRADA OCIDENTAL

Han estava satisfeito por deixar a capital de Corte de Arden para trás. A Estrada Ocidental seguia reta como a corda esticada de um arco através das planícies entre Corte de Arden e o rio Tamron. Eles avançaram rápido, pois não havia montanhas para circundar, apenas um rio ou regato ocasional para atravessar. Mas em alguns lugares as pontes haviam sido destruídas e eles tinham que viajar rio acima ou rio abaixo para encontrar um lugar para a travessia. Com frequência, barcas improvisadas atendiam os viajantes ao longo da Estrada Ocidental-Oriental.

Evidências da guerra em curso os cercavam — fazendas queimadas, grupos de soldados que marchavam a pé, imensos torreões trancados com bandeiras de batalhas hasteadas, grandes acampamentos de soldados. Frequentemente, o grupo de Han deixava a via principal e se escondia nas árvores para evitar as patrulhas a cavalo portando as miríades de cores dos nobres envolvidos no conflito.

Eles atravessaram campos de batalha, às vezes espantando corvos e gralhas-pretas dos corpos em decomposição. Urubus circulavam acima deles, reclamando rudemente, depois pousavam de novo assim que o grupo passava. Algumas vezes, eles passaram por forcas que exibiam o resultado fedorento das execuções recentes.

É uma boa temporada para os corvos, pensou Han. Não havia como chegarem a tempo para o primeiro dia de aula, tendo saído atrasados e feito tantos desvios.

Cat não estava satisfeita em cavalgar. O cavalo que Jemson lhe emprestara era um animal temperamental e preguiçoso, de humor quase tão ruim quanto Ragger. Cat agarrava-se às costas dele como um carrapato, totalmente desconfortável, imóvel. As coisas melhoraram quando Han a convenceu a trocar para o pônei extra. Eles usaram o cavalo de Cat para carregar a bagagem.

As habilidades superiores de Cat nas ruas pouco ajudavam no interior, o que a tornava mal-humorada e arisca. Ela não estava acostumada a ficar em segundo lugar em nada.

Han e Dançarino se revezavam ensinando a ela técnicas de sobrevivência na floresta, como rastrear e caçar com arco e flecha. Cat tinha reflexos rápidos e precisos e sempre fora boa com facas de todos os tipos. Quando a caçada foi bem-sucedida, ela aprendeu rapidamente a esfolar e estripar as carcaças.

Ela parecia desanimada, muito diferente da Cat dos Trapilhos da qual Han se lembrava. No passado, tinha sido o orgulho e a obstinação de Cat que a metera em problemas. Agora ela parecia irritada, como um cão que apanhara vezes demais.

Ela exibia um preconceito insistente contra Dançarino pelo crime de ser dos clãs. Era irônico que ela tivesse adotado a visão do Vale, sendo das Ilhas Meridionais. Às vezes alguém que apanhou só quer bater em outra pessoa.

Continuaram a viajar à noite. Quando começava a amanhecer, encontravam um abrigo para dormir durante o dia. Han e Cat preparavam algumas armadilhas, e Dançarino fazia uma fogueira e montava o acampamento. Eles comiam, dormiam por algumas horas, depois se arrumavam e pegavam os livros.

Dançarino se alternava entre o livro de artesanato Demonai e o livro de encantamentos. Han decorava feitiços, depois se esforçava para que o amuleto fizesse o que ele queria. Algumas vezes, ele conseguia; outras vezes, fracassava, mas, pelo menos, não houve mais explosões de poder ou comportamento bizarro e autodestrutivo.

Era melhor expelir aquilo ali, naquele lugar, no meio do nada.

Quando se limitavam a ler, Cat ficava por perto. Algumas vezes, ela pegava a basilka e tocava — melodias doces, melancólicas, que podiam fazer uma pessoa chorar, mesmo que não conhecesse a letra. Dançarino frequentemente parava de ler e se inclinava para a frente, passando os braços ao redor dos joelhos, com os olhos fechados, apenas ouvindo.

Mas, quando começavam a praticar feitiços, Cat se afastava do acampamento e ficava fora por horas. Ela deixou claro que não queria nada com magia.

Dançarino ainda não gostava do amuleto substituto, embora continuasse a carregá-lo com poder.

— Isso não está certo — falou ele, cutucando o amuleto. — É como se tivesse alguma coisa entre mim e o amuleto... uma coisa fora de lugar.

Han deu de ombros.

— Talvez todos eles sejam assim — sugeriu Han. Ele hesitou, depois apertou os dedos na peça de Waterlow. — Algumas vezes é como se este aqui tivesse conhecimento e poder já embutidos nele. Pensei que talvez fosse por causa... por causa de quem eu sou. Ou por causa do dono anterior.

Dançarino franziu a testa.

— Você acha que o amuleto é amaldiçoado? Ou acha que você é amaldiçoado?

— Talvez as duas coisas — resmungou Han. E se fosse verdade o que Elena contara à sua mãe? E se ele *fosse* amaldiçoado porque o sangue do Rei Demônio corria em suas veias? A sorte de sua família certamente decaíra nos últimos mil anos, de rei dos Sete Reinos a ladrão de rua que passa fome.

— Por quê? Quem era o dono anterior?

Assustado, Han olhou por cima do ombro para onde Cat estava sentada, embalando a basilka. Ele se esquecera de que ela estava ali.

Han não queria mentir para Cat, mas também não queria assustá-la ainda mais, contando que ele estava usando o antigo amuleto do Rei Demônio.

— Bem, ele pertencia a lorde Bayar. O Grão-Mago.

Cat piscou para ele. Depois se levantou e deixou a basilka de lado.

— Parece que ele lhe causou um monte de problemas. Talvez você devesse devolver. — Ela se virou e desapareceu no bosque.

Han e Dançarino ficaram olhando ela se afastar.

— Bom — falou Dançarino —, se vale de alguma coisa, eu não acredito que você seja amaldiçoado. Se acreditasse, manteria distância de você. — Ele inclinou a cabeça e observou o amuleto de Han. — Quanto ao faz-feitiço, é mais provável que só seja muito poderoso, e você não sabe o que está fazendo. Pelo menos espere até ter um pouco mais de treino antes de decidir.

CAPÍTULO DEZ

CADETE

Raisa abriu os olhos para a escuridão, mas ouviu que Talia e Hallie já estavam de pé. Um clarão de luz, e então o lampião acendeu. Ela fechou os olhos por causa do brilho e desejou poder voltar a dormir. Mas, se dormisse, perderia o café. E ela precisaria da refeição para aguentar a manhã. Após quatro semanas de aula, isso ela já tinha aprendido.

Com um suspiro trêmulo, Raisa empurrou os cobertores, botou as pernas para fora da cama e ficou de pé, de roupas íntimas, bocejando e se espreguiçando. O casaco extra do uniforme estava pendurado no espaldar de uma cadeira para secar.

Os cadetes usavam uniformes amarelos que precisavam ser lavados quase diariamente no clima úmido do outono. Quando eles marchavam pelo terreno, a lama espirrava na calça até a altura dos joelhos. Por causa disso, e pela cor encardida do uniforme, os estudantes do outro lado do rio os chamavam de *sujinhos*.

Raisa tocou o casaco ao passar por ele. Ainda estava úmido. Nada secava naquele clima miserável. Ela afastou as lembranças de uma vida na qual roupas limpas apareciam magicamente sempre que precisava. E ela podia escolher entre as várias combinações.

Alguém lavava aquelas roupas, pensou. E fazia os remendos, e todas as centenas de pequenas tarefas que ela agora tinha que fazer por si mesma — e nos padrões militares.

Amon tinha arranjado as coisas de modo que não havia mestre do dormitório em Grindell, e Raisa, Talia e Hallie podiam compartilhar a suíte no andar superior. Isso significava que elas tinham que dividir as tarefas de um mestre do dormitório — conservar as áreas comuns e os lavatórios limpos e manter um suprimento de lençóis lavados para as camas. Conforme o tempo esfriou, elas carregaram lenha para as fogueiras do depósito, perto do rio.

Hallie já tinha terminado de usar o lavatório; aquela garota era incrivelmente eficiente. Ela apenas amarrava o cabelo com uma corda, lavava o rosto e estava pronta.

Raisa afofou seu cabelo desfiado e olhou para seu reflexo mal-humorado no espelho de metal polido. Será que teria sido mais fácil ter cabelo comprido? Ela poderia prendê-lo atrás. Mas, cheio como era, secaria tão lentamente quanto seu casaco. Ela lavou o rosto com água fria, depois vestiu o uniforme úmido e fez uma careta quando o tecido molhado tocou sua pele.

Em breve estaria com calor.

Raisa caminhou até a sala de estar, onde Talia estava esticada em uma cadeira, com os joelhos dobrados por cima do braço do assento, o lampião próximo enquanto ela lia. A garota ergueu os olhos do livro e sorriu, marcando o local em que parou com um dedo.

Talia era mestiça, assim com Raisa — a mãe era do clã e o pai tinha nascido no Vale, um membro da Guarda da Rainha. Ela sempre acordava cedo para ler o Livro do Templo antes da aula. Isso ou um daqueles romances de lua invertida que fariam uma prostituta corar.

Talia era uma pessoa de interesses variados.

— Vocês duas estão prontas? — gritou Hallie da porta. — Se não nos apressarmos, a salsicha vai acabar de novo.

Pelo menos, Hallie e Talia tinham parado de chamá-la "lady Rebecca" depois que a ouviram xingar como um camponês quando Switcher pisou no pé dela.

As três desceram correndo as escadas e quase derrubaram Mick, que saltitava pelo salão comunal, tentando remendar as meias já com elas nos pés.

— Má ideia — gritou Raisa ao empurrar a porta com o ombro.

— Aquele idiota acha que alguém vai ficar com pena dele e se oferecer para fazer o serviço — falou Hallie. — Ele vai ter buracos nas meias por um bom tempo.

Com uma risadinha abafada, elas cruzaram o terreno escuro e molhado até o salão de jantar, onde cadetes sonolentos já estavam alinhados para o café da manhã.

Pelo menos eu não tenho que fazer minha comida, pensou Raisa enquanto despejava uma porção de mingau na tigela, acrescentava melado e leite, e, sim, duas salsichas. Uma vantagem de treinar ao raiar do dia — ainda havia carne.

Ela levou a bandeja até a comprida mesa, sentou-se e começou a devorar o mingau. Era uma péssima maneira de começar o dia, mas ela se recusava a deixar restos na tigela quando os sinos tocassem para a primeira aula.

Naquele semestre, ela estava inscrita em apresentação e recitação de História da Guerra nos Sete Reinos; uma aula de finanças cheia de contadores com dedos manchados de tinta; cursos sobre estratégia militar e armas; e um curso intensivo da língua de Arden. Além disso, ela precisava treinar diariamente com os cadetes do primeiro ano. Isso era logo após o café da manhã.

— Então, Rebecca — disse Talia, espremendo-se ao lado de Raisa. — Você gosta de algum deles? — Ela apontou a colher para os cadetes na mesa seguinte. — E aquele ali na ponta? Com o cabelo vermelho. Barrett. Ouvi dizer que ele é bem animadinho.

Barrett também frequentava a aula de História da Guerra. Raisa avaliou-o, mastigou e engoliu.

— Não é meu tipo — falou e balançou a cabeça.

— E que tal Sanborn, então? — perguntou Talia, e apontou para um menino robusto, de pele morena, parecida com a cor de bronze da própria Raisa. — Ele vem dos reinos inferiores. Angra de We'en, acho. Dizem que ele é calmo e equilibrado.

Raisa deu um grande bocejo.

— Não sei como você tem energia para romance.

— Você escolhe demais. Não é como se você tivesse que se *casar* com eles.

— Deixe a garota em paz, Talia — disse Hallie. — Talvez ela tenha alguém em casa. Um jovem lorde ou um comerciante rico. Ela vem de boa família, sabe. Pode estar querendo algo melhor que Barrett ou Sanborn.

— Isso não significa que ela não pode ter um namoradinho na escola — insistiu Talia.

Talia estava em uma missão de casamenteira. Ela e Pearlie Greenholt, a mestre de armas da Academia Wien, estavam loucamente apaixonadas e Talia queria dividir a alegria com todo mundo.

— Mas tome cuidado, Rebecca — aconselhou Hallie. — Talia e Pearlie têm a lua invertida. Não precisam se preocupar com fazer bebês.

A expressão *lua invertida* se referia às integrantes do Templo da Lua, em Fells — mulheres que preferiam outras mulheres a homens. Talia era uma integrante, desde os 12 anos. Pearlie não era integrante oficial — ela era de Arden.

Hallie se pôs de pé.

— Dê ouvidos a Talia e vai acabar com um bebê na barriga. — Ela deu um tapinha na própria barriga para enfatizar e caminhou novamente até a fila para a comida, com as costas largas muito esticadas.

Hallie era mãe solteira de uma menina de 2 anos, Asha. Tivera que deixá-la em Fellsmarch, com seus pais. Hallie tinha uma alma velha — não estava inclinada a romances.

Mas Hallie não precisava ter se preocupado. Raisa conseguia evitar todas as dicas e sugestões de Talia. Ela não podia simplesmente contar que estava apaixonada pelo comandante.

Adeus para seus planos de aproveitar a vida antes do casamento.

Raisa gostava sinceramente de Hallie e Talia. Gostava da companhia das duas e admirava a coragem e a determinação delas. Talia amava quem amava, sem se importar com o fato de que as de lua invertida recebiam olhares de reprovação nos reinos inferiores. Hallie estava determinada a ampliar sua educação, mesmo que sentisse saudades imensas da filha.

Elas se tornaram amigas, apesar de todos os segredos que as separavam.

Ter amigas era algo novo para Raisa. Na corte, as relações eram competitivas, com carga política, e todos disputavam uma posição próxima aos que estavam no poder. Não se podia confiar em ninguém, todas as motivações eram suspeitas. Amon fora seu único amigo verdadeiro e agora aquela relação tinha suas próprias complicações.

Não era de admirar que Hanalea tivesse caminhado disfarçada entre as pessoas. Era o único modo de descobrir quem eram realmente.

Os sinos soaram pelo salão de jantar. Raisa levou a tigela e a colher para as bacias de louça e cruzou a porta.

— Diga a Pearlie que eu a amo! — gritou Talia quando ela saiu para a escuridão do outono.

Os cadetes já estavam correndo no terreno de treinamento quando Raisa chegou. Ela tirou o casaco e o pôs de lado, sabendo que logo estaria suando.

Meia hora de corrida, e ela estava encharcada. Depois eles se exercitaram em grupo, com as armas. Brandindo lanças, atacavam e recuavam no campo em uma fileira de dez cadetes, gritando feito *banshees* até Raisa ficar rouca e com os braços tão pesados que mal podia evitar que sua arma se arrastasse no solo.

Aquele era o modo de guerrear das terras baixas, e aos olhos de Raisa parecia estranho. Não havia espaço entre as montanhas para fileiras de soldados atacarem juntas. Os guerreiros dos clãs combatiam individualmente ou em pequenos grupos, alternando ataque e retirada. Mas aquele tipo de luta precisava de cobertura e não havia cobertura nas terras baixas.

O instrutor finalmente mandou que parassem, e Raisa entregou sua lança a Pearlie, que as guardava nos suportes.

— Talia disse que ama você — falou Raisa. Pearlie corou e sorriu, com o rosto radiante. Talia era a primeira namorada de verdade de Pearlie. — Aah — resmungou, pegando o casaco e caminhando para o banheiro. O amor está em toda parte, menos perto de mim.

O sol acabara de nascer quando ela cruzou o terreno até o Salão Wien para a primeira aula — História da Guerra, ensinada por Taim Askell.

Ela ficara surpresa de o mestre dar uma aula para os novatos. Askell era um professor extraordinariamente bom — apaixonado pela matéria e inteligente, com o tipo de experiência prática que muitos acadêmicos não tinham. Ele temperava suas aulas com exemplos reais, muitos do próprio passado. Havia lutado em lugares tão distantes quanto Carthis, usando todo tipo de armas e táticas.

Raisa tinha estudado a história dos Sete Reinos com os tutores, no Castelo de Fellsmarch, mas aquele era um novo tipo de história, centrado na guerra e animado pela diversidade dos estudantes na classe. Eles vinham de toda parte dos Sete Reinos, e Raisa logo percebeu que havia mais de uma verdade a ser conhecida sobre o passado.

Por causa da falta de barreiras naturais, sempre tinha havido mais intercâmbio entre Arden e Tamron, Angra de We'en e Bruinswallow; mesmo nas ilhas. Os reinos do sul compartilhavam costumes, línguas e credos — a mesma visão básica do mundo.

Fells se tornara isolado, consumido em seus próprios problemas. Consequentemente, os povos das montanhas eram tema de muita especulação, fascinação e informações erradas.

O pouco que os habitantes das terras baixas sabiam sobre Fells aprendiam de mercadores que viajavam pelas montanhas, vendendo objetos de metal, joias e outros produtos das terras altas; e comprando os alimentos que cresciam no solo profundo e no clima mais quente das terras baixas. Os comerciantes dos clãs eram figuras românticas e exóticas, boas para gerar histórias.

Raisa era a única aluna de Fells na maioria das classes, mesmo nas militares.

Como de costume, Raisa foi direto da casa de banho para a aula no último minuto possível, tendo que se sentar na primeira fila enquanto Askell subia no pódio. Ela rapidamente arrumou a tinta e o papel. Sempre fazia muitas anotações na aula de Askell.

Ele escreveu as notas para a aula e examinou a turma, como sempre fazia. Naquele dia, seu olhar deteve-se um pouco mais em Raisa. Ela se empertigou e o encarou.

— Hoje vamos discutir o uso de magia na guerra. E, portanto, esta aula vai se dedicar, sobretudo, aos feiticeiros de Fells e aos clãs das Montanhas Espirituais, embora também se aplique a alguns elementos em Carthis.

Um murmúrio percorreu a classe, como uma ventania através dos álamos.

Raisa bateu a caneta na mesa, surpresa de o mestre ter usado a terminologia adequada para os habitantes de Fells que tinham o dom da magia. A maioria dos ardeninos se referia aos feiticeiros como blasfemadores, idólatras e mágicos e ao povo dos clãs como pagãos e selvagens.

Como se lesse os pensamentos dela, um cadete novato de Tamron ergueu a mão. Era Barrett, o cadete que Talia mencionara no café da manhã.

— Será que realmente temos que perder tempo com isso? Ninguém aqui vai usar essa tática. — A postura do cadete sugeria que Askell tinha proposto uma sessão de convocação de demônios ou de técnicas de tortura.

Pensando bem, o tema de técnicas de tortura seria recebido melhor.

— Novato Barrett, devemos supor que você tem o dom de prever o futuro? — perguntou Askell. — Você pode prometer a todos aqui que eles nunca vão usar táticas mágicas e que nunca vão entrar em guerra com alguém que as utiliza?

— Claro que não, senhor — cuspiu Barrett. — Mas parece improvável que...

— É a tática improvável que vai ser sua ruína — falou Askell. — Não aquelas para as quais você está preparado. Nossos inimigos não vão ser tão cooperativos. — O olhar do homem moveu-se novamente pela classe. — Mais alguma objeção? Não? Então vamos discutir a estranha e simbiótica relação entre os clãs das Espirituais e os feiticeiros que vieram das Ilhas Setentrionais. Uma relação tensa e conflituosa, nos últimos mil anos.

Pela primeira vez, Raisa estava à frente dos colegas. Mas logo ela percebeu que Askell sabia muito mais do que ela sobre o uso da magia durante as guerras de conquista dos magos, e pelo Rei Demônio na época da Cisão. Após mil anos de paz no norte, aquela não fora uma prioridade em sua educação.

Mas poderia ser, no futuro? O que aconteceria se a guerra estourasse entre Arden e Fells? Raisa olhou ao redor da sala de aula. Um bom terço dos alunos em sua classe era de Arden. Como ela poderia fazer uso das vantagens de Fells para evitar uma invasão do sul?

Um silêncio súbito tirou-a de seu devaneio. Ela ergueu o olhar e viu que todos a encaravam. Incluindo Askell.

— Me... me desculpe, senhor. Acho que eu estava... distraída — disse Raisa, se batendo mentalmente. Tinha que se habituar a responder quando chamassem pelo nome que assumira.

— Agora que a novata... hã... *Morley* se juntou a nós, vou refazer a pergunta. Alguém queria saber se um amuleto carregado com magia de um feiticeiro poderia ser usado por outra pessoa, com ou sem dom. Sinceramente, eu não sei. Achei que talvez você fosse capaz de responder, já que é do norte.

— Eu... eu não tenho certeza, mas acho que não — falou Raisa. — Ouvi dizer que o poder acumulado em um amuleto só pode ser usado pelo feiticeiro que o pôs lá dentro.

— Obrigado, Morley. Então vimos que a tática usada por Alger Waterlow, conhecido como Rei Demônio, era, ao mesmo tempo, inovadora e arrasadoramente eficaz.

Alguns dos estudantes fizeram o sinal de Malthus para se proteger da magia demoníaca.

Askell revirou os olhos.

— Eu não confiaria em São Malthus para proteger vocês de ataques mágicos. Agora, alguns estudiosos sugerem que Waterlow pode ter viajado para Carthis e treinado magia negra lá. Eu não consegui encontrar fontes primárias que confirmem isso. O que sabemos é que, logo antes da Cisão, ele estava bem protegido em Lady Gris, com a rainha Hanalea e um arsenal. Ele podia ter mantido o exército dos Sete Reinos a distância indefinidamente, a não ser que tenha sido traído por alguém lá de dentro.

Askell levantou o olhar das anotações.

— Cerquem-se de pessoas confiáveis. Caso contrário, nem mesmo todas as armas e táticas do mundo poderão salvar vocês.

Quando a aula acabou, Raisa juntou suas anotações e guardou-as na bolsa. Depois caminhou pelo corredor até onde Askell estava juntando seu material.

— Foi uma aula excelente, mestre Askell — falou Raisa, sorrindo. — Obrigada. Aprendi muita coisa. O senhor tem um conhecimento incrível de um assunto que não discutimos em casa.

Askell parou de mexer nos papéis e a encarou por um longo tempo.

— Obrigado, novata Morley — falou ele, seco. — Subitamente, tudo parece valer a pena.

Raisa piscou para ele.

— Senhor, eu fiz algo errado? Para fazer o senhor não gostar de mim?

Askell suspirou.

— Novata Morley, *não gostar* implica certo grau de interesse, certo grau de envolvimento ou foco, como em um adversário. — Ele balançou a cabeça. — Não. Não é que eu não goste de você. Ou que goste.

Raisa sustentou o olhar de Askell por um longo tempo.

— Obrigada, senhor — falou ela, por fim. — Estou mais tranquila. — Ela o cumprimentou, com o punho contra o peito, virou-se e saiu da sala.

Pelo menos, se um dia houvesse uma guerra entre Arden e Fells, a arrogância dos ardeninos funcionaria a favor dela.

CAPÍTULO ONZE

ACADEMIA MYSTWERK

Han e seu grupo finalmente chegaram a Vau de Oden em uma tarde no fim de setembro, quatro semanas depois do início das aulas. Eles entraram pelo portão leste da academia sob uma chuva violenta, no lado da Academia Wien. Os guardas no portão deram as direções até a área da Academia Mystwerk, no outro lado da ponte.

A estrada principal passava em volta e por entre os edifícios da academia. Han examinou os arredores com interesse. Conforme os sinos nas torres do templo soaram quatro da tarde, os alunos, em capas de chuva com capuz, irromperam nas portas, apressando-se pelas passarelas cobertas e marchando pelas poças entre os prédios. Todos pareciam estar com pressa.

Pilares de pedra identificavam as faculdades — Academia Factor, Academia Merchant, Academia Isenwerk —, todas projetadas e construídas para o aprendizado. Cada escola ficava no centro de um terreno gramado, e consistia em edifícios com salas de aula, bibliotecas e dormitórios. A academia lembrava a Han o Templo de Ponte Austral, mas em uma escala maior.

Os dormitórios eram impressionantes também — de três a quatro andares de altura, construídos com tijolos e pedras, possuíam grandes chaminés e entradas arqueadas.

Vau de Oden era como uma cidade pequena sem as partes feias e sujas. Mesmo na chuva, parecia iluminada, os edifícios de pedras brilhantes eram como joias na relva verde, margeados por flores, como bordados em vestidos femininos. Tudo ali ainda estava verde e exuberante, embora o outono já estivesse avançado em seu lar, nas montanhas.

— A ponte deve ser por aqui — falou Dançarino quando eles passaram pelo edifício marcado como Salão Wien. — Os estábulos são ali na frente, deste lado da ponte, mas a Escola do Templo e Mystwerk são do outro lado do rio. Ouvi dizer que não é aconselhável que quem tem o dom passe muito tempo deste lado.

— Por que não? — perguntou Han enquanto Dançarino impelia Wicked, passando entre dois edifícios compridos e baixos que cheiravam a feno e cavalos. Conforme passaram pelos estábulos, os cavalos ali dentro murmuraram uma saudação e Ragger respondeu.

— Os cadetes da Academia Wien e os estudantes de Mystwerk não se misturam — respondeu Dançarino. Ele se virou para Cat: — Depois que deixarmos os cavalos, tudo bem se formos direto para Mystwerk, e depois ao Templo?

Cat deu de ombros e revirou os olhos, como se estivesse disposta a esperar pela eternidade.

— Talvez a gente possa dividir o quarto — falou ela para Han. — Mesmo eu estando na Escola do Templo.

— Vamos perguntar — disse Han. Ele não tinha ideia de quais eram as regras ou de quantos estudantes dividiam um quarto. Um pensamento horrível lhe ocorreu. Talvez todos os novatos dormissem no mesmo cômodo. Talvez fosse dividir quarto com os Bayar. Ele nunca conseguiria fechar os olhos.

— Caçador Solitário! — O grito de aviso de Dançarino interrompeu seus devaneios. Han ergueu os olhos e viu que uma garota com capa de chuva e capuz cruzava o pátio bem na frente dele. Com a cabeça abaixada por causa do vento, ela não os vira. Ele puxou os arreios com força, chapinhando água nela.

Ela sacudiu a água da capa e olhou séria para ele.

— Dá para olhar para onde está indo? Você quase me atropelou.

Ele captou um breve relance do rosto dela sob a sombra do capuz, antes que a garota girasse e se afastasse, quase correndo, com a cabeça baixa por causa do vento e da chuva.

Han fitou as costas dela, mudo de surpresa. Depois chamou:

— Rebecca?

Ela desapareceu entre os edifícios.

Lembranças passaram por sua mente como cenas de uma peça inacabada: o estúdio de Jemson no Templo de Ponte Austral, Rebecca tocando seu rosto machucado com dedos frios, perguntando "Quem fez isso?" como se estivesse pronta para defendê-lo; Rebecca encolhida em um canto de seu esconderijo em Feira dos Trapilhos, olhando séria para ele, desafiando-o a mexer com ela. E, finalmente, caminhando para fora da Casa da Guarda de Ponte Austral, orgulhosa como uma rainha, liderando uma dúzia de Trapilhos libertados.

— O que foi? — perguntou Dançarino, olhando para a garota que sumira. — Quem é aquela?

Han deu de ombros.

— Bobeira minha. Ela se parecia com alguém que conheci em Feira dos Trapilhos.

Cat bufou.

— É claro que você vai pôr os olhos numa garota assim que a gente chega. — Desmontando, ela conduziu o pônei até as portas do estábulo.

Han hesitou, ainda fitando o local onde a garota tinha desaparecido. Mesmo que não fosse Rebecca, garotas não costumavam fugir dele.

Provavelmente o fato de ter jogado água nela não ajudou.

Melhor assim. Sua vida já estava bastante complicada. Han desceu do cavalo e seguiu Cat.

Depois de deixarem os cavalos, eles cruzaram uma ponte arqueada de pedra, ladeada por lojas e tabernas que tinham acabado de abrir as portas. Han sentiu cheiro de carne assada, bacon e salsicha.

Naquele dia eles tinham cavalgado sem parar, pulando a hora do almoço, com pressa de chegar a Vau de Oden antes de anoitecer. O estômago de Han roncava, e ele se perguntou se deveriam fazer uma parada ou arriscar comer alguma coisa no dormitório. Mas Dançarino e Cat seguiram adiante, e Han os acompanhou, embora lançasse olhares ansiosos para trás.

O Salão Mystwerk era do tamanho da catedral de Fellsmarch, um edifício enorme que fora expandido sem muito planejamento. As alas do prédio se chocavam, divididas na frente pelo templo original, circulando o cômodo para disputar os espaços nos fundos do prédio. O templo era encimado por uma alta torre de pedra com um sino, entrecortada por compridas janelas, como olhos semicerrados.

Qualquer parte daquela construção seria bonita sozinha, mas o conjunto criava uma tensão frágil que atraía Han.

Um estudante mais velho ocupava uma escrivaninha no saguão do edifício, com a cabeça inclinada sobre um manuscrito rebuscado, uma das mãos torcendo um cacho de seu cabelo encaracolado. Ele parecia ser de Bruinswallow — e seu traje tinha uma bainha bordada em dourado.

Han e seus amigos hesitaram na entrada, aguardando que ele percebesse sua presença, mas o jovem parecia ocupado em sua leitura e não ergueu o olhar.

— O bordado extravagante significa que ele é um proficiente — murmurou Dançarino e tocou a própria manga simples.

— O que é um proficiente? — perguntou Han, desejando saber mais sobre onde estava se metendo.

— Ele já passou por duas baterias de testes. Primeiro, você é um novato. Depois um secundário, e então um proficiente. Se passar a terceira bateria, vai se formar mestre e pode lecionar — explicou Dançarino. — Com três anos de leitura, escrita e ensino, ele pode se tornar reitor.

Dançarino estava estudando Vau de Oden fazia meses.

Ele limpou a garganta.

— Com licença — disse em língua comum.

O proficiente ergueu os olhos, distraído, como se sua mente ainda estivesse bem distante dali.

— Ah, me desculpem. Eu sou Timis Hadron, proficiente de serviço — respondeu na língua comum, com sotaque. Ele os fitou de cima a baixo, assimilando a aparência de viajantes. — Vocês acabaram de chegar?

— Eu sou Hayden Dançarino de Fogo — falou Dançarino —, e este é Hanson Alister. Nós somos novos estudantes do semestre de outono da Academia Mystwerk. Sinto muito por estarmos atrasados; tivemos alguns problemas na viagem por Arden.

Hadron assentiu.

— Vocês não são os únicos. Três outros novatos de Mystwerk chegaram ontem e mais dois ainda vão chegar. É um azar que a Paz não se estenda a Arden, não é?

Ele puxou um livro de registro para mais perto e examinou os nomes. Bateu o dedo na página.

— Ah, sim. A reitora Abelard perguntou por vocês várias vezes. Ela vai ficar aliviada em saber que chegaram. — E olhou para Cat, que estava inquieta. — E esta é...?

— É Cat Tyburn — falou Dançarino. — Ela não está matriculada em Mystwerk, mas esperamos que ela possa ficar conosco.

— Não são permitidos servos — disse Hadron, fazendo uma anotação no livro de registro sem erguer os olhos. — Eles deveriam ter lhe dito isso quando você se inscreveu.

— Eu não sou uma serva! — interrompeu Cat, batendo com a mão no livro de registro.

— Nem namoradas — respondeu Hadron. Ele ergueu o olhar, assustado, quando Cat agarrou a parte da frente de sua túnica e o puxou para a frente. Ela o olhou com ar severo.

Cat estava tensa. Han podia ver isso.

— Cat. Deixe para lá — falou ele e pôs uma das mãos em seu braço. — Ele não é nosso inimigo.

Relutante, Cat soltou o tecido e deu alguns passos para trás.

— Nem guarda-costas — emendou Hadron, batendo a pena contra o manuscrito.

— Cat é uma novata na Escola do Templo — falou Han.

— *É mesmo?* — Hadron recostou-se na cadeira e observou Cat com interesse. — Me desculpe, novata Tyburn. Os novatos em Mystwerk costumam chegar com um grupo de servos e esperam que a gente arrume alojamento para eles. E ficam espantados quando dizemos não. Se você é uma novata no templo, vai ficar no próprio templo.

— Eu não quero ficar no templo — resmungou Cat. — Não posso ficar aqui?

Hadron balançou a cabeça.

— Novatos devem ficar nos alojamentos designados. — Ele fez uma pausa. — Parabéns por conseguir entrar na Escola do Templo... ela é muito concorrida.

Cat simplesmente remexeu no lenço, voltando a amarrá-lo ao redor dos cabelos.

— Pode acreditar, você vai gostar — prosseguiu Hadron. — São os melhores alojamentos no campus. Muito melhor do que os alojamentos em que eles vão ficar. — Ele apontou para Han e Dançarino.

— Então talvez eles possam ficar comigo — resmungou ela.

— Não se preocupe — falou Dançarino. — Vai ficar tudo bem. Não pode ser muito longe. Vamos estar sempre juntos.

— Como se eu quisesse ficar junto de você — respondeu Cat, cruzando os braços no peito.

Enquanto eles conversavam, os estudantes passavam pelo saguão em duplas ou trios, com as túnicas vermelhas se arrastando no soalho de pedra. Eles fitavam os recém-chegados com curiosidade, apontando e murmurando, enquanto tocavam os próprios amuletos.

Han baixou os olhos para as roupas de viagem dos clãs, sujas por causa da estrada, e se sentiu um estranho no ninho. Empertigando-se, esticou os ombros para trás e assumiu a expressão que usava nas ruas.

— Vamos arrumar tudo para vocês dois, está bem? — falou Hadron para Han e Dançarino. — Vocês deixaram os cavalos nos estábulos, correto? — Quando Han assentiu, Hadron empurrou um mapa feito à mão pela escrivaninha na direção deles. — Vocês, novatos de Mystwerk, ficarão nos dormitórios do Salão Hampton, aqui. — Ele apontou, depois ergueu os olhos para eles em tom de desculpa. — Não são as melhores acomodações, pois vocês estão entre os últimos a chegar, mas ficarão fora da chuva. O mestre do dormitório vai ter roupa de cama para vocês, e vai mostrar seus quartos. Os salões de jantar ficam aqui. — O dedo bateu no mapa. — O toque de recolher é às dez da noite em dias de aula, e mais tarde nos dias do templo. Espera-se que todos os novatos estejam em seus dormitórios nessa hora, a menos que tenham reunião com um membro do corpo docente ou que participem de um grupo de discussão ou evento aprovado.

Cat fez um muxoxo, nem tentando disfarçar o espanto diante daquela longa lista de regras, mas Han manteve o rosto impassível. Ele percorrera as ruas desde que era um *lytling*. Sua mãe desistira havia muito tempo de lhe dizer a que horas devia sair e voltar.

Ele daria um jeito de contornar aquelas regras.

— Os mestres do dormitório vão enviar seus horários. Vocês serão esperados nas aulas de amanhã. Vou avisar à reitora Abelard que vocês estão aqui. Ela e os outros integrantes do corpo docente vão avisar quais as tarefas que vocês precisam acompanhar com os outros estudantes.

Hadron puxou o manuscrito de volta.

— Mais alguma coisa? — perguntou ele, dispensando-os polidamente.

— Está tudo certo. Obrigado — falou Han, deixando o Salão Mystwerk.

— Eu não vou ficar no templo — resmungou Cat, antes de descerem os largos degraus de pedra do saguão.

— Você não tem escolha, se quiser ficar aqui — falou Han. — É um longo caminho de volta até Fellsmarch.

— Por que pelo menos não tenta? — falou Dançarino. — Você sempre pode desistir. Nesse meio-tempo, tem casa e comida; está longe de Fellsmarch e longe da guerra.

Cat não se deu ao trabalho de responder.

Han sabia que não deveria pressioná-la.

— Aquela deve ser a Escola do Templo — disse ele e apontou para um edifício de pedra com torres que se erguiam do outro lado do terreno. — É perto. Vamos parar no nosso dormitório e depois damos uma olhada no seu quarto. Então arrumamos algo para comer.

O Salão Hampton parecia um dos edifícios mais antigos do campus: uma estrutura de pedra, de quatro andares, sombreada por imensos carvalhos, com a trilha de pedra gasta por milhões de pés que passaram durante milhares de anos.

O salão comum tinha cheiro de lã úmida e fumaça de lenha. Dois estudantes estavam curvados em uma das mesas, perto do fogo, e jogavam cartas. Eles ergueram os olhos quando Han, Dançarino e Cat entraram, e fitaram os três. Enrugando seus narizes nobres, voltaram ao jogo.

O mestre do dormitório, Dilbert Blevins, era um homem de meia-idade, com aparência irritada, olhos vermelhos e nariz escorrendo, que agia como se eles tivessem chegado atrasados de propósito.

— Estou avisando vocês, garotos, não sobrou muita coisa, então não quero ouvir vocês reclamando — falou, assim que eles se apresentaram. — Já ouvi reclamações suficientes. — Seu olhar frio passou por Cat, com a bolsa de lona em um dos ombros e a basilka jogada no outro. — Vocês não podem levar garotas para o quarto — falou ele.

— Nós sabemos — disse Han, pensando que parecia até que eles moravam no templo. — Ela prometeu... nos ajudar a arrumar as coisas.

— Humpf — falou Blevins. — Bem, se ela vai subir, eu vou subir junto. — Ele deu uma olhadela nos pertences deles. — É só isso? Bem, pelo menos vocês não trouxeram tudo o que possuem, como *algumas* pessoas.

Você está enganado, pensou Han. Isso é tudo que eu possuo.

Blevins entregou uma pilha de livros para Han e Dançarino e empurrou um bolo de roupa de cama para cima deles. Depois se adiantou na subida da escada íngreme. Em cada patamar, havia uma janela estreita encrustada na parede de pedra grossa, deixando entrar a luz fraca e turva que a chuva permitia. Desajeitado, carregando várias bolsas, Han quase tropeçou nos degraus irregulares.

Durante todo o percurso, Blevins manteve uma ladainha contínua de reclamações, sobretudo sobre os estudantes com expectativas elevadas.

Han se preparou para o pior. Não importa o quanto seja ruim, pensou ele, vou dar um jeito. Não vou passar muito tempo no meu quarto, de qualquer forma.

A escada para o quarto andar era ainda mais estreita que as três anteriores, como se o último andar fosse um sótão convertido em quarto. O patamar era mais espaçoso naquele andar, mas o teto em ambos os extremos do corredor se inclinava sob o telhado.

Blevins prosseguiu pelo corredor escuro à direita e encontrou o caminho, como se por instinto. No fim do corredor havia duas portas, uma de cada lado. Tirando uma grande chave do bolso da túnica, Blevins destrancou ambas as portas e empurrou para que abrissem.

— As portas ficam destrancadas o tempo todo para que os mestres do dormitório possam entrar e inspecionar — disse ele, fitando Cat, para o caso de eles não terem entendido.

A mão de Han apertou o amuleto.

— Destrancadas? Mas e quanto a...

— Os estudantes devem deixar as coisas de valor em casa — falou Blevins. — Nos primeiros anos, são dois por quarto, mas como vocês são os últimos estudantes a chegar e esses quartos são menores do que a maioria, cada um fica com o seu. O banheiro fica no terceiro andar.

— Cada um tem o próprio quarto? — Han se balançou nos pés, surpreso com aquilo.

— Não fiquem muito animados — falou Blevins, esfregando o nariz com a manga.

Han examinou cada quarto. Idênticos no tamanho e na mobília, eles eram minúsculos e com tetos mal-acabados, tortos, na verdade, e tinham janelas opostas às portas.

Han escolheu o cômodo da esquerda e pôs a bolsa de lona e os lençóis no colchão de palha da cama.

Cat mexeu-se para segui-lo, e Blevins rosnou:

— Garotas ficam no corredor.

O ar era abafado, mesmo no fim da estação, e Han sabia que seria impossivelmente quente no verão.

Havia uma pequena lareira na parede externa, com uma pilha de madeira envelhecida ao lado, mas Han não achava que aquele local fosse precisar ser aquecido.

A cama ocupava a maior parte do espaço. Ele poderia deitar de costas na cama com a cabeça em uma parede e os dedos dos pés na outra. Um baú aos pés da cama guardaria facilmente os bens de Han. A escrivaninha e a cadeira debaixo da janela se valeriam da luz natural para o estudo. Havia um jarro e uma bacia para se lavar e um tapete trançado no chão de pedra.

Han não gostou do fato de haver apenas uma entrada e uma saída — através das escadas —, mas a janela parecia grande o suficiente para ele passar. Testaria aquilo assim que Blevins fosse embora. Ele abriu a janela alguns centímetros e deixou que o ar fresco e algumas gotas de chuva entrassem. Tocou o vidro das janelas com as pontas dos dedos. Uma calha do lado de fora mantinha boa parte da água a distância, mas também poderia dificultar uma escalada para o telhado acima.

Han sorriu, balançando a cabeça. No fim das contas, aquele era o local mais luxuoso em que já ficara. Ele estava impressionado que meros estudantes pudessem morar em um lugar como aquele e dormir um por cama, imagine um por quarto.

Ele abriu a sacola que Blevins lhe dera. Em seu interior havia lençóis e cobertores de algodão, um travesseiro de penas, um pedaço de sabão de sebo para o banho e duas túnicas de Mystwerk em lã vermelha escura (aparentemente, de tamanho único). Ele acariciou o tecido fino e separou as túnicas para experimentar depois.

Han retornou ao corredor onde Dançarino esperava com Cat e mestre Blevins, que, ao que parecia, não iria a parte alguma enquanto a garota permanecesse no quarto andar.

— Onde podemos comer alguma coisa? — perguntou Han a Blevins, que os observava de olhos semicerrados, como se ainda esperasse que reclamassem sobre os quartos.

— O salão de jantar fica do outro lado do pátio, perto das cozinhas — respondeu Blevins. — Serve a todos em Mystwerk e no Templo. Eles terão seus nomes. O horário da refeição é comunicado no salão comum, e se vocês se atrasam, ficam com fome.

Han virou-se para Cat e Dançarino:

— Vamos voltar para a ponte hoje à noite, depois de irmos à Escola do Templo — falou Han, consciente do peso do dinheiro do clã em seus bolsos. — Eu quero comemorar.

— Muitos estudantes de Mystwerk gostam da taberna Coroa e Castelo — disse Blevins. — Eles servem uma refeição quente e uma caneca de cerveja cheia por um bom preço.

Eles desceram os degraus do dormitório, deixando as passarelas cobertas para cortar o terreno na direção das torres do templo.

As aulas do dia tinham acabado, e o campus agora fervia com estudantes, apesar da chuva contínua. A maioria vestia práticas capas de lã por cima das túnicas escolares, com os livros e papéis enfiados debaixo delas para não ficarem molhados. Uns poucos brilhavam com poder — esses atraíram o olhar de Han. A maioria se dirigia aos salões de jantar, mas alguns estudantes mais bem--vestidos se separaram e foram na direção da ponte.

O templo também parecia ser uma das construções mais antigas no campus. Ele ficava perto do rio, cercado por jardins e pavilhões convencionais que cobriam as margens. A frente do edifício era voltada para o terreno do templo, a entrada em arco conduzia ao santuário e às salas de aula. Se fosse como em Ponte Austral, as alas laterais com varandas amplas provavelmente abrigavam os dormitórios.

Estudantes e iniciados sentavam-se nas varandas, sob o abrigo do telhado. Alguns estavam curvados em cadeiras de palha, lendo; outros trabalhavam em rodas de fiar ou se dedicavam a bordados. Uma roda de estudantes sentava-se em almofadas ao redor de um mestre, que espalhava tinta por uma tela.

O salão comum dos dormitórios ficava pouco depois da porta lateral da varanda. Uma estudante do templo estava sentada a uma escrivaninha, debaixo de uma pilha de caixas de correspondência. Havia um tecido esticado diante dela, com uma gama de pequenas ferramentas e pedacinhos de madeira espalhados por ele. Ela estava praticando marchetaria — imagens ornamentadas com madeiras exóticas.

Ela ergueu o olhar e sorriu para Han e seus amigos quando a porta bateu e se fechou com força atrás dos três novos estudantes — um sorriso quase tão ensolarado quanto a expressão de Cat estava nublada. Ela vestia uma túnica branca, mas o cabelo volumoso estava amarrado por um lenço com cores brilhantes e familiares.

O coração de Han se aliviou. Ela era das Ilhas Meridionais, como Cat. Isso era um bom sinal, não?

— Bem-vindos à Escola do Templo — falou ela, com a voz carregada do sotaque das Ilhas. — Que o Criador abençoe vocês.

— Você também — respondeu Cat automaticamente. Ela passara muito tempo na escola de Jemson.

— Meu nome é Annamaya Dubai — disse a garota. — Em que posso ajudar?

— Eu sou Cat. Hum. Tyburn — falou Cat, cutucando o tapete com o pé. — O orador Jemson me indicou. — Ela desviou o olhar, distraída, quando as notas de uma flauta flutuaram da varanda.

Annamaya ficou de pé com um farfalhar de tecido. Ela era quase tão alta quanto Han — com ossos largos e robusta. Ela correu para a frente e abraçou

Cat como se ela fosse uma prima rica desaparecida havia muito tempo, embora Cat estivesse ensopada da chuva e suja da estrada.

Cat ficou parada, imóvel, assustada demais para se mover.

— Caterina! Graças ao Criador! Estávamos tão preocupados!

Caterina? Han olhou para Dançarino e ergueu uma sobrancelha. Quem imaginaria?

— O reitor Torchiere vai ficar tão aliviado — disse Annamaya, as palavras jorrando de sua boca como água de uma torneira aberta. — Seu quarto já está pronto para você, embora você possa trocar, se quiser. Fica ao lado do meu e tem vista para o jardim. Estamos tão animados que esteja aqui. Mal podemos esperar para ouvir você tocar. Talvez a gente possa marcar um recital assim que você se ajeitar. Vejo que trouxe sua basilka. Você toca mais algum instrumento?

Cat ficou imóvel, como um cervo tentando decidir se deve fugir de um caçador ou torcer para não ser notado.

Annamaya continuou, sem esperar por uma resposta:

— Eu vou lhe mostrar seu quarto. Esta é a ala das garotas, então é bem aqui em cima. — Ela pegou a bolsa de Cat e colocou no próprio ombro, então segurou o braço dela. Han percebeu que Cat queria se livrar do toque.

Annamaya começou a subir a escada, com uma assustada Cat atrás. Han e Dançarino hesitaram no pé da escada, mas Annamaya olhou por cima do ombro e fez um gesto para que os dois subissem.

— Venham ver onde Caterina vai ficar.

Han e Dançarino seguiram as duas garotas pela curta e larga escada, até uma galeria nos fundos do edifício.

— Parece um palácio — murmurou Han para Dançarino.

Na verdade, ele nunca tinha estado em um palácio, mas imaginava que devia ter aquela aparência; soalho de mármore e corrimões entalhados, tetos altos e candelabros de cristal reluzente nas paredes, que ardiam continuamente. Era como o Templo de Ponte Austral, só que maior e mais belo. Muito maior e mais belo. Ainda assim, parecia tranquilizador e não intimidava com suas superfícies frias e amplos espaços abertos.

Eles viraram em um corredor nos fundos e caminharam entre as fileiras de portas. Annamaya escolheu uma, do lado direito, e empurrou para que abrisse.

O cômodo era maior do que os atribuídos a Han e Dançarino, embora ainda fosse aconchegante, com paredes pintadas de azul-escuro. A imensa cama tinha um telhado, coberto com tecido listrado brilhante. Suportes para partituras e uma escrivaninha, além de uma mesa de desenho, ocupavam uma alcova com janela. Uma grande estante erguia-se contra a parede esquerda. Nos fundos, duas portas compridas, entreabertas, conduziam a uma varanda com vista para os jardins e o rio além. Uma brisa entrava pelas portas e trazia o odor de chuva e de flores. Com tempo bom, a luz do sol entraria.

Han achara seu quarto luxuoso. Não era nada comparado àquele.

Cat parou na entrada, observando. Depois deu meia-volta para encarar Annamaya.

— Isso é algum tipo de piada? — perguntou ela. — É assim que você se diverte com a gentalha? Porque não tem graça, é maldade.

O rosto de Annamaya murchou, desanimado.

— Você não gostou? Eu sei que é pequeno, e os banheiros ficam no corredor, mas... bem, para mim, a vista do jardim compensa.

Han foi até as portas dos fundos e olhou para os jardins. Depois se virou para encarar Annamaya.

— Você está falando sério, não é? Este é o quarto dela. Sem brincadeira.

Annamaya acenou com a cabeça, praticamente torcendo as mãos.

— Você poderia ficar aqui por enquanto e, ao menos, se refrescar. Posso perguntar ao mestre do dormitório e ver o que mais está disponível.

— O que eu tenho que fazer para ficar com este quarto? — perguntou Cat, franzindo as sobrancelhas com ar desconfiado. — Que tipo de lugar é este? Quem mais mora aqui?

— Somente você — respondeu Annamaya, parecendo confusa. Ela olhou para Han e Dançarino em busca de dicas. — Nós... nós não podemos ficar com ninguém nos nossos quartos. Só para você saber.

Ela se moveu pelo cômodo, destacando suas características como um comerciante no mercado enquanto Cat mordia o lábio inferior, sem dizer nada.

— Se você precisar de mais lençóis, tem um armário no corredor. E quando você estiver pronta para o banho, basta falar com a mestre do dormitório e ela vai...

Cat ergueu uma das mãos para parar o falatório.

— Está bom — falou com voz rouca. — O quarto está bom. Tudo está bom. Eu gosto dele. Obrigada.

Annamaya inclinou a cabeça, parecendo não estar convencida, temendo que Cat estivesse apenas sendo educada.

— Muito bem. Se você tem certeza. Bem, os cronogramas dos primeiros anos são afixados no salão comum. Pela manhã, eu venho buscá-la e levá-la para ver a mestra Johanna. Você quer que eu explique onde fica o salão de jantar ou...?

— Nós vamos para a Rua da Ponte hoje à noite — falou Han.

* * *

Enquanto eles cruzavam o terreno na direção da Rua da Ponte, Cat se arrastava, infeliz.

— Você está bem? — perguntou Han. — Annamaya parece ser... simpática.

— Por que eles me puseram num palácio? — falou Cat. — Eu nunca vou fechar o olho naquele lugar. Eu teria medo de sujar os lençóis.

— Eles devem receber estudantes de toda parte — disse Dançarino. — Você vai se acostumar.

Cat gemeu.

— O que você acha que Jemson falou de mim? Eu não quero ter que bancar as expectativas que ele criou.

— Se eu conheço Jemson, ele contou a verdade — falou Han. — Ele não ia armar para você.

— Ele é um sonhador — resmungou Cat. — E sempre acha que a pessoa é melhor do que é realmente.

Han deu de ombros.

— Ele é um sonhador. Mas ele diria que você tem que ter sonhos.

Coroa e Castelo, a taberna que Blevins recomendara, ficava no começo daquele lado da ponte. Parecia ser mesmo um local popular — o salão comum estava lotado e aromas maravilhosos emanavam das cozinhas. Os clientes, em sua maioria, eram alunos de Mystwerk; Han avistou várias túnicas vermelhas dobradas nas cadeiras.

Han ocupou uma mesa no canto.

— Vai ser por minha conta — falou ele, lembrando que tinha uma razão específica para comemorar.

— Por *sua* conta? — Dançarino inclinou a cabeça. — Por quê?

— É meu aniversário — falou Han. — Hoje completo 17 anos.

A confusão de Dançarino desapareceu.

— Claro. Estamos em setembro. Eu esqueci. — Ele abriu um sorriso. — Feliz aniversário, Caçador Solitário — falou, apertando a mão dele.

Han não queria que seu aniversário passasse em branco daquela vez. O 16º não tivera comemoração; o último com sua mãe e Mari. Não tinha havido dinheiro para as tradicionais festas de rebatizado. Desde então, ele tinha encarado a morte incontáveis vezes.

Han olhou para Cat e, mais uma vez, pensou em todos os Austrinos e Trapilhos mortos. Ele seria um homem idoso nas ruas, agora. A maioria dos donos da rua não chegava aos 17 anos.

— A partir de agora vamos comemorar todos os nossos aniversários — proclamou ele. — Quando é o seu? — perguntou a Cat.

Ela deu de ombros.

— Eu não sei. Não sei nem qual é minha idade, então nem pergunte.

— Escolha um dia, então — falou Han. — Talvez depois do solstício. Vamos precisar de uma festa nessa época.

Eles pediram tigelas de sopa de presunto com feijão e pão preto, com grandes canecas de sidra. A sopa estava deliciosa, com pedaços de carne e um caldo grosso, com gosto de cebola. Cat e Dançarino brindaram a Han diversas vezes, batendo as canecas na mesa para enfatizar. A cada rodada, os brindes se tornavam mais ridículos, mais extravagantes.

— A Han "Devorador da Morte" Alister, Flagelo dos Sete Reinos! — proclamou Dançarino.

Han ergueu a caneca, mas não deixou de olhar ao redor e conferir se alguém tinha ouvido. Parecia que ninguém estava prestando atenção à festinha deles.

Embora a maior parte dos outros clientes não fosse mais velha que Han, tinham a aparência de nobres, com capas muito bem-cortadas, botas macias de couro e peles demais para o clima.

Os ricos lidavam com dinheiro de modo diferente dos pobres. Eles o usavam mais descuidadamente, gastando-o como se ele viesse de uma fonte inesgotável. Eles mantinham o atendente correndo, trazendo mais e mais jarros de cerveja.

Han olhou para Cat, que examinava a cena por cima da borda de sua caneca. Haveria dinheiro fácil ali para uma ladra habilidosa.

Mas aquela era uma chance de Cat ser algo diferente. Han sabia, por experiência própria, como era difícil largar o jogo. Quando tinha desistido, fora ameaçado pelos inimigos. Eles não acreditavam que Han havia mudado ou tinham esperança de tirar vantagem disso. Ele fora tentado pelos amigos, atacado por sua rejeição à vida e pelo espaço vazio que deixara para trás.

Os bebedores mais sérios chegaram pouco depois, vindos dos salões de jantar, a chuva atraindo-os para dentro. Eles se amontoavam, agitados, na porta, abrindo caminho até o bar. Conforme a taberna ficava mais cheia, não havia mesas vazias. Os recém-chegados se recostavam às paredes, fazendo malabarismo com as canecas de cerveja e os pratos de sopa e carne assada.

Han pediu mais uma rodada de bebidas e um bolo de canela para eles dividirem.

Sentia-se tranquilo em tabernas — enquanto crescia, elas foram seu segundo lar, para onde fugia de qualquer lugar esquálido em que estivesse morando. Sempre havia ação nas tabernas — homens ricos e rapazes bem-vestidos, donos da rua e prostitutas que desempenhavam seu ofício.

Han teria que criar novos hábitos para ser bem-sucedido ali. Teria que aprender a ficar sentado na biblioteca até de madrugada. Por isso, seu 17º aniversário parecia um fim tanto quanto um começo.

Han olhou para Cat, que andara devorando a comida. Embora a tigela ainda estivesse pela metade, ela agora tinha parado de comer e fitava a porta, tocando os cachos do modo como fazia quando estava inquieta.

Han acompanhou o olhar dela. Três feiticeiros entraram juntos e suas auras iluminaram o bar escuro. Eles estavam de costas para Han, sacudindo a chuva das capas caras e olhando ao redor.

— *Esta* é a melhor taberna na cidade? — perguntou o mais alto dos três, libertando uma juba de cabelos pretos do capuz. — Vai ser um longo ano.

A voz fria, de sangue azul, disparou um alarme em Han. A sensação de bem-estar se evaporou.

Os outros dois deram risadinhas.

— Talvez a comida seja boa — falou o mais gordinho, esperançoso. Ele tirou o capuz, revelando o cabelo castanho-avermelhado.

Han se arrepiou. Ele estreitou os olhos para os recém-chegados, tocou o amuleto e desejou que eles se virassem para que pudesse ver seus rostos.

— Ao menos, as serventes aqui são mais atraentes do que na Quatro Cavalos — disse o mais alto, fitando uma das empregadas, que abria caminho pelo cômodo cheio. Ele falou com a precisão de alguém que sabe que já bebeu demais e está acostumado a lidar com isso. — Acho que a Quatro Cavalos ganhou esse nome por causa das garçonetes.

— Que nada — respondeu o mais magro deles. — Foi por causa da carne que eles usam. — A fala arrastada sugeria que ele já bebera demais também.

A atendente bonita passou por eles com uma bandeja. O feiticeiro alto agarrou o braço dela e quase derramou a cerveja que ela carregava.

— Você — falou ele. — Precisamos de mesa para três.

Ela deu meia-volta para olhar para ele, de cara feia.

— Você está *vendo* uma mesa para três em algum lugar? — perguntou rispidamente.

— Expulse alguém, então — respondeu o feiticeiro. — Não queremos comer de pé.

— Vocês vão ter que esperar a vez, como todo mundo. Agora solte meu braço e mantenha suas mãos ardentes de feiticeiro quietas. — Ela fez um esforço para se libertar, sem sucesso.

O feiticeiro se virou um pouco na direção de Han, e a luz de uma lanterna revelou o rosto dele, os planos e ângulos rígidos: familiares, gravados na mente de Han. A lembrança o percorreu.

Eram Micah Bayar e seus primos, os irmãos Mander, Miphis e Arkeda. Foram eles que atearam fogo à montanha sagrada de Hanalea e iniciaram uma sequência de eventos que terminou com as mortes de sua mãe e de Mari e a destruição de sua antiga vida.

Micah era o filho de Gavan Bayar, o Grão-Mago de Fells, que provavelmente ainda o caçava. Micah era o irmão de Fiona Bayar, que perseguira ele e Dançarino através da fronteira com Delfos. Han segurou o amuleto, apertando a pedra entalhada. Ele sibilou contra a palma úmida de sua mão.

— Vou soltar você quando encontrar uma mesa para nós — falou Micah, puxando a atendente para si. A bandeja caiu no chão, a cerveja espirrou e canecas rolaram.

A magia fluiu por Han, fazendo sua mente girar. Ele sacudiu a cabeça, tentando clareá-la, depois pôs-se de pé, a cadeira caindo no chão atrás dele.

Dançarino disse "Caçador Solitário! Espere!" em voz baixa e desesperada, mas Han ignorou. Ele se adiantou e a multidão se abriu até que parasse na frente de Micah e da atendente.

— Solte a garota, Bayar — disse ele.

Os olhos negros e turvos de Micah passaram por ele com desinteresse, depois se arregalaram e se focaram. Seu rosto foi tomado por uma expressão de alerta. Ele baixou os olhos para a faca que Han apertava na mão direita. E voltou a olhar para Han.

— Alister — murmurou ele. — Mas... não pode ser. Você não pode... você não é...

— Bayar — disse Han. Ele não sorriu. A raiva ardia nele feito conhaque. Ele poderia silenciar Bayar, ali e agora. Seria fácil. Ninguém naquele lugar o deteria. Ele estaria bem longe antes que reagissem. O truque era olhar nos olhos de algum pretendente qualquer a herói, depois se afastar lentamente até sair, e...

— Pelo sangue do demônio! Você está me queimando! Me solte! — gritou a atendente, soltando o braço do aperto de Micah. Ela ficou parada, piscando para afastar as lágrimas, fitando a marca de queimadura no braço.

Micah parecia tão surpreso quanto ela.

— Eu... eu sinto muito — gaguejou ele. — Foi um acidente. Não tinha intenção...

— Apenas cale a boca — falou Han. — Ela não quer ouvir. Vocês, Bayar, gostam de ir atrás de quem não pode se defender. Como atendentes, mendigos e *lytlings*.

As palavras soaram altas no silêncio súbito, e o arrependimento desapareceu do rosto de Micah. Os primos do rapaz foram para seu lado, embora ficassem um passo atrás.

Eles não vão se arriscar por Micah, pensou Han. Micah Bayar não duraria muito tempo como dono da rua.

A multidão se moveu enquanto a atendente se virava para correr, forçando o caminho até a porta.

— Eu não sei do que você está falando — retrucou Micah. Os olhos do rapaz se desviaram para a atendente indo embora, depois se voltaram para Han. — Eu não tinha intenção de machucá-la.

— Por que, em vez disso, você não tenta comigo? — falou Han, balançando a faca lentamente, para a frente e para trás, diante do rosto de Micah. Um truque das ruas. Ele manteve a outra mão fechada em volta do amuleto enquanto os clientes recuavam.

— Caçador Solitário — disse Dançarino atrás dele, com voz baixa e equilibrada para não assustá-lo. — Lembre-se do motivo de estarmos aqui. Ele não vale a pena.

Han afrouxou a mão no amuleto, mas manteve a faca em posição.

— Você me seguiu até aqui? — questionou Micah. — Se fez isso, vou avisando que...

— Eu frequento a escola daqui, assim como você — falou Han.

Micah piscou estupidamente para Han, mais lento por causa da bebida.

— Você? Você ao menos sabe ler e escrever? Eles não podem ter baixado o nível tanto assim.

— Bem — disse Han —, eles deixaram *você* entrar.

A raiva tirou o risinho do rosto de Micah.

— Você é um ladrão — rosnou ele, com os olhos negros reluzindo. — Um ladrão e um assassino. Procuramos por você em todos os Sete Reinos. — O olhar baixou para o amuleto de Han. — Esse amuleto é da minha família, e você o roubou de mim. Devolva agora.

Micah esticou a mão para pegar o amuleto de Han. O rapaz não fez nenhum gesto para impedir. Quando Micah fechou a mão no objeto, a peça pegou fogo e o feiticeiro retirou a mão, xingando e lambendo os dedos queimados. Ele tentou mais duas vezes, e mais duas vezes o amuleto de serpente o impediu de segurá-lo.

A multidão dava risadinhas nervosas.

— Mas... como você...? — Micah fitou o amuleto, como se tivesse sido traído.

— Quem é o ladrão, Bayar? — falou Han, mais uma vez segurando o faz-feitiço. — A quem ele pertence de verdade? Quão longe devemos voltar no passado? Perto de você, eu não sou nada. Você vem de uma família inteira de ladrões e assassinos.

A faca ondulou com chamas, e Han apertou os lábios, obstruindo o encantamento que ameaçava lhe escapar. Sem saber o que poderia ser.

— Você não é feiticeiro — acusou Micah, ainda concentrado no amuleto. — Como você consegue tocar nele? O que foi que você fez?

— Você tem *certeza*? — murmurou Han. — Você tem *certeza* de que não sou um feiticeiro? — Ele soltou o amuleto e esticou as mãos para Micah. O poder se acumulou sob a pele dele, brilhando através dos dedos, iluminando o rosto espantado de Micah.

— Quando foi que *você* virou feiticeiro? — questionou Arkeda Mander, como se, de alguma maneira, Han o tivesse incitado a se juntar ao clube dos sangues azuis.

Cambaleando para trás, Micah enfiou a mão na camisa, atrás do próprio amuleto, e estendeu a outra mão na direção de Han.

Sem querer arriscar usar o amuleto Waterlow, Han agarrou a capa de Micah e puxou-o para a frente, pressionando a lâmina da faca em sua garganta.

— Solte ou vou cortar sua garganta — murmurou Han.

Micah baixou as mãos, soltou o faz-feitiço, com os olhos quase vesgos ao fitar a lâmina.

— Caçador Solitário! — repetiu Dançarino. — Não.

— Melhor se preparar, Bayar — falou Han, com o rosto a poucos centímetros do de Micah. — Eu também estou na Academia Mystwerk. Melhor se preparar rápido, se quiser me acompanhar. — falou ele, sabendo que lançar um desafio mágico a Micah Bayar provavelmente era uma das ideias mais estúpidas que ele tivera em um péssimo ano.

Mas era isso ou cortar a garganta do rapaz ali mesmo, diante de dezenas de testemunhas. Sua fúria diminuíra. Ele não sobrevivera 17 anos nas ruas sendo estúpido.

A porta da frente se abriu com um estrondo e a atendente entrou marchando e liderando quatro guardas com uniformes cinza.

— São eles, Max — falou e apontou para Han e Micah. — São eles.

Han se afastou de Micah e devolveu a faca à manga. Ele e Micah enfiaram as mãos nos bolsos; a imagem da inocência.

Max retirou um pequeno caderno com capa de couro.

— Alguém mais está machucado? — perguntou ele e lambeu a ponta do lápis enquanto olhava ao redor.

Ninguém retribuiu o olhar ou disse uma única palavra.

Bem diferente dos casacos azuis, pensou Han. Armado com um caderno em vez de um porrete.

Max escolheu um dos estudantes caídos em uma mesa no meio do salão.

— Hurd! O que você viu?

Hurd deu de ombros.

— Não vi nada. Não vi briga nenhuma. — Nervoso, ele deu uma olhadela para a atendente, depois desviou o olhar. — Não que eu ache que Rutha está mentindo. Apenas não vi nada. Devo ter adormecido. — Ele bocejou e baixou a cabeça de volta para a mesa.

Max olhou para Han e Micah.

— Nomes? — falou.

— Não precisa de nomes, precisa, senhor? — disse Han, encolhendo os ombros. — Nada aconteceu realmente. Apenas uma conversa em voz alta e uns acenos de mãos.

Max bufou.

— Isso é o que *você* diz. Rutha, qual deles queimou você?

— Foi o feiticeiro de cabelos escuros ali. O louro veio me ajudar.

Os olhos de Han passaram de Max a Rutha. Ele não podia acreditar. Pela primeira vez, não estava levando a culpa.

Max olhou seriamente para Micah.

— Seu nome? — Quando Micah não respondeu, ele emendou: — Se não disser seu nome, vamos levar você para a cadeia por esta noite.

— Micah Bayar — falou o rapaz, remoendo as palavras entre os dentes.

— Onde você está hospedado? — continuou Max.

Micah revirou os olhos. Ou ele não queria dizer onde morava ou era um comentário sobre as acomodações.

— Salão Hampton.

Han e Dançarino trocaram olhares. Bayar estava no mesmo dormitório que eles — o pior do terreno. O que fazia sentido, pois ele também chegara atrasado. Em que ele se metera para chegar tão tarde à escola?

— Você está no primeiro ano ou o quê? — perguntou Max.

— *Sim* — falou Micah. — Estou na Academia Mystwerk. Cheguei de Fells hoje de manhã. Se você está anotando os nomes, deveria saber que meu pai é...

— *Você* é quem deveria saber que não toleramos brigas aqui em Vau de Oden — disse Max, interrompendo Micah. — Não importa quem seja seu pai. Novatos não sabem de nada, mas aprendem rápido ou vão embora. Você vai precisar aprender a controlar seu temperamento e manter as mãos quietas.

Como um ator de rua, Max fez uma pausa e passou os olhos por seu público cativo, depois fixou-os de novo em Micah.

— Estou lhe dando um aviso amigável. Mais uma encrenca e você vai até o reitor. E o reitor também não vai ter medo de expulsar você, se você for estúpido demais para se comportar.

Max se inclinou para Han e Micah.

— Ataques mágicos são uma questão diferente. Usem seus amuletos para atacar alguém e não vai ter conversa. Estão fora. Entenderam?

Han engoliu em seco, feliz por ter resistido à tentação de usar seu amuleto. Aquele provavelmente era um discurso que Max fizera muitas vezes antes, para alertar alunos sangue azul do primeiro ano, acostumados a ficar impunes em casa.

— Não sou eu quem deveria responder às perguntas. Ele é um ladrão! — falou Micah, e apontou para Han. — Ele roubou meu amuleto.

— Já? — perguntou Max, virando uma nova página do caderno. — Quando foi que aconteceu? Pensei que você tinha dito que acabou de chegar.

— Foi na minha terra natal — explicou Micah. — Meus primos viram tudo.

Os irmãos Mander acenaram juntos, como se fossem marionetes puxadas pelas mesmas cordas.

— Eu também estava lá — falou Dançarino, dando um passo para fora das sombras e se pondo do lado direito de Han. — E não foi isso que eu vi.

Bayar pareceu ainda mais assustado ao ver Dançarino.

— *Você*? O que *você* está fazendo aqui?

— O mesmo que todo mundo. Estou aqui para ir à escola — respondeu Dançarino. Ele soltou o amuleto que agora também reluzia com o poder acumulado.

— Mas você é *dos clãs* — falou Bayar e umedeceu os lábios, parecendo mais irritado com a presença de Dançarino do que com a de Han. — Você não tem... — E parou. Provavelmente ia dizer: *Você não tem o dom*, quando a evidência diante dele estava clara como o dia. — Mas isso é impossível — disse ele, com uma expressão enojada. — A relação entre um cabeça de fogo e aqueles com o dom é proibida.

— Para alguém que acaba de chegar, você certamente tem um bocado de opiniões, Micah Bayar — falou Max, guardando o caderno. — Não temos jurisdição fora de Vau de Oden. Não me importo com o que aconteceu na terra de vocês. Vocês têm que superar isso.

Por enquanto, Micah tinha se controlado. Independentemente do que mais se pudesse dizer dele, o rapaz aprendia rápido. Ele se virou para Rutha, a atendente, que observava.

— Peço perdão pelo machucado e meu comportamento rude — falou ele, inclinando a cabeça. — Foi indesculpável. Por favor, procure um curandeiro e mande a conta para mim no Salão Hampton.

Rutha acenou com a cabeça e fungou.

— Apenas se comporte, a partir de agora.

— Pode ter certeza — disse Micah, virando-se para Max. — Senhor, peço desculpas pelo incidente. O senhor nunca mais vai ouvir falar de problemas comigo.

— Ótimo — respondeu Max, parecendo tranquilizado. — Cuide para que eu não ouça. Agora, vocês dois, apertem as mãos e vamos acabar com esta história.

Han olhou Micah Bayar diretamente nos olhos e sorriu, o desafio de um dono da rua. Esticou a mão. Depois de hesitar por um momento, Micah a apertou. O poder ardeu entre eles, um duelo mágico que terminou em um impasse.

Micah se inclinou para mais perto de Han e falou:

— Melhor você se cuidar, Alister. Agora eu sei onde encontrá-lo e tenho bastante tempo — falou ele com um sorriso para Max, então soltou a mão de Han e deu um passo atrás.

Micah colocou a capa nos ombros, apertando-a no pescoço com uma fivela elaborada. O olhar do rapaz passou por Dançarino e se deteve em Cat, ainda encolhida na mesa do canto. Micah sorriu — um sorriso grande, lento — e fez uma mesura irônica. Ela estremeceu e encolheu os ombros, franzindo a testa.

Agora que Han pensava a respeito, Cat ficara surpreendentemente calada durante o encontro com Bayar. Depois do que tinha acontecido aos Trapilhos, será que ela agora tinha medo de feiticeiros?

Ainda sorrindo por alguma piada interna, Micah acenou com a cabeça para Han.

— Alister, desejo-lhe boa sorte. — Fazendo um gesto para que os Mander o seguissem, ele saiu da taberna.

CAPÍTULO DOZE

Erguido dos Mortos

Raisa esperava por Amon no salão comum do dormitório quando ele retornou de sua última aula. Mapas dos Sete Reinos estavam espalhados à frente dela na mesa. Ela deveria estar escrevendo um ensaio sobre como a geografia moldara as grandes batalhas do passado, mas tinha dificuldade em se concentrar. Na verdade, tudo que ela conseguira até então fora um título: "Como a geografia moldou as grandes batalhas do passado."

Ainda estava chovendo, e Amon parecia cansado e abatido enquanto despia a capa úmida. Cinco dias por semana ele fazia patrulhas às seis e meia da manhã e sua última aula, Armamentos Modernos, ia até dez da noite.

— Pelo sangue de Hanalea — resmungou ele, pendurando a capa. — É necessário um talento especial para tornar armamentos entediantes. — Ele deu um grande bocejo. — Você acha que dá para lembrar o que se ouve durante o sono? — Ele virou o bule para verificar o nível da água, depois colocou para ferver.

— Ele está vivo. — Raisa deu a notícia subitamente. — Eu vi. Alister Algema.

— O quê? — Amon caiu em uma cadeira e arrancou as botas. Examinou os pés, franziu o nariz e começou a tirar as meias.

— Alister Algema. Ele está aqui.

Amon parou de se descalçar e ergueu os olhos, franzindo a testa.

— Do que está falando?

— Eu estava cruzando o pátio, perto dos estábulos, e ele quase me atropelou com um cavalo.

As meias caíram no chão.

— O que Alister estaria fazendo em Vau de Oden? Isso não faz sentido. — Amon se inclinou para a frente, com as mãos nos joelhos, o rosto sério e atento. — Você falou com ele? Ele a reconheceu?

Raisa balançou a cabeça.

— Bem, não. Assim que eu o reconheci, eu fugi.

— Você *fugiu*? — Amon ergueu uma das sobrancelhas. — Você não achou que isso poderia levantar suspeitas?

— Ora, claro — falou Raisa, irritada. — Eu não sabia o que fazer. Nunca esperei vê-lo aqui. *Você* me disse que ele estava morto.

— Ele *deveria* estar morto — disse Amon, como se Algema tivesse lhe pregado uma peça por estar vivo. Ele parou, mordendo o lábio inferior. — Você tem certeza de que era ele?

Ela o fitou com ar severo.

— Eu *sei* que era ele.

O bule chiou. Amon se ergueu da cadeira e andou, descalço, até a lareira.

— Quer um pouco de chá? — perguntou ele, misturando algumas folhas em uma xícara e servindo-se.

— Era *Alister Algema* — repetiu Raisa teimosamente, ignorando a pergunta de Amon. Ele serviu uma xícara para ela mesmo assim e pôs diante de Raisa.

Ele parecia um pouco menos agitado, e Raisa sabia que ele estava se convencendo de que ela se enganara.

— Choveu o dia todo — falou ele e voltou a se sentar. — Portanto, imagino que ele estivesse com capa e capuz.

Ora, claro, pensou Raisa, sem vontade de falar em voz alta. Mas eu sei o que vi. Os cabelos louros precisavam urgentemente de um corte, e os olhos azuis eram tão brilhantes quanto ela lembrava em seu rosto terrivelmente bonito.

Da última vez que Raisa o vira, ele estava coberto de cortes e hematomas, com o braço quebrado, cortesia da Guarda da Rainha. Agora seu rosto estava marcado por um tipo diferente de injúria — dor, perda e traição — e coberto com uma nova camada de cautela.

— Às vezes é difícil reconhecer uma pessoa quando estão cobertas assim — insistiu Amon.

Raisa esfregou a testa e tentou se recordar de cada detalhe. Agora que pensava nisso, o garoto que ela vira no pátio do estábulo montava um pônei dos clãs. E usava um traje caro de comerciante — uma capa de lã e finas botas de couro.

Isso não fazia sentido. Alister morava na região pobre — onde ele aprenderia a montar um cavalo? Onde obteria um? E por que estaria vestido como um comerciante?

A certeza de Raisa começou a diminuir. Será que ela queria Alister vivo tanto assim, a ponto de conjurar um fantasma? Será que a semelhança do estranho com Algema o trouxera à mente dela?

— Mesmo que ele *estivesse* vivo, o que estaria fazendo aqui? — falou Amon, e sua voz corroía as esperanças dela.

— Eu não *sei* — respondeu Raisa, teimosa demais para ceder. — Talvez ele frequente a escola também. Ou talvez ele apenas esteja se escondendo aqui até as coisas se acalmarem em Fells. Como eu.

— Ele não é como você, Rai — falou Amon. — É um ladrão e assassino, e você é...

— Você tem razão, claro. Não tem *ninguém* como eu — disse Raisa, abraçando os joelhos, com pensa de si mesma.

Amon passou os dedos pelo cabelo molhado e ele se arrepiou em todas as direções.

— Por que eu tenho a impressão de que você torcia para que *fosse* ele?

Ela torcia?

— Bom — admitiu Raisa —, eu torço para que ele não esteja morto.

Desde que ouvira que Alister fora assassinado, ela se sentia vazia e culpada. Ela falhara com ele, como a rainha falhara com todos os desesperados moradores de Feira dos Trapilhos e Ponte Austral.

— Se for para torcer, então torça para que ele esteja vivo e feliz em algum lugar distante daqui. Uma hora você vai ser reconhecida, mas eu gostaria de adiar isso o máximo possível. — Ele retirou um maço de papéis da bolsa e os empilhou em um canto livre da mesa.

— Alister não sabe quem eu sou — falou Raisa. Ela soprou o chá para esfriar e tomou um gole cauteloso. — Então ele não poderia me denunciar.

Amon girou a caneta entre os dedos.

— Vou conferir essa história — disse ele. — Vou ver se tem alguém com esse nome inscrito na Academia Wien ou em Isenwerk. Se ele veio até aqui para estudar, parece mais provável que ele seja soldado ou engenheiro. — Ele aproximou a cabeça do trabalho e começou a fazer anotações. — A menos que você ache que ele vá se ordenar. O orador Jemson parecia impressionado com ele.

Amon Byrne estava fazendo uma piada!

Raisa o observou por um longo instante, depois desabou na cadeira.

— Você tem razão. Provavelmente me enganei.

Amon continuou trabalhando, então Raisa voltou à própria tarefa, extraindo frases de sua mente com grande esforço e pouco entusiasmo, como tinta de um tubo vazio.

Ela tentou ignorar a dor surda debaixo das costelas, que podia ser decepção.

CAPÍTULO TREZE

ENCANTAMENTOS PARA INICIANTES

Han esfregou os olhos e pôs de lado o livro de encantamentos. Era um bom leitor — fora o melhor em sua classe na Escola do Templo de Ponte Austral —, mas aquele vocabulário era totalmente estranho para ele. Não ajudava que tivesse se levantado antes de o sol nascer, após uma noite insone, impelido pela preocupação. Era apenas o primeiro dia de aulas e ele já estava bêbado de cansaço.

Segurando o faz-feitiço, ele caminhou o perímetro do próprio quarto, tropeçando nas palavras enquanto tentava reproduzir o encantamento. Quando tinha circulado o quarto duas vezes, parou no centro e olhou ao redor.

Nada aconteceu. Nenhum jato de fogo chamuscou as paredes (o que era bom). Nenhuma rede de proteção reluzente cobriu as portas e janelas (o que talvez fosse ruim). O livro o descrevera como um encantamento para proteção contra aqueles que queriam lhe fazer mal. Como ele saberia se tinha funcionado se não havia inimigos para testar?

Um inimigo vivia dois andares abaixo. E ele ainda não decidira o que fazer em relação a isso.

Já tinha ouvido um sermão de Dançarino a respeito, na noite anterior, quando Micah deixara a taberna e Han quis segui-lo.

— Deixe o Bayar em paz — dissera Dançarino, bloqueando seu caminho. — Você não sabe se ele está armado ou o que ele sabe. Não comece uma luta a menos que você saiba que pode ganhar.

— A luta já começou — afirmou Han. — Ela começou em Hanalea. *Mas a guerra começou com mamãe e com Mari*, acrescentou em silêncio.

— Ele tem um amuleto e provavelmente sabe como usar — lembrou Dançarino. — Ao contrário de nós.

— Você ouviu o que ele disse — argumentou Han. — Ele está vindo atrás de mim. Melhor se eu for atrás dele primeiro. — Era a experiência dele, a lei das ruas: matar ou morrer. — Ele vai estar morto antes que possa resmungar um encantamento.

Dançarino pôs uma das mãos no braço de Han.

— E se você fizer isso, de quem você acha que os guardas vão suspeitar? Se você queria matar Micah, não deveria tê-lo enfrentado em público.

Han franziu a testa, mas não discutiu. Ele sabia que Dançarino tinha razão.

— Se for atrás dele, terei que proteger você. Nós dois vamos ser expulsos — falou Dançarino.

Han balançou a cabeça.

— Não. Eu nunca pedi que você...

— Neste momento, ele sabe menos sobre você do que você sobre ele — interrompeu Dançarino, sabendo que ganhava terreno. — Você o surpreendeu. Ele se desequilibrou. Vai esperar até ter mais informações antes de dar o próximo passo. Você pode usar esse tempo, Caçador Solitário.

Mas Micah também não vai ficar sentado quieto, pensou Han. Será que ele conseguiria caminhar por aí com aquele comichão constante entre os ombros?

Ele preferia ter uma conversa com Micah em algum beco e tranquilizar a própria mente.

A voz de Dançarino interrompeu os pensamentos de Han.

— Voltei do café da manhã — avisou ele, da porta. — Trouxe uma coisa para você.

Han ergueu o olhar a tempo de pegar o embrulho de guardanapo que Dançarino jogou para ele. Puxando uma das pontas, ele viu que continha um biscoito recheado com queijo e presunto.

— Obrigado — falou o rapaz e deu uma grande mordida.

— Eu vi Cat no salão de jantar — disse Dançarino.

— Como ela estava? — perguntou Han, torcendo para que uma noite de sono tivesse melhorado o humor dela.

— Bem — começou Dançarino. — Ela ainda parece um pouco nervosa. A tal Annamaya da noite passada estava lá. Vai levar Cat para as aulas e ajudá-la com os livros.

Depois de deixarem a taberna, na noite anterior, levaram Cat de volta à Escola do Templo. Àquela altura, ela parecia ter ficado sem argumentos. O que preocupava Han, pois nunca tinha visto isso acontecer antes. Os dois rapazes a deixaram na porta, com os braços ao redor do corpo como se tivesse esperanças de que pudesse se encolher e desaparecer.

Han odiou deixá-la, mas ele já andara por ali o bastante para perceber que não havia meio de morar nas ruas ao redor da academia. A guarda estava em toda parte, os espaços comuns eram fortemente iluminados, e não haveria locais baratos para passar a noite. Seria como tentar liderar uma gangue fora do terreno do castelo.

Ela precisava dar um jeito.

Os sinos da Torre Mystwerk ressoaram uma vez. Era hora de ir.

Han enfiou o livro na bolsa e conferiu o conteúdo mais uma vez. Ela continha os livros que Elena lhe dera, um livro grosso de encantamentos escrito por alguém chamado Kinley, que ele recebera de Blevins, um maço de papéis em branco e a caixa para escrita. No Templo de Ponte Austral, ele nunca levara livros para a classe, porque não possuía nenhum. Nem papel, lápis ou tinta, a não ser os que Jemson lhe dava quando ele chegava lá.

Em Ponte Austral, ninguém além de Jemson se importava se ele aparecia ou não. Ele não tinha problema em se virar sozinho. Os outros estudantes também vinham das ruas. E falavam como ele — usando as gírias das ruas com as quais todos cresceram.

Aquilo ali era diferente. Seus colegas de classe tinham sido criados com famílias de feiticeiros de sangue azul. Tinham sido expostos à magia desde que eram *lytlings*. Haviam treinado antes de poderem portar amuletos, e tiveram acesso a bibliotecas inteiras de encantamentos.

— Vamos chegar atrasados! — Dançarino interrompeu o nevoeiro de preocupação de Han. O rapaz tinha vestido as túnicas da escola e a bolsa pendia em seu ombro.

— Estou indo. — Han passou a túnica vermelha pela cabeça, enfiando os braços pelas mangas e puxando para que cobrisse sua roupa. Ele gostava de vestir a túnica; fazia com que se sentisse mais parte daquele lugar.

Os dois desceram as escadas, Han segurando a bainha da túnica para evitar tropeçar nela. Precisaria se acostumar com isso.

A manhã estava fresca e límpida, ainda estranhamente quente, mas menos úmida que antes. A luz do sol descia pelos gramados, espalhando-se pela relva salpicada de orvalho. Os estudantes se acumulavam nas passarelas em túnicas multicoloridas, ainda bocejando e piscando para afastar o sono. Han terminou de comer o biscoito enquanto caminhava.

A sala de aula ficava no segundo andar do Salão Mystwerk, com vista para o rio Tamron. Arquibancadas de pedra faziam um semicírculo ao redor de um pódio central. Quando Han e Dançarino chegaram, os estudantes estavam sentados, retirando livros e papéis das bolsas. Havia 15 estudantes ao todo, arrumados feito bombons em uma caixa, todos envolvidos pela mesma cor vermelha.

Han parou na entrada, examinando a sala. Ele viu Bayar e os irmãos Mander na fileira de trás, do lado esquerdo, amontados feito uvas azedas.

Micah sentava-se desleixadamente, com as mãos apoiadas na mesa à frente, a cabeça inclinada para trás, olhos negros fixos em Han, o amuleto de falcão se destacando do lado de fora da túnica.

Bem, pensou Han, pelo menos estavam todos ali em vez de revirando o quarto dele para procurar o faz-feitiço que tomara de Micah.

Se procurassem, não encontrariam nada. Han tinha a cautela de um ladrão e não deixava dinheiro no quarto, então sempre carregava a bolsa consigo. O faz-feitiço pendia de seu pescoço e os livros estavam em sua bolsa.

Han sorriu, assentiu e acenou para Micah, quase mandando um beijo para ele. Acomodou-se em uma cadeira do lado direito, na segunda fileira, onde poderia manter um olho em Micah. Dançarino se acomodou na cadeira vazia ao lado.

Em geral, na academia, a maioria dos estudantes vinha das terras baixas. Mesmo sem poder usar as roupas de parâmetro, Han percebia que a maioria dos alunos daquela aula vinha do norte. Havia três feiticeiros com pele de oliva, provavelmente mestiços de Bruinswallow ou das Ilhas Meridionais. Dois eram muito pálidos, com cabelo praticamente branco — eles poderiam ser das Ilhas Setentrionais, local de origem dos feiticeiros. Alguns tinham as mechas vermelhas dos feiticeiros nos cabelos.

Nenhum, obviamente, vinha de Arden. E ninguém além de Dançarino descendia dos clãs.

Han tocou o próprio cabelo claro, herança, talvez, de Alger Waterlow.

Como Micah, os outros estudantes usavam os amuletos do lado de fora das túnicas — como se exibissem a marca de uma gangue. Era a chance de darem um show. Os faz-feitiços variavam bastante. Alguns eram imensos e enfeitados, como os queimadores de incenso incrustados de joias do templo — e somente o material valia uma fortuna. Outros eram pequenos e simples — ouro e prata com desenhos comum, frequentemente imagens da natureza. Alguns imitavam animais e plantas e pareciam quase vivos — brilhando com o artesanato elegante dos clãs. Muitos provavelmente eram herança, passados pelas famílias de feiticeiros, recarregados por artistas dos clãs para aquela nova geração.

Quando morava nas ruas, Han negociara *flash* em bolsa, que era como se falava de peças mágicas como aquelas nas ruas. Ele as tirava de proprietários de lojas descuidados ou roubava de casas. Felizmente, nunca tinha tentado tirar uma direto de um mago. Agora percebia que teria sido mais fácil arrancar um dente sem ser percebido.

A parte mágica de um faz-feitiço era chamada *flash*. No início, Han imaginara que quanto mais bonito o amuleto, mais *flash* ele tinha — mais poderoso era. Em seus negócios, tinha descoberto que isso não era verdade. A matéria-prima tinha mais a ver com a riqueza do mago do que com o poder do objeto.

Han soltou o amuleto de serpente e deixou-o na parte da frente da túnica. Ele tinha mais de mil anos, e era apenas um pouco chamativo, mas era provavelmente a peça mais poderosa do cômodo.

Dançarino também expôs seu amuleto, o Caçador Solitário que ele pegara emprestado com Han. Han se perguntou se o amuleto que Elena fizera para ele era permanente ou temporário. Isso seria preocupante — saber que um dia o amuleto perderia poder. Ele começava a compreender por que os feiticeiros estavam infelizes com o poder dos clãs sobre eles.

Han olhou para Micah, que murmurava com os primos. Isso o deixava nervoso. Não estava acostumado a dividir território com um inimigo. Ou você o expulsava, ou ele expulsava você. Ou você acabava com ele, ou ele acabava com você, e a vida seguia. Para um deles.

A porta lateral se abriu e um feiticeiro em cadeira de rodas entrou no cômodo. Embora as mangas das túnicas fossem decoradas com as barras de mestre, ele parecia ser apenas três ou quatro anos mais velho que os estudantes novatos. Tinha cabelo cor de canela, pele clara e uma expressão severa, como se esperasse se decepcionar.

Quando chegou à base do pódio, ele pegou duas muletas e se ergueu da cadeira.

O mar de vozes gradualmente se transformou em um silêncio constrangido enquanto o mestre lutava para subir os degraus até o pódio e espalhava um maço de papéis e um livro com aparência gasta por ele. O amuleto reluzia sob a luz do sol que entrava pelas janelas, um imenso cristal de quartzo na forma de um torreão.

Ele não fez a chamada, mas o olhar passou pelos estudantes reunidos ali e pousou em Han e Dançarino por um longo instante.

— Vocês são... hã... *Dançarino* e Alister, suponho — disse ele, baixando os olhos e remexendo nos papéis. — Eu sou mestre Gryphon. Tenho a perigosa e insatisfatória tarefa de ensinar feitiços para os novatos. Temos sorte de que a classe de novatos deste ano seja tão... excepcionalmente diversificada. Eu me sinto quase... em casa.

Han fitou o mestre, sem saber ao certo se eles tinham sido insultados ou se ele estava zombando de si mesmo.

Gryphon ergueu os olhos dos papéis. Eles eram de uma cor verde-azulada curiosa, e quando Han encontrou o olhar dele, um arrepio percorreu sua espinha. Apesar da palidez doentia do mestre, ele tinha um rosto bonito, uma combinação ruim para o corpo desajeitado.

— O proficiente Hadron me disse que vocês dois viajaram por Arden para chegarem aqui. Arden é um lugar perigoso atualmente, em especial para feiticeiros. O que gera a pergunta: vocês dois são estúpidos, não têm instrução ou são meramente temerários?

Bem. Isso era um insulto com certeza. Han não pôde deixar de olhar para Micah, que encarava o teto com um sorriso fraco curvando sua boca.

Han manteve sua expressão das ruas.

— Já tive ideias melhores — disse, dando de ombros.

A surpresa cruzou o rosto do mestre enquanto alguns dos outros estudantes davam risinhos. Então o olhar de Gryphon baixou para o amuleto e seus olhos se arregalaram. Ele ergueu os olhos para o rosto de Han, estudando-o com uma intensidade feroz.

— Interessante você escolher uma via tão perigosa, Alister — disse ele finalmente. — Parece que você não tem medo do escuro.

Han suspeitou que ele não estava falando da estrada através de Arden.

— Ora — falou o rapaz e fitou os olhos azuis do outro —, às vezes não há escolha.

— Sempre há uma escolha — disse Gryphon. Folheando um livro grosso, ele emendou: — E por falar em jornadas, eu pedi que vocês lessem Kinley, capítulo 12, no qual ele discute os desafios de uma viagem até Aediion. Kinley nos instrui que...

A porta da sala de aula se abriu e mais dois estudantes entraram. Han observou, com todos os outros. Eram Fiona Bayar e o namorado, Wil, que tinham perseguido os dois através da fronteira de Delfos.

Eles pareciam abatidos e cansados da viagem, então Han supôs que tivessem vindo diretamente para a aula, depois de largar a bagagem nos dormitórios. O rosto de Wil estava bronzeado pelo sol, mas Fiona estava pálida como sempre, como se o sol não se arriscasse a penetrar sua pele gélida. Ela soltara o cabelo da trança, e ele descia em compridas ondas pelos ombros.

Ela estava vestindo roupas de viagem: um suéter grosseiro, casaco e calça de lona que destacavam suas pernas compridas. Ela não vestia a túnica dos estudantes.

Fiona passou seu olhar frio pela sala. Quando os olhos se fixaram em mestre Gryphon, se arregalaram de surpresa.

— Adam! — gritou ela, como se a turma inteira não estivesse olhando. Virando-se para Wil, ela falou: — Veja, Wil, dá para acreditar que é Adam Gryphon?

Pelo sangue do demônio, pensou Han. Meu professor de feitiços é amigo dos Bayar. Não admira que esteja implicando comigo.

Esticando-se, Fiona estendeu a mão na direção de mestre Gryphon, como se esperasse que ele a beijasse.

— Meu pai me contou que você recebeu a ordem, mas eu não fazia ideia...

Mestre Gryphon tinha corado profundamente, uma transformação incrível. Ele não fez nenhum movimento para pegar a mão dela, mas segurou o pódio até os nós dos dedos ficarem brancos.

— É *mestre* Gryphon, novata Bayar — repreendeu ele. — E embora eu faça parte do corpo docente da Academia Mystwerk, saiba que eu não fiz os votos, nem pretendo.

Fiona recolheu a mão, percebendo que nenhum beijo viria.

— Verdade? Devo ter ouvido errado. Parecia uma ótima opção para alguém na sua... situação.

— Um final feliz para um aleijado, é o que você quer dizer? — emendou mestre Gryphon em voz baixa. — Talvez sim. Que bom que você e o novato Mathis chegaram aqui em segurança. Da próxima vez, por favor, usem a vestimenta para a aula. Agora, sentem-se para que possamos seguir com a lição. Este influxo constante de estudantes nos atrasou.

Essa língua ácida está mais doce agora, pensou Han.

Fiona jogou o cabelo para trás e se virou na direção das arquibancadas, procurando um lugar para sentar. Seu olhar pousou em Han e Dançarino na segunda fileira. Ela ficou imóvel, e ainda mais pálida do que antes.

— *Alister* — murmurou ela. — Eu não acredito.

Wil segurou o cotovelo dela.

— Vamos, Fiona.

Fiona não se moveu.

— O que você está *fazendo* aqui? — Inclinando-se para a frente, ela esticou as mãos trêmulas na direção de Han, como se quisesse fechá-las ao redor do pescoço dele.

Han apoiou as mãos na mesa à sua frente, forçando-se a não fazer nenhum movimento defensivo.

— Seu irmão vai lhe contar as novidades — disse ele, movendo a cabeça na direção de Micah. — Mas agora, pode me dar licença? Se você chega atrasada na aula, o mínimo que deve fazer é se sentar e calar a boca. Eu vim aqui para aprender alguma coisa. — E bateu na capa do livro, erguendo as sobrancelhas.

Fiona continuou a observar Han como se não pudesse acreditar nos próprios olhos.

Wil puxou o braço dela.

— Vamos nos sentar — falou ele em voz baixa.

Finalmente Fiona deixou que Wil a puxasse até uma cadeira na fileira de trás.

Ela mal tinha se sentado, quando Gryphon rosnou:

— Alister! O que Kinley nos diz sobre os riscos e benefícios de viajar em Aediion?

Bem-vindo de volta, mestre de língua ácida.

Han engoliu em seco, e o suor brotou por toda parte.

— Eu não sei — disse ele.

— Não? — suspirou Gryphon. — Isso é uma decepção. Então, defina *Aediion* para nós.

— Eu sinto muito. Eu... hum... não li — admitiu Han. Em vez disso, ele tinha estado ocupado pondo feitiços de proteção em seu quarto.

Alguém deu um risinho. Pelo canto do olho, Han podia ver o sorriso debochado e divertido de Micah. E podia sentir os olhos de Fiona perfurando-o como atiçadores quentes.

— Não? — O mestre estava irritado. — Está *aqui* para aprender, mas aparentemente não está *pronto* para aprender. Você espera que eu faça todo o trabalho?

— Não. — Han balançou a cabeça.

— Espera que eu enfie conhecimento no vazio da sua cabeça inexperiente?

— Não.

— Não o quê?

— Não, senhor — falou Han.

Gryphon se inclinou para a frente, falando baixinho, mas ainda alto o suficiente para que todos o ouvissem.

— Você tem certeza de que está no lugar certo, Alister?

— Sim, senhor — respondeu Han e fitou o mestre com ar desafiador.

Gryphon fez uma pausa, depois, ainda olhando para Han com ar severo, falou:

— Darnleigh? Riscos e benefícios?

— Aediion é um mundo de sonhos — respondeu um garoto solene, de cabelos escuros, cujas estolas de mago eram finamente bordadas com a cabeça de um javali. — Com treinamento apropriado, suporte de um amuleto poderoso, e uma ligação íntima com outra pessoa, é possível, em teoria, se comunicar a distância. Esse é o benefício.

— Em teoria, você disse? Você não acredita nisso? — Gryphon inclinou a cabeça.

— É incomum o bastante para que alguns eruditos digam que é apenas um mito; outros dizem que era comum antes da Cisão, mas raramente se ouviu falar disso depois.

— Quais são os riscos descritos por Kinley? — incentivou Gryphon.

— Bem, Aediion pode ser sedutora — falou Darnleigh —, porque um feiticeiro experiente pode moldá-la de acordo com seus desejos. É possível se perder nela e nunca mais voltar para o mundo real. Além disso, você pode ficar preso se seu amuleto gastar todo o poder armazenado. E, por fim, Kinley diz que se você for morto no mundo dos sonhos, morre na vida real.

— O que poderia matar você em um sonho, Stefan? — perguntou um nortenho, de cabelos claros, revirando os olhos. — Eu já tive muitos pesadelos, mas sempre acordei vivo.

— Magia — respondeu Darnleigh e bateu com o indicador na página. — Apenas magia pode matar em Aediion.

— Que evidência Kinley apresenta? — perguntou Gryphon. — Por que deveríamos acreditar que ele está dizendo a verdade? Silverhair?

— Não deveríamos — zombou o nortenho. — Kinley repete a lenda de séculos atrás sem questionar. Seus livros estão cheios de monstros mitológicos, como crocodilos gigantes e dragões, que ninguém nunca viu.

— Será que não podem ter existido um dia? — insistiu Gryphon. — Talvez tenham sido destruídos durante a Cisão. Nesse caso, é possível que vestígios da alta magia que era comum antes da Cisão persistam em cantos obscuros do planeta?

— Não há cantos obscuros atualmente — falou Silverhair. — Não há mais segredos.

— Kinley usava fontes primárias — disse Darnleigh. — Seus estudos se baseiam nos relatos de testemunhas. Ele até realizou os próprios experimentos para verificar o que ouviu.

— Experimentos que ninguém foi capaz de repetir na modernidade — retrucou Silverhair.

— Talvez o problema sejam as ferramentas que usamos agora — falou Darnleigh e tocou seu amuleto. — Esses amuletos são muito mais limitados que os amuletos de magia antiga. Os cabeças de fogo se recusam a nos dar as ferramentas de que precisamos. Teríamos que comprar peças antigas no mercado negro ou usar peças herdadas.

O debate se aqueceu, girando ao redor de Han e fazendo o rapaz se sentir ignorante e iletrado. Os colegas de classe tinham ouvido aqueles argumentos desde a infância. Eles compartilhavam a raiva e a frustração por terem perdido a idade de ouro da feitiçaria.

Han apertou as palmas das mãos contra a testa, sentindo-se perdido. Ele não tinha ouvido falar de Kinley nas ruas de Feira dos Trapilhos.

Gryphon discutiu os dois lados da questão, reacendendo a discussão quando ela diminuía. Ele não chamou Han novamente. Talvez achasse que seu argumento fora comprovado. O mestre também deixou os Bayar em paz. Parecia que eles ganhariam bastante tempo para estudar.

Gryphon também não chamou Dançarino, ignorando sua mão erguida.

Han lutou para controlar a raiva. Era apenas uma batalha diferente, que ele teria que aprender a vencer. Desde quando a vida fora justa?

Embora Gryphon evidentemente conhecesse o assunto, Han não conseguiu evitar compará-lo ao orador Jemson. O amor de Jemson por história fluía até que você ficasse mergulhado nela até o pescoço e embriagado. Mas ele fazia questão que nenhum estudante se afogasse.

Você não pode controlar o que Gryphon faz, pensou Han. O que você pode controlar?

Você pode vir para a aula preparado, pensou ele. Não importa o que aconteça.

Gryphon permitiu que o debate prosseguisse por um pouco mais de tempo, depois ergueu as mãos e fez com que a discussão parasse.

— Muito bem, então, vamos tentar um experimento — disse ele. — Por favor, página 393.

O título era "Portal para Aediion", e o trecho consistia em frases de um feitiço, como versos livres descendo pela página.

— Agora escolham um parceiro, de preferência alguém que já conheçam — pediu Gryphon. — Quem precisar de um parceiro, levante a mão.

Han se virou para Dançarino, que deu de ombros, concordando.

Arkeda fez dupla com Miphis e Fiona com Wil. Micah ficou sem parceiro, pois o número de estudantes na classe era ímpar.

— Novato Hayden — falou Gryphon, notando subitamente a presença de Dançarino. — Talvez você possa formar dupla com alguém mais experiente, como Bayar. — Ele acenou com a cabeça na direção de Micah. — Eu posso trabalhar com Alister.

Dançarino balançou a cabeça.

— Não. Obrigado, senhor. Eu conheço Alister. Vou ficar com ele.

— Se você insiste — disse Gryphon, com uma expressão azeda. — Você fica comigo, Bayar.

Micah deu de ombros com indiferença, mas Han achou que ele parecia aliviado.

Será que Gryphon está apenas implicando comigo de novo?, perguntou-se Han. Será que queria formar dupla comigo por alguma razão? Ou será que queria uma dupla com Dançarino e Micah?

Ou aquilo não significava nada?

— Isso deve ser mais fácil que se comunicar a distância. Fiquem de frente um para o outro e segurem os amuletos — orientou Gryphon. — Com o risco de me decepcionar, vou supor que todos vocês tenham armazenado poder antes de vir para a aula.

Pelo menos isso Han tinha feito: tinha armazenado magia durante a longa jornada até Vau de Oden.

— Agora escolham um lugar, um local que vocês dois conheçam — falou Gryphon. — E não vão todos para Coroa e Castelo. Quero ouvir sobre lugares diferentes.

Dançarino inclinou-se para Han.

— O ponto de pesca no Riacho da Velha — sugeriu ele. Era um local nos declives de Hanalea que ambos conheciam bem, onde o antigo empregador de Han, Lucius Frowsley, passava a maior parte do tempo.

Um local onde, como eram feiticeiros, eles agora estavam proibidos de ir.

— Leiam todo o feitiço — disse Gryphon. — Memorizem, pois não há garantia de que Kinley vai estar disponível para vocês em Aediion. As primeiras três linhas abrem o portal; as últimas três permitem que vocês fechem o portal e voltem à realidade.

O mestre deu alguns minutos para que fizessem isso, e esperou até que todos tirassem os olhos dos próprios textos.

— Todos prontos?

Cabeças acenaram por toda a classe. Alguns dos estudantes pareciam pálidos e preocupados, alguns se inclinavam ansiosos para a frente, outros reviraram os olhos como se aquele exercício fosse uma estúpida perda de tempo.

— Leiam as três primeiras linhas para abrir o portal — falou Gryphon. — Em voz baixa, para não distrair os colegas. Se os dois conseguirem, vão se encontrar no mundo dos sonhos. Observem o entorno porque o que vocês veem é um reflexo de vocês. Notem também se podem moldar sua aparência como quiserem. Troquem mensagens com o companheiro e imediatamente voltem para a sala de aula. Repito: não permaneçam em Aediion por mais que alguns minutos. Assim que todos completarem o exercício, vocês contarão sua experiência. — Ele fez uma pausa. — Eu sei que alguns de vocês são céticos em relação à obra de Kinley, mas espero que todos façam algum esforço aqui.

Segurando o amuleto, Han leu as linhas iniciais do feitiço, enquanto à sua volta ouvia os outros murmurando as palavras em uma profusão de sotaques.

Por um momento, ele foi engolido por uma escuridão vazia, girando. Depois a luz do sol invadiu seus pensamentos, descendo através de álamos amarelos e reluzentes, e brilhando nas águas do Riacho da Velha. Folhas giravam e dançavam na correnteza. Han estremeceu. Estava frio, mais frio do que em Vau de Oden, e instantes depois ele se pegou usando um casaco com franjas e contas, no estilo do clã, e mocassins de camurça nos pés. Impressionado, ele tocou o couro macio.

Era real? Parecia muito real — o vento girando acima de Hanalea tinha cheiro de neve. Balançava os cabelos de Han e fazia as folhas de álamo estalarem sobre sua cabeça.

Ele ergueu o olhar para o riacho. Dançarino caminhava em sua direção, vestindo perneiras e uma túnica macia, suas roupas favoritas, enquanto carregava uma vara de pescar e um cesto de peixes.

— O que você acha? — perguntou Han. — É isso?

Dançarino deu de ombros.

— Vamos ver se nós dois nos lembramos disso da mesma maneira quando sairmos.

Eles ficaram quietos por um instante constrangedor.

— Gryphon falou para trocarmos mensagens — falou Han. — Eu vou dizer alguma coisa para você e depois vou ver se você lembra. Você faz a mesma coisa. — Ele pensou por um momento. — Cat Tyburn gosta de você — falou ele, mantendo uma expressão séria.

Dançarino inclinou a cabeça.

— *Sério?* Por que diz isso?

Han não tinha certeza de por que tinha dito aquilo, mas sabia que Dançarino não ia esquecer.

— Ela é tímida. É difícil para ela dizer o que pensa. — Até parece.

— Fiona Bayar quer *você* — retrucou Dançarino. — Ela não consegue tirar os olhos de você.

Os dois começaram a rir. Han se animou. Era bom estar de volta a Fells, em terreno familiar, mesmo que fosse apenas no mundo dos sonhos.

— Melhor voltarmos — disse Dançarino.

Han segurou o amuleto, pronto para recitar o fim do feitiço, quando o ar diante dele ondulou como a superfície de um lago quando o vento sopra. O vento se agigantou e endureceu, deslocando a luz até a imagem de uma pessoa se formar à sua frente.

Era um jovem, uns seis anos mais velho que Han, vestido em roupas caras no estilo dos sangues azuis. Seu cabelo era preto feito fuligem, e os olhos de um azul brilhante. A luz do sol reluzia nos muitos anéis em seus dedos.

O estranho piscou, olhando ao redor, e um sorriso de triunfo se espalhou pelo rosto dele como se tivesse feito algo muito especial.

Han olhou de lado para Dançarino, mas, ao fazer isso, o amigo brilhou e se dissolveu feito cinzas no escuro.

— Dançarino! — gritou Han e deu um passo até o local onde ele havia desaparecido.

— Você aí! Espere! Não vá embora ainda — falou o estranho, na língua de Fells.

— Quem é você? — perguntou o rapaz, recuando, pensando que ninguém deveria aparecer ali sem ele convidar. — Como você chegou aqui?

Será que era alguém da classe que se intrometera? Han não o reconheceu, mas isso não significava nada. Gryphon dissera que se podia mudar de aparência, então poderia ser alguém disfarçado, mesmo um dos Bayar. Micah e Fiona provavelmente tinham os amuletos mais poderosos da classe, além do dele.

Será que Micah poderia ter encontrado o caminho até um lugar que ele nunca vira? Embora a primeira vez que se viram tivesse sido em Hanalea.

— Você pode me chamar de Corvo — sugeriu o estranho. Ele passou uma das mãos pelo cabelo, como se alisasse as penas. — E você é...?

— Me diga como você chegou aqui ou vá embora — falou Han, e uma faca apareceu magicamente em sua mão. Com ou sem amuleto, ele ainda preferia as facas quando se metia em uma encrenca.

Ele se balançou levemente nos pés, pronto para pular para um lado ou outro, recordando-se das palavras de Darnleigh momentos antes, na sala de aula.

Kinley diz que se você for morto no mundo dos sonhos, morre na vida real.

— Por favor — disse Corvo —, me ouça. Eu prometo que valerá a pena. — Ele deu um passo para a frente.

Han deu um passo para trás.

— Estou avisando: eu sou perigoso com uma faca.

— Na sua situação, é prudente ter cautela. — Corvo ficava mudando: de roupas mais formais para uma vestimenta mais simples, até a túnica de um reitor. Ou ele não conseguia decidir o que queria ou gostava de trocar de roupa. — Eu, pelo menos, lhe dei um nome. Isso é mais do que você fez. Você pertence à Casa Aerie? — Alguma coisa no modo como ele disse aquilo disparou um alarme na mente de Han.

Han hesitou.

— Casa Aerie?

— A família Bayar. Você é um deles? Considerando tudo, eu diria que não. — Ele examinou o rosto de Han. — Ah — falou, sorrindo. — Vejo que não. Na verdade, eles *não* são seus amigos.

Han se esforçou para assumir sua expressão de rua.

— Então, me diga, como você conseguiu esse amuleto? — perguntou Corvo com os olhos fixos no faz-feitiço de Han.

— Você vai me dizer por que está aqui? — questionou Han. — E pare de se trocar, está bem?

Corvo finalmente se decidiu pela roupa de sangue azul. O casaco parecia feito sob medida, costurado com fio brilhante e de mangas compridas. Han achou que ele era bonito, para quem gostasse do tipo.

Corvo esticou a mão vazia na direção do rapaz, com a palma para a frente, como se sentisse o calor dele.

— Você é muito poderoso, sabe. — E inclinou a cabeça, avaliando-o. — E *é* bem-apessoado. Bonito até, apesar de como fala.

Quem era ele para julgar a aparência e as palavras de Han? E por que Han deveria se importar?

— Eu não sou um prostituto, se é o que está pensando — falou Han. — Sem ofensa.

Corvo deu uma risada.

— Espero que não — disse Corvo, como se fosse uma piada muito engraçada. — Você roubou o amuleto deles? — perguntou e voltou a olhar para o objeto. — Nesse caso, devo dizer que estou impressionado. O que pretende fazer com isso? Eles sabem que você o tem? Você tem um plano?

Han não falou nada diante da torrente de perguntas.

Corvo balançou a cabeça.

— Nenhum plano? Isso não é bom. Os *Bayar* sem dúvida têm um plano. Melhor se adiantar ou você não vai manter o amuleto por muito tempo.

— Não vou responder a nenhuma pergunta até saber quem você realmente é — retrucou Han.

— Entendo. — Corvo mordeu o lábio inferior, pensativo. — Muito bem. Eu posso lhe dizer o seguinte: faço parte do corpo docente da academia. Andei procurando um aluno para ser mentor, alguém capaz de dominar magia de nível elevado. Eu também preciso de alguém que não tenha medo de driblar um pouco as regras. O fato de você estar aqui, de posse desse amuleto, já me diz que você poderia ser a pessoa que andei procurando.

Ele ergueu a mão quando Han abriu a boca para falar.

— Não vou lhe dizer mais do que isso até saber se posso confiar em você. Ainda é possível que você esteja ligado aos meus inimigos.

— Como *você* conhece os Bayar? — perguntou Han e tocou o amuleto, sem saber ao certo se devia ficar ou ir.

— Vamos apenas dizer que somos rivais na política — respondeu Corvo. — Eu preciso de aliados com o dom. Em troca, vou ajudá-lo a se proteger deles.

— Me ajudar como? — perguntou Han.

Corvo deu outro passo na direção de Han, fitando determinadamente seus olhos.

— Eu posso ensiná-lo a usar esse amuleto. Posso ensinar coisas maravilhosas. — Os olhos de Corvo brilharam, a voz baixa e sedutora, quase suplicante.

— Não me venha com truques mágicos — disse Han. — Se você quer conversar comigo, venha me ver na vida real. Vou voltar — emendou ele, invocando as palavras para retornar.

— Nós *temos* que nos encontrar em Aediion — falou Corvo. — Não é seguro que nos vejam juntos.

Han o encarou.

— O que quer dizer?

— Você não faz ideia de como somos vulneráveis. — Corvo respirou rapidamente, como se quisesse dizer mais alguma coisa, depois desviou o olhar, distraído. — Estamos sem tempo. Não conte a ninguém sobre nosso encontro. A ninguém, entendeu? Se os Bayar souberem disso, matarão você e pegarão o amuleto para evitar que nos encontremos novamente. — Ele fez uma pausa para deixar que Han assimilasse as palavras, depois acrescentou: — Vamos nos encontrar daqui a uma semana, à meia-noite, em Aediion. A torre do sino de Mystwerk é um local discreto para um encontro. Você sabe onde fica?

Han piscou para ele, mil perguntas se esbarrando, querendo escapar.

— Eu sei onde é — confirmou ele. — Mas o que faz você pensar que eu...

— Não podemos ser vistos juntos — repetiu Corvo. — Aediion é o único local seguro. Nesse meio-tempo, volte a encher seu amuleto. Se não puder vir daqui a uma semana, venha na próxima. Ou na outra. Vou esperar por você todas as semanas até você aparecer. Abra o portal à meia-noite. E venha sozinho.

Ele bruxuleou e desapareceu.

Subitamente, Han se deu conta de uma dor terrível na cabeça. Ele gemeu e abriu os olhos, fitando a face severa de Gryphon.

Ele pensou por um instante que ia vomitar, mas passou. Ele baixou os olhos para o amuleto e viu a mão de Gryphon ao redor dele, pouco abaixo da sua. O mestre estava apertando com tanta força que os nós dos dedos estavam brancos e seu rosto brilhava com suor.

— Solte. — pediu Han com voz fraca, empurrando os dedos de Gryphon com a outra mão.

— Você primeiro — disse ele. — Não quero você escapando novamente.

Relutante, Han soltou o aperto e enxugou a mão suada na calça. Ele estava deitado no soalho de pedra da sala de aula, com a cabeça apoiada no casaco de alguém. Atrás de Gryphon, ele viu um círculo de rostos — os outros estudantes da classe.

Micah Bayar franziu a testa, como se lamentasse que Han tivesse voltado. Ele não viu Fiona.

Gryphon tocou a testa de Han com dedos quentes, depois, finalmente, soltou o amuleto.

— Você está fora de perigo — falou ele. — O Criador protege os fracos, ao que parece.

O mestre se sentou no chão, com as muletas ao lado dele e a túnica puxada até o joelho. As pernas de Gryphon tinham cicatrizes e eram enrugadas, a pele era escura e rígida, como se tivessem sido queimadas. Suportes de ferro se estendiam dos tornozelos para além dos joelhos.

Gryphon acompanhou o olhar de Han. Sério, ele puxou o tecido para se cobrir.

— O que aconteceu? — perguntou Han, lamentando ser flagrado olhando. — Em Aediion, quer dizer — apressou-se em acrescentar.

— Nós determinamos, para além de qualquer dúvida, que você é um tolo, Alister — falou Gryphon. — Você conseguiu drenar completamente a si mesmo e ao amuleto. Por isso precisou da minha ajuda para voltar. Espero que a jornada tenha valido a pena.

As portas da sala de aula se abriram com estrondo, e uma mulher alta e angulosa entrou, seguida por Fiona. O cabelo da estranha era liso, na altura do queixo, um cinza metálico rajado com o vermelho dos feiticeiros. A túnica tinha bainhas com um bordado pesado e as várias faixas de veludo em suas mangas indicavam que ela era alguém importante.

— O que está acontecendo, mestre Gryphon? — questionou a mulher. — A novata Bayar me disse que um dos estudantes está com problemas.

— Reitora Abelard! — Gryphon segurou as muletas e fez um esforço para ficar de pé, parecendo constrangido por ser pego no chão.

— Posso ajudar? — perguntou Dançarino, agachando-se perto dele. Quando Gryphon acenou com a cabeça, Dançarino passou as mãos debaixo dos braços do mestre e ergueu-o. Gryphon dispensou-o assim que ficou de pé, e o estudante lhe devolveu as muletas.

— Não há problema — respondeu Gryphon. — O novato Alister demorou muito tempo para retornar de Aediion.

— De Aediion? — A reitora Abelard baixou os olhos para Han, mordendo o lábio inferior. — Mesmo?

Gryphon acenou com a cabeça.

— Ele está se recuperando agora.

Amassando a túnica com as mãos, a reitora se ajoelhou ao lado de Han. Ela pressionou as costas da mão contra sua bochecha. A mão parecia quente contra a pele fria do rapaz.

— Tragam um pouco de água para o garoto — ordenou Abelard, e alguém se adiantou para pegar. Instantes depois, uma taça apareceu e Han tomou até o último gole.

Alguém se ajoelhou ao lado deles, com os joelhos pressionando o quadril de Han. Ele virou a cabeça. Era Fiona, com os lábios entreabertos e os olhos claros fixos no rosto dele.

— Qual é o problema com ele? — disse ela, inclinando-se, o cabelo roçando a bochecha de Han. — Ele vai sobreviver?

— Se ele viveu até agora, então, sim, imagino que viva — falou Abelard. — Foi bom você me chamar.

Ela estendeu a mão para pegar o amuleto de Han, depois a afastou, como se tivesse se assustado ao ver o desenho.

— Uma escolha interessante, Alister — murmurou ela, esticando as estolas de mago. — Precisamos conversar sobre isso. Entre outras coisas. — E então, sem tirar os olhos do rosto dele, ela falou em voz alta: — Mestre Gryphon, dispense sua turma.

Gryphon se virou para encarar os estudantes boquiabertos.

— O novato Alister demonstrou para todos nós o preço do descuido e da arrogância, combinados com a ignorância. Tomem nota disso. — Ele fez uma pausa, para que eles assimilassem. — Para amanhã, quero duas páginas de cada um de vocês sobre a experiência em Aediion para compartilhar com o restante da turma. Podem sair.

Os outros estudantes recolheram as próprias coisas. Han sentiu a vibração dos pés e os olhares enquanto eles se afastavam. Fiona não se moveu, como se tivesse esperança de ser esquecida.

— Você também, Fiona — falou Gryphon. — E você, Hayden. Fora.

Os joelhos de Fiona se afastaram da lateral do corpo de Han quando ela ficou de pé. Ele a ouviu se afastar e uma porta abrir e fechar.

— Vou esperar para levar Alister para o quarto dele — disse Dançarino. — Ou para o Salão do Curandeiro. Onde ele tiver que ir.

Abelard ergueu os olhos para Dançarino, assimilando a expressão teimosa do rapaz. Ela suspirou.

— Muito bem. Mas fique lá fora por um momento, por favor. Precisamos conversar com Alister em particular.

Dançarino balançou a cabeça, com os olhos azuis fixos na reitora.

— Eu não...

— Está tudo bem — falou Han, dispensando-o. — Vou ficar bem. — Ele *estava* começando a se sentir um pouco melhor. Uma onda de calor em sua barriga indicava que a magia estava se reacumulando.

Abelard esperou até a porta se fechar atrás de Dançarino antes de falar.

— Então, Alister — começou ela em voz baixa, e fechou os dedos ao redor do pulso dele. — Me conte sobre isso. — O poder fluiu para dentro dele. Era difícil resistir, fraco como estava.

— Contar sobre o quê? — perguntou Han. Quando ela continuou olhando para seu rosto, ele falou: — Tudo que lembro é que me senti muito tonto e então devo ter desmaiado. Não acho que alguma coisa tenha realmente acontecido. Algo mágico, quer dizer.

— Alister fez dupla com o cabeça de fogo que estava aqui — falou Gryphon. — O amigo retornou após alguns minutos, mas Alister ficou até que eu o arrastei de volta à força. Ele estava usando o poder feito louco. Esvaziou o amuleto quase completamente.

Abelard franziu a testa.

— Quanto tempo ele esteve ausente?

O mestre hesitou.

— Cerca de 15 minutos.

— Quinze minutos! — Abelard se esticou e olhou para Gryphon. — Ele é um *novato*, mestre Gryphon. Uma criança, em termos de magia. Por que você não pôs um ponto final nisso antes?

Gryphon parecia querer escapar do olhar severo de Abelard.

— Eu fiz dupla com outro aluno, já que havia um número ímpar na classe.

— Você deveria ter mais bom-senso! — explodiu Abelard. — Como você pode supervisionar os estudantes se está tentando viajar para Aediion também?

Gryphon sustentou o olhar da reitora.

— Foi uma irresponsabilidade. Um erro da minha parte. — Ele fez uma pausa. — Não vai acontecer de novo, eu garanto.

Abelard virou-se para Han.

— Será que mestre Gryphon alertou você sobre as consequências de ficar tempo demais? — perguntou Abelard.

Pelo modo como ela disse isso, Han não tinha certeza de quem estava sendo julgado: se era ele ou Gryphon.

Han se remexeu no soalho duro.

— Ele nos falou para voltar imediatamente.

— Será que ele disse por que era tão importante voltar rápido? — continuou Abelard.

Han olhou para Gryphon, que tinha os olhos fixos no teto.

— Nós conversamos sobre isso. Se você drenar seu amuleto, é difícil voltar.

— Se você drenar seu amuleto, *não consegue* voltar — falou Abelard. — Você permanece no mundo dos sonhos para sempre enquanto seu corpo permanece abandonado. Você *morre*.

Bem, isso era novidade. Han sentiu-se um pouco nauseado.

— Então a senhora acredita no que Kinley fala sobre o mundo dos sonhos? Quer dizer, parece que a maior parte das pessoas nem acha que existe.

Abelard assentiu.

— Acredito que é raro ir a Aediion, mas é possível. Poderia ser uma ferramenta muito útil, se a dominássemos. — A reitora tocou uma mecha do cabelo prateado. — Nós sempre fazemos esse exercício com os estudantes dos primeiros anos. Quando os estudantes entregarem os relatórios amanhã, a maioria vai ter tentado e falhado. Alguns inventarão histórias, sugerindo sucesso. Outros, céticos, nem terão tentado.

"Mas às vezes encontramos estudantes como você e... Hayden, que são bem-sucedidos. A maioria é suficientemente esperta para seguir as orientações. Seu amigo fechou o portal sozinho e voltou. Você ficou em Aediion por tempo demais. É um negócio perigoso, Alister."

— O que faz a senhora pensar que fui bem-sucedido? — perguntou Han, sentindo-se preso sob o olhar da reitora e do mestre.

— Você estava usando uma quantidade de poder prodigiosa — falou Abelard. A face pontuda e acentuada dela tinha uma expressão faminta da qual Han desconfiava. — Seu amuleto está vazio.

— Talvez seja porque eu não sabia o que estava fazendo — disse Han. Na dúvida, a experiência o ensinara a negar e continuar negando. — Eu não li o que tinha que ler. Quando meu feitiço não funcionou, eu simplesmente continuei. Acho que perdi a noção do tempo.

— Você afirma que não foi a parte alguma? — falou Abelard.

— Não que eu lembre — confirmou Han.

Abelard olhou para ele com expressão severa, revirando os olhos.

Normalmente Han era um bom mentiroso, mas não parecia estar enganando aqueles dois.

— *Independentemente* do que aconteceu — disse Gryphon com veemência —, você tem que seguir minhas instruções, ou vai ser expulso.

— Mestre Gryphon tem razão — falou Abelard. — Se você insistir em se arriscar, pôr a si mesmo e aos outros em perigo, terei que expulsá-lo e confiscar seu amuleto. Você me entendeu?

Han fechou a mão ao redor do amuleto. Você pode tentar, pensou ele, olhando fixamente para a mulher.

Para surpresa dele, Abelard sorriu.

— Não conheço esse nome, Alister — disse ela, lançando-lhe um olhar de cima a baixo. — E sua fala é... incomum. Onde você mora? Qual é sua Casa? Talvez eu conheça sua família.

— Eu venho de Feira dos Trapilhos — falou Han. Assim que ele começou, as palavras simplesmente jorraram. — Eu morava em Rua das Pedras, em cima de um estábulo, antes de queimarem o lugar. Estou sem casa no momento, pois minha família morreu. Minha mãe era Sali Alister, o nome da minha irmã era Mari. Minha mãe lavava roupa, na maior parte do tempo, mas também fazia bicos catando trapos. Ouviu falar delas?

Sem dizer uma única palavra, Abelard balançou a cabeça.

— Vai ouvir — garantiu Han, olhando-a nos olhos.

Abelard limpou a garganta.

— É possível que seu amuleto tenha sido responsável pelo seu sucesso — disse ela. E estendeu a mão e tocou a peça de serpente com cautela, como se ela pudesse morder. O amuleto devia ter sido totalmente drenado de poder, pois não reagiu de modo algum ao toque dela. Han estremeceu, resistindo à tentação de arrancá-lo da mão dela. Era como se ela tivesse enfiado a mão no peito dele e agarrado seu coração.

— Onde conseguiu isso? — Abelard se inclinou para mais perto.

— Eu comprei nas feiras dos clãs. De segunda mão — esclareceu Han.

— Pensei que pudesse ser uma peça customizada — disse a reitora. — Uma com... capacidades especiais, já que você é tão amigo dos cabeças de fogo. Isso explicaria muita coisa.

— Você acha que posso bancar uma peça customizada? — Han perguntou. — Amigos, amigos, negócios à parte. É assim que funciona nas feiras.

— Não são muitos os feiticeiros que escolheriam uma peça com este desenho — falou Abelard. Ela fez uma pausa. — Você sabe quem mais usava um amuleto como este?

— Não faço ideia — mentiu Han. Ele se sentia cansado e irritado, sem seu charme habitual.

— É uma reprodução do amuleto que o Rei Demônio usava — disse Abelard.

Han fingiu uma expressão de surpresa.

— Hum. Talvez por isso ele estivesse tão barato.

— Você tem um interesse especial em magia negra, Alister? É isso? — A voz dela era macia como veludo.

— Eu quero aprender sobre todos os tipos de magia — disse Han. — Por isso estou aqui.

— Algumas pessoas vão supor coisas sobre você com base no seu amuleto, Alister — falou ela. — Pessoas que acreditam que todas as vias deveriam estar abertas a quem busca conhecimento. Aqueles que acreditam que o fim justifica os meios.

Abelard ficou de pé abruptamente, agora assomando sobre ele, uma silhueta negra contra a claridade das janelas. Ela se curvou e esticou as mãos para ajudá-lo a se erguer e se sentar em uma cadeira. Ela era surpreendentemente forte.

— Chame o parceiro dele — murmurou ela para Gryphon.

Gryphon gritou:

— Novato Hayden!

Quando Dançarino voltou do corredor, Abelard falou:

— Hayden, Alister e eu conversamos sobre as experiências dele em Aediion. Do que você se lembra?

Os olhos de Dançarino se moveram de Han para Abelard, como se ele suspeitasse estar entrando em uma armadilha. Han tentou lhe mandar uma mensagem com os olhos.

— Bem — começou Dançarino —, eu não me lembro de muita coisa.

— Pelo sangue e pelos ossos do Rei Demônio! — explodiu Abelard. — Apenas me diga do que você *se lembra*. — Quando Dançarino olhou novamente para Han, Abelard segurou seu queixo e girou a cabeça dele. — Olhe para *mim*, novato.

Dançarino tocou o amuleto, como se quisesse se tranquilizar.

— Nós tínhamos combinado de nos reencontrar em casa, em um lugar que conhecemos em Hanalea. Então nós...

— O que vocês saberiam sobre Hanalea? — interrompeu Abelard. — Magos são proibidos de ir lá.

— Eu nasci em Hanalea — falou Dançarino tranquilamente.

— Você é do clã das Montanhas Espirituais, não é? — perguntou Abelard, como se não tivesse falado dele pelas costas. — Eu nunca tinha visto alguém com dom vir dos Campos antes.

— Eu sou mestiço — falou Dançarino, sem se alongar no assunto. — Então, quando falei o feitiço, vi Han caminhando na minha direção. Ele parecia tremulando, como alguém que se vê sob a luz da fogueira, e as roupas dele ficavam mudando. — Ele fez uma pausa. — Eu acho que devo ter sonhado.

— E...? — interrompeu Abelard. — O que aconteceu depois?

— Bem, nós conversamos um pouco. Depois eu... ah... acordei.

Os olhos da reitora se estreitaram.

— Mas Alister não voltou com você?

Dançarino balançou a cabeça.

— Quando abri os olhos, Han estava caído na mesa. Esperei que ele acordasse. Todos os outros estavam acordados, menos Micah Bayar e mestre

Gryphon. Fiona saiu atrás da senhora. Então mestre Gryphon acordou e veio ajudar.

Abelard esticou a mão para o amuleto de Dançarino e ele se iluminou em resposta. Ela afastou a mão.

— Ao contrário de Alister, você não drenou totalmente seu amuleto. Ou você é inteligente o suficiente para seguir as orientações ou você nunca esteve lá.

Ela deu um sorriso frio.

— Alister. Eu costumo trabalhar com estudantes excepcionais, inclusive novatos. Programe-se para se encontrar comigo em meu gabinete daqui a quatro semanas. Verei o que posso descobrir sobre você nesse meio-tempo. — Ela caminhou até o pódio e pegou o Kinley, folheando-o.

Era o sinal para que saíssem e ela pudesse ter uma conversa particular com Gryphon.

Ossos, pensou Han. O que a reitora poderia descobrir sobre ele em um mês? E o que ela faria com essas informações?

— Hayden, leve Alister de volta ao quarto e faça com que ele descanse um pouco — falou Gryphon. — Ele vai precisar restaurar o poder do amuleto antes da aula de amanhã. Não se esqueçam dos relatórios. E sugiro que vocês leiam o livro da próxima vez — disse ele enquanto os garotos se dirigiam para a porta.

Enquanto cruzavam o terreno relvado, Dançarino mantinha uma das mãos no cotovelo de Han para equilibrá-lo. Han puxou o braço para se soltar.

— Vou viver — afirmou ele.

— Você sabe que está frio como o rio Dyrnne, certo? — falou Dançarino. — Você sempre é mais quente que eu, mas não tem nada aí. — Ele balançou a cabeça, impressionado.

— Foi real? — perguntou Han, caminhando em uma pilha de folhas. — Nós realmente nos encontramos no Riacho da Velha?

Dançarino assentiu, olhando de lado para ele.

— Você disse que Cat gosta de mim.

— E você disse que Fiona Bayar me quer. — Han ergueu uma sobrancelha.

— Ela quer, Caçador Solitário — confirmou Dançarino, sorrindo. — É verdade.

— Então Abelard quer trabalhar comigo e não com você — falou Han. — Por que será?

— Porque sou um cabeça de fogo — falou Dançarino. — É por isso. — O rapaz revirou os olhos. — Não estou exatamente de coração partido.

— Se ela me ensinar algo útil, eu te ensino também — disse Han. Eles caminharam em silêncio alguns passos. — Você viu mais alguma coisa? — perguntou Han. — Antes de fechar o portal?

Dançarino balançou a cabeça.

— Como o quê?

— Outra pessoa apareceu, assim que você saiu. Um feiticeiro sangue azul um pouco mais velho que a gente. Se apresentou como Corvo. Você não o viu?

Dançarino deu de ombros.

— Não. Será que era alguém da turma?

— Eu não reconheci, mas ele tem que ser de Mystwerk, de qualquer forma — falou Han. — Ele disse que era professor aqui.

— Como ele encontrou a gente em Hanalea? Você não tem que conseguir visualizar o lugar antes de visitar em Aediion? — perguntou Dançarino.

Han deu de ombros.

— Não faço ideia. Não sei como isso funciona. Mas talvez alguém tenha ouvido a gente falar que ia se encontrar ali. — Talvez eu *devesse* voltar e ler o texto, pensou ele.

— Então, o que aconteceu? — perguntou Dançarino. — Ele disse alguma coisa?

Han se recordou do que Corvo dissera. *Não conte a ninguém sobre nosso encontro.*

Ele não tinha nenhum motivo para fazer o que Corvo ordenara.

— Ele falou que queria se juntar a mim contra os Bayar. E se ofereceu para me ensinar magia. Então Gryphon me trouxe de volta.

Dançarino olhou para Han por um longo momento, com as sobrancelhas franzidas. Finalmente falou:

— Bom, você tem sorte, Caçador Solitário. Fiona foi atrás de Abelard porque Gryphon e Micah ficaram fora quase tanto tempo quanto você. Estávamos começando a achar que ninguém ia voltar. Eu estava prestes a abrir o portal e ir atrás de você quando eles acordaram. Gryphon correu e reviveu você.

— Hum — disse Han. — Ora, se Gryphon realmente foi até Aediion, ele devia ter muito poder armazenado, então. Ele ainda tinha bastante poder e o meu estava quase acabando.

— E como ficaram as coisas com Corvo? — perguntou Dançarino.

Han bufou.

— Eu não disse que sim nem que não, mas não sou bobo. Parece arriscado ter lições com alguém que não conheço num lugar onde eu não sei as regras.

Assim como Vau de Oden, pensou.

Os sinos na Torre Mystwerk soaram o fim da primeira aula, o que significava que eles tinham 15 minutos para caminhar rio abaixo até a próxima aula no Salão do Curandeiro. Algo sobre amuletos e talismãs.

— Vou levar você de volta para Hampton e depois vou para a aula — falou Dançarino.

— Não vou voltar para Hampton — disse Han, virando-se para a passarela ao longo do rio. — Não quero perder aula. Já estamos atrasados o suficiente.

— Mas mestre Gryphon disse...

— Não vamos contar a ele, está bem?

Mas as palavras de Corvo ainda soavam em sua mente, como um refrão musical que ele não conseguia esquecer.

Eu posso ensiná-lo a usar esse amuleto. Posso ensinar coisas maravilhosas.

CAPÍTULO CATORZE

O Jantar da Reitora

Quando Han retornou à aula de Gryphon, no dia seguinte, fez questão de não fazer nada para chamar atenção para si. O amuleto ainda tinha pouco poder, embora Han tivesse armazenado durante toda a noite. Também manteve uma das mãos ao redor do amuleto durante toda a manhã, e o objeto o sugou vorazmente.

Seu relatório da visita a Aediion foi tão impreciso quanto o de qualquer um. Gryphon apertou os lábios com força, mas não disse nada além de "Obrigado, Alister. É, de fato, uma história impressionante".

Micah e Fiona forneceram relatórios igualmente vagos.

Han leu e estudou Kinley fanaticamente, em busca de respostas. Não podia perguntar a Gryphon porque isso ia apenas chamar a atenção do mestre. Após o incidente com Abelard, eles abandonaram o tópico de Aediion de uma vez por todas. O mestre continuou a implicar com Han em classe, frequentemente indo para cima dele como uma ave predadora com asas quebradas e uma mordida selvagem. Era como se ele culpasse Han por metê-lo em problemas com a reitora.

Han ficava acordado até tarde todas as noites, preparando-se para as aulas, tentando se tornar menos vulnerável a ataques. A ameaça de uma humilhação era incrivelmente motivadora.

O restante da classe também sofria, mas não com tanta frequência quanto Han. Gryphon reduziu Darnleigh a lágrimas, ridicularizou os irmãos Mander e tratou Dançarino como um idiota. Mesmo os Bayar tiveram que responder a perguntas difíceis, às vezes, embora Han achasse que a lâmina verbal de Gryphon fosse cega, no caso deles. Especialmente com Fiona.

Duas vezes durante a semana seguinte, a reitora Abelard foi até a sala de aula e se sentou no fundo. Ela tamborilava os dedos na carteira à frente, o rosto com uma expressão séria sob o pálido brilho do amuleto. Nessas aulas, Gryphon não conseguia se concentrar e com frequência perdia o fio da meada.

Micah e os primos passavam pouco tempo no Salão Hampton, portanto Han quase nunca os via, a não ser em aula. Eles preferiam Coroa e Castelo, onde podiam ser encontrados todas as noites, com Fiona, Wil e muitos outros novatos de quem Micah era íntimo. Fazia sentido. A maior parte da classe de Han vinha de Fells; provavelmente eles eram amigos desde crianças.

Han se forçava a ir até Coroa e Castelo, de vez em quando, apenas para aparecer, embora o bar ficasse em silêncio quando ele entrava e os amigos de Micah fizessem questão de pegar as bolsas e guardar os amuletos se ele se aproximasse.

Com sete semanas de aula, os novatos foram avisados de que a reitora Abelard daria o primeiro "Jantar da Reitora", no Salão Mystwerk, no dia do templo. Todos os estudantes de Mystwerk, proficientes e professores eram esperados.

Han não estava ansioso para ficar novamente sob as vistas da reitora. Faltava apenas uma semana para seu encontro com ela. E ele ainda se agarrava a uma frágil esperança de escapar.

Enquanto se vestia para o jantar, Han ficou feliz pela túnica vermelha do anonimato que colocou por cima das roupas. Ele tinha tomado banho, feito a barba, penteado os cabelos e polido o amuleto com um pedaço de camurça. Não sabia como mais poderia se arrumar.

O Salão Mystwerk brilhava quando Han e Dançarino cruzaram o terreno, a entrada salpicada de túnicas vermelhas. Para variar, não estava chovendo, embora uma brisa forte do norte indicasse que o tempo estava mudando.

Servos usando o uniforme de Mystwerk os conduziram ao Grande Salão.

Na frente do salão, longas mesas reluziam com pratos, taças e a prataria — mais do que parecia necessário, já que não havia nenhuma comida servida.

Grandes estandartes pendiam dos tetos cavernosos — emblemas de Casas de feiticeiros, incluindo o familiar falcão dos Bayar.

Han se perguntou qual seria seu estandarte, se ele tivesse um.

Embora todos vestissem as túnicas solicitadas, a maioria era decorada — com estolas que traziam a insígnia de suas próprias Casas e com emblemas e bordados indicando a posição na academia. Muitos usavam joias, além dos amuletos — anéis chamativos nos dedos, correntes pesadas de ouro e braceletes. Mesmo em sua roupa vermelha, Han se sentiu malvestido, como o mais simples dos pardais.

Han localizou os Bayar no meio de um grupo de estudantes, no outro extremo do cômodo. Enquanto observava, Micah olhou para Han, depois falou alguma coisa que fez os outros rirem. Fiona também encarava Han e ergueu os olhos até encontrar os dele. Ela manteve o olhar fixo no dele por um longo instante, o rosto duro e frio como mármore, depois se voltou para Wil.

Han sentiu o familiar arrepio de perigo entre as omoplatas. Pisar em terreno sangue azul era como caminhar pelas ruas de Ponte Austral sem fazer parte de uma gangue ou ter uma reputação para protegê-lo.

Tocando o amuleto para se tranquilizar, ele assumiu sua expressão das ruas.

As bebidas estavam à disposição no bar a um canto, então ele e Dançarino foram até lá, passando pelos grupos de estudantes e de professores.

Conforme passavam, conversas os rodeavam. Han captou trechos — as palavras "Feira dos Trapilhos", "senhor dos pobres" e "cabeça de fogo" chegaram-lhe aos ouvidos como notas dissonantes.

Han examinou as garrafas, barris e recipientes no bar. Não apenas cerveja e sidra, mas conhaque, vinho e uísque. Pensou em Lucius Frowsley, em Hanalea, e se perguntou se a destilaria ainda estava aberta e quem distribuía o produto para ele agora.

Han e Dançarino pediram sidra. Já seria difícil o suficiente passar sem problemas por aquele jantar estando sóbrio.

Adam Gryphon entrou no cômodo em sua cadeira de rodas, manobrando com habilidade em meio à multidão para ir até o bar.

É uma pena ele não poder usar essa cadeira o tempo todo, pensou Han. Mas a academia era cheia de degraus, meios-fios, calçamentos de pedras e outros obstáculos.

Alguém puxou a manga de Han e ele girou, quase derrubando a sidra.

Ele ficou de frente para uma garota de pele extremamente pálida e cabelo curto, arrepiado, preto com as mechas vermelhas dos feiticeiros. Ela usava uma túnica vermelha com a borda dos proficientes. As mãos dela estavam cheias de anéis, e boa parte da pele visível estava coberta com tatuagens brilhantes e metálicas, como joias pintadas. O desenho parecia ondular e se mover por conta própria.

— São proteções e talismãs — explicou a garota, esfregando os dedos por um símbolo nas costas da mão. — Para proteger contra bruxarias.

— Ah — começou Han, tentando pensar na coisa certa a dizer. — Alguém tentou usar bruxaria em você?

Ela acenou com a cabeça, depois ficou na ponta dos pés para poder murmurar no ouvido dele.

— Sou Mordra deVilliers — disse ela, como se isso explicasse tudo.

— Eu sou Han Alister — falou Han. Ele fez um gesto com a cabeça na direção de Dançarino. — E este é Hayden Dançarino de Fogo.

— Eu sei — respondeu Mordra deVilliers, olhando de um para outro, com os olhos arregalados e solenes. — É verdade que você é um ladrão e assassino?

Han apenas olhou para ela.

Não havia vestígio de julgamento no rosto dela, apenas ávida curiosidade. Ele não respondeu imediatamente, e ela se apressou:

— Dizem que você é um assassino famoso e que tentou matar lorde Bayar. — Ela se virou para Dançarino. — E dizem que *você* é um espião cabeça de fogo.

Dançarino olhou para Han.

— Quem disse isso? — perguntou ele.

Mordra inclinou a cabeça na direção dos Bayar.

— Então. — Han esfregou a parte de trás do pescoço. — O que *você* acha?

— Bem — falou ela, e acenou para Dançarino —, você *é* um cabeça de fogo. — Ela se virou para Han. — E *você* fala como alguém das ruas, mesmo que não se vista como um. — Ela examinou o rosto dele. — E você *parece* bastante impiedoso, com essas cicatrizes e tudo o mais.

Como assim "fala como alguém das ruas"?, perguntou-se Han. Ele nem tinha falado tanto assim.

— Nesse caso, será que você deveria falar com a gente? — perguntou ele. — Poderia ser arriscado.

Mordra deu de ombros.

— Eles não me consideram grande coisa também porque eu venho dos reinos inferiores. Mesmo que minha linhagem seja pura e meu pai esteja no Conselho. Mas a reitora Abelard me favorece porque eu tenho um talento considerável. — Ela esticou o braço e exibiu a bainha de suas mangas. — Sou a proficiente mais jovem que já existiu.

— Você deve ser muito inteligente — disse Han.

— Se você for inteligente, ela também vai notar você — falou Mordra. — Não importa quem você seja. — Ela olhou para Dançarino e deu de ombros. — A não ser que seja um cabeça de fogo, é claro.

Essa Mordra pode ser inteligente, mas diz qualquer coisa que lhe venha à cabeça, pensou Han.

— Talvez eu não queira ser notado — disse ele.

— Ah, você quer — respondeu Mordra. — A reitora Abelard dá aulas especiais para alunos de Mystwerk com potencial.

— Que tipo de aulas? — perguntou Han.

Mais uma vez, Mordra ficou na ponta dos pés e segurou o braço dele para manter o equilíbrio.

— Magia proibida — sussurrou ela, o hálito quente roçando o ouvido de Han. — Feitiços poderosos.

Uma voz gélida interrompeu a conversa.

— Cale a boa, Mordra.

Assustada, Mordra recuou e quase caiu. Han ergueu os olhos e viu que Fiona, de alguma forma, cruzara todo o cômodo sem que ele percebesse.

— Cale a boca *você* — disse Mordra, recuperando-se e cerrando os punhos.

— Você está sempre falando bobagens feito um novato bêbado — prosseguiu Fiona, revirando os olhos. — Alister é um bandido das ruas. Não tem interesse na sua patética vida de fantasia.

— Na verdade, foi fascinante — disse Han. — Mordra estava dizendo...

— Deixe para lá. — Mordra o interrompeu. — Onde vocês estão sentados?

— Onde houver espaço, acho — falou Han. Longe dos Bayar e da reitora, pensou consigo mesmo. E talvez de Mordra também. Ela podia ser a única disposta a conversar com ele, mas aquele falatório o cansava.

— Você tem lugar marcado, não sabia? Estou na mesa da reitora — anunciou Mordra.

— Como você sabe onde deve se sentar? — perguntou Han. Sempre parecia que ele não recebia as informações que todos já tinham.

— Tem pequenos cartões nos lugares — respondeu Mordra. — Você devia andar por aí e encontrar o seu. Está quase hora de sentar.

No fim das contas, o lugar de Han também era na mesa da reitora. Com os dois Bayar, Adam Gryphon, outro proficiente e outro mestre. Não ajudou seus planos de não ser notado.

Dançarino estava sentado a uma mesa próxima, com muitos da turma dos Bayar. Eles se contorciam e se afastavam como se ele cheirasse mal. Dançarino suspirou e assumiu sua expressão de comerciante.

Era como se a reitora tivesse decidido deixar todo mundo infeliz de propósito.

Han estava sentado entre Mordra e Fiona, com Micah de frente para eles, ao lado de mestre Gryphon.

Fiona sentava-se rígida, olhando para a frente, como se pudesse fingir que Han não estava a seu lado.

Felizmente, os servos logo chegaram com sopa, servindo-a em tigelas na frente de cada pessoa.

Era um caldo ralo, com algumas verduras flutuando. Não é um jantar muito bom, pensou Han, surpreso. Ele tinha esperado algo mais farto. Pegando um pouco com a colher, soprou para esfriar. Era defumado e salgado como cebolas e cogumelos secos.

Espero que a gente possa repetir, pensou ele. Ou, pelo menos, venha um pouco de pão para acompanhar. Ele tomou algumas colheradas, depois percebeu que ninguém mais estava comendo.

Do outro lado da mesa, Micah olhava para ele, dedos entrelaçados e uma sobrancelha erguida. Mordra se inclinou para Han.

— Você deve esperar até que todos sejam servidos e a reitora nos dê as boas-vindas — falou ela em um murmúrio alto o suficiente para ser ouvido nas mesas próximas. Um risinho percorreu o salão.

Han baixou a colher, sentindo o rosto ruborizar.

No fim das contas, a sopa não era o jantar. Era o que vinha antes do jantar. O jantar era codorna assada, com batatas e cenouras, pequenos bolos e frutas mergulhadas em conhaque e flambados, além de três vinhos diferentes e bebidas adocicadas servidas em pequenos cálices.

Ninguém mais levou sidra para a mesa.

Embora tentasse imitar os outros, frequentemente Han pegava o garfo errado ou comia coisas fora de ordem ou usava o molho errado na comida errada, e Mordra o corrigia com seu sussurro divertido, fazendo com que o salão tivesse convulsões de risos abafados.

Os únicos que não riam eram a reitora Abelard, Dançarino, Mordra e Fiona.

Fiona?

Durante todo o jantar ela bebeu vinho, mas comeu muito pouco, mexendo na comida com uma expressão séria, até que os servos retirassem o prato. Ela tamborilou os dedos na mesa e se mexeu na cadeira.

Sentar ao meu lado faz ela perder o apetite?, pensou Han.

Várias vezes, mestre Gryphon se inclinou na mesa e tentou incluir Fiona na conversa, mas ela parecia distraída, como se mal o ouvisse.

Por fim, ela se inclinou na frente de Han para falar com Mordra.

— Pare com isso! — sibilou ela quando Mordra abriu a boca para corrigir Han por ter passado manteiga no pãozinho, provavelmente com a faca errada.

— O quê? — Mordra piscou para ela.

— Quem é você para corrigir os modos de alguém? — emendou Fiona, e sua voz era ríspida como metal no solstício. — *Você* é um desastre.

Mordra ergueu o queixo.

— Eu só estava tentando...

— Fique longe de Alister ou você vai ser ainda mais pária do que já é — advertiu Fiona.

— Calem a boca vocês duas! — explodiu Han, batendo as mãos na mesa, balançando a porcelana e derramando vinho dos copos. — Seria mais fácil comer no meio de uma briga de taberna do que sentado entre vocês.

O salão ficou totalmente silencioso.

Fiona empurrou a cadeira para trás e ficou de pé.

— Reitora Abelard, com sua licença. Não estou me sentindo muito bem. — Ela avançou pelo salão sem olhar para trás.

Han olhou para o outro lado da mesa, onde Micah estava sentado e o olhava de modo avaliador. Gryphon observou Fiona até ela desaparecer pela porta, depois fixou seus inquietantes olhos em Han, com o rosto pálido e furioso. A reitora Abelard pôs os cotovelos na mesa e o queixo nas mãos, um esboço de sorriso curvando seus lábios.

Han parou de comer também, sem querer arriscar mais lições de Mordra. Ela falava sem parar, e ele respondia com frases curtas.

Finalmente, o jantar interminável acabou. Estudantes e professores formaram grupos tagarelas. Han e Dançarino deixaram o salão pela porta dos fundos para evitar contato com qualquer pessoa.

— Temos que fazer isso todo mês? — murmurou Han, a refeição pesando em seu estômago. — Ossos sangrentos.

— Fiona Bayar e Mordra deVilliers estavam *brigando* por sua causa? — O vento balançou os galhos acima da cabeça deles, e Dançarino levantou a gola. Quando Han olhou sério para ele, o rapaz emendou: — Foi isso que pareceu para mim.

— Eu não faço ideia do que foi aquilo — falou Han. — Fiona não quer que ninguém fale com a gente. Talvez ela queira nos isolar ainda mais.

— Talvez ela queria você só para ela — disse Dançarino.

— Ha! — Eles caminharam em silêncio por um instante. — Queria saber quem vai às aulas de Abelard — refletiu Han. — Queria saber o que ela está tramando.

Enquanto eles davam a volta no Salão Mystwerk, uma luz faiscou sob a passarela e captou o olhar de Han. Ele estreitou os olhos e distinguiu uma silhueta usando túnica, em meio às sombras, um rosto anguloso iluminado de baixo.

Sobre eles, a pedra se rachou com um estrondo que fez os ouvidos de Han zunirem. Sem olhar para cima, ele se jogou em Dançarino, fazendo com que os dois voassem e aterrissassem desajeitadamente no terreno gramado.

Han rolou e se pôs de pé. Uma confusão de telhas e pedra quebrada entulhava o chão onde eles estavam instantes antes. Tateando por sua faca, ele se adiantou para a passarela, correndo em zigue-zague para ser um alvo difícil de acertar.

— O que houve? — perguntou Dançarino, atrás dele. — O que você viu?

Han balançou a cabeça e pôs o dedo nos lábios. Ele olhou de novo na direção da passarela.

Parecia que o teto tinha ruído e desmoronado no calçamento de pedra. Alguns dos pedaços eram maiores que a cabeça de Han. Qualquer um poderia tê-los matado, se os tivessem acertado.

Enquanto observavam, uma multidão de estudantes e professores se aproximou e se amontoou ao redor do concreto desmoronado. Eles não perceberam Han e Dançarino na escuridão sob a passarela.

Nenhum dos Bayar estava lá.

Han tocou o ombro de Dançarino e virou a cabeça na direção do dormitório deles.

Durante todo o caminho de volta, Han manteve a faca em uma das mãos, o amuleto na outra, os sentidos em alerta para uma emboscada.

Blevins ergueu o olhar quando eles passaram pelo salão comum.

— O jantar já acabou? — perguntou.

— Mais alguém voltou do jantar? — retrucou Han.

Blevins balançou a cabeça.

— Vocês são os primeiros.

Eles subiram as escadas até o quarto andar. Han fechou a porta no alto das escadas e voltou a verificar suas proteções mágicas. Andou silenciosamente até o próprio quarto e abriu a porta. Não havia ninguém ali. Ele foi até a janela e olhou para fora. Vozes agitadas ainda ecoavam da multidão ao redor das ruínas, perto do Salão Mystwerk.

Han se virou e viu Dançarino na porta.

— Alguém estava na passarela, do outro lado do terreno — falou Han. — E lançou um feitiço um pouco antes do teto ruir em nós.

— Você tem certeza? — perguntou Dançarino. — O vento pode ter soltado uma das cornijas. Está ventando forte o dia todo.

— Quem fez isso queria que parecesse que foi o vento — observou Han.

— Você não viu quem foi?

Han balançou a cabeça.

— Alguém alto, com a túnica de feiticeiro.

O brilho do amuleto iluminara por um instante o rosto do agressor, mas se apagara tão rápido que ele não podia ter certeza de quem era.

Mas ele tinha um palpite. Fiona tivera tempo suficiente para se preparar. Ou Micah poderia ter saído rápido pela porta da frente, a tempo de esperar por eles enquanto contornavam o edifício.

Daquela vez tiveram sorte... mas quem podia saber quanto tempo a sorte deles duraria?

CAPÍTULO QUINZE

AMIGOS E INIMIGOS

Amon realmente revisou a lista de estudantes na Academia Wien e na Isenwerk, cadetes novatos e do segundo ano, mas não havia nenhum Alister ali. Algema poderia ter se inscrito com um nome falso, mas, se ele estivesse na Academia Wien, sem dúvida Raisa ou Amon teriam voltado a ver Alister nos salões de jantar ou bibliotecas. Quando isso não aconteceu, Raisa relutantemente admitiu que se enganara.

— Apenas lembre: fique longe da Rua da Ponte — alertou Amon.

Conforme as semanas passaram, Raisa começou a relaxar em sua identidade de cadete novata. Ela nunca enganaria ninguém que a conhecesse bem, mas, para os demais, a túnica de cadete e o cabelo curtinho pareciam ser um disfarce incrivelmente bom para uma princesa. Ela encontrava alguns conterrâneos no salão de jantar e pelo terreno, mas ninguém a reconhecia.

Taim Askell estava certo. O currículo que ele e Amon tinham preparado para Raisa a fazia correr desde as primeiras horas da manhã até ela cair exausta na cama, no último andar do Salão Grindell. Nem mesmo o ronco de Hallie conseguia mantê-la acordada.

Ela não podia reclamar. Tinha pedido por isso — não, tinha exigido. E agora estava pagando o preço. Não havia aulas sonhadoras de bordados, música de câmara ou pintura nos jardins. Não havia tardes preguiçosas fofocando e tomando chá no terraço.

Não havia terraço.

A falta de um mestre do dormitório no Salão Grindell poderia ter incentivado os estudantes a violar as regras, mas eles estavam cansados demais para isso. Como comandante do quarto ano, Amon fazia seus cadetes seguirem rigorosamente o toque de recolher, embora ele mesmo quase nunca estivesse por ali. Raisa já estava sempre semiadormecida na hora do toque de recolher, de qualquer forma, tentando ler mais algumas páginas antes de apagar a vela. Às vezes ela realmente dormia, caída na mesa, com o rosto amassado nas páginas do livro de história. Talvez alguma informação penetrasse por sua pele.

Ela permaneceu longe da Rua da Ponte, embora ficasse tremendamente tentada quando Talia e Hallie a convidavam para sair com elas. Raisa dizia a si mesma que não tinha tempo para frequentar tabernas, de qualquer jeito. Pelo menos assim ela podia evitar a mania de casamenteira de Talia.

Raisa logo passou a temer os debates nas aulas de História da Guerra. Havia palestras dos mestres e reitores três vezes por semana, e os debates eram diários, mediados por proficientes que conduziam as discussões e administravam as provas orais e escritas. Portanto, eles tinham muito poder, principalmente sobre os novatos.

O debate da aula de história de Raisa estava sendo conduzido por um proficiente de Arden, chamado Henri Tourant.

Filho mais novo de um nobre, Tourant parecia ter decidido que um cargo acadêmico ofereceria a ele oportunidades que não teria em casa — oportunidades de perseguir e humilhar os estudantes de dia e buscar outros prazeres à noite.

Tourant era um tirano e tinha a típica postura de Arden em relação às mulheres — arrogante e condescendente. Ele logo deixara clara sua opinião — mulheres deveriam se dedicar a outras coisas e não fazer os professores da Academia Wien ou das outras academias, mais masculinas, perderem tempo. Mil anos haviam se passado desde a Cisão, e Arden parecia ainda não ter superado o fato de que eles já tinham sido governados por uma mulher.

Tourant era um homem baixo — em estatura e em todos os outros sentidos. Tinha lábios finos e cruéis e cabelos castanhos cacheados, compridos. Eles já rareavam no topo da cabeça, embora ele tivesse apenas alguns anos a mais que Raisa. Seu rosto tinha traços reptilianos, com queixo recuado e nariz pontudo.

Ele também era um fanfarrão, e frequentemente se despia dos trajes escolares para exibir suas joias.

Tourant caminhava de um lado para outro, na frente da classe, falando durante a maior parte do tempo do que deveria ser uma discussão. Ele raramente se detinha ao tema e parecia ter apenas um conhecimento superficial dos fatos. Um debate verdadeiro teria sido útil, mas os conduzidos por Tourant eram uma perda de tempo.

Raisa quase sempre se sentava na fileira de trás e fazia seu dever de casa. Mas, naquele dia, o tema era magia na guerra, e ela estava com dificuldades em manter a mente ocupada e a boca fechada enquanto Tourant falava, cuspindo informações erradas feito um cano de esgoto quebrado.

Estou aprendendo autocontrole, pensou Raisa, mantendo seus punhos fechados escondidos no colo. É uma habilidade valiosa.

A coisa piorou. Uma moça de olhos arregalados, devota do templo de Arden, proclamou que os guerreiros Demonai iam nus para a batalha.

— Embora eles sejam muito ricos, os selvagens do norte gastam todas as riquezas com joias — prosseguiu a devota. — Eles lutam nus, a não ser pelos colares e braceletes de ouro que anunciam seus status. E aljavas para as flechas.

— Ora, isso é uma coisa que eu gostaria de ver — falou Tourant, sorrindo. O olhar encontrou Raisa, frio e indecente como o beijo de um demônio. — Você é mestiça, Morley, não é? Já foi nua para uma batalha? A ideia é... distrair o inimigo?

Raisa afastou a imagem de Reid Andarilho da Noite marchando nu em meio às árvores.

— Se o senhor pensar sobre isso, vai ver que não pode ser verdade — disse, escolhendo cada palavra antes de falar. — Qualquer um que andasse nu pelas montanhas ficaria com frio e desconfortável, mesmo no verão. No inverno do norte, congelaria até morrer.

— Eles estão acostumados ao frio — replicou a devota. — Sequer sentem.

— Nós *estamos* acostumados ao frio — falou Raisa. — Muito mais do que os moradores das terras baixas. Mas há limites. Os clãs são famosos por forjar o metal, por isso usam joias. Mas também usam couro, pele e tecidos — disse, lembrando-se das grandes rocas em trabalho constante nas cabanas.

— Alguns dizem que, no inverno, crescem pelos nos selvagens, feito lobos — disse Tourant, como se aquela realmente fosse uma questão debatida pelos eruditos. — Por isso as rainhas são chamadas de rainhas do lobo. — Isso foi recebido por uma onda de risadas, mas muitos dos estudantes se remexeram, inquietos, nas cadeiras. — É verdade, novata Morley?

— Não é verdade! — Uma garota escultural, de pele acobreada e sotaque de Tamric, respondeu, sem ser chamada. Ela usava a túnica de Isenwerk e joias elaboradas. — Minha família negocia com comerciantes dos clãs o tempo todo. O homem que negocia com a gente é muito educado e totalmente vestido; com certeza não é um selvagem... embora seja um homem duro de barganha.

— Ora, ora, novata Haddam — falou Tourant, piscando para ela. — Parece que você gosta dele. Quando diz que ele é *um homem duro*, o que quer dizer, exatamente?

Haddam corou, furiosa, e abriu a boca para responder, mas Tourant apontou para outro estudante, que balançava a mão com ansiedade.

— Gutmark. O que você acha?

— As rainhas de Fells são feiticeiras — disse um garoto de Bruinswallow, sério. — Elas enfeitiçam os homens para que eles deixem que elas governem.

— As rainhas de Fells governam pela mesma razão que os reis de Tamron e Bruinswallow — disse Raisa. — Linhagens, história, educação e habilidade.

— Tem magia demoníaca nas montanhas do norte — falou um rapaz das Ilhas Meridionais. — Foi de onde veio o Rei Demônio, e onde ele morreu, e os ossos dele contaminam a terra até hoje. O solo causa bolhas nos seus pés e as plantas murcham.

— Crescem plantas ali — falou Raisa. — Só não são as mesmas que crescem aqui. De onde vocês acham que vêm todos os seus remédios e perfumes?

— Feitiçaria — concluiu a devota de Arden, com um estremecimento. — Eu não usaria esses perfumes malévolos. Eles nublam a mente e levam aos pecados da carne. Depois de me graduar, vou ser missionária. Vou morar com os selvagens nas montanhas e ajudar a civilizar e trazê-los para a verdadeira fé.

Raisa tentou imaginar aquela garota ingênua encarando o pai dela, Averill Pés Ligeiros, lorde Demonai, e tentando civilizá-lo. A avó, a Matriarca Elena *Cennestre*, a devoraria viva.

— Ora, boa sorte para você — desejou Raisa, revirando os olhos. Então se assustou quando uma voz trovejou do fundo da sala.

— Proficiente Tourant, você já esteve em Fells?

Todos se viraram para ver mestre Askell de pé nos fundos da sala de aula. Tourant corou.

— Não, senhor, não é um lugar que eu...

— Quem já esteve em Fells? — perguntou Askell, baixando o olhar para as fileiras de cadeiras. — Levante-se.

Raisa deslizou da cadeira e ficou de pé. Ela foi a única.

— Ninguém mais? Nem de passagem? — perguntou Askell. Todos fitaram o chão. — Alguém tem amigos, parentes, parceiros de negócios do norte?

Dessa vez, Haddam ficou de pé com um farfalhar de tecidos e olhou severamente para Tourant.

Askell suspirou.

— Sentem-se, Morley e Haddam. — Elas se sentaram. — Como mestre da Academia Wien e parte do corpo docente de Vau de Oden, gostaria de acreditar que desempenho o papel mais importante na educação de vocês. Mas isso não é verdade. O que torna Vau de Oden tão eficiente é a diversidade de seus estudantes, que vêm de toda parte dos Sete Reinos.

"Cadetes inteligentes aproveitam essa oportunidade. Calam a boca e ouvem os especialistas entre eles, aqueles que falam por experiência própria. No futuro, quer vocês encontrem com eles de novo na guerra ou na paz, estarão mais bem-preparados para fazer seu trabalho. Aqueles que se basearem em evidências terão sucesso. Os que acreditarem em mitos, insinuações e rumores vão fracassar. Vocês entenderam?"

— Sim, senhor! — Ouviu-se pela sala.

Askell esboçou um sorriso.

— Continue, proficiente Tourant — disse ele, virando-se e saindo pela porta.

Raisa se virou a tempo de ver o olhar venenoso de Tourant. Bem, pensou ela, fiz um inimigo.

Depois disso, mestre Askell passou a frequentar muito mais suas aulas. Principalmente os debates. Raisa percebia uma mudança na atitude de Tourant, e erguia o olhar de suas anotações para encontrar o mestre reclinado na parede dos fundos da sala.

Ela desviava os olhos do quadro-negro na aula de finanças e encontrava Askell conversando com a professora na parte de trás da sala. No fim das aulas de idiomas, ela o avistava sentado entre os estudantes e se perguntava há quanto tempo ele estaria ali. Frequentemente, ele entrava despercebido no meio de uma discussão acalorada ou de um exame oral. E saía quando já tinha visto o que quer que tivesse ido lá para ver.

O desempenho de Raisa na parte física continuava a melhorar, mas ela percebeu que nunca seria perita naquilo. Era muito pequena e leve para usar a maioria das armas das terras baixas, embora agora tivesse uma nova camada de músculos. Ela era uma arqueira decente e cavalgava com habilidade. Era excelente em geografia, localização e nas habilidades de sobrevivência, cortesia do treinamento nos Campos.

Também era boa em finanças, uma vantagem do tempo que passara nas feiras dos clãs.

Raisa gostava de dividir o quarto com Hallie e Talia. Conforme passavam mais tempo juntas, as outras tinham começado a tratá-la mais como uma colega e menos como uma coisinha frágil.

Hallie parecia muito adulta, comparada a seus colegas Lobos. Era grande, falava alto, era forte e sociável, mas ficava muda e triste quando a conversa era sobre sua filha. Tinha um pequeno desenho de Asha que tirava da bolsa e observava várias vezes por dia, como se tivesse medo de esquecer a aparência da filha. Ela enviava cartas todas as semanas, e pequenos presentes, sem saber se eles chegavam ao destino.

Uma noite, quando as duas ficaram acordadas até tarde, estudando para as provas, Raisa pediu a Hallie para ver o retrato de Asha.

— Ela é linda — falou Raisa, examinando o desenho de uma garota de rosto sério, com imensos olhos azuis e um halo de cabelos claros e finos. — Quem fez o desenho para você?

— Foi a irmã do cabo Byrne, Lydia. Ele pediu que ela fizesse quando eu me inscrevi na academia e me juntei aos Lobos.

— Deve ter sido uma decisão difícil. Vir para cá, quer dizer — disse Raisa.

Hallie deu de ombros.

— Eu estava no exército regular, das terras altas, quando descobri que estava grávida. — Ela olhou para Raisa. — Eu não sou idiota, estava tomando a erva-de-donzela, mas é difícil seguir um cronograma quando você está no exército e viaja o tempo todo. Eu voltei para casa para ter minha garotinha, mas precisava trabalhar para cuidar dela. Tudo que eu sabia era ser soldado, mas odiava a ideia de voltar para o exército porque ficaria longe dela o tempo todo. Pensei em me juntar aos casacos azuis, mas hoje em dia você precisa estudar para isso. — Ela hesitou, como se estivesse considerando o quanto deveria compartilhar. — Pensei que teria que tentar encontrar um bom dono da rua, me juntar a uma gangue. Mas, se alguma coisa me acontecesse, Asha ficaria sozinha. Eu sustento ela, minha mãe e meu papai.

Essas pessoas tomam decisões difíceis todos os dias, pensou Raisa. E eu que achei que a vida da classe trabalhadora fosse simples.

— Então o orador Jemson, do Templo de Ponte Austral, falou que existia o Ministério da Rosa Agreste — prosseguiu Hallie. — Ele disse que arrumava dinheiro para que eu pagasse as mensalidades da Academia Wien, se eu conseguisse entrar.

O Ministério da Rosa Agreste! Raisa ergueu a cabeça.

— Sério? — Impulsivamente, ela apertou as mãos de Hallie. — Essa é uma notícia maravilhosa!

Hallie estreitou os olhos e inclinou a cabeça, fitando Raisa.

— Bem. Está certo. Então você pode imaginar o resto. Entrei e aqui estou. E todos os dias do templo eu compro uma rosa da florista na ponte e deixo no altar para a princesa Raisa. E quando voltar para casa, espero ser enviada ao serviço dela. Posso ficar com Asha e posso manter a princesa em segurança.

— Talvez aconteça — falou Raisa, limpando a garganta.

— Talvez. — Hallie guardou o retrato de Asha.

Em aula, Raisa estudava as estratégias de batalha desenvolvidas por Gideon Byrne, séculos atrás. Lila Byrne desenhara o protótipo de um florete de fio duplo que ainda era usado. Dwite Byrne fizera um uso inovador de soldados a cavalo em uma época em que a cavalaria caíra em desuso.

Raisa e Amon tinham isso em comum: ambos sentiam a pressão de serem os herdeiros vivos de uma longa dinastia de bem-sucedidos.

Amon era habilidoso com armas e fazia seu trabalho muito bem, mas não era o maior, nem o mais forte, nem o mais rico dos cadetes de sua classe, em Vau de Oden. Ele não conquistava seus colegas comprando cerveja e sidra para eles na Rua da Ponte, e depois cambaleando de volta para casa de braços dados, nas primeiras horas da manhã.

Ele irradiava uma concentração tranquila — como se soubesse quem era e aonde ia. Era um porto seguro em um mar de mudanças. Amon era honesto e mantinha sua palavra, e era incansavelmente justo. Isso fazia com que as pessoas quisessem segui-lo.

Eu posso aprender com ele, pensou Raisa. Eu tendo a agitar as pessoas, não acalmá-las.

Amon continuou a treiná-la no combate com o bastão, usando o que Dimitri lhe dera. Alguns dias, esse era o único momento em que o via: Amon deixava o dormitório antes que ela se arrastasse para fora da cama, e ela já estava dormindo quando ele voltava. Como comandante da classe, ele participava de reuniões intermináveis e ajudava na administração da escola. Pelo menos essa era a explicação. Raisa ainda achava que ele evitava ficar sozinho com ela.

E mesmo assim, às vezes ela erguia a cabeça, até no jantar, e encontrava aqueles olhos cinzentos fixos nela.

— Eu pensei que este lugar fosse chamado de "o grande nivelador" — falou ela para Amon, fechando o livro ao final de mais um longo dia. Já tinham se passado oito semanas desde o início do semestre, as oito semanas mais desgastantes e exaustivas da vida dela.

Amon ergueu os olhos de seu desenho da aula de engenharia.

— E é.

— Então por que mestre Askell concordou em colocar todos nós no mesmo dormitório? E por que ele aprovou um currículo especial para mim, se todos são tratados da mesma forma?

— Todos são tratados da mesma forma — disse Amon. — Até não serem. — Ele voltou ao trabalho até a pressão do olhar dela fazê-lo erguer a cabeça de novo. Ele se recostou e girou a caneta entre os dedos. Aquilo se tornara um hábito. — Mestre Askell sabe quem você é. Eu contei a ele.

Raisa quase cuspiu o chá.

— O quê? Não foi você quem disse que era muito importante que ninguém soubesse quem eu sou?

Amon acenou com a cabeça.

— Sim. É importante. Mas eu precisava convencê-lo de que deveríamos ficar todos aqui no Salão Grindell, o que é contra a política da academia. Embora você, tecnicamente, esteja no primeiro ano, eu queria mantê-la aqui com os estudantes do quarto ano. — A caneta caiu no chão, e ele se abaixou para pegar. — Eu não queria passar noites em claro, me perguntando se você estaria segura em um dormitório do outro lado do campus. Eu queria que alguém com autoridade soubesse, para o caso de algo dar errado.

— Você confia nele?

— Sim. Confio.

Raisa recordou sua entrevista com mestre Askell.

— Por isso ele foi tão duro comigo. Ele esperava que eu fosse temperamental e exigente.

Amon assentiu.

— Isso. Ele só concordou com o que você queria porque pensou que você fosse desistir rápido. — Amon sorriu, parecendo satisfeito consigo mesmo. — Ele não a conhece tão bem quanto eu.

— Ele tem aparecido em algumas das minhas aulas — falou Raisa.

— Ele faz isso o tempo todo, de qualquer forma, mas principalmente se estiver curioso sobre algum estudante. — Amon hesitou, depois continuou:

— Taim Askell é o herdeiro de uma família nobre de Arden. Lembra quando ele perguntou se você tinha fugido para se juntar ao exército? Foi exatamente o que ele fez. Ele navegou o Indio até Carthis e lutou nas guerras de lá, subindo de patente pelo esforço.

"Quando ele voltou aos Sete Reinos, decidiu que precisava de instrução para se tornar um oficial. E veio para cá. Meu pai foi o comandante da classe dele. Askell pensou que meu pai fosse um garoto mimado e arrogante, ocupando um cargo que não sabia exercer. Papai achou que Askell era um sabe-tudo arrogante que deveria calar a boca e aprender alguma coisa."

— Então o que aconteceu? — perguntou Raisa.

— Papai nunca disse, mas ouvi falar que eles se encontraram fora do campus para resolverem a questão, e os dois apanharam bastante. Então Askell calou a boca e aprendeu alguma coisa, e ele e meu pai escreveram um livro sobre as guerras de Carthis que ajudou Askell a conseguir um cargo de professor aqui depois. Está na biblioteca, se quiser dar uma olhada.

— Como foi vir para cá, para aprender com Askell? — perguntou Raisa.

— Meus dois primeiros anos foram um inferno — contou Amon e sorriu. — Ele aparecia muito nas minhas aulas também. Mas terminou com ele me tornando comandante da classe.

CAPÍTULO DEZESSEIS

UM ENCONTRO COM A REITORA

Nos dias seguintes ao Jantar da Reitora, Han ficou tão concentrado em feitiçaria que se atrasou nas outras matérias. Ele tinha que ter prioridades, com tanta coisa a aprender. Estava especialmente interessado em aprender feitiços que evitassem que edifícios caíssem nele.

Como eram todos novatos, ele dividia todas as aulas com os Bayar e os Mander, que eram uma distração constante.

A aula sobre curandeirismo parecia inútil para Han. Os clãs o tinham contratado para matar, não para curar, e as pessoas que Han gostaria de curar já estavam mortas.

Mestre Leontus era um mago curandeiro de meia-idade, zeloso como um missionário e com uma careca reluzente. Ele fazia o possível para que os estudantes se interessassem pela profissão que escolhera.

Era uma tarefa difícil. A maioria dos feiticeiros sentia falta de poder e privilégios — e não tinham corações caridosos, para começo de conversa. E o pobre Leontus era amaldiçoado com uma honestidade extrema.

— Magos curandeiros assumem as doenças e ferimentos de seus pacientes. Isso envolve dor e sofrimento consideráveis e consumo de poder. — Leontus fez uma pausa e olhou por cima dos óculos. — Mas existem estratégias que podem ser usadas para minimizar o dano ao corpo e recuperar a força após uma sessão de cura. Com cuidado e instrução adequados, não há razão para um mago curandeiro não ter um tempo de vida normal.

Enquanto Leontus falava sobre os sacrifícios e as recompensas do ofício de curandeiro, os estudantes devaneavam sobre temas mais atraentes ou faziam o dever de casa das outras matérias. A atenção de Han sempre se desviava durante aquelas aulas e debates.

As aulas sobre amuletos, talismãs e materiais mágicos eram dadas por um velho encarquilhado dos clãs, chamado Fulgrim Firesmith. Firesmith lembrava a Han das carcaças de insetos que às vezes ele encontrava nas trilhas, durante o verão — marrons, rígidas e enrugadas.

Criação de objetos mágicos era área dos clãs, fora das habilidades dos feiticeiros. Portanto, era mais uma aula de história que outra coisa — uma análise de antigos dispositivos mágicos em comparação com os disponíveis atuais. Isso apenas aumentava a frustração dos estudantes que se ressentiam das limitações das ferramentas mágicas modernas.

As aulas de Firesmith eram terrivelmente entediantes e, ainda assim, difíceis de ignorar. Firesmith era surdo como uma porta, então gritava a matéria a todo volume.

Ele baseava suas aulas em um texto antigo tão frágil que Firesmith fazia os estudantes passarem em fila para ver o livro cheio de desenhos amarelados feitos com caneta e tinta, em vez de se arriscar a erguê-lo da bancada.

Han sentia uma urgência, um desejo ansioso de se concentrar em matérias que pudessem ser aplicadas imediatamente. Ele já tinha um amuleto poderoso. Queria saber mais sobre os feitiços e encantamentos que permitiram que usasse aquele amuleto. Ele teria preferido dobrar as aulas de feitiços e esquecer o restante.

Não que ele quisesse passar mais tempo com Gryphon.

Sua mente continuava se voltando para Corvo e sua oferta de tutoria. Aprender feitiçaria com Corvo parecia muito mais atraente do que sofrer com Gryphon. Se ele pudesse confiar em Corvo.

Dançarino, porém, parecia fascinado com Firesmith e seus livros velhos e empoeirados. Ele rabiscava linhas e mais linhas de anotações e fazia perguntas detalhadas sobre teoria e prática até Fiona revirar os olhos e abafar bocejos com as mãos.

— Você realmente está interessado naquilo tudo? — perguntou Han a Dançarino enquanto cruzavam o terreno para o almoço. Voltara a chover, uma garoa fria e triste, caindo de um céu prateado. Um vento de gelar os ossos espirrava as gotas de chuva nos rostos deles feito agulhas de gelo. — Eu não conseguia nem ficar acordado. Tem tanta coisa para aprender, e nada prático que a gente possa fazer com aquilo.

— Eu *estou* interessado — confirmou Dançarino, pisando em folhas encharcadas. — Lembra? Antes de tudo isso acontecer, eu queria ser aprendiz de Elena *Cennestre* e me tornar um ourives de artefatos mágicos.

— Eu sei. — Han girou para observar uma garota bonita passar por eles na relva úmida, rindo e erguendo as saias para exibir um belo par de pernas. Ela entrou em uma das passarelas cobertas e desapareceu. Ele voltou a se virar para Dançarino. — Você já fez alguma coisa mágica?

Dançarino assentiu.

— Quando eu era mais novo. Peças simples, mas que pareciam funcionar.

— Mas... agora você é um feiticeiro — falou Han. — E magos não podem...

— Ainda sou dos clãs — respondeu Dançarino, erguendo o queixo. — Eu não me importo com o que os Demonai dizem. Não desisti da vocação que escolhi.

— Mas... como você aprenderia a trabalhar com materiais mágicos? — perguntou Han. — Elena não vai ensinar para você, mesmo que tenha o dom para ser ourives.

— Firesmith diz que a biblioteca aqui tem a melhor coleção de textos sobre materiais mágicos dos Sete Reinos — disse Dançarino.

Eles subiram os degraus até o salão de jantar, abrigando-se debaixo do telhado da varanda. Dançarino balançou a cabeça, jogando água em todas as direções, depois deu um passo para o lado, para fora do alcance dos ouvidos dos estudantes que entravam no salão.

— Mas os artesãos dos clãs têm que virar aprendizes — falou Han. — Firesmith também não vai ensinar para você, se souber o que está planejando.

— Ele não *quer* saber o que eu estou planejando — advertiu Dançarino. — Ele está feliz de ter um aluno que realmente se interesse. Eu me ofereci para trabalhar em um projeto especial com ele no próximo semestre. — Enfiando as mãos nos bolsos, ele continuou: — Se for preciso, vou aprender sozinho.

Dançarino tem uma determinação que é fácil de passar despercebida, pensou Han. Ele escolhe suas batalhas e joga para vencer.

Então uma garota das Ilhas Meridionais, com as roupas do templo, os avistou. Ela se afastou de um grupo de estudantes do Templo e cruzou a varanda na direção deles.

Era Cat Tyburn, mas Han não a teria reconhecido se ela não tivesse aberto a boca. Seus volumosos cabelos cacheados tinham sido domados e torcidos em uma trança comprida que caía em seu ombro esquerdo. Ela vestia calças e uma comprida sobretúnica branca aberta nas laterais para facilitar a caminhada. Estava mais limpa do que Han jamais tinha visto — a não ser pelo cinto manchado de couro que ela passara por cima de tudo, com a faca enfiada nele. Ela ainda usava prata nas orelhas, no nariz e nos dedos. Tudo isso unido às cicatrizes e às marcas de ladra nas mãos fazia dela uma mistura estranha de sagrado e profano.

Eles não a viam havia duas semanas, embora não por falta de tentativas. Várias vezes eles tinham ido visitar o dormitório do templo, mas disseram que Cat estava indisponível. E ela não tinha ido visitá-los.

Han gaguejou.

— Cat, você... hã... você... eu não acho que já... o que aconteceu com você?

— Eles me enfiaram numa banheira e, enquanto eu me esfregava, roubaram minhas roupas e me deixaram com essas. — Ela puxou a bainha da túnica. — Me disseram que eu tinha que... ficar quieta na Escola do Templo por uma quinzena e pensar na minha vocação. — Ela fez uma careta. — Não preciso de tanto tempo assim. Não é como se eu tivesse muitas opções.

Enquanto eles entravam na fila, no salão de jantar, Cat continuou com suas reclamações.

— O sol nem saiu ainda quando o sino começa a tocar e nós temos que levantar e ir para as meditações da manhã. Então são sinos, sinos, sinos, aulas, aulas, aulas o dia todo. Por horas. Leitura, escrita e matemática. — Ela tirou duas maçãs e uma laranja das prateleiras e enfiou-as na bolsa. — Depois do almoço é melhor. Tem aula de música, dança e desenho.

Despejando sopa em tigelas, eles as levaram até uma mesa comprida.

Cat usou a faca do cinto para cortar pedaços do pão preto no centro da mesa.

— Eu gostava da escola em Ponte Austral. Você só ia quando tinha vontade.

— Com que frequência você tinha vontade? — perguntou Dançarino, mergulhando o pão na tigela.

— Eu ia quase todo mês — respondeu Cat, cobrindo o pão com manteiga.

— Ela quer dizer *uma vez* por mês, no dia em que distribuíam pão de canela — falou Han e recebeu um olhar severo de Cat.

— *Você* ficou anos sem ir lá — retrucou Cat. — Desde que deixou de ser dono da rua.

Bem. Ele tinha ido lá uma vez. Mac Gillen e os casacos azuis haviam batido nele quase até a morte e Han procurara refúgio com o orador Jemson no templo. O cabo Byrne tinha tentado prendê-lo, e Han fizera Rebeca Morley de refém. Parecia que tinha sido há uma eternidade.

— Eu também não estou acostumado a ficar sentado em uma sala de aula — disse Dançarino. — Nos Campos, aprendemos fazendo. Cada professor tem um aluno.

— Por que veio para cá, então? — perguntou Cat, mantendo os olhos fixos na tigela. — Não vi nenhum outro cabeça de fogo por aqui.

— Eles não ensinam as vocações dos clãs aqui — explicou Dançarino. — Não faria sentido virem para cá.

Cat deu de ombros.

— Pelo que ouvi, vocês todos passam o tempo roubando bebês, transformando animais em monstros, preparando venenos e peças enfeitiçadas. — Ela lambeu a manteiga do pão. — Não é à toa que as pessoas não gostam quando vocês vão para as terras baixas.

— Cale a boca, Cat — rosnou Han. — Não fale besteira sobre coisas que você não conhece.

— Os clãs têm o dom de usar os materiais mágicos, de curar e usar a magia da terra — disse Dançarino para Cat. — Alta magia, o tipo que os feiticeiros usam, não é uma vocação dos clãs. Por isso eu tive que vir para cá. — O rosto do rapaz permaneceu impassível, como se os insultos de Cat não o atingissem.

— Algumas pessoas dizem que as pessoas das Ilhas Meridionais deviam ficar por lá — falou Han, querendo defender Dançarino, já que ele não se defendia. — Todos nós temos que aproveitar o que pudermos. Deve ter alguma coisa na Escola do Templo que você goste.

Cat roeu as unhas.

— Eu gosto muito da música — disse a contragosto. — Tem tudo que você quiser. Tem basilka, flautas, harpas, órgãos e cravos. Coros cantando. Recitais o tempo todo. A mestra Johanna me deu *outra* basilka só para mim, e falou que eu posso ficar com ela enquanto permanecer na escola. Ela disse que eles têm mestres que podem me dar aulas de qualquer um dos outros instrumentos também. A escolha é minha. — Ela enfiou a mão cheia de uvas na boca. — Ela fica insistindo para eu fazer recitais. Tocar na frente das pessoas. Não sei se quero fazer isso.

A tal mestra Johanna é inteligente, pensou Han, ela já percebeu que o jeito de conquistar Cat é com a música.

— Você foi aceita e veio até aqui — falou Dançarino. — Deveria aproveitar. Eu adoraria ouvir você tocar.

Cat se mexeu, irritada, enrolando um cacho de cabelo entre o polegar e o indicador.

— Não sei quanto tempo vou ficar aqui. Não adianta eu me envolver com uma coisa que não vai durar. As pessoas começam a achar que são suas donas.

Han jogou o guardanapo na mesa.

— Não tem para onde você correr de volta, tem? É por isso que nós todos estamos aqui. Não temos nada nem ninguém em casa.

— Você não faz ideia de quem eu sou ou por que estou aqui — respondeu Cat. Ela se levantou e saiu do salão de jantar.

— Isso é verdade — concordou Han, vendo-a se afastar e balançando a cabeça. Ele se virou para Dançarino. — Você não tem que aguentar as besteiras que ela fala sobre os clãs, sabe.

— Ela é legal. Não é pior do que o que eu ouvi no Vale. — Dançarino afastou a tigela. — Você quer ir para a biblioteca agora?

Han balançou a cabeça.

— Mais tarde. Depois do jantar, talvez. Vou passar em Hampton e deixar meus livros, depois tenho que ir ver Abelard. — Ele revirou os olhos. — Não estou ansioso por isso.

Han cruzou o terreno até o Salão Hampton. O dormitório parecia deserto, com todos os estudantes no salão de jantar ou em aula. Ele subiu correndo os quatro lances de escada até o último andar. Quando chegou ao patamar, um fedor alcançou seu nariz. Excremento. Pressionando a manga da túnica contra o rosto, olhou para um lado e para outro do corredor. A porta de seu quarto estava aberta. Sacando a faca, caminhou silenciosamente até a entrada, a outra mão segurando com firmeza o amuleto. Mantendo o corpo atrás da parede, ele enfiou a cabeça pela porta e olhou o quarto.

O cômodo tinha sido completamente revirado. Suas roupas tinham sido retiradas do baú e retalhadas, os livros jogados da prateleira e destruídos, o lampião estava quebrado no chão, com óleo empapando a madeira. As roupas de cama tinham sido arrancadas, rasgadas e espalhadas. E parecia que penicos cheios até a borda tinham sido despejados por cima.

A raiva ardeu dentro dele.

Os feitiços de proteção que havia posto não tinham funcionado. E ele sabia exatamente quem era o responsável. Alguém que sabia que Han estaria no salão de jantar. Alguém que Han não se lembrava de ter visto por lá.

As palavras de Micah voltaram a ele. *Agora eu sei onde encontrá-lo e tenho bastante tempo.*

Dando meia-volta, ele virou a esquina do corredor para descer as escadas, indo para os aposentos de Micah no segundo andar. Desceu dois degraus antes de tropeçar e cair, rolando escada abaixo até bater em uma parede onde a escada fazia curva, e então despencar pelo lance de degraus seguinte.

Han deveria estar morto, mas sabia como levar um tombo. Ele se balançou uma ou duas vezes enquanto descia, o que diminuiu um pouco sua velocidade. Então conseguiu cobrir a cabeça com os braços antes de aterrissar dolorosamente no patamar do segundo andar, com a cabeça pendendo no último degrau. Por pouco, evitou rolar o terceiro e último lance de escada. Sua faca escapou de sua mão e quicou pelos degraus abaixo.

Ele apagou por um instante. Quando voltou a si, estava totalmente sem fôlego e manchas pretas flutuavam diante de seus olhos. O braço direito estava dormente, o ombro ardia de dor. Sangue escorria para seus olhos, vindo de um corte na testa.

Han ouviu passos se aproximando, mas, naquele instante, não conseguia se mover.

— Ele está morto? — perguntou alguém, com voz trêmula de medo e agitação. — Tem que estar. Nunca imaginei... ele realmente caiu com força. — Han reconheceu a voz do rapaz. O Mander magro... Arkeda.

— Vamos embora antes que alguém apareça. — Alguém se inclinou sobre ele, puxando-lhe a gola. O Mander gordo... Miphis.

— Não toque nisso — resmungou uma terceira pessoa na língua de Fells. — Role ele e puxe pela corrente. — Era, inegavelmente, Micah Bayar.

As manchas clarearam e Han viu um par de botas sofisticadas ao lado de sua cabeça. Ele segurou a panturrilha do outro com a mão boa e puxou. Miphis gritou e caiu, rolando pelo último lance de degraus e aterrissando com força no chão de pedra lá embaixo.

Han gritou feito um louco, curvando o corpo para proteger o amuleto. Ele ouviu xingamentos, pés correndo, portas batendo e Blevins gritando perguntas que ficavam mais altas à medida que ele se aproximava, até que estivesse de joelhos ao lado de Han e guinchando em seu ouvido.

— Cães do demônio, garoto, o que aconteceu com você?

Han cuspiu sangue da língua mordida, com o fragmento de um dente. Rolando para o lado, ele se sentou, apertando o braço direito junto ao corpo e segurando o cotovelo com a mão esquerda.

As manchas pretas retornaram quando o peso do braço forçou a clavícula. Recostando-se ao corrimão, Han falou, através de lábios ensanguentados:

— Eu caí da escada.

— Eu falei para vocês não subirem e descerem os degraus correndo — falou Blevins. — Eles têm tábuas soltas e tamanhos diferentes. Uma sorte você não quebrar o pescoço, seu tolo.

Claro, pensou Han. Uma sorte. Ele ergueu o olhar para o terceiro andar e baixou para o primeiro, embora mover a cabeça doesse. A escada estava vazia, a não ser por ele e Blevins. Miphis conseguira levantar, então, e ir embora sozinho.

— Você viu mais alguém nas escadas?

Blevins balançou a cabeça.

— Não. Por quê? — O mestre do dormitório limpou a testa de Han com um lenço sujo.

— Alguém fez uma bagunça no meu quarto. Eu estava indo... contar ao senhor.

O rosto de Blevins corou profundamente.

— Vocês, garotos, têm que aprender que essas brincadeiras só trazem problemas, ouviu? Vocês têm que resolver essas coisas entre vocês.

A mensagem era: não conte comigo para intervir. Não que Han esperasse ou quisesse isso. Estava acostumado a lutar suas próprias batalhas.

É mais que uma brincadeira, pensou Han. E eu mesmo vou dar um jeito de acabar com isso. Tenho que dar, se quiser sobreviver.

— Você pode encontrar minha faca? — pediu Han. — Acho que escorregou lá para baixo. Ela escapou quando caí.

O mestre do dormitório desceu os degraus, retornando uns minutos depois com a faca de Han. O rapaz a enfiou na bainha e se levantou, ainda se apoiando no corrimão.

— Alguma coisa quebrada? — perguntou Blevins.

— Minha clavícula. Talvez. — Han deixou a voz morrer, zonzo de dor.

Blevins segurou o cotovelo esquerdo de Han como se achasse que ele ia cair.

— Temos que levar você até o Salão do Curandeiro, então. Vamos torcer para que mestre Leontus não tenha saído hoje à noite.

— Só um minuto. Quero dar uma olhada. Ver se tem alguma tábua solta ou algo assim. — Apesar dos protestos de Blevins, Han subiu as escadas, rangendo os dentes por causa da dor no ombro e no braço.

Ah. Alguém tinha esticado uma corda na altura do joelho de um lado a outro da escada, logo abaixo do patamar do quarto andar, onde uma pessoa não veria, se estivesse com pressa. Desembainhando a faca, ele cortou a corda e enfiou-a no bolso antes de descer até Blevins.

— Foi o que eu pensei — falou Han. — Uma tábua solta.

Felizmente, mestre Leontus estava em seu consultório. Não se parecia em nada com a Cabana da Matriarca. Não havia maços de ervas, nem as jarras de unguentos que Willo mantinha à disposição. Nem ferramentas para extrair as essências das plantas. Nenhum paciente convalescente nos cômodos dos fundos. Tudo era limpo e ordenado, liso e vazio, salvo pela prateleira de livros de feitiços de cura. Peculiar.

O curandeiro diagnosticou uma clavícula quebrada, uma fratura na maçã do rosto, um corte no escalpo e vários machucados e hematomas.

Blevins saiu para contar à reitora Abelard que Han Alister estava com Leontus e, portanto, não conseguiria ir ao encontro.

Aquela foi a parte boa, pelo menos. Como diziam sobre a febre do verão — ela podia matar seus amigos e sua família, mas também ia matar alguns inimigos.

Mas Abelard mandou de volta um aviso de que queria vê-lo de qualquer forma, assim que ele estivesse recuperado.

Han se deitou em uma mesa para que o proficiente de Leontus pudesse lavar o sangue de seu cabelo e limpar a ferida em sua testa. Tinha sangrado bastante, mas Han já estivera pior. Mais uma cicatriz para acrescentar à coleção.

Os sangues azuis de Fellsmarch contratavam magos curandeiros, mas eles nunca apareciam em Feira dos Trapilhos. Ser curado por feitiçaria era algo peculiar. Leontus pôs as mãos na clavícula de Han e um fluxo gelado de magia pareceu levar a dor embora. Han sentiu-se cada vez melhor enquanto Leontus parecia cada vez pior. O feiticeiro parou em um momento que Han achou que estavam empatados na dor.

— Como você se sente, garoto? — perguntou Leontus, tentando soar cordial. Ele estava pálido, com olhos enevoados, e a pele brilhava de suor. — Talvez não perfeito, mas...?

— O senhor fez um trabalho incrível, obrigado. — Han se sentiu culpado de pedir para que ele fizesse mais. — Tenho certeza de que vou me curar bem sozinho agora.

— Vamos pôr esse braço em uma tipoia por alguns dias; tirar a pressão do osso que está se emendando — disse Leontus.

Enquanto o curandeiro colocava a tipoia, Han perguntou:

— O senhor já usou remédios feitos com plantas ou ervas? Parece que isso poderia ajudar a diminuir um pouco da... — A voz de Han morreu quando Leontus soltou um risinho de escárnio.

— Se está falando dos remédios dos cabeças de fogo, eles são perigosos e não foi comprovado que funcionam — disse Leontus severamente. — Eles não têm lugar no curandeirismo legítimo.

Tudo bem, então. Han tinha um pouco de casca de salgueiro no quarto que poderia tomar para a dor. Ou tivera, pelo menos. Agora ele não sabia onde estava nem se ainda era seguro usar.

— Um feiticeiro pode curar a si mesmo? — perguntou Han. Isso viria bem a calhar, considerando como as coisas estavam indo. Talvez valesse a pena prestar atenção na aula de Leontus.

Leontus balançou a cabeça.

— Não — respondeu bruscamente. — Se pudessem, os curandeiros não seriam necessários, seriam? Aqui, dê uma olhada no espelho e veja o que acha. — Ele virou um espelho para que Han pudesse ver o próprio rosto. Ele tinha um lábio inchado e o olho direito estava preto e quase fechado. A bochecha era um grande hematoma, mas sem feridas. Parecia que se curaria bem. Han passou a língua pela boca e encontrou o dente quebrado. Pelo menos não era um dente da frente, caso um dia voltasse a sorrir.

— Você vai estar rígido e dolorido de manhã — avisou Leontus. — Também precisa descansar e repor sua magia. — O velho passou as costas da mão pela bochecha sadia de Han. — Você gastou a sua. Isso não é incomum. A magia do paciente contribui para a cura.

O sol de inverno já se pusera quando Han cruzou com dificuldade o terreno na direção do Salão Mystwerk e de seu encontro com Abelard. Estudantes andavam em pequenos grupos por entre os edifícios, tremendo com o vento forte.

Ignorando os músculos e juntas doloridos e a cabeça latejando, Han esticou o corpo, ergueu o queixo e tentou fazer uma boa representação, para o caso de alguém estar olhando. Mas ele se sentia como um jarro vazio: frágil e vulnerável. E genuinamente assustado.

Se ele tivesse morrido na queda, teria sido considerado um acidente. Ele tinha sido descuidado e não podia ser. Havia inúmeros outros meios acidentais de morrer. Bayar e os primos só precisavam dar sorte uma vez. Se não encontrasse um meio de se defender, aquele seria um ano muito longo.

Ou um ano muito curto.

O gabinete de Abelard era luxuoso, vários cômodos que ocupavam todo o último andar do Salão Mystwerk, com vista para o rio. O proficiente no gabinete externo entrou e anunciou Han, depois o encaminhou para dentro da sala.

A reitora estava sentada atrás de uma mesa maciça, folheando uma pilha de papéis. Na parede atrás dela pendia um estandarte adornado com um livro aberto, chamas pingando de suas páginas. Grossos tapetes de Angra de We'en cobriam o soalho de madeira polida, abafando os sons para um farfalhar.

Ela deixou que Han ficasse parado ali por algum tempo antes que erguesse a cabeça.

Os olhos dela se arregalaram ao ver o rosto dele.

— Sangue do demônio, Alister, o que aconteceu com você?

— Eu caí da escada — falou Han. — Mestre Blevins não contou?

— *É mesmo*? — Ela se inclinou para a frente, as mangas se amontoando na mesa. — Você se importa de me contar sobre isso?

— As escadas são perigosas em Hampton — disse Han, sentando-se na cadeira disponível sem esperar um convite. — Basta um passo em falso.

Abelard o fitou por mais algum tempo.

— Você não é de reclamar, é, Alister? E você sabe manter um segredo. Isso é bom. — Ela afastou os papéis, devagar. Depois falou: — Eu conferi seu histórico, como prometi. E parece que você me contou a verdade. Você realmente veio de Feira dos Trapilhos. E você é mesmo um criminoso, ladrão e assassino. A rainha de Fells pôs um preço pela sua cabeça por tentar matar o Grão-Mago.

Han apenas olhou para ela. Não posso ser o primeiro assassino a frequentar a Academia Mystwerk, ele pensou. Assassinos provavelmente ganham crédito extra.

Ela voltou a se inclinar, baixando a voz.

— Você realmente tentou matar Gavan Bayar?

— Ele começou — disse Han, sabendo que a reitora já tinha uma opinião formada sobre ele, de qualquer modo.

Abelard se recostou, apoiando as palmas das mãos na mesa.

— Dá para ver que você não é estúpido, então estou me perguntando por que você assumiria esse tipo de risco.

— Era ele ou eu — explicou Han. — Da próxima vez, a mira será melhor.

Inesperadamente, a reitora riu.

— Você não tem remorso algum. Gosto disso.

Não sou eu quem deveria se sentir culpado, pensou Han.

A reitora simplesmente ficou sentada, olhando para ele por outro longo momento.

— Então — disse ele, deslizando para a frente da cadeira. — Você estava certa sobre mim. É só isso? A sessão de cura me deixou exausto e eu queria ir descansar um pouco.

Abelard ergueu as mãos como se quisesse mantê-lo quieto na cadeira.

— Ainda não — disse ela. — Tenho uma coisa para discutir com você... uma oportunidade.

— Oportunidade? — Han voltou a se recostar na cadeira. — Do que a senhora está falando?

— A situação política em Fells está se tornando insustentável — falou Abelard. — A trégua entre a linhagem Lobo Gris, os selvagens e o Conselho dos Magos está se dissolvendo. Nós, feiticeiros, somos prisioneiros de restrições de outra época, baseadas em uma tragédia que provavelmente nunca aconteceu.

— A Cisão, a senhora quer dizer.

Abelard assentiu.

— As limitações da magia, das armas mágicas e as restrições políticas sobre os feiticeiros nos tornam fracos. Fracos demais para nos defendermos. Muitos de nós acreditam que a guerra em Arden vai se espalhar para o restante dos Sete Reinos. Aqui em Vau de Oden estamos particularmente vulneráveis, sem barreiras montanhosas para nos proteger.

— Já ouvi a respeito — falou Han, perguntando-se por que a poderosa reitora da Academia Mystwerk estava fazendo aquele pequeno discurso para alguém como ele.

— O povo do Vale e os cabeças de fogo devem ser forçados a ver a razão. Precisaremos de feiticeiros com suas habilidades em um futuro próximo — disse Abelard.

— Minhas habilidades?

Abelard entrelaçou as mãos.

— Aqueles que derramariam sangue, se necessário. Aqueles que têm... experiência nessa linha de trabalho.

Han limpou a garganta, pensando que deveria estar entendendo errado.

— A senhora está procurando por um *assassino*?

— Eu preciso de alguém com flexibilidade para fazer o que for necessário. — Abelard se levantou e foi até a janela, olhando para o campus de Mystwerk. — Você parece ser especialmente qualificado: brilhante, poderoso e sem escrúpulos.

Estes são tempos sombrios, pensou Han, se todo mundo está procurando por um assassino.

Abelard virou-se para Han e deve ter visto a relutância no rosto dele.

— Não se preocupe. Você será bem-recompensado e ninguém ousará atacá-lo abertamente enquanto estiver sob minha proteção. Eu pretendo voltar a Fells no fim do ano. Se você se mostrar capaz, vou levá-lo comigo. — Ela fez uma pausa, depois emendou em tom gentil: — Espero que sua ligação com aquele mestiço cabeça de fogo não seja um problema.

Não é para mim, pensou Han. Sem chance de eu entrar nessa com você.

— Eu larguei essa vida — falou Han. — Como a senhora pode ver, já estou ocupado com as aulas, leituras e estudos. Não estou interessado em política.

— Isso é bom — disse Abelard. — Assim você vai fazer o que for mandado. — Ela parou e, quando ele não respondeu, emendou: — Ora, vamos. Eu não vou entregar a você uma lista de pessoas para matar. Vamos começar com um treinamento especial. Eu trabalho com um grupo seleto de estudantes talentosos. Gostaria que você se juntasse a nós.

Han sentou-se mais ereto, apoiando as mãos nos joelhos. Aquele devia ser o grupo que Mordra deVilliers tinha mencionado.

— O que a senhora quer dizer com esse "trabalho"? — perguntou ele.

— Eu ensino a eles coisas que vão além do currículo normal e apresento poderosas ferramentas mágicas. Eles vão ser o núcleo do nosso exército de feiticeiros e terão um papel decisivo na batalha por vir.

— Quem mais está nesse grupo? — questionou Han.

— Em maioria, alunos do quarto ano, proficientes e mestres — esclareceu Abelard, desviando o olhar. — É uma oportunidade rara para um estudante do primeiro ano.

— Há mais algum estudante do primeiro ano? — insistiu Han.

Abelard soltou um suspiro exasperado.

— Os gêmeos Bayar — respondeu ela.

— Não tem acordo — falou Han, erguendo as mãos. — Obrigado, assim mesmo.

Abelard balançou a cabeça.

— Preste atenção. Política entre feiticeiros é complicada. Temos alguns objetivos em comum: derrotar os clãs e nos proteger dos fanáticos do sul. Portanto, precisamos de um exército de magos bem-treinados. Mas nós não concordamos sobre outras questões, como quem deveria ser o Grão-Mago, quem controla o Conselho e quem controla a rainha.

— Como eu disse, não estou interessado em política — insistiu Han.

— Você deveria saber que eu e o Grão-Mago não somos aliados. Na verdade, somos rivais. Os Bayar têm tido poder demais, por tempo demais. Eu pretendo acabar com eles.

Han ergueu a cabeça e a olhou nos olhos. Uma guerra no interior da aristocracia mágica?

A reitora esboçou um sorriso.

— Não fique tão espantado. Você responderá a mim. E eu sou uma pessoa influente. Se nosso acordo funcionar, posso lhe oferecer alguma proteção quando voltar para Fells. Você *quer* voltar para casa, não quer?

— Por que você daria aulas especiais para Micah e Fiona, se é rival do pai deles? — perguntou Han.

— A resposta simples é porque o Grão-Mago insistiu. Provavelmente eles estão aqui para me vigiar. — A boca da reitora se contorceu. — A resposta mais complicada é que precisamos de um grande número de feiticeiros bem-treinados para enfrentar as ameaças externas dos clãs e de Arden. Então talvez eu precise fazer algo contrário aos meus próprios interesses, a curto prazo, em prol do bem maior.

— Para o bem maior dos feiticeiros, é o que a senhora quer dizer — disse Han.

— O que inclui você, acredito — respondeu Abelard secamente. — A longo prazo, preciso de alguém sem os próprios objetivos, que possa dispor de adversários com o dom, se for preciso.

Han se levantou da cadeira, sentindo-se enjoado.

— Não, obrigado.

Abelard reclinou a cabeça e baixou o olhar para ele.

— Você achou que eu estava lhe dando uma opção? — indagou ela em voz baixa.

Han já estava se virando para a porta, mas se voltou de novo para encará-la.

— Sempre tem uma opção.

— Você pode cooperar comigo, aprender tudo que puder e agir sob minhas ordens. Ou ser expulso da Academia Mystwerk e enviado de volta a Fells para ser enforcado.

— Expulso? — murmurou Han, com a boca seca feito cinzas. — Pelo quê?

— Se soubéssemos que estávamos abrigando um criminoso procurado, não teríamos admitido você, para começo de conversa.

Bom. *Havia* uma escolha. Entre duas opções terríveis.

— Por que a senhora está tão interessada em mim? — perguntou Han. — Por que arrastaria alguém relutante para seu grupo?

— Porque é improvável que você trabalhe para Gavan Bayar — falou Abelard. — Ou que vá trabalhar um dia. Ele nunca vai perdoá-lo por tentar matá-lo. Nunca. Melhor você torcer para eu ganhar.

Só porque você é inimiga do meu inimigo, não significa que seja minha amiga, pensou Han. Mas não disse nada.

— Apesar da sua criação, da sua fala, da sua história, também há algo de quase aristocrático em você — disse a reitora. — Talvez seja apenas arrogância, mas acho que você poderia aprender a se portar na corte, com um pouco de treinamento. Eu não preciso de um ladrão de rua. Preciso de alguém que possa se infiltrar nesses círculos.

Ela também quer um instrumento, pensou Han. Alguém que nunca vai ser aceito pelos amigos de sangue azul, alguém que vai sempre depender da caridade dela para sobreviver.

Ele fitou Abelard, pensando rápido. Nunca tinha feito planos a longo prazo e, ultimamente, sua vida se resumia a ganhar tempo. Ele precisava de tempo em Vau de Oden para melhorar suas habilidades como feiticeiro e se proteger dos seus muitos inimigos.

As aulas extras não fariam mal, também. Abelard poderia ajudar, pelo menos até ela descobrir que ele a estava enganando. Quando isso acontecesse, seria bom ele ter armas melhores.

Quantas vezes posso oferecer meus serviços antes que os chefes das minhas gangues descubram?

— Muito bem — falou ele, dando de ombros. — Estou dentro.

A reitora Abelard sorriu.

— Eu sabia que você era um garoto esperto — concluiu.

— Com uma condição.

Abelard ergueu suas sobrancelhas bem-delineadas, surpresa.

— O que é?

Han pretendia resolver a questão com os Bayar. E precisava evitar retaliações.

— Os gêmeos Bayar e os primos têm me perseguido pelo que eu fiz com o pai deles — contou Han. Ele tocou o rosto inchado. — Eles tentaram me matar hoje à tarde. Pela segunda vez. Não sou uma pessoa muito paciente. Preciso que você ponha um fim nisso. A menos que queira que eu acabe com eles agora mesmo, o que vou fazer, se for preciso.

Abelard pôs as mãos para o alto.

— Não. De jeito nenhum. Não tenho como levar você para a corte se a morte deles estiver ligada a você.

Ora, você é bem fria, pensou Han.

— Vou fazer com que eles saibam, sem sombra de dúvida, que você está sob minha proteção — falou ela. — Eles não vão cruzar seu caminho de novo.

— Bom. — Han esfregou a nuca. — Mas espere até eles virem falar com a senhora sobre mim, está bem?

Ela franziu a testa.

— Por que eles iriam...

— Eu tenho que ensinar uma lição a eles primeiro — disse Han. Quando Abelard abriu a boca para protestar, ele acrescentou: — Não se preocupe. Eles vão sobreviver. E não vou fazer nada que possa ser associado a mim.

Entrelaçando os dedos no colo, a reitora olhou Han de cima a baixo.

— Apenas não seja descoberto. Se for, estará sozinho.

Han sorriu.

— Sem problema. Mais alguma coisa?

— Meu grupo se reúne nas noites de quarta-feira, no meu gabinete — disse Abelard. — Esteja aqui às sete.

CAPÍTULO DEZESSETE

NA TORRE MYSTWERK

Quando Han voltou para Hampton, Dançarino esperava por ele no alto da escada.

— Más notícias. Enquanto a gente estava fora, alguém bagunçou... o que aconteceu com você? — perguntou ele quando enxergou melhor o rosto de Han. — Ela bateu em você?

Han olhou para ele, piscando com um olho só, sem entender.

— Quem?

— A reitora Abelard. Era onde você estava, não era?

Han assentiu.

— Acabei de vir de lá. Mas ela não me bateu. Eu caí da escada. Tive que ir ver Leontus.

— O quê? Como você...?

Han mostrou o pedaço de corda para Dançarino.

— Quem revirou meu quarto amarrou isso no meio da escada.

O rosto de Dançarino ficou rígido como âmbar.

— Mestre Blevins sabe disso?

— Ele sabe que eu caí da escada. Eles estavam tentando pegar meu amuleto quando Blevins apareceu. Senão, eu estaria morto.

— Quem foi?

— Micah e os primos. Eles saíram correndo quando Blevins chegou.

Han ficou um pouco tonto e se segurou no corrimão para se manter de pé. A caminhada de volta o esgotara.

Dançarino o segurou para firmá-lo.

— Venha se sentar antes que caia da escada outra vez.

Han seguiu Dançarino pelo corredor até seu quarto. A cama estava descoberta, os lençóis empilhados no corredor e as coisas quebradas haviam sido varridas.

— Achei melhor começar logo. — Dançarino indicou uma cadeira. — Sente-se.

Han se sentiu mal por deixar Dançarino fazer todo o trabalho, mas estava exausto demais para discutir.

— Isso não vai mais acontecer — disse ele. — Só pra você saber.

— Hmm — murmurou Dançarino sem acreditar, carregando uma braçada das roupas sujas de Han para o corredor. — Você acha que Blevins vai...

— Blevins não vai fazer nada. E ele não tem como tomar conta do campus todo, de qualquer jeito. — Aquele local, que ele pensara ser tão seguro, agora parecia perigoso. — Eu vou ter que resolver.

— Nós, você quer dizer. — Como Han não disse nada, Dançarino falou: — O que está pensando em fazer? Seus feitiços de proteção não funcionaram, e não podemos ficar aqui dia e noite.

— Vou me encontrar com Corvo, em Aediion. Amanhã à noite. Pra ver o que ele pode fazer.

— Acho que a queda deve ter deixado você de miolo mole — disse Dançarino, forrando o colchão de palha novo com lençóis limpos.

— Não tenho escolha. Não vou me curvar a Bayar. Ele precisa de uma lição, e eu vou lhe dar uma.

— Você não está mais em Feira dos Trapilhos — disse Dançarino. — Isso não é uma guerra de gangues.

— É o que você pensa.

Han tocou o braço imobilizado.

— Lembra o que aconteceu na última vez que você foi a Aediion? Pelo menos, se você cai da escada, tem gente por perto para ajudar.

— Não adianta nada, se eu morrer.

Han tocou o olho inchado.

— Se você for atrás deles com magia — retrucou Dançarino —, vai ser expulso.

— Eu tenho que fazer alguma coisa, e tem que ser com magia, porque é nisso que ele acha que tem vantagem.

— É nisso que ele *tem* vantagem.

Dançarino mergulhou uma escova no balde com água com sabão e começou a esfregar as paredes.

— Eu pretendo mudar isso. — Han observou Dançarino por alguns minutos. — Vou limpar seu quarto durante um mês — ofereceu. — Assim que eu me livrar dessa tipoia.

Dançarino franziu o nariz.

— Você me deve um ano depois disso — disse ele. — E, se insistir em ir para Aediion, eu vou com você.

Han balançou a cabeça negativamente.

— Ele me disse para ir sozinho.

— Você precisa de alguém para proteger você — disse Dançarino.

— Pode ser que ele nem apareça — replicou Han. — Já faz um mês.

— Espero que não apareça mesmo — respondeu Dançarino.

Han ficou no quarto o dia seguinte inteiro, descansando e recarregando o amuleto, preparando-se para o encontro com Corvo. Depois disso e de um pouco de casca de salgueiro que Dançarino lhe deu, Han se sentiu bem o bastante para ir à rua com ele, depois das aulas, e comprar roupas novas para substituir as destruídas. Isso levou algum tempo. Para começar, Han não estava acostumado a comprar nada novo. Envolvia decisões demais — tecido, corte, cor, estilo.

Além disso, a costureira se demorou. Era uma garota curvilínea, de Tamron, com olhos pintados com lápis preto e os lábios da cor de morangos. No começo, ela ficou assustada com a aparência surrada de Han, mas logo começou a tirar medidas de todas as partes possíveis do corpo dele e a falar sobre o homem poderoso que ele seria quando ela acabasse.

As mãos dela se demoraram nos ombros e quadris e coxas um pouco mais do que o necessário. Ela comparou o azul dos veludos ao azul dos olhos dele. Ao encostar o tecido no peito dele, ela se inclinou e sussurrou:

— Volte sozinho quando vier experimentar.

Ela era bem bonita, e era uma proposta que ele teria adorado receber no passado. Dessa vez, o flerte da garota só o deixou se sentindo cansado e assediado.

Você *está* acabado, Alister, pensou ele. Precisa de um tônico.

Quando eles saíram, já estava tarde demais para comer no salão de jantar, então andaram até a Rua da Ponte. Eles voltaram a discutir sobre Aediion no jantar. Dançarino era teimoso como uma pedra, e o debate continuou enquanto eles caminhavam para a Biblioteca Bayar.

— Tudo *bem*! — disse Han, exasperado. — Vamos nos encontrar em Aediion, na Torre Mystwerk. Não conheço o lugar, então vamos ter que ir lá de verdade para depois conseguirmos encontrar o local no mundo dos sonhos. Vamos sair às 23h15. Isso dá tempo para a gente entrar e se ajustar. Você fica de guarda enquanto eu atravesso. Se eu não voltar, você vai me buscar.

Dançarino concordou com relutância.

Han tentou não se preocupar sobre se conseguiria voltar a Aediion. E sobre se Corvo estaria lá caso conseguisse.

A Biblioteca Bayar era um prédio de pedra entalhada, à margem do rio, ligado ao Salão Mystwerk por passarelas de pedra arqueadas que protegiam os alunos do mau tempo. A biblioteca lembrava a Han a família que a construíra — era intencionalmente intimidante.

Parecia um palácio de aprendizado, com os corrimãos das escadas intrincadamente entalhados, largos parapeitos de granito nas janelas e enormes lareiras acesas a noite toda. Havia cinco andares principais, destinados aos alunos de primeiro, segundo e terceiro ano, e mais dois com salas de leitura e conferência para mestres e reitores. Mais altas ainda eram as estantes, alcançáveis apenas por meio de escadas retráteis e reservadas para estudantes dedicados.

Han passou com cautela pela insígnia do Falcão entalhada na porta, como se a qualquer momento pudesse sentir as garras da ave afundando em sua nuca e o bico afiado arrancando sua pele.

Na sala de leitura do primeiro ano, os novatos tinham acesso a textos mágicos tão raros que nem mesmo os herdeiros ricos das Casas de magos conseguiam comprar um. Quando Han e Dançarino entraram, Han viu que Micah Bayar, Wil Mathis e os irmãos Mander já tinham ocupado lugares privilegiados perto do fogo, com os livros e papéis espalhados por uma mesa grande.

Havia um proficiente sentado perto da porta, pronto para responder perguntas, explicar questões e cuidar para que as pessoas usando as salas de leitura não distraíssem os outros de seus trabalhos.

Micah estava debruçado sobre os livros, parecendo estudar com atenção. Virava as páginas lentamente e tomava notas ocasionais em um caderno elegante com capa de couro.

Miphis Mander olhava para o nada e mastigava a caneta. Quando viu Han, ficou boquiaberto, e sua caneta caiu no chão. Abria e fechava a boca como um peixe fora d'água.

Foi quando Fiona entrou, vinda da sala adjacente, carregando um livro grande e pesado, o dedo marcando uma página. Tinha uma expressão entediada que virou perplexidade quando olhou para Han e percebeu seu rosto machucado e o braço na tipoia. Ela olhou para Micah, depois para Han, e franziu a testa.

Ela não estava envolvida, Han percebeu. Eu pensei que eles dividissem tudo, mas ela não sabia do plano dele. Por que será?

Miphis cutucou Micah. Micah levantou a cabeça, parecendo irritado, como se estivesse a ponto de brigar com o primo. As humilhações e os ferimentos do dia anterior quase — *quase* — valeram a pena quando Han viu a surpresa no rosto de Micah Bayar quando seus olhares se encontraram. Surpresa que ele rapidamente escondeu.

Seus olhares se encontraram.

— Sangue e ossos, Alister, o que aconteceu com você? — perguntou Micah, tocando a própria bochecha com o dedo indicador. — Andou brigando de novo?

Miphis deu uma risadinha e ficou olhando de Han para Micah.

— Caí da escada — falou Han. — Quase quebrei o pescoço, na verdade.

— Talvez você devesse tomar cuidado por onde anda, da próxima vez — disse Micah, espreguiçando-se devagar.

A perplexidade de Fiona virou fúria. Ela recuou e atirou o livro na direção da cabeça do irmão. Ele conseguiu desviar bem a tempo. O livro passou por ele e bateu na parede com uma força enorme.

O proficiente ergueu o olhar, com irritação, mas decidiu não se intrometer quando viu quem era. Wil Mathis pegou o livro e devolveu para Fiona. Ela se sentou ao lado de Wil e abriu o livro, seu rosto pálido ruborizado.

Fiona tinha um braço forte. Han fez uma nota mental para se lembrar disso.

Ele também se perguntou o que poderia estar acontecendo entre os dois Bayar.

Han e Dançarino ocuparam uma mesa ao canto. Cada um escolheu um livro, tomou nota dos capítulos designados e fez uma segunda cópia para o outro.

Várias vezes, Han ergueu o rosto e viu Fiona olhando para ele fixamente, seus olhos azuis pálidos quase roxos sob a luz bruxuleante das velas e as mãos apertando o livro na mesa à frente.

Pode olhar à vontade, garota, disse Han para si mesmo, massageando a cabeça dolorida. Não posso fazer nada sobre minha aparência. Isso é culpa do seu irmão.

Aquela era a questão. No mundo dos sangues azuis, seu inimigo jantava e dançava com você, falava bonito na sua frente enquanto dava a volta para esfaqueá-lo pelas costas.

Às dez, Han deixou o outro trabalho de lado e pegou o Kinley para reler o capítulo sobre Aediion. Ele não tinha planejado voltar lá; agora, tinha que estudar rapidamente.

Às onze, Micah pegou seus livros e papéis e guardou na bolsa. Depois de colocar a capa, ele passou a bolsa pelo ombro e parou em frente à mesa do proficiente para obter um passe, pois já passara do toque de recolher das dez horas.

Parecia que Micah estava encerrando a noite.

Tentando se concentrar, se perguntando para onde Micah teria ido, Han leu e fez anotações até os sinos da Torre Mystwerk soarem 23h15. Trocando olhares com Dançarino, Han guardou seus papéis na bolsa, deixando o Kinley por cima. Dançarino também recolheu seus livros e papéis.

Han ficou de pé, espreguiçou-se com desconforto e vestiu a capa de lã usando uma única mão, cobrindo a bolsa também.

Ele assentiu para o proficiente, que erguera os olhos do livro quando Han e Dançarino se levantaram.

— Acho que está na hora de voltar para o dormitório — falou Han.

Dançarino foi buscar os passes com o proficiente. Miphis Mander olhou para Han e sussurrou:

— Cuidado na saída. Esse primeiro degrau é matador.

— Perdão? — disse Han. — Você disse alguma coisa?

Ele se aproximou de Miphis e se inclinou como se para ouvir melhor.

Miphis deu uma risadinha, parecendo tirar coragem do estado abatido de Han.

— Eu falei para tomar cuidado na saída. Que... o... ei!

Ele ofegou quando a faca de Han deslizou por sua calça, da cintura até o tornozelo, rápida e sorrateiramente, de modo que ninguém viu nada antes de a lâmina sumir. Miphis segurou a calça usando as duas mãos, em uma tentativa de ficar decente.

— Para sua sorte, sou bom com a faca com a mão esquerda e com a direita — sussurrou Han. Estava se gabando um pouco, mas não era muito exagero. Mais alto, ele acrescentou: — *Você* tome cuidado lá fora. É meio perigoso deixar a bunda de fora desse jeito.

Quem estava nas mesas próximas se virou para olhar. Fiona começou a se levantar da cadeira, mas voltou a sentar.

Han achou que Miphis não tentaria pegar seu amuleto, já que estava com as mãos ocupadas.

Dançarino estava com os passes deles. Han pegou o lampião e o carregou para o corredor. Em vez de saírem pela porta, eles subiram a larga escadaria até o terceiro andar e entraram escondidos em uma salinha lateral. Han apagou o lampião enquanto Dançarino prendia uma corda pela alça. Depois de soltar a tranca da janela com a mão boa, Han a abriu e sentiu o ar frio da noite no rosto.

Entrar e sair de lugares sorrateiramente era uma habilidade que Han tinha aperfeiçoado desde bem novo. Por toda a sua vida, as pessoas tinham tentado mantê-lo dentro de lugares onde ele não queria ficar, ou fora de lugares onde ele precisava entrar.

Mesmo assim, não era fácil arrombar com um braço só. Ficou feliz por Dançarino estar com ele.

Han subiu no parapeito, passou as pernas pela janela e pulou para o telhado da passarela coberta. Quando aterrissou, uma telha se soltou e despencou no piso de pedra abaixo, partindo-se em mil pedaços com um barulho tão alto quanto um grito na calada da noite. Ele ficou paralisado, mas ninguém apareceu.

Você está sem prática, pensou Han. E o braço imobilizado afetava seu equilíbrio.

Dançarino o seguiu com o lampião apagado. Eles caminharam a passos leves pelo telhado da passarela, um andar acima de qualquer guarda ou proficiente xereta patrulhando lá embaixo. As passarelas cobertas formavam uma rede de caminhos secretos que podiam levá-lo sem ser visto a praticamente qualquer lugar aonde quisesse ir.

Parecia que ninguém estava do lado de fora àquela hora, pois o toque de recolher já tinha passado, exceto um casal usando capas, que tinha se escondido em um canto onde a passarela alcançava o Salão Mystwerk. Eles estavam virados um para o outro, de mãos dadas e sussurrando.

Han sentiu uma pontada de dor ao pensar em Sabiá. Perguntou-se se ela pensava nele. Não. Ela deixara bem claro que nunca mais queria vê-lo.

Os namorados não repararam em Han e Dançarino passando logo acima, como fantasmas.

Eles tiveram que andar de lado, os corpos encostados em uma parede, até onde havia uma janela para o Salão Mystwerk. Han pegou a faca debaixo da capa e a deslizou pelo vão na madeira até abrir a tranca por dentro. Abriu a janela e espiou a sala de aula vazia. Apoiando o quadril no parapeito de pedra, ele se virou e deslizou, caindo de pé no chão do outro lado. Dançarino lhe entregou o lampião e pulou também.

Acho que não foi isso que Leontus quis dizer quando me falou para descansar, pensou Han, tentando ignorar a dor irritante no braço e no ombro.

Dançarino descobriu com cuidado uma lateral do lampião e espiou pela porta da sala de aula. Ficou ouvindo por um momento, com a cabeça inclinada, depois fez sinal para Han segui-lo pelo corredor.

Eles desceram o corredor até chegarem a uma escada. Han gostava de escadas de pedra — elas não rangiam. Eles subiram, atravessando os andares dos proficientes e dos professores, passando longe das salas e laboratórios iluminados.

A porta do campanário estava trancada, mas isso foi fácil de resolver com uma estreita espátula de ferro que Han tinha levado. Aquela porta levava a uma escada ainda mais estreita — agora de madeira. Ela subia em espiral, e as paredes raspavam os ombros de Han dos dois lados.

Ratos corriam pela escada à frente, entrando em fendas escondidas dos dois lados. No alto da escada, uma porta destrancada levava à câmara onde ficava o sino.

Dançarino descobriu o lampião e o colocou a um canto enquanto eles olhavam ao redor. Os puxadores pareciam rabos de fantasmas pendurados nos quatro enormes sinos que forneciam a cadência da vida de Han atualmente. Havia uma escada encostada em uma parede, dando acesso ao mecanismo do sino.

Han contornou o aposento, prestando atenção a cada detalhe, para poder voltar para lá em Aediion. Ele voltou para o canto e pegou o exemplar do Kinley na bolsa.

Dançarino se encostou na parede ali perto, pegou um caderno de desenho e apoiou no colo.

— Quando preciso começar a me preocupar? — perguntou ele.

— Me dê meia hora — disse Han.

— É tempo demais — protestou Dançarino. — Você não sabe quanto poder conseguiu armazenar. Tente um período mais curto primeiro.

— Eu posso morrer em cinco minutos — disse Han. — Ou eu faço isso ou não faço. Tenho muita coisa para aprender, mas não tenho muito tempo.

Mesmo assim, ele estava nervoso, suando, apesar do vento frio que vazava pelas paredes do campanário. Ele respirou fundo várias vezes para tentar se acalmar.

Desta vez, Gryphon não estaria por perto para trazê-lo de volta se ele ficasse tempo demais. Com sorte, Dançarino poderia ajudar se fosse preciso.

Melhor você se cuidar, dissera Bayar. *Agora eu sei onde encontrá-lo, e tenho bastante tempo.*

A determinação de Han aumentou. Ele colocou o Kinley no colo e folheou o capítulo sobre Aediion. Olhou pelo aposento e guardou na mente imagens que pudessem ancorá-lo ali. Depois pegou o amuleto e falou o feitiço que abria o portal.

Mais uma vez, a escuridão. Quando a luz voltou, Han estava de pé no patamar principal do campanário. O luar entrava pelas janelas arqueadas, desenhando formas no piso de madeira e iluminando a poeira pairando no ar. A poeira se reuniu, tomou forma e se moldou como Corvo. Como se ele estivesse esperando ansiosamente.

— Graças ao Criador — falou Corvo, com uma expressão aliviada. — Eu estava começando a achar que alguma coisa tinha acontecido com você. Eu não sabia se devia continuar vindo ou...

— Vou ouvir o que você tem a dizer — interrompeu Han. — Não estou fazendo nenhuma promessa.

Corvo fez um aceno, desconsiderando as palavras de Han.

— Não tenho dúvida de que, depois que você vir o potencial de... — Ele parou de repente, estreitando os olhos. — O que é *isso* que você está usando?

Han olhou para si mesmo. Estava usando uma calça e uma camisa da moda dos clãs, sem evidência nenhuma de seus ferimentos recentes. Era assim que ele se via?

— Experimente isso — disse o sangue azul.

As roupas de Han se transformaram, assumindo cores e cortes até ele estar vestindo um casaco de veludo azul-escuro e camisa branca de linho com babados nas mangas que caíam sobre as mãos, uma calça preta justa com cinto de fivela de prata e belas botas de couro pretas. Aquelas roupas eram melhores do que qualquer uma que Han já tivesse tido.

Corvo sorriu.

— Bem melhor. E, para terminar... — Ele apontou.

Han olhou para as mãos, agora carregadas de anéis, com pedras variando entre esmeraldas, rubis e diamantes. Se fossem reais, valeriam uma fortuna.

— Ei! — disse Han, balançando as mãos como se pudesse se livrar dos adornos. — Tire isso ou vou embora.

E, de repente, as joias evaporaram e as roupas viraram um casaco cinza simples com calça preta. Mas as roupas ainda eram diferentes, com tecido mais delicado e macio, e mais ajustadas ao corpo.

— Pronto — disse Corvo, suspirando e revirando os olhos. — Você parece um clérigo das terras baixas. É isso que quer?

— O que quero é que você deixe minhas roupas em paz — falou Han entre os dentes. — Não estou aqui para brincar de desfile.

— Você devia se vestir como a pessoa que aspira ser — disse Corvo. — Faz parte do jogo.

Corvo esticou os braços na frente do corpo, admirando as mangas com babados e os muitos anéis nos dedos, como um catador de trapos experimentando as roupas chiques que os sangues azuis jogaram fora. A única coisa simples nele era o amuleto, um corvo negro entalhado em ônix, com diamantes no lugar dos olhos.

— Eu já falei. Não sou um prostituto, nem quero ser — disse Han, já se arrependendo de ter ido.

Ele não gostava do fato de Corvo conseguir mudar os arredores conforme quisesse. Encostando-se em uma parede, ele conjurou uma faca e cuidou para que seu amuleto estivesse exposto e pronto para ser usado.

Ele ergueu o rosto e viu Corvo tentando não gargalhar de esforço dele.

— Por que não uma espada, então?

Uma espada enorme surgiu na mão de Han. A lâmina ia quase até o teto e ardia com chamas azuis.

Corvo abriu um sorrisão.

— Você gostaria... de uma armadura também?

Na mesma hora, Han sentiu o peso de um peitoral dourado e de uma malha que lhe cobria os braços.

— Talvez esteja um pouco exagerado — falou Corvo.

A espada e a armadura sumiram tão rapidamente quanto tinham aparecido.

Han olhou para Corvo, irritado. Ele não tinha ido lá para ser brinquedo de ninguém.

Talvez eu devesse sair e fechar o portal agora mesmo, pensou ele. E segurou o amuleto. O objeto brilhou entre seus dedos como uma estrela cadente.

— Me perdoe, por favor — disse Corvo, dando um passo à frente e erguendo as mãos. — O que estou tentando dizer é que sua faca não tem utilidade aqui. É uma ilusão. Não estou dizendo que ilusões não podem ser extraordinariamente poderosas. Mas a única maneira de machucar alguém em Aediion é pelo uso direto de magia.

Isso é o que você diz, pensou Han. Para mim, parece bastante convincente.

— Você pode, pelo menos, me dizer seu nome dessa vez? — perguntou Corvo.

— Meu nome é Alister — disse Han.

Ele esperou que Corvo respondesse com um nome verdadeiro, mas ele não disse nada. Parecia distraído, sua atenção tomada por cada visão e som: o estalo de cascos de cavalo nas pedras lá fora, as chamas na lareira, a estampa em suas mangas de veludo. Ele parecia uma criancinha, examinando tudo como se fosse uma novidade fascinante.

Um sujeito peculiar, em todos os sentidos. Era com essa pessoa que ele ia se juntar?

— De onde você é? — perguntou Han. — Você tem sotaque do norte, mas não o vi no campus.

— Não faz sentido eu assumir uma aparência diferente em Aediion se não quiser que você me reconheça no mundo real? — perguntou Corvo. — Sempre existe a chance de eu tê-lo avaliado mal, de você me trair se souber minha verdadeira identidade.

O que significava que ele podia ser qualquer pessoa.

Han apertou mais o amuleto. Talvez seja isso o que ele realmente quer, pensou Han. Meu amuleto. Corvo só estava manipulando-o até ter a oportunidade de pegar o amuleto. Bem, Han não seria um alvo fácil.

Como se Corvo tivesse lido seus pensamentos, seu amuleto mudou até ficar igual ao de Han.

— Pronto, está vendo? Não desejo seu amuleto. Eu tenho o meu.

No mundo dos sonhos, era fácil ficar confuso sobre o que era real e o que não era.

— Olhe — disse Han. — Você disse que podia me ensinar magia.

— E posso — disse Corvo. — O que posso ensinar a você vai torná-lo um dos feiticeiros mais poderosos dos Sete Reinos. — Ele andou até a janela em arco e olhou para fora, depois se virou e apoiou as palmas das mãos no parapeito. — Mas tem um preço — disse ele.

Ha, pensou Han. É agora que o Destruidor exige minha alma como pagamento. Ele já tinha negociado com trapaceiros antes. Sabia recusar um mau negócio.

— Qual é seu preço? — perguntou Han, fingindo indiferença.

— Não vou investir meu tempo em alguém que nunca vai fazer uso total dos conhecimentos que ofereço — disse Corvo. — Se vamos ser aliados, espero melhoras em todos os aspectos de sua vida: sua fala, suas maneiras, seus... trajes. — Ele gesticulou na direção de Han e suas roupas.

Han olhou para ele, surpreso.

— Você quer que *eu* vire um maldito sangue azul? É esse seu preço?

Corvo fitou as próprias mãos e girou o elaborado anel no indicador direito.

— Nosso tempo em Aediion é limitado. Não quero gastá-lo ensinando você a se comportar entre a alta sociedade. Não tenho dúvida de que você consegue encontrar outra pessoa para ensinar essas coisas.

— Olha — falou Han —, não tenho tempo para aprender as coisas que preciso aprender, e menos ainda para estudar falar bonito e ter modos.

Corvo parou perto de Han e se inclinou, de forma que seus narizes quase se encostavam.

— Não subestime os Bayar. Você teve sorte até agora, mas só porque eles subestimaram *você*. Eles vão destruí-lo se você não aprender a chegar ao nível deles. É mais do que feitiçaria. É mais do que um amuleto poderoso. É política, e a lei, e conquistar pessoas poderosas para seu lado. Isso requer que você seja, pelo menos, articulado.

— Que importância tem para você se eles me destruírem? — perguntou Han. — Nada lhe acontece se eu perder.

— Vamos dizer apenas que é uma briga antiga — disse Corvo, virando-se para olhar pela janela da torre. — Odeio a Casa Aerie — disse ele, baixinho. — Eles destruíram tudo que é importante para mim.

Então temos uma coisa em comum, pensou Han. Se ele estiver falando a verdade.

Ainda assim, o sangue azul tinha razão, agora que Han pensava no assunto. Han tinha que aprender a lutar no patamar deles. Se não aprendesse, afundaria rápido. Ele se lembrou da experiência humilhante no Jantar da Reitora. Talvez valesse a pena gastar tempo com isso para evitar que aquele tipo de situação se repetisse.

— Tudo bem — disse Han. — Vou procurar um professor. Mas, se você vai me ajudar, não pode ser só quando eu aprender a falar bonito. Os Bayar já vieram pra cima de mim duas vezes. A terceira costuma dar sorte.

Corvo se enrijeceu, e seus olhos azuis brilharam em seu rosto pálido.

— Eles foram para cima de você? O que você quer dizer com isso?

— Eles tentaram me matar e pegar o amuleto. Preciso acabar com isso.

Corvo balançou a cabeça em negativa.

— Não. Não vou permitir isso — disse ele, batendo com o punho na outra mão. — Eu finalmente encontrei alguém com quem acredito que posso trabalhar, não vou deixar que eles… — Ele se interrompeu, como se acabasse de lembrar que Han estava ali. — Vamos impedi-los — disse ele, com rosto sério e decidido. — Vou lhe mostrar um feitiço que vai destruí-los e não vai deixar nenhum rastro que leve a você.

— Não — disse Han, surpreso por Corvo levar tão a sério sua possível morte. — Não é isso que eu quero. Se eu fizer isso, não demora para eu subir no cadafalso.

— O quê? — Corvo olhou fixamente para Han.

— Vão me mandar para casa para ser enforcado — disse Han. — E matar também não é tão impressionante. Qualquer idiota pode matar você se quiser fama e não se importar com o custo. É por isso que até donos da rua inteligentes acabam morrendo, uma hora ou outra.

Han puxou as mangas e percebeu que gostava da sensação da lã macia.

— Matar é um jeito de liquidar um rival, mas também demonstra respeito. Mostra que ele é importante. Melhor é humilhar ele. Fazer ele passar por idiota. Mostrar que o preço de ir atrás de você é a reputação dele.

Corvo olhou para Han, confuso, com uma expressão atônita, como se um dos tijolos na parede tivesse pulado e feito um discurso.

— Eu podia dar um jeito neles se eu quisesse. Não preciso da sua ajuda para isso — prosseguiu Han. — Nisso, eu sou bom. Mas não quero. Preciso fazer eles se arrependerem de terem se metido comigo e pensarem duas vezes antes em tentar de novo. Para eu poder seguir com meus negócios.

Corvo franziu a testa, como se estivesse admirado por Han ter seus próprios planos.

— *Seus* negócios? Quais?

— *Meus* negócios — repetiu Han. Ele podia guardar segredos tão bem quanto Corvo. — Quero usar magia pra dar um susto nos Bayar. Quero alguma coisa que ninguém tenha visto, pra não desconfiarem de mim e nem me expulsarem.

— Hmm — disse Corvo, coçando o queixo e observando Han com respeito relutante.

— Não fique pensando demais, tá? Tenho que fazer alguma coisa antes que eles venham atrás de mim de novo. Enquanto isso, preciso mantê-los fora do meu quarto. Quero uma coisa que não vá matar ninguém, mas que não deixe eles entrarem — repetiu Han, para enfatizar. — Você tem algo assim?

— É claro — disse Corvo, revirando os olhos. — Só para esclarecer: você quer impedir pessoas específicas? Ou qualquer pessoa menos você?

— Pessoas específicas. Também preciso saber como passar por qualquer feitiço de proteção que eles possam ter feito.

Corvo estendeu as mãos e palavras de um feitiço apareceram na parede de pedra da torre, flamejantes.

— Esse é o encantamento — disse ele. — Você precisa recitá-lo em cada entrada do seu quarto, portas e janelas. Conecte o feitiço aos seus inimigos com essas palavras, usando cabelo, sangue ou pele deles. — Mais encantamentos apareceram na parede. — Isso não só vai impedir que eles entrem, mas também vai marcá-los, e você vai saber se eles tentaram atravessar sua porta.

— Marcar? Como? — perguntou Han com desconfiança.

Corvo deu um sorriso torto.

— Com bolhas e pústulas — disse ele. — Muitas. E esse aqui é para desarmar os feitiços de proteção que eles possam ter usado. É bem versátil, e você não precisa saber que feitiços eles usaram.

Ele escreveu mais encantamentos.

Han leu aquelas palavras até ter certeza de ter decorado. Mas o nó de desconfiança em seu estômago não desaparecia.

— Estou me arriscando muito aqui — disse ele. — Se eu tentar entrar no quarto deles e seu feitiço não funcionar, vou estar encrencado. — Ele balançou a mão. — Me mostre alguma coisa. Quero ver você fazer magia no mundo real.

Corvo pensou por um momento e disse:

— É justo. Mas vamos ter que sair de Aediion para isso, e de uma forma que não me revele. — Ele andou direto até Han.

Han recuou, mas suas costas bateram na parede. O outro mago continuou se aproximando até parecer *deslizar* para dentro de Han, gelando seus ossos como um vento frio vindo das Espirituais.

— Agora diga o feitiço para fechar o portal — disse Corvo em sua cabeça.

Han pegou o amuleto e falou o feitiço.

Mais uma vez, a passagem pela escuridão.

Dançarino ergueu o olhar, assustado, quando Han abriu os olhos. A luz oblíqua disse a Han que ele estava de volta na Torre Mystwerk — a verdadeira. Usava suas roupas normais, com a tipoia segurando o braço direito. Sua clavícula latejou com uma dor súbita.

Dançarino ficou de pé.

— Caçador Solitário! O que aconteceu? Por que voltou tão rápido?

— Isso exige bem pouco poder, que é tudo que você tem — sussurrou Corvo no ouvido de Han. — Vou usar o mesmo feitiço de conexão aqui, também.

Os dedos de Han produziram um feitiço, e conjurações saíram de sua boca, com Corvo falando através dele.

Por um momento, pareceu que nada tinha acontecido. E então, Han ouviu um som crescente, milhares de pequenos movimentos ao seu redor. As paredes do campanário pareceram ganhar vida, com olhos brilhantes e bigodes e dentes de roedores.

Ratos e camundongos saíram de todas as rachaduras e fendas, espalhando-se pelo chão e correndo na direção dele como um mar cinza e peludo, cheio de rabos agitados que pareciam minhocas.

Han ouviu um som acima, e nuvens de morcegos voaram dos pontos mais altos do campanário, descendo na direção dele, abrindo bocas triangulares, expondo dentes afiados.

— Aaah!

Por reflexo, Han levantou o braço esquerdo para proteger a cabeça e o rosto. Pele áspera roçou nele. Morcegos se chocaram contra ele, caíram no chão e ajeitaram as asas, com expressões perdidas.

Dançarino pegou o lampião e girou em um arco amplo, afastando os roedores. Han foi para perto dele, e os dois se encostaram na parede.

Ratos e camundongos passaram pelo lampião de Dançarino, cobriram os pés de Han, afundaram dentes afiados em seus tornozelos. A magia *era* real. A magia tinha atravessado. E estava conectada a ele.

Han pulou de um pé para outro, tentando afastar os roedores subindo por sua calça. Ele esticou a mão para canalizar seu poder para aquela horda. Mas se lembrou de que estava na torre do sino do Salão Mystwerk, feita de madeira e pedra, e que havia risco de incendiar tudo no processo.

Segurando o amuleto novamente, Han falou o feitiço do espinheiro, girando. Um muro de espinhos surgiu ao redor deles, tão denso e impenetrável que os ratos foram empalados nos espinhos ao tentarem entrar. Dançarino pisou em alguns ratos que conseguiram entrar enquanto Han afastava os morcegos que ainda espiralavam sobre sua cabeça, vindos de cima.

— Bom trabalho — falou Corvo no ouvido de Han, com voz baixa e divertida. — Muito criativo. Agora faça eles irem embora. — Ele falou o feitiço pelos lábios de Han.

Os roedores voltaram para as paredes, como se alguém tivesse aberto o ralo debaixo daquele mar de ratos. Momentos depois, Han e Dançarino estavam sozinhos na torre do sino, cercados em três lados por um muro de espinhos e rodeados por corpos de ratos.

O coração de Han batia forte, sua camisa estava encharcada de suor. Ele deslizou pela parede até se sentar no chão de pedra.

Corvo sussurrou em seu ouvido de novo.

— Amanhã à noite. À meia-noite. No mesmo lugar. E, por favor... acumule mais poder no seu amuleto na próxima vez. Temos muito a fazer e precisamos trabalhar rápido.

E então ele sumiu.

— Caçador Solitário? — Dançarino se ajoelhou ao lado dele. — O que, em nome do sangue e dos ossos de Hanalea, acabou de acontecer?

Han tirou o cabelo úmido da testa. Ficou sentado, pensando, até sua respiração ficar firme e o coração bater mais devagar. Ele olhou para Dançarino e sorriu.

— Acho que sei como resolver nosso problema com os invasores — disse ele.

CAPÍTULO DEZOITO

O Grupo de Abelard

O grupo de alunos excepcionais de Abelard se reunia no escritório da reitora, que Han já conhecia da última visita. Havia cadeiras ao redor de uma mesa de madeira encerada, em uma sala de reuniões com vista para o rio. Havia comida e bebida perto da janela.

Han fez questão de chegar cedo. Mestre Gryphon também chegou cedo, para entrar e se sentar antes de os outros chegarem. Han ficou surpreso de ver Gryphon ali, já que ele e Abelard não pareciam se dar muito bem. Talvez a família dele também fosse influente.

Timis Hadron, o proficiente que recebera Han no dia em que ele chegou, circulou a mesa, arrumando material para escrita e livros na frente de cada cadeira.

Mordra chegou logo depois. Han ficou aliviado quando ela se sentou ao lado de mestre Gryphon, em vez de ao lado dele. Não queria ter outra aula sobre boas maneiras em público.

Os Bayar chegaram com Abelard. A reitora devia ter avisado sobre o novo colega. Micah fingiu ignorar Han ao se sentar do outro lado da mesa, perto da porta. Os olhos de Fiona passaram por Han como o toque de dedos gelados, fazendo sua pele se arrepiar.

Ele se perguntou o que Abelard teria dito para eles. *Não se preocupem, ele é meu bandido protegido?*

Fiona e Mordra trocaram olhares cortantes e passaram a se ignorar.

— Boa noite — disse Abelard, sentando-se na cadeira vazia na cabeceira da mesa. — Convidei Hanson Alister para se juntar a nossas reuniões. Apesar de Alister ser um novato, acho que vocês vão perceber que ele traz uma gama especial de qualidades para compartilhar com a gente.

Abelard apoiou a mão possessiva no ombro de Han e apontou para cada um dos integrantes do grupo.

— Timis Hadron é proficiente, mas logo vai fazer seus exames de mestre. Você conhece mestre Gryphon, claro. Já conheceu a proficiente deVilliers no jantar e, claro, já conhece Micah e Fiona Bayar.

Abelard foi até seu lugar na cabeceira da mesa.

— Alister, todas as semanas um integrante apresenta um tópico sobre feitiçaria avançada e guia o grupo por uma demonstração prática, se possível. É claro que alguns tipos de magia são impossíveis de serem experimentadas com segurança. Outras não podemos dominar porque não temos mais as ferramentas que eram usadas quando as técnicas foram desenvolvidas.

Han assentiu.

— Na verdade, algumas dessas técnicas são proibidas pela Naéming. Por esse motivo, é imperativo que nada do que é feito aqui seja discutido fora de nosso pequeno círculo. Você compreende?

Han assentiu de novo, sabendo que sua vida estaria por um fio se Abelard descobrisse que ele estava trabalhando para os clãs.

— Esperamos que você contribua, em algum momento. Alister tem uma perícia especial em viagens a Aediion — disse ela ao grupo. — Ele concordou em compartilhar conosco.

Não me lembro de ter concordado com isso, pensou Han, mas ficou de boca calada.

— Agora, vamos prosseguir com a discussão da semana passada — disse Abelard. Ela indicou Timis Hadron. — Proficiente Hadron, faça a gentileza.

Hadron espalhou algumas folhas de anotações na mesa.

— Como a maioria de vocês já sabe, andei pesquisando evidências sobre a existência do Arsenal dos Reis Magos — disse ele.

— Com licença — disse Han, na dúvida se deveria levantar a mão. — Arsenal dos Reis Magos?

Fiona se empertigou e enrolou uma mecha de cabelo no dedo. Micah olhou com irritação para o teto.

— Os Reis Magos de Fells acumularam uma quantidade enorme de peças mágicas e armas — disse Hadron. — Tudo desapareceu na época da Cisão. Os objetos podem ter sido destruídos pelos clãs das Montanhas Espirituais para que não caíssem nas mãos de magos. Alguns dizem que o Rei Demônio os escondeu com a intenção de recuperar depois. Uma terceira teoria é de que foram confiscados por uma das Casas de magos, que fez o cerco ao forte do Rei Demônio, em Lady Gris.

Será que Han imaginou, ou Hadron olhou mesmo para Micah e Fiona ao dizer isso?

— Estamos procurando o arsenal desde a Naéming e da restauração da linhagem Lobo Gris — disse Abelard.

Hmm, pensou Han. Se alguém tivesse a chave do depósito mágico, teria que ser os Bayar. Eles eram donos de pelo menos um amuleto proibido — o que Han estava usando.

Hadron continuou a repassar as fracas evidências que tinha reunido.

— Então, acho que podemos dizer com segurança que o arsenal existiu em determinada época — concluiu ele. — A questão é: será que ainda existe? E, se existe, onde está? Aqui, precisamos ir mais fundo.

Conforme Hadron prosseguiu, Han desviou os olhos do papel onde estava tomando notas e viu Fiona de cabeça baixa, a mão voando no papel. Micah também parecia hipnotizado, com os olhos negros grudados em Hadron, o rosto pálido e alerta.

Será que estavam com medo de Hadron descobrir a localização do arsenal? Será que planejavam repassar tudo aquilo para o pai? Ou seria possível que também não soubessem onde estava? Talvez eles estivessem tão ansiosos quanto todos para encontrar.

Talvez Han pudesse encontrar primeiro. Ele escreveu rápido, espalhando tinta pelo papel.

— Até hoje, a maioria se concentrou em bibliotecas e registros dos templos em Fellsmarch — disse Hadron. — Mas evidências sugerem que muitos registros anteriores à Cisão foram trazidos aqui para Vau de Oden, por segurança. Portanto, pode ter material na Biblioteca Bayar que nos ajude a localizar o arsenal.

— Isso seria como encontrar uma pulga em um cachorro — disse Gryphon. — Você já viu o que tem lá?

— O que você sugere que a gente faça, então? — perguntou Abelard a Hadron, ignorando Gryphon.

— Mordra e eu passaremos o verão aqui — disse Hadron. — Podemos começar uma busca metódica nas estantes da Biblioteca Bayar.

Mordra franziu o nariz ao ouvir a sugestão, mas Hadron não viu.

— Qualquer um que vá ficar pode ajudar — disse ele. Ninguém se voluntariou. Ele pigarreou. — Pensem no assunto e falem comigo.

— Obrigada, Hadron — disse Abelard. — Considerando as reclamações constantes sobre a falta de armas poderosas a nosso dispor, minha expectativa é que quem ficar aqui no verão se junte aos proficientes Hadron e deVilliers na busca. — Ela correu o olhar pelo grupo. Como ninguém se opôs, ela prosseguiu. — Agora, deVilliers vai falar sobre o tópico de possessão mágica.

A reitora assentiu para Mordra.

Mordra bateu com o dedo na pilha de papéis à sua frente.

— Possessão é uma técnica mágica que alcançou proeminência pela primeira vez durante a Guerra da Conquista, quando os Sete Reinos foram invadidos pelos magos das Ilhas Setentrionais. Também foi útil durante o Reinado dos Reis Magos, tanto para manter a paz quanto em atividades de contraespionagem.

Mordra olhou para as pessoas sentadas à mesa, como se para ter certeza de que era o foco da atenção irrestrita de todos. Os olhos de Han se fixaram nas tatuagens nos braços dela. Elas se mexiam e se contorciam na pele. Ele desviou os olhos.

— Em dado momento, os clãs das Montanhas Espirituais desenvolveram talismãs de defesa contra possessão, o que limitou a eficácia. Ainda assim, foi bastante usada até a época da Cisão, quando a tática foi proibida pela Naéming. Diziam que o Rei Demônio usou a possessão para eliminar pares de rivais. Ele possuía uma das pessoas e a induzia a assassinar a outra. Depois, o possuído era executado pelo crime.

Hmm, pensou Han. O tataravô Alger era muito inteligente. Como será que tataravó Hanalea conseguiu dominá-lo?

— Vocês podem ver, na sua frente, três variações comuns do feitiço usado para ativar a possessão — prosseguiu Mordra. — Elas representam graus de possessão. Em alguns casos, o possuidor só precipita ações que o possuído não faria sozinho. Em outras, a possessão é completa, e o mago que possui tem controle total do... ah... outro. Depois que a possessão acontece, é mais fácil fazer as coisas. O possuidor precisa estar perto do possuído. É usado com mais sucesso em alvos menos inteligentes, que não conseguem montar uma boa defesa.

"Estamos razoavelmente confiantes da autenticidade das palavras do feitiço que descobrimos no arquivo." Mordra demonstrou os feitiços falados e os gestos usados para lançar o encanto. "Vocês precisam saber que ninguém usa essa magia com sucesso desde a Cisão. Os amuletos modernos parecem não suportar esse tipo de magia."

Ela deixou os ombros caírem, e quando Han correu os olhos ao redor da mesa, todos tinham expressões desanimadas parecidas.

— Sem querer ofender — disse Gryphon —, mas faz sentido gastar tanto tempo com feitiços que provavelmente não vamos conseguir usar?

— Por que não experimentamos? — disse Han. — O que temos a perder?

Cabeças se viraram por toda a mesa.

— Mestre Gryphon está certo — disse Han. — É como distribuir pedaços de bolo ainda quentes e dizer para não comermos.

— O que você sugere, Alister? — perguntou Abelard secamente.

— Vamos fazer duplas — disse Han. — Para ver se alguém consegue fazer funcionar. — Ele fez uma pausa e acrescentou: — Eu fico com Micah.

Ele entrelaçou os dedos no peito, segurou o amuleto de serpente e deu um sorriso para Bayar.

Por um longo momento, ninguém falou nada. Abelard olhou de Han para Micah, como se tentasse adivinhar as intenções de Han.

— Tudo bem — disse a reitora, dando de ombros. — Por que não?

— Eu escolho Hadron — disse Mordra.

Han não sabia se ela queria ficar longe de Fiona ou pertinho de um quase professor.

— Não! — disse Micah, pressionando as mãos no tampo da mesa. — Não vou trabalhar com Alister. Ele pode fazer dupla com outra pessoa.

Os lábios de Abelard se apertaram.

— Novato Bayar, já discutimos isso, e...

— Você pode ter seus motivos para convidar um bandido de rua para nossas reuniões — disse Micah, com o rosto pálido e furioso —, mas precisa lembrar que esse ladrãozinho nascido na sarjeta atacou meu pai e quase o matou.

Olhos se arregalaram ao redor da mesa. Algumas pessoas se afastaram de Han.

— Qual é o problema, Micah? — disse Han, inclinando a cabeça para trás e olhando para o filho do Grão-Mago. — Está com medo?

Ele tocou o amuleto do Rei Demônio.

Micah ficou de pé.

— Só acredito que, se alguém anda com a escória, acaba fedendo. — Ele virou a cabeça para Abelard. — Reitora Abelard, me dê licença.

Ele deu meia-volta e saiu. Fiona ficou olhando para o irmão, depois para Han, com olhos estreitados e avaliativos. Ela parecia quase... impressionada.

Os outros estavam imóveis, lançando olhares cautelosos para Han. Ele supôs que mais ninguém fosse querer fazer par com ele.

Abelard olhou para o relógio na parede.

— Nosso tempo acabou — disse ela, como se estivesse feliz. — É uma pena. Na semana que vem, mestre Gryphon vai mediar uma discussão sobre seduções e o uso delas durante a guerra.

Cadeiras foram arrastadas quando o grupo de Abelard bateu em rápida retirada.

CAPÍTULO DEZENOVE

NO FLAGRA

Os diagramas dançavam na página, e os olhos de Raisa ficavam praticamente vesgos enquanto ela tentava se concentrar. *Fortificações terraplanadas usadas contra piratas no Indio depois da Cisão.* Ela teria mais uma prova sobre história da guerra.

Pelo menos, o período está quase acabando, pensou ela.

Ela empurrou o livro e olhou ao redor. Era quase hora do jantar, mas a sala estava vazia, exceto por ela. Aquela era a única noite livre de Amon. Raisa pretendia interceptá-lo e ter uma conversa de verdade. Ele andava mais ocupado do que nunca nas últimas semanas. Quase furtivo.

Falando em furtivo... Raisa ergueu o mata-borrão, puxou algumas páginas rabiscadas dali de baixo e revisou o que estava escrito.

> *Mãe,*
>
> *Saiba que estou bem e em segurança, e espero que esta carta a encontre bem também.*
>
> *Sei que você estava sob considerável pressão nos dias anteriores ao meu rebatizado e que você realmente acreditava que um casamento com Micah Bayar era a melhor forma de me dar segurança.*

Depois de reler, Raisa rabiscou *um casamento com Micah Bayar* e substituiu por *o casamento que você planejou para mim.*

Dessa forma, se a carta caísse em mãos erradas, podia ser de qualquer filha ou filho que tivesse fugido de um casamento indesejado.

Imploro que você considere que o que parece mais seguro pode acabar sendo o mais perigoso. Pode ser que o perigo que você previu fosse o próprio casamento — um perigo para mim e um perigo para você também.

Desejo voltar para casa e apresentar meu caso pessoalmente se conseguirmos encontrar uma forma de fazer isso em segurança. Vou entregar esta carta nas mãos do meu pai, de alguma forma, e espero que ele a leve para você. Se isso acontecer, por favor, guarde isso entre nós três. Já houve um atentado à vida dele.

Se começarmos um diálogo, talvez possamos encontrar um jeito de eu voltar para casa, que é o que mais quero no mundo. Embora possa ser egoísta, não consigo deixar de torcer para que você esteja com saudade de mim, assim como estou com saudade de você. Por favor, saiba que eu amo você e que, apesar de o amor não ser suficiente para diminuir a distância entre nós, já é um começo.

Hallie e Talia desceram a escada fazendo barulho, e Raisa colocou a carta na bolsa.

— Você vem jantar? — perguntou Hallie. — É presunto com repolho.

— Vou esperar o cabo Byrne — disse Raisa. — E vou para lá com ele.

Hallie e Talia se entreolharam.

— Não sei se ele vai jantar — disse Hallie, esfregando a lateral do nariz com o indicador. — Acho que ele já tem planos.

Planos?

— Venha com a gente — chamou Talia. — Vamos para algum lugar depois. Não seja uma eremita.

Alguma coisa no discurso delas deixou Raisa tensa.

— Vou acabar em alguns minutos — disse ela em tom leve. — Guardem um pouco de presunto para mim.

Elas saíram lançando muitos olhares para trás, com os rostos tensos e ansiosos.

Alguns minutos depois, Amon desceu a escada. Vestia o casaco azul de gala, calça com vinco e o cabelo estava bem penteado para trás. Ele quase tropeçou quando viu Raisa, mas se equilibrou e seguiu até embaixo.

— Oi, Amon — disse Raisa. — Você está bem bonito.

Ele olhou para si mesmo e puxou a barra do casaco do uniforme.

— Certo. Ah. Obrigado.

Raisa se levantou da cadeira e ficou de pé na frente dele.

— Eu queria ir jantar com você, talvez conseguir conversar. Quase não tenho visto você.

Ele ficou paralisado, como um garotinho pego no flagra, com os olhos cinzentos fixos no rosto dela.

— Nós dois estamos ocupados, Rai. É normal que a gente não...

— Vamos jantar, então — disse Raisa, pegando as mãos dele.

Ele engoliu em seco, e o pomo de adão subiu e desceu no pescoço comprido.

— Não posso. Tenho... uma coisa para fazer.

Os instintos de Raisa gritavam que, se insistisse, acabaria se magoando. Mas não conseguiu evitar.

— Eu vou com você, então. E depois, talvez, nós...

— Não — disse ele. — Não hoje. Eu... nós não podemos.

Ele parecia mais infeliz do que nunca.

— Mas é sua única noite de folga. — Raisa sabia que soava desesperada, mas não se importou.

Ele assentiu.

— Eu sei. Eu... me desculpe — sussurrou ele, com o rosto pálido e tenso.

Raisa procurou alguma coisa — qualquer coisa — que pudesse fazê-lo mudar de ideia. Que pudesse fazê-lo ficar.

— Bem — disse ela, engolindo a dor cega de saudade. — Então leve isso com você e pense em mim.

Ela beijou seus dois primeiros dedos e, ficando na ponta dos pés, esticou a mão e encostou-os nos lábios dele.

Amon lhe segurou o pulso e encostou a mão dela na bochecha, macia e barbeada. Fechou os olhos, respirou duas vezes e soltou.

— Tchau, Raisa — disse ele, com voz grave e estranha. — Vá jantar. Vou voltar tarde.

E saiu.

Raisa ficou paralisada por um momento, depois pegou a capa e saiu pela porta atrás dele.

Felizmente, as ruas estavam lotadas, cheias de cadetes indo para os salões de jantar ou andando para a Rua da Ponte, a caminho dos restaurantes de lá. Amon andava rápido, e Raisa teve que dar corridinhas para acompanhar. Uma vez, ele se virou e olhou para trás, mas ela conseguiu se esconder em uma porta.

Em pouco tempo, ela percebeu que ele estava indo para a Rua da Ponte. E, quando chegaram até lá, Raisa hesitou brevemente antes de colocar o capuz na cabeça e continuar a segui-lo. Era a primeira vez que ela atravessava aquela ponte, desde o dia em que chegara.

Amon fez uma parada no florista da ponte, onde comprou um pequeno buquê de flores do campo.

Raisa sufocou o desespero. Uma voz em sua cabeça sussurrava: *Volte!*

Mas ela não voltou.

Amon seguiu em frente, como se conhecesse o caminho, virando na praça que separava o Salão Mystwerk e a Escola do Templo. O gramado maltratado pelo vento estava coberto com uma mistura de túnicas vermelhas de Mystwerk e roupas brancas do Templo. Raisa escondeu mais a cabeça sob o capuz, como uma tartaruga no casco.

E se ele entrar em Mystwerk?, pensou Raisa. Atravessar a ponte já é bem arriscado. Não posso segui-lo lá.

Mas Amon se virou para a calçada de pedra que levava à Escola do Templo, na direção da entrada do lado direito. Em frente à porta pesada de madeira, ele parou para ajeitar o cabelo, erguer a aldrava e bater com força.

Raisa ficou na rua principal, meio de lado, então não conseguiu ver quem abriu a porta. Mas Amon fez uma reverência e entregou as flores. Em seguida, entrou e fechou a porta.

Por um longo momento, Raisa ficou imóvel na calçada, sem saber o que fazer. A larga varanda estava cheia de iniciados e alunos, e ela não podia ir até lá grudar a orelha na porta. Mas talvez, se desse a volta...

Felizmente, o térreo era repleto de janelas altas e portas de vidro, que deixavam entrar luz em todos os aposentos. Raisa se esgueirou ao redor do prédio, entre a vegetação e a parede, espiando em cada janela. Embora algumas pessoas devessem estar jantando, Raisa viu iniciados e alunos lendo, relaxando, costurando, pintando, tocando instrumentos e coisas similares.

Era isso que todo mundo queria para mim, pensou Raisa, tocando a túnica parda de seu uniforme.

Nos fundos, havia uma sala, com um fogo alegre na lareira e bandejas de biscoitos e sanduíches nas mesas. Amon estava ali, sentado em uma cadeira perto da lareira, com as costas muito eretas e as mãos nos joelhos. Em frente a ele, havia uma garota com as roupas do templo, de pele escura e bonita, com cabelo comprido e ondulado — uma moça das Ilhas Meridionais. Ela segurava o buquê na mão e, de tempos em tempos, levava-o até o nariz e inspirava.

Dois outros casais compartilhavam a sala, e uma iniciada de face rosada estava sentada a um canto, de olho nos jovens enamorados.

O rosto de Amon estava de perfil, mas Raisa conseguia ver o sorriso tímido da garota e os olhos grandes e escuros, e ouvir o murmúrio da conversa deles.

Qualquer tolo era capaz de ver que a garota estava apaixonada por Amon Byrne.

Os olhos de Raisa arderam com as lágrimas quentes. Seria possível? O sincero e direto Amon Byrne a estava... *traindo*? Ela tentou ignorar a voz em sua cabeça que dizia que não era traição se não havia um relacionamento.

Não se mente para os amigos, disse Raisa para si mesma, na defensiva. Ele tinha feito o possível para esconder aquilo dela.

E então, como um sonho ruim que vira um pesadelo, ela viu Amon enrijecer e empertigar os ombros debaixo da lã azul. Ele virou lentamente a cabeça e olhou direto para Raisa. Por um longo momento, ela ficou petrificada, sem conseguir se mexer, e eles ficaram olhando um para o outro. Então, com as bochechas quentes, ela se abaixou e andou agachada até sair do meio das plantas.

Depois ficou de pé e correu em direção à frente do prédio. Tinha andado apenas alguns metros quando a mão de alguém se fechou em seu braço e a puxou para o lado.

Raisa se virou e deu de cara com outra garota das Ilhas Meridionais usando as roupas do templo, mas aquela era uma pretendente muito improvável. Os muitos piercings no nariz e nas orelhas dela eram de prata. Ela segurava uma faca de aparência sinistra na outra mão.

Pior ainda, ela era estranhamente familiar.

— Quem você está espionando, sujinha?

A garota sacudiu Raisa.

— N-ninguém — disse Raisa, tentando se soltar. — Me solta, isso dói!

— Quero saber quem você é e o que... — A iniciada com a faca estreitou os olhos em reconhecimento. — Eu *conheço* você — disse ela. — Já a vi em algum lugar.

— Isso não é nenhuma novidade. Eu também estudo aqui — falou Raisa, agarrando-se à dignidade com toda a sua força. — Eu só queria ver como é no Templo.

— Você é de Fells — disse a iniciada, observando avidamente o rosto de Raisa. Então seus olhos se alargaram de surpresa. — Você era a garota com Alister Algema. A garota que entrou na Casa da Guarda de Ponte Austral atrás dos Trapilhos.

Era Cat. Cat Tyburn, a dona da rua que substituiu Algema como líder dos Trapilhos. A ex-namorada de Alister.

Não era de surpreender que Raisa não a tivesse reconhecido de cara. Cat estava diferente, quase bem-cuidada, como um jardim cheio de ervas-daninhas e espinhos do qual um jardineiro talentoso tratou. Os olhos estavam brilhantes e límpidos, não enevoados como antes, e ela ganhara peso.

O que estava fazendo em Vau de Oden?

— Não sei do que você está falando — disse Raisa.

Ela se lembrou de quando viu Alister Algema perto do estábulo. Será que havia alguma ligação? Não importava. Ela precisava ir embora.

Em desespero, ela socou a barriga de Cat, torcendo para não acabar com a garganta cortada.

Felizmente, Cat estava distraída e foi pega de surpresa. Ela se encolheu e deixou a faca cair. Raisa saiu correndo de novo, dessa vez para longe do Templo e da praça, e entrou na Rua da Ponte. Ela correu como se estivesse sendo perseguida por demônios.

CAPÍTULO VINTE

AZARADA

Raisa correu até o Salão Grindell.

Entrou em disparada no salão comum, atraindo olhares intrigados de Mick e Garrett, que jogavam cartas, e de Talia e Hallie, que não tinham saído, afinal. Subiu correndo a escada, entrou no quarto, bateu a porta e se deitou de bruços na cama.

Alguns minutos depois, ela ouviu a porta se abrir, devagar.

— Rebecca? — Era Talia.

— Vá embora — disse Raisa com a cara no travesseiro, desejando ter um quarto só seu. Desejando ser princesa de novo para poder dar ordens às pessoas.

É claro que Talia não foi embora, mas se aproximou e se sentou na cama.

— Pensei que vocês fossem sair — murmurou Raisa.

— Decidimos não ir — disse Talia, acariciando o cabelo de Raisa. — Você foi atrás dele?

Raisa assentiu, com o rosto ainda afundado no travesseiro.

— Há quanto tempo você sabe que ele está saindo com uma pessoa?

— Já tem um tempo. Ele não guardou segredo...

— De ninguém, só de mim — concluiu Raisa.

Ela queria desaparecer. Será que era tão óbvio que estava apaixonada por Amon? Como poderia voltar a olhar na cara deles?

Talia apertou os ombros de Raisa, movendo as mãos pelos músculos, liberando os nós.

— Ele não queria magoar você.

— Entendo. Então ele discutiu a questão com o grupo, e vocês concordaram que...

— Não, não, *não*. — As mãos de Talia pararam. — Não foi assim. Ele não mente muito bem e é honrado até demais. Ele anda arrasado, se você não reparou.

Raisa conseguia ouvir o amor na voz de Talia. Todos os integrantes dos Lobos Gris amavam Amon Byrne. Eles tinham isso em comum.

A porta se abriu e fechou, e Raisa se encolheu, irritada.

— Calma — disse Talia. — É só Hallie. Ela lhe trouxe um chá.

— Posso pegar uma coisa mais forte se quiser — disse Hallie. — Tenho um conhaque que vai apagá-la como uma vela molhada.

Raisa balançou a cabeça. Precisava manter os pensamentos claros.

— A gente não sabia o que aconteceu entre vocês — prosseguiu Talia. — Nem se promessas foram feitas, mas...

— Nenhuma — disse Raisa amargamente. — Não houve nada. Éramos amigos, só isso.

Eu achava que era boa em ler as pessoas, pensou ela. Eu amava Amon, e tinha certeza de que ele também me amava, ou de que eu podia fazer ele me amar se conseguisse romper as barreiras de classe e dever.

Será que eles poderiam voltar a ser amigos?

Ela nem tinha energia para se preocupar com o encontro com Cat Tyburn. Naquela hora, ter a garganta cortada parecera uma solução fácil.

Pela hora seguinte, Hallie e Talia a acalmaram, lhe deram chá e tentaram fazer Raisa jantar. Durante a maior parte do tempo, só ficaram sentadas com ela, de mãos dadas e sem dizer nada. Entre a dor do coração partido e a culpa, Raisa se sentiu apoiada pela presença delas. Talvez isso fosse ter amigos de verdade.

Por fim, ela ouviu a escada rangendo e reconheceu os passos de Amon.

— Podemos ficar se você quiser — disse Hallie rapidamente. — Não importa o que o cabo disser.

Raisa balançou a cabeça negativamente.

— Nós precisamos conversar. Precisamos conversar faz muito tempo.

Ele bateu na porta.

— Entre! — disse Talia, e Amon empurrou a porta. Ficou olhando para as três, com expressão abatida e soturna.

Talia e Hallie deram beijos nas bochechas de Raisa.

— Vamos estar lá embaixo se você precisar — disse Talia. E elas saíram, contornando Amon, olhando para ele com dureza.

O silêncio se solidificou ao redor deles. Raisa se sentou na cama, com as costas na parede e os braços ao redor dos joelhos.

Por fim, Amon pegou a cadeira sob a mesa de Raisa, colocou ao lado da cama e se sentou.

— Estou feliz de você ter voltado em segurança — disse ele. — Eu devia ter vindo atrás de você na mesma hora, assim que vi que atravessou a ponte.

— Ah. Isso teria sido estranho — disse Raisa, apoiando o queixo nos joelhos. — A conversa não vai ser sobre eu ter atravessado a ponte, vai?

Ele balançou a cabeça.

— Não. Não vai ser sobre isso.

Ele brincou com um pesado anel de ouro na mão esquerda. O anel com os lobos.

Raisa quase desejou que fosse. Ela preferia brigar com ele a ter aquela conversa.

— Quem é ela?

Amon ergueu o rosto.

— O nome dela é Annamaya Dubai — disse ele. — A família é das Ilhas Meridionais, como você provavelmente percebeu. O pai é militar, é mercenário em Fells. É um dos poucos cães de guerra no exército normal em quem meu pai confia.

— Como você a conheceu? — perguntou Raisa.

— Nossos pais planejaram. Acharam que era uma boa combinação.

Parecia que eles eram um par de cavalos de carruagem.

— Bem — disse Raisa, assentindo —, ela *é* alta.

— Pare, Rai — pediu Amon. — Não estou pedindo desculpas por ter ido me encontrar com ela. Estou pedindo desculpas por guardar segredo de você. Você pode ser cruel comigo o quanto quiser, mas deixe ela de fora disso. Ela é doce, esforçada e estudiosa. É uma excelente harpista, muito talentosa. E é ótima com cavalos. Morou a vida toda com uma família militar, então entende como é, que meu primeiro dever é com a guarda.

Então a compreensão atingiu Raisa como um soco na cara. Seu coração começou a bater com tanta força que parecia que Amon ia conseguir ouvi-lo.

— Você pretende se casar com ela — sussurrou Raisa.

Ele assentiu, com o olhar fixo no chão.

— Mas só depois que eu me formar na academia. Mas o plano é anunciar o noivado quando voltarmos a Fells, no verão.

— *O quê?* — A voz de Raisa subiu de tom. — Você vai se casar e não me *contou*?

Ele olhou para ela com os olhos cinzentos tomados de culpa.

— Não tenho como me defender. Foi errado e eu sei. Eu só não tive coragem de lhe dizer.

Aquela conversa era como uma série de golpes físicos. Ela queria feri-lo também.

Ah, está claro que ela é tudo que se pode querer numa esposa — uma harpista que gosta de cavalos, Raisa queria dizer. Mas, quando olhou para Amon, a expressão dele estava tão sombria e desolada que as palavras morreram em sua língua.

— Você não a ama — Raisa sussurrou.

— Eu não falei isso.

— Mas não ama. Dá para perceber. Não tente mentir para mim; você não é bom nisso.

Ele olhou para ela, e Raisa notou que ele estava em dúvida se deveria tentar mesmo assim. Então deu de ombros.

— Eu vou ser um bom marido para ela — disse ele.

E seria, exceto pelo pequeno detalhe de que não a amava.

Bem, pensou Raisa, se ele vai se casar com alguém que não ama, vai ser comigo.

— Antes que você continue, tem uma coisa que precisa saber — disse Raisa bruscamente. — É importante que você tome uma decisão consciente.

Pela expressão de Amon, era como se estivesse encarando um pelotão armado.

— Rai, por favor. Antes que você diga qualquer coisa, tem uma coisa que eu devia ter lhe contado antes. Eu queria contar, só que... papai disse que eu não devia, porque nós...

— Não. Me escute — disse Raisa. — Depois é sua vez. — Ela respirou fundo. — Amon, você é meu melhor amigo. Sempre foi. É a pessoa mais honrada que conheço. E, aparentemente, não é o tipo de pessoa que se envolve com uma garota se sabe que não pode dar em nada.

Ele manteve os olhos cinzentos no rosto dela.

— Não — disse ele baixinho. — Não sou esse tipo de pessoa.

Ela pegou as mãos dele de novo e passou os polegares pelas palmas. Precisava da ligação física para manter a coragem.

— Eu já aceitei que jamais poderíamos nos casar, mas estava disposta a ficar com você nos termos... que você pudesse oferecer. — Ela sorriu. — É isso que nós fazemos, as rainhas Lobo Gris; aceitamos o que podemos quando o assunto é amor. É por isso que, no sul, nos chamam de bruxas e prostitutas.

Amon fechou os olhos, os cílios escuros destacados na pele bronzeada. Suas mãos apertaram as dela.

— Alteza, não diga nada que vá se arrepender depois. Não quero que as coisas fiquem estranhas entre nós.

— Não — disse Raisa. — Acho que eu me arrependeria de *não* dizer. E as coisas já estão estranhas.

Ela fez uma pausa e, como ele não disse nada, continuou:

— Então. Eu sei que tenho que fazer um casamento político, que beneficie Fells e a linhagem. Mas... são novos tempos. Fells nunca mandou uma princesa-herdeira para Vau de Oden. Aqui, estou aprendendo a deixar para trás velhas ideias e abraçar novas. Tem que haver um jeito de fazer dar certo.

— Fazer o que dar certo? — sussurrou ele, como um homem à beira da morte expondo o pescoço, esperando o golpe de misericórdia.

— Eu amo você — disse ela, simplesmente. — Estou pedindo que se case comigo.

Raisa não sabia que tipo de resposta esperava, mas não uma expressão mista de desejo, dor e desespero.

— Você não entende — murmurou Amon, balançando a cabeça. — Eu não posso... nós não podemos...

— Sei que somos jovens — disse ela, rápido. — Eu também não queria me casar tão cedo. Mas, se nos casarmos, isso vai acabar com a possibilidade do casamento com Micah Bayar. Podemos voltar juntos para Fells, e isso vai acabar com as ideias de colocar Mellony no trono. Acho que as pessoas iam preferir um casamento com alguém de lá, em vez de um estrangeiro.

Os clãs receberiam muito bem um Byrne. Eles respeitavam o pai de Amon, Edon Byrne. E os Byrne não eram mágicos, nem ligados a um poder estrangeiro.

Fazia tanto sentido, ela precisava fazer Amon enxergar. Era o que queria, mas também era prático. Mas Amon só ficou olhando para as próprias botas.

— Sei que existem obstáculos — disse Raisa rapidamente. — Minha mãe não vai aprovar. Talvez seu pai pense o mesmo. Mas... podemos convencê-los.

Você poderia aprender a me amar, pensou ela. Vou lhe ensinar.

— Não é tão simples — disse Amon, retirando as mãos delicadamente das dela. — Não sou livre para me casar com você.

O coração de Raisa deu um pulo.

— O que quer dizer com isso? — Um pensamento terrível surgiu em sua mente. — É porque você já está noivo?

Ela olhou para o anel de ouro na mão esquerda dele, parecido com o dela.

— Não. Não estou noivo. — Ele mexeu no anel, deslizando-o pelo dedo. — É minha vez? Posso falar agora?

Ela assentiu, apesar da terrível sensação de que não gostaria do que ele tinha para dizer.

— Você sabe que ser capitão da Guarda da Rainha é um título que é legado da minha família — disse ele. — Por decreto de Hanalea, mil anos atrás.

Raisa assentiu. Títulos por legado não eram incomuns, embora fossem mais frequentes entre a nobreza do que entre militares.

— Costuma ir para o primogênito de cada geração. O sucessor é escolhido pelo capitão anterior para servir à nova rainha quando ela sobe ao trono.

Ele fez uma pausa, como se esperasse uma resposta de Raisa, mas ela não disse nada.

— Fui escolhido para servir como seu capitão — disse ele. — Papai e eu discutimos a questão antes de virmos para o sul.

— Ah! — disse Raisa. — Muito bem, então. — Agora que pensava no assunto, não conseguia imaginar outra pessoa que quisesse ao seu lado. — É uma notícia maravilhosa — disse ela. — Por que você não falou nada antes?

— Não é comum um capitão ser selecionado antes de a princesa-herdeira assumir o trono. É uma ameaça para a atual rainha. Ela pode temer que a princesa-herdeira, em conluio com sua guarda pessoal, tente tomar o trono antes da hora.

— Ah! — disse Raisa. — Bem, acho...

— Quando a escolha é feita, não pode ser desfeita, exceto pela morte de um dos dois. Esse é outro motivo para esperar até a princesa ser coroada rainha.

De onde vieram todas essas regras que eu nunca ouvi falar?, perguntou-se Raisa. Era só mais um exemplo de informação que deveria ter sido passada para ela pela rainha Marianna.

Mesmo assim, parecia que Amon estava se desviando do assunto.

— Mas por que está me contando isso agora? O papel de capitão da Guarda da Rainha combina com o papel de consorte. Faz muito sentido se a gente puder...

— Não é só um legado. Tem uma questão mágica — disse Amon.

— Mágica? — Raisa tremeu, ficando arrepiada, como se tivesse entrado um vento pela janela. — O que você quer dizer?

— Você sabe como o Grão-Mago é ligado à rainha de Fells, de forma que nenhum dos dois pode fazer nada contraditório aos interesses da linhagem Lobo Gris?

— Claro — disse Raisa. — Embora alguma coisa pareça ter dado errado com nosso Grão-Mago atual — acrescentou ela com voz sombria.

— Os capitães também são ligados — disse Amon. — Há uma cerimônia, com um orador. Quando a ligação é feita, é permanente. Isso impede traições e garante o compromisso do capitão com a sobrevivência da linhagem.

Raisa se esforçou para não ficar boquiaberta. Os Byrne eram as pessoas menos mágicas que ela conhecia. Sempre pareceram a voz simples da razão em comparação ao drama da magia, dos encantamentos dos clãs e das palavras sedutoras dos oradores.

Estar ligada a Amon só podia ser uma coisa boa, certo? Seria possível ficarem ainda mais unidos do que já eram?

— Então você vai passar por essa cerimônia de "ligação" quando eu me tornar rainha? — perguntou Raisa.

Amon balançou a cabeça em negativa.

— Já foi feita. Antes de eu sair de Fells. Meu pai achou que eu deveria me ligar logo a você, porque íamos embora e passaríamos por uma zona de guerra. E porque, como você falou, podia haver uma ameaça mágica à soberania da atual rainha.

Ele ergueu a mão esquerda e mostrou o anel no dedo do meio. Ela observou os lobos ao redor do grosso aro de ouro.

— Já estou ligado a você, Raisa. De verdade. Para sempre.

Alguma coisa na expressão dele dizia que aquela era uma faca de dois gumes.

Raisa tentou engolir a surpresa.

— Vocês precisavam mesmo antecipar a cerimônia? — perguntou ela. — A última coisa que quero é que as pessoas pensem que estou tramando contra minha própria mãe. E não sei por que seu pai pensou que tinha que impedir que você me traísse.

— Bom, tem vantagens. Às vezes... consigo prever o que você vai fazer e também se está em perigo, a tempo de impedi-lo. Consigo sentir onde você está, de uma forma imperfeita.

Uma lembrança ocorreu a ela: aquele dia nas Montanhas Espirituais do oeste, quando eles foram atacados por Sloat e seu bando. Ela estava escondida no bosque, vendo Amon se exercitar com o bastão. Ele se virou, como se tivesse sentido sua presença, e disse "Rai?".

E, naquele dia mesmo, quando ela estava espiando pela janela, ele se virou e olhou para ela.

De repente, ficou quente no quarto do último andar. Raisa saiu da cama e foi abrir a janela. Depois voltou e se sentou perto da lareira.

— Bom. Obrigada por me contar. Finalmente. Mas ainda não vejo que relação tem...

— Uma união entre nós é perigosa para a linhagem — disse Amon. — É essa a relação.

— Isso... isso... isso não é verdade — gaguejou Raisa. — Não pode ser. — E então, como ele não disse nada, ela perguntou: — O que faz você pensar assim?

— Desde a cerimônia, se nos... se nos beijamos, ou se eu fico tentado a... — Ele levantou as mãos. — Eu recebo um aviso. Sou impedido.

— Aviso? Você quer dizer... você quer dizer por *magia*?

— É.

— O que acontece? — perguntou Raisa com sarcasmo. — Um relâmpago cai ou...

— Fico enjoado e tonto. E sinto uma dor excruciante. Sinto que vou desmaiar. E... preciso parar. — Ele deu de ombros.

— Quando isso aconteceu? — perguntou Raisa.

— Ah, naquela vez na estrada, quando estávamos dividindo a barraca, e você... ah... rolou para cima de mim. E quando nos beijamos, logo antes de Sloat e o bando dele aparecerem.

Ela se lembrou da reação de Amon nas duas vezes. Ele realmente pareceu estar passando mal — pálido e suando, ofegando para respirar.

— Como você sabe que não são seus escrúpulos agindo? — questionou Raisa. — Talvez não seja a linhagem em risco, mas a famosa honra dos Byrne. Você sabe que nosso amor é proibido, então...

— Você acha que estou mentindo? — Amon franziu as sobrancelhas escuras. — Acha que isso é algum tipo de história para afastar você?

— Se for, há um jeito mais fácil — disse Raisa. — É só você dizer que não me ama, e vou deixar o assunto para lá.

— O quê?

— O que acabei de falar. É só dizer: "Rai, eu não amo você e nunca vou amar." É simples assim.

— Raisa, isso não vai nos levar a nada.

— Diga!

Amon passou a mão pela cabeça, e o cabelo caiu de novo em sua testa. Ele se levantou da cadeira e começou a andar de um lado para o outro.

— E então?

Amon continuou a andar, como uma raposa em uma jaula.

— Você quer se sentar? Está me deixando nervosa.

Amon voltou e se sentou ao lado dela. Olhando para o chão, ele murmurou:

— Não consigo dizer.

— Por quê?

— Porque não é verdade. — Ele olhou para ela com lágrimas nos olhos, a voz rouca e quase inaudível. — Eu amo você, Rai. Queria não amar, mas amo. Está satisfeita? Isso melhora ou piora as coisas?

Raisa ficou momentaneamente sem palavras.

— Ah — disse ela por fim, com voz baixa.

Eles ficaram sentados lado a lado, sem se tocarem, perdidos em seus próprios pensamentos. Do outro lado do rio, o relógio da torre do templo tocou uma vez.

— Por que não me falou antes? — perguntou Raisa por entre os lábios dormentes.

Amon secou as lágrimas com o polegar e o indicador.

— Sobre a barreira mágica ou sobre amar você?

— Bem, sobre as duas coisas.

— Ninguém nunca conta para as rainhas sobre a parte mágica — disse Amon. — Só Hanalea sabia, porque foi ela que começou com isso. Apesar de estarmos ligados a um indivíduo, na verdade estamos ligados à linhagem. — Amon olhou para Raisa. — Pode haver momentos em que agimos contra o interesse de uma rainha individual para preservar a linhagem.

O que faria dele um traidor dessa rainha específica, pensou Raisa.

— Por que você contou para *mim*, então? — perguntou Raisa. — Depois de tantas gerações?

— Bem, como você falou, são novos tempos — disse Amon. — Estamos os dois violando as regras. Mas, principalmente, porque você é insistente demais. Pensei que, se eu a ignorasse e evitasse, você desistiria e encontraria outra pessoa.

— Não vou aceitar isso — disse Raisa. — Tem que haver um jeito. Você não pode se casar com uma pessoa que não ama. Eu proíbo.

— Eu tenho que me casar, Alteza. E você também.

Para dar continuidade à maldita linhagem, pensou Raisa.

— E Lydia? Ela é casada.

— Ela ainda não tem filhos — confirmou Amon. — Não tem ninguém na geração seguinte para assumir quando eu...

A respiração de Raisa ficou presa na garganta quando ela se deu conta. Ela se virou e olhou com raiva para Amon.

— Seu pai fez isso de propósito, para nos separar. Ele sabia que a gente ia viajar junto e que a tentação seria grande demais.

Os olhos de Amon diziam sim, apesar de ele não ter dito nada em voz alta.

— Tudo que ele fez foi pela linhagem — disse Amon. — É o compromisso dele, mais do que com a família, mais do que com qualquer coisa.

— Eu odeio seu pai — falou Raisa por entre os lábios rígidos. — Nunca vou perdoá-lo. Ele não tinha o direito de tomar essa decisão por nós.

Eles ficaram olhando para o chão por um tempo, tristes.

— Escute — disse Raisa —, vamos tentar. Nos beijar, quer dizer. Uma experiência.

— Isso já está muito difícil. Como você acha que tem sido para mim? Sou de carne e osso, sabe?

— Só dessa vez. Por favor. Não vou desistir de você sem lutar. Talvez o que aconteceu antes tenha sido coincidência. Ou talvez tenha sido só aquela situação particular. O perigo à linhagem devia ser Sloat, não a gente.

Amon suspirou. Depois de uma longa pausa, ele assentiu.

— Você está certa. Acho que nunca vamos saber se não tentarmos. Pode ser que alguma coisa tenha mudado.

Raisa se virou para ele. A expressão de Amon misturava cautela e esperança. Ela esticou a mão e segurou o queixo dele, agora áspero com a barba por fazer. Sentiu-o engolir em seco.

Ela se inclinou para a frente e encostou os lábios nos dele, com delicadeza no começo e depois com mais firmeza. Passou a outra mão pelo pescoço de Amon e o puxou para perto, enfiando os dedos pelo cabelo curto de sua nuca e acompanhando o osso e os músculos ali. Raisa se encostou nele, sentindo o coração acelerar no peito.

Amon passou os braços ao redor dela e apertou-a contra si em um abraço desesperado.

Alguma coisa vibrou entre eles, e Amon começou a tremer. Um estremecimento violento percorreu o corpo dele, depois outro. Ele se afastou e se dobrou para a frente, apertando a barriga. Deslizou de lado para o chão e ficou deitado, se contorcendo e ofegando, sem conseguir respirar.

— O que foi? — disse Raisa, embora já soubesse.

— Sangue do demônio — sussurrou ele.

Ele levantou os braços e cobriu a garganta, como se para afastar agressores invisíveis.

— Amon!

Raisa se ajoelhou ao lado dele e encostou a mão em sua testa. Estava grudenta e fria, coberta de suor.

— N...não — disse Amon, balançando a cabeça de um lado para o outro, para afastar a mão dela. — Me desculpe. Não... me toque. Por favor.

Raisa afastou a mão e Amon se encolheu de dor, gemendo.

— Doce Hanalea, me perdoe — murmurou ele, com o rosto contorcido de dor e lágrimas escorrendo dos cantos dos olhos. Seu corpo tremia em convulsões, como ondas se quebrando em uma costa íngreme. — Me desculpe — sussurrou ele. — Me desculpe.

Raisa correu, pegou o travesseiro na cama e colocou embaixo dele, para que não batesse a cabeça no chão duro. Ela o cobriu com a capa, porque agora ele parecia estar tremendo.

Gradualmente, as convulsões passaram. O corpo de Amon relaxou, seus olhos se fecharam e ele adormeceu.

Raisa colocou mais lenha na lareira e se sentou de costas para o fogo, perto de Amon, mas sem tocá-lo, vendo-o dormir. Estava com frio e dormente, exceto por uma dor cega sob o peito, e seus olhos finalmente estavam secos.

A aurora encontrou a princesa-herdeira acordada, exausta e completamente desprovida de sonhos.

CAPÍTULO VINTE E UM

INFESTAÇÃO DE ROEDORES

Algumas semanas depois da primeira reunião de Han com o grupo de Abelard, Han e Dançarino estavam andando para o alojamento, depois do jantar.

Dançarino se sentou à mesa de seu quarto e abriu um dos livros de Firesmith. Carretéis de fio dourado, barras de prata e pedras semipreciosas o rodeavam. Ele gastara uma montanha de dinheiro com materiais caros. Felizmente, eles haviam conseguido vender na feira toda a mercadoria que tinham levado.

Han pegou o caderno e olhou as anotações que fizera sobre seus encontros com Corvo. Ele não queria ser pego despreparado. Queria poder tomar notas no mundo dos sonhos e levá-las para o mundo real depois. Talvez perguntasse a Corvo sobre isso.

— Você vai se encontrar de novo com Corvo? — perguntou Dançarino, puxando fio dos carretéis e trançando-os. Ele não tentou esconder a reprovação.

— Não tenho escolha — disse Han. — Estou aprendendo muita coisa. Você sabe disso. — Han sempre dividia com Dançarino o que Corvo lhe ensinava.

— Se essas coisas funcionarem — disse Dançarino. — Aqueles encantamentos que você usou nos Bayar... deram em alguma coisa?

Han deu de ombros.

— Eu não soube de nada. Mas pelo menos entrei e saí dos quartos deles sem problema.

Ele tinha esperado até de madrugada e descido como um fantasma para o segundo andar. Depois de desativar os feitiços de proteção, usando as instruções de Corvo, ele entrou nos quartos e pegou fios de cabelo para conectar seus feitiços a eles.

— Eu achei que, com as aulas e os encontros com Abelard, você já teria mais do que o suficiente para fazer — disse Dançarino. — Você já deve estar lotado de conhecimento.

— Olha quem fala — disse Han, apontando para o projeto de Dançarino. — Você passa todo o tempo livre entocado com Firesmith.

— Pelo menos eu sei quem é Firesmith — disse Dançarino. — E não preciso ir a Aediion para me encontrar com ele. — Ele balançou a cabeça. — Espero que você saiba o que está fazendo.

Nesse momento, eles ouviram alguém subindo a escada.

— Blevins — disse Han.

Dançarino jogou um cobertor por cima do equipamento de ourives.

A cabeça e os ombros do mestre do alojamento apareceram na escada. Ele olhou ao redor, lutando para recuperar o fôlego. Uma coisa boa de ficar no quarto andar era que Blevins só subia se realmente precisasse.

— O que essa mobília toda está fazendo aqui fora? — perguntou ele, acenando para a pequena sala de estar que eles tinham criado.

— Botamos para pegar um ar — disse Dançarino.

— Hmpf — resmungou Blevins. — Não estão cheios de bichos, estão?

— Bichos? — Dançarino ergueu as sobrancelhas. — Por que a pergunta?

— Parece que temos um problema de bichos no segundo andar — disse Blevins. — Três quartos estão infestados de ratos e camundongos. Toda vez que achamos que acabamos com eles, outro monte aparece. Devem estar vindo de algum lugar.

— Não é possível que sejam só três quartos — disse Han, tomando o cuidado de não olhar para Dançarino. — Quando se vê um rato, se sabe que tem problema em toda parte.

— Aqueles garotos devem estar fazendo alguma coisa para atrair os bichos, é tudo que digo — murmurou Blevins. — Eu os coloquei em quartos diferentes enquanto estava tentando afastar os ratos com fumaça, mas os roedores foram atrás deles que nem um enxame de abelhas.

— Quem? — perguntou Dançarino a Blevins, com expressão intrigada. — Que garotos?

— O novato Bayar e os irmãos Mander. Eles só criam problema desde que vieram morar aqui. Sempre exigem isso e aquilo, nunca estão satisfeitos. Agora, isso.

— Em pouco tempo, vamos ter uma infestação — disse Han, fazendo cara feia. — Se eles são a causa, você não pode tirar eles do alojamento?

Blevins coçou o queixo.

— Bem, tem uns quartos livres em outro lugar, de uns novatos que desistiram. Eu ia adorar me livrar deles. Mas quem aceitaria?

— Você não precisa mencionar o... hã... problema deles — disse Han.

Dançarino manteve sua expressão de comerciante, mas os cantos de sua boca tremiam.

— Eu dormiria melhor se soubesse que eles foram embora — disse Dançarino. — Não suporto ratos e camundongos.

No dia seguinte, Han estava voltando para Hampton e encontrou Micah e os primos no processo de mudança de alojamento. Han parou ali perto e ficou olhando. Mesmo de longe, conseguia ver que Arkeda e Miphis estavam cobertos de grandes pústulas vermelhas, como se estivessem com alguma doença virulenta. Mas a pele de Micah estava imaculada.

Han sorriu pela previsibilidade.

Quando Micah viu Han, colocou seus pertences no chão e andou na direção dele, com a capa esvoaçando atrás. Han firmou a postura e esperou, de braços cruzados.

— Estou me mudando — disse Micah. — Arrumamos quartos melhores em outro lugar.

— Estou vendo — disse Han. Ele assentiu na direção dos irmãos Mander. — Por favor. Leve os ratos com você.

Micah corou de raiva.

— Leontus conseguiu desabilitar o feitiço de magia negra que você usou. Ele disse que nunca viu nada parecido. Procurei a reitora e disse que você tinha que estar por trás disso, e ela exigiu provas.

— Ela não aceitou sua palavra? — Han balançou a cabeça. — Estou impressionado.

— Em vez de expulsar você, Abelard me avisou para não tocar em você — disse Micah. — Ela disse que, se alguma coisa lhe acontecesse, *eu* seria expulso. O que você disse para ela? Por que ela ficaria do *seu* lado?

Han deu de ombros.

— Talvez ela ache que não sou capaz de enfeitiçar você, sendo um nascido na sarjeta e tal.

— Pelo menos eu encaro meus próprios problemas, Alister — disse Micah.

— É mesmo? Então *por que* foi tagarelar no ouvido da reitora? — Han apontou para os Mander, cheios de bolhas, que estavam bem longe, olhando para eles. — Você não mandou seus primos fazerem uma coisa para você, ontem à noite, quando Dançarino e eu saímos? Eles parecem... sei lá... *culpados*. Talvez não estejam tão dispostos a seguir suas ordens, da próxima vez.

— Você acha que isso é uma brincadeira? — disse Micah. — Seja lá qual for seu objetivo, não tem como vencer.

— Não estou brincando — disse Han. — Estou falando sério. E eu *vou* ganhar.

Parecia que Bayar ia dizer mais alguma coisa, mas ele ergueu o rosto e viu Cat vindo na direção deles.

Micah deu meia-volta e retornou para o dormitório, pegou seus pertences e seguiu os primos.

Cat segurou o braço de Han.

— O que aconteceu? — perguntou ela, apertando Han. — O que o Bayar queria? O que ele disse?

— Ele está se mudando — disse Han, sem ver motivo para explicar melhor. — Só isso. — Ele sorriu para ela. — Como foi seu recital? — perguntou ele. — Me desculpe por não ter ido.

— Não importa — disse Cat, olhando para Micah. — Nada disso importa.

E ela foi embora, com os ombros curvados, como se estivesse carregando todo o peso do mundo.

CAPÍTULO VINTE E DOIS

O SONHO ACORDADO

Han tocou o amuleto enquanto sua mente captava as palavras do feitiço.

— E então? — Corvo estava de braços cruzados, batendo o pé no chão com impaciência. — Você vai tentar de novo ou não?

— Estou ficando com pouca energia — disse Han. — Acho melhor tentar depois que voltar.

— Se eu não puder *ver* você fazendo, como vou saber se fez certo? — disse Corvo. — Não é seguro você fazer experiências sem supervisão. Mas se não tem energia para isso, então... — Ele deu de ombros.

— Isso é tudo que você sabe? Feitiços de ataque? Coisinhas bobas pra pregar peças? Já estou cheio dessas coisas. — Alguns dias, Han tinha vontade de fazer uma limpeza em sua cabeça.

Corvo revirou os olhos.

— Que outros tipos de feitiço você quer aprender?

Han procurou uma alternativa.

— Sei lá... feitiços de amor?

Corvo olhou para ele, a cabeça inclinada.

— Tenho certeza de que você não tem dificuldade em satisfazer suas necessidades físicas, Alister — disse ele. — Qualquer coisa além disso é ilusão, uma fábula vendida para tolos e românticos.

Han ergueu as sobrancelhas.

— Você é um descrente, sabia?

— Olha — disse Corvo, com os olhos azuis gelados fixos em Han. — Você precisa estabelecer prioridades. A Casa Aerie irá atrás de você de novo. E vão continuar até você resolver o assunto de uma vez por todas.

— O feitiço dos roedores funcionou — disse Han. — Micah Bayar e os primos foram pra outro alojamento.

— É claro que funcionou, Alister — disse Corvo. — Só discordo da sua escolha tática. Não se reage a um ataque contra sua vida com um tapinha na mão. Nem com uma brincadeira. — Ele fechou os olhos e se recompôs. — Acho que você não entendeu direito o risco que está correndo. Já investi muito tempo em você. Não quero recomeçar com outra pessoa.

— Sei o que estou fazendo — disse Han. — Só preciso que eles fiquem fora do meu caminho.

Corvo cruzou os braços.

— Você não pode se dar ao luxo de ser delicado.

Não é isso, Han sentiu vontade de dizer. Já matei antes. E foi pessoal, sujo, complicado e necessário. Não deixei uma armadilha mágica para meus inimigos que acabou com eles, sem deixar rastros, enquanto eu estava longe.

Como Han não respondeu, Corvo prosseguiu.

— Eles *num* vão deixar você em paz, sabe, enquanto você estiver com o amuleto. E quando os Bayar matarem você, *num* vai ser minha culpa.

— Estou *procurando* um professor, tá? — disse Han, irritado com a provocação de Corvo. — Mas num é... não é tão fácil encontrar.

Ele não queria que ninguém em Mystwerk soubesse que ele estava tendo aulas de sangue azul. E não tinha nenhum outro amigo além de Dançarino e Cat.

Para mudar de assunto, Han disse:

— O que você sabe sobre o Arsenal dos Reis Magos?

Corvo olhou para Han, o rosto neutro.

— Por que você pergunta? — disse ele, por fim.

— Conversamos sobre isso na aula. Você acha que realmente existiu?

Corvo deu de ombros e mexeu nos punhos da camisa.

— Estou convencido de que existiu. Se ainda existe, é coisa a se discutir.

— Algumas pessoas dizem que está com os Bayar — disse Han.

— Algumas pessoas são idiotas — disse Corvo. — Se os Bayar tivessem o arsenal, ninguém se oporia a eles.

— Acho que eles estão procurando — disse Han, observando a reação de Corvo.

O olhar de Corvo correu para o amuleto de Han e de volta para o rosto dele.

— Se estiverem, é melhor torcermos para não encontrarem — disse ele.

— Você é Abelard — disse Han, de repente, torcendo para pegar Corvo de surpresa. — Não é?

Essa era sua teoria mais recente, e fazia sentido. Abelard era do corpo docente, tinha muito conhecimento e fazia oposição aos Bayar. Além do mais, não iria querer ser vista dando atenção especial a Han Alister. Já era bem suspeito ela tê-lo incluído nas aulas extras. Assim, ela podia se livrar dele a qualquer momento, sem o risco de ele delatá-la.

Corvo podia ser irritável, irracional, intimidante, pomposo e impaciente. Como Abelard.

Ou Gryphon, pensou Han, mais uma vez indeciso. Corvo era amargo e sarcástico como Gryphon.

A expressão neutra de Corvo não se alterou.

— Não sei por que é tão importante você saber quem eu sou. — Ele revirou os olhos. — Os feitiços são reais, não são? Funcionam, não funcionam?

— Sim. — Han assentiu. — Eles funcionam.

Era verdade. Os feitiços de Corvo funcionavam muito bem, em Aediion e fora. Tão bem que os professores de Han estavam impressionados com seu rápido progresso.

— Se eu adivinhar quem você é, você vai me contar? — perguntou Han.

Corvo sorriu. Ele sabia ser encantador quando queria.

— Você é incansável, Alister. Gosto disso em você.

Abelard, pensou Han de novo.

— Que tipo de nome é Corvo, para um sangue azul? — perguntou ele.

— Você sabe como são os corvos — disse Corvo, fechando o sorriso. — Eles vivem dos ossos dos mortos.

Ele ficou de cabeça baixa, como se perdido em lembranças, com a luz que entrava pela janela se extinguindo em seu cabelo.

O que fizeram com você, Corvo?, perguntou-se Han. Poderia ser pior do que o que fizeram comigo?

Corvo podia ser amargo, mas também era concentrado, determinado, persistente, brilhante, dedicado, detalhista e incrivelmente versado.

Corvo, às vezes, ainda entrava na cabeça de Han sem permissão, para demonstrar algum feitiço difícil. Podia ser conveniente para Corvo, mas deixava Han se sentindo invadido. Ele fazia isso quando Han estava quase sem poder.

Às vezes, depois dos encontros, Han sentia como se tivesse bebido sidra batizada com alga-do-sono. Havia buracos enormes em sua memória — de tempo que se passou sem ele perceber. Ele sentia como se sua mente tivesse sido amassada e remodelada.

Preciso descobrir como manter ele fora da minha cabeça, decidiu Han. Mas era improvável que Corvo fosse lhe ensinar esse truque.

Eles sempre se encontravam no mesmo lugar — a torre do sino do Salão Mystwerk. Dançarino tinha ficado de vigia, nas primeiras vezes, mas Han o dispensou depois. Dançarino tinha seus próprios trabalhos a fazer. Não podia ficar sentado a noite toda segurando a mão de Han.

Han encontrou um novo abrigo entre as estantes poeirentas, no alto da Biblioteca Bayar, onde guardavam textos e registros tão velhos e estranhos que ninguém nunca usava. Ele arrumou uma sala dos fundos com um colchão de palha e arrastou uma mesa de três andares abaixo. Era mais fácil ir para lá do que para a Torre Mystwerk, e ele não precisava temer que os tocadores de sino encontrassem seu corpo apático. E o divertia ter para si um pedaço da Biblioteca Bayar.

Três ou quatro noites por semana, Han fugia para aquele esconderijo, ia para Aediion e trabalhava como um escravo até o amuleto estar vazio.

Isso se tornou um problema, já que suas aulas diurnas exigiam poder. Ele fazia o que podia para reabastecer o amuleto depois dos encontros noturnos. Gryphon nunca perdia a oportunidade de implicar com ele quando seu amuleto vazio não funcionava.

Corvo parecia ter energia ilimitada. É claro que sim. Era Han quem fazia todo o trabalho.

Nas manhãs, ele acordava exausto; sonhos semiesquecidos ainda circulando em sua mente, sentindo como se tivesse trabalhado a noite toda. Às vezes, não conseguia acordar na hora. Ia da biblioteca direto para a aula, com as mesmas roupas do dia anterior. Várias vezes chegava atrasado para a aula de Gryphon, que, infelizmente, era a primeira do dia.

Quando Han passava a noite toda fora, Dançarino concluía que ele estava com uma garota e não queria companhia. Errado, pensou Han. Estou vivendo como um iniciado.

Ele e Corvo combinavam um encontro de quatro horas, mas Corvo o segurava por seis. Ele só parava quando o amuleto de Han estava esgotado e Han estava vacilante e tonto, então reclamava que ele precisava acumular mais poder da próxima vez.

As broncas de Corvo sempre funcionavam porque Han *estava* com fome de conhecimento. Ele nunca tinha se esforçado tanto na vida. A gente podia fazer muito mais, pensou Han, se confiasse um no outro. Se a gente não passasse tanto tempo se provocando. Parece que nós dois queremos ser o líder da gangue.

— Alister! — A voz de Corvo interrompeu seus pensamentos. — Você está em estado de estupor.

— Me desculpe. Nos vemos amanhã, então — disse Han. — Obrigado pela aula.

Segurando o amuleto, ele falou o feitiço de encerramento.

E abriu os olhos para ver luz entrando pela janela da biblioteca.

Ele se sentou, ereto, praguejando. Que horas eram, afinal? A última coisa de que ele precisava era se atrasar para a aula de Gryphon. De novo.

Como se em resposta à pergunta dele, os sinos da Torre Mystwerk começaram a tocar. *Bong-bong-bong*, ele contou até oito.

Ossos. Ele estava encrencado.

Ele não tinha tempo de seguir pelos telhados. Por isso, desceu correndo a escada estreita, dando voltas e voltas até chegar ao térreo. Por sorte, ainda não havia nenhum proficiente de plantão. Ele saiu pela porta da frente e deu de cara com Fiona Bayar, quase derrubando-a no chão.

Ele segurou o braço dela para que não caísse.

— Me desculpe. Eu... há... não vi você.

Mamãe estava certa, pensou ele. Você *é* amaldiçoado.

Fiona era quase da altura de Han, e o olhou nos olhos.

— Só porque você está atrasado para aula, Alister, não quer dizer que possa atropelar pessoas — disse ela.

Ela olhou para a mão dele em seu braço, e ele a soltou rapidamente.

Han indicou o Salão Mystwerk com a cabeça.

— Vamos. Já estamos atrasados.

— O que você estava fazendo na biblioteca? — perguntou ela.

— Adiantando os deveres.

— A biblioteca nem abriu ainda.

— É quando fica mais tranquila. — Han começou a andar, sem olhar para trás para ver se ela o estava acompanhando.

— Seu rosto melhorou — disse Fiona, dando uma corridinha para alcançá-lo. Como ele não falou nada, ela insistiu: — Você não está mais de tipoia, então acho que seu braço está curado, não é?

— Clavícula, na verdade — disse Han. Ainda dava pontadas, de vez em quando.

— O que aconteceu, exatamente? — perguntou ela quando eles entraram no Salão Mystwerk.

— Eu tropecei na escada.

Fiona riu com sarcasmo.

— Não, sério — disse ele. — Pode perguntar ao seu irmão.

Eles subiram as escadas até a sala de aula.

— Isso não devia ter acontecido — disse Fiona. — Meu irmão nem sempre pensa direito nas coisas.

Han segurou o corrimão para não tropeçar. Ela estava mesmo pedindo desculpas?

— Nosso pai não vai ficar feliz quando souber — prosseguiu Fiona, como se lesse os pensamentos dele. — Ele quer você vivo para ser interrogado, antes de ser enforcado por assassinato.

— Ei, o que é justo, é justo — disse ele ao abrir a porta da sala de aula. — Se eu for enforcado por assassinato, lorde Bayar também deveria ser.

A voz dele pareceu ecoar pela sala de aula silenciosa. Cabeças se viraram. Micah Bayar abandonou sua postura relaxada e se inclinou para a frente, com as mãos nos joelhos, olhando para eles.

Gryphon estava falando, mas a voz dele desapareceu no silêncio carregado enquanto Han e Fiona seguiam para cadeiras afastadas.

— Novato Alister, lady Bayar. Vocês estão atrasados.

E algum impulso insensato fez Han dizer:

— Me desculpe, senhor. Lady Bayar precisou de ajuda com o dever de casa.

Fiona lançou um olhar incrédulo para ele, do outro lado da sala.

Gryphon olhou para ele por um longo momento, aqueles surreais olhos azul-turquesa destacados no rosto pálido.

— Você, Alister, chegou atrasado quatro vezes nas últimas duas semanas. Parece que prefere dormir a vir para a aula. Talvez você ache perda de tempo. Talvez ache que está mais avançado do que nossas lições simplórias.

— Não, senhor, não é verdade — disse Han. — Tenho ficado acordado até tarde estudando e...

— Então resuma o capítulo nove para nós. — Gryphon esticou o pescoço como uma ave de rapina.

— Capítulo nove. — Han molhou os lábios. Na verdade, ele nem tinha aberto o Kinley. Tinha passado a noite toda acordado com Corvo. — Sinto muito, senhor — disse ele. — Eu não li.

— Não? — Gryphon ergueu uma sobrancelha. Ele rabiscou alguma coisa em um pedaço de papel, dobrou e empurrou para a frente do púlpito. — Você está dispensado desta aula pelo resto do período. Faça o favor de levar este bilhete para a sala da reitora Abelard. No quinto andar.

A sala da reitora Abelard ficava três andares acima da sala de aula. Han arrastou os pés até lá como uma criança pequena prestes a levar uma surra. Ele via a reitora, semana após semana, no grupo de estudos, mas evitava encontrá-la a sós.

De todas as aulas, a de Gryphon era a única em que ele queria ficar. Feitiços, encantamentos, uso de amuletos... Fora o grupo de estudos de Abelard, aquela aula parecia combinar com seus propósitos. Ele estava aprendendo com Corvo, mas não queria ter que contar com ele para sua educação mágica. Queria ir além de feitiços de defesa e morte.

Quando o proficiente o levou até a sala de Abelard, ela estava terminando de ler uma correspondência.

— Sente-se, Alister — disse ela, indicando uma cadeira.

Ele se sentou.

Abelard se recostou na cadeira e apoiou as mãos na beirada da mesa.

— E então? O que foi desta vez? Você não devia estar em aula?

Ele entregou o bilhete.

— Mestre Gryphon me expulsou da aula, por atraso.

Abelard leu o bilhete.

— Entendo. Você tem alguma coisa a dizer em sua defesa?

— Eu *estava* atrasado. Dormi demais.

— Hmm. — Ela deixou o bilhete na mesa. — Eu soube que sua frequência anda irregular. Você chega constantemente atrasado. Mas seu desempenho nas provas e na prática é bem superior ao dos seus colegas. Como você explica isso?

Han deu de ombros.

— Eu me esforço. Foi por isso que dormi demais. Fiquei acordado até tarde.

— Então você chega na aula exausto, com o amuleto quase vazio — falou Abelard.

— Eu tento carregá-lo. Talvez eu não seja tão poderoso. — Han olhou para a mesa.

— Talvez você não se sinta desafiado nas suas aulas — Abelard bateu com os dedos no bilhete de Gryphon.

— Não, não é isso. Aprendo muito na aula de Gryphon. Eu pretendia chegar na hora. Só calculei mal.

— Com quem mais você está estudando, Alister? — perguntou Abelard delicadamente. — Tem alguém sendo seu mentor?

Han fez uma expressão intrigada.

— Meus professores são os mesmos que os de todo mundo. Gryphon, Leontus, Firesmith...

— Não minta para mim — disse a reitora, com olhos cintilando. — Eu posso tornar sua vida muito, muito difícil.

— Eu leio muito — disse Han. — Pode perguntar pra qualquer um. Estou sempre na biblioteca. — Ele olhou para ela. — Se eu vou trabalhar para você, preciso estudar para sobreviver.

Eles se olharam por um longo momento, e Abelard desviou o olhar primeiro.

— Você quer que eu cancele a ordem do mestre Gryphon? — perguntou ela, puxando um pote de tinta para perto e pegando uma caneta.

Han balançou a cabeça.

— Não, obrigado.

Abelard inclinou a cabeça.

— Por que não?

— Gryphon está certo — disse ele. — Não posso chegar atrasado à aula o tempo todo. Foi justo o que Gryphon fez, mesmo eu não gostando.

Abelard se inclinou para a frente.

— Se está com medo de mestre Gryphon ficar com raiva se eu intervier, quero garantir que...

— Mas eu gostaria de voltar para a aula no semestre de primavera — interrompeu Han. — Talvez você possa me ajudar com isso.

— Claro — disse ela, tomando nota.

— Que bom. — Han sorriu. — Mais alguma coisa?

Ele fez que ia se levantar.

— Quero que você dê aula no grupo de estudos, no próximo semestre — disse Abelard abruptamente. — O tópico vai ser viagens a Aediion.

Ossos.

— Reitora Abelard, acho que isso não é...

Abelard levantou a mão para interrompê-lo.

— Entendo que seu sucesso pode estar atrelado ao seu amuleto. Mesmo assim, eu gostaria que você orientasse os outros integrantes do grupo. Se pelo menos alguns de nós conseguirem dominar a técnica, seria a forma de comunicação mais útil de todos os Sete Reinos. Talvez a gente logo tenha ferramentas melhores em nosso arsenal.

— É perda de tempo — protestou Han. — Mestre Gryphon já falou sobre isso, e provavelmente todo mundo do grupo já tentou.

— Não estou lhe dando escolha — disse Abelard. — Você vai ter bastante tempo para se preparar. Mas esteja pronto na primavera.

Han engoliu seus argumentos e assentiu.

— Tudo bem.

Abelard continuou olhando para ele, batendo com as unhas compridas no mata-borrão.

— Alister, você é difícil de interpretar. É óbvio que tem sangue de mago. E você parece ser de sangue puro. Mas não mencionou seu pai. É possível que sua mãe tenha se relacionado com…

— Não — disse Han, subitamente desesperado para sair da presença dela. — Não é possível. Meu pai era soldado e morreu em Arden. — Ele ficou de pé. — Se não tiver mais nada…

— Isso é tudo.

Abelard o dispensou, acenando com a mão.

— O que aconteceu com a reitora Abelard? — perguntou Dançarino quando eles saíram da aula de Fulgrim e foram andando para o salão de jantar.

— Estou fora da aula de Gryphon até o fim do período — disse Han. — É só mais uma semana. Ela vai me botar de volta na primavera.

Dançarino assentiu.

— Podia ser pior.

É pior, pensou Han. Sua cabeça doía e girava de preocupação.

— Se você dormir em Hampton, posso cuidar para que acorde — ofereceu Dançarino.

— Não é seu trabalho ser minha babá — resmungou Han.

Ele se sentia frágil como uma vidraça, partida em cacos que não mais se encaixavam.

— Sou seu amigo — disse Dançarino, acompanhando os passos largos de Han. — É meu trabalho ajudar você se eu puder. Como você me ajudaria.

Han suspirou.

— Me desculpe. Você está certo. Obrigado. A gente pode tentar isso depois das férias de inverno.

Cat estava esperando por eles em frente ao salão de jantar. Duas ou três vezes por semana, pelo menos, Han almoçava com Cat e Dançarino. No começo, ele se sentia um juiz, rechaçando os ataques e insultos de Cat. Mas isso passou quando Cat percebeu que insultar Dançarino não tinha graça. Ele sempre ignorava.

Cat parecia estar evoluindo. Tinha parado de exibir as facas fora da túnica, embora Han soubesse que ainda possuía algumas escondidas. Os olhos dela estavam livres dos efeitos de alga-do-sono e de capim-navalha e do excesso de bebida.

Que bom que convencemos Cat a vir para cá, pensou Han. Independentemente do que acontecer, pelo menos isso eu fiz certo.

Naquele momento, Cat estava com a testa franzida, como se tivesse um segredo que mal podia esperar para contar, ou uma pergunta que estava doida para fazer, mas não sabia como começar o assunto. Eles levaram os pratos até a mesa de sempre, perto da janela.

Han não estava com energia para questioná-la, então comeu em silêncio, esfregando a testa com a base da mão.

E Dançarino não perguntaria. Ele fingiu não reparar, embora não houvesse muita coisa que ele não reparasse em Cat. Ele começou uma longa descrição do talismã que estava fazendo com mestre Firesmith, algo que protegeria uma moradia de incêndios.

Cat revirou os olhos e olhou para Han, esperando uma chance de mudar de assunto.

— Qual é seu problema?

— Fui expulso da aula de Gryphon pelo resto do semestre — disse Han.

— É *isso*? — Cat estreitou os olhos para Han, como se não acreditasse.

Han deu de ombros.

— É para isso que estou aqui. Para aprender magia.

— Achei que sua garota sangue azul tinha partido seu coração — disse Cat com um sorrisinho.

Isso chamou a atenção de Han. Ele olhou para Cat.

— Que garota sangue azul?

— Bom, eu *sabia* que você estava saindo com alguém, porque você sai quase toda noite e me deixa com esse cabeça de fogo o tempo todo. — Ela moveu a cabeça na direção de Dançarino. — E ontem à noite eu finalmente descobri quem é.

— Quem? — perguntou Han, intrigado.

Ele olhou para Dançarino, que parecia tão intrigado quanto ele.

— Rebecca — disse Cat com triunfo.

— Que Rebecca?

Cat lhe lançou um olhar de "Você está falando comigo, lembra?".

— Rebecca Morley, seu verme. Dei de cara com ela em frente à Escola do Templo ontem à noite.

— Ela está aqui? Em Vau de Oden?

Han ficou olhando para ela. Seu coração disparou contra as costelas, tão alto que parecia que os outros dois poderiam ouvir.

— Bem, é onde a Escola do Templo fica, não é? — Cat franziu as sobrancelhas. — Você não está saindo com ela?

Han balançou a cabeça.

— Não. Eu nem sabia que ela estava aqui.

— Ah.

Cat fez uma careta e comeu suas batatas, como se aquele fosse o fim da história.

A mente de Han estava em disparada. Ele pensou ter visto Rebecca em frente ao estábulo, no dia em que chegou a Vau de Oden. Mas depois achou que estava enganado, porque aquilo não fazia sentido.

— Tem certeza de que era ela?

Cat assentiu enquanto mastigava.

— Por que ela estava lá? — perguntou Han. — Ela estuda na Escola do Templo?

Era possível, embora ele não achasse que ela frequentava o Templo de Ponte Austral ou a Escola da Catedral, lá em Fells.

Cat balançou a cabeça.

— Ela estava usando um uniforme de sujinho.

— Ela está na Academia Wien? Isso é improvável.

Embora fosse corajosa, Rebecca era pequena e leve. Não tinha como ser um soldado.

— Não tenho nada a ver com isso — disse Cat com expressão irritada. — Era o que ela estava vestindo.

— O que ela estava fazendo na Escola do Templo? — perguntou Han.

Cat se mexeu na cadeira.

— Bom, fico feliz de ter animado você — disse ela. — Você não parece tão para baixo quanto antes.

— Cat.

— Ela estava... espionando aquele cabo Byrne.

O cabo Byrne também estava ali?

— Ela estava *espionando* ele. O que ele estava fazendo?

Cat desistiu.

— O cabo Byrne está saindo com Annamaya. Você conheceu ela, lembra? Na Escola do Templo? Ele vai lá regularmente, duas vezes por semana. Eles nunca fazem nada além de dar as mãos, muito formais.

Ela revirou os olhos como quem diz: "Qual é o sentido?"

— Então eu estava indo para o dormitório e vejo uma pessoa agachada atrás das plantas, espiando a janela da sala. Olho pela janela e vejo o cabo Byrne com Annamaya. E a garota era Rebecca, espionando os dois.

— Aquele cabo Byrne de Ponte Austral, certo?

— É o único que eu conheço.

Han não conseguia imaginar *aquele* cabo Byrne traindo Rebecca. Nem com duas garotas ao mesmo tempo.

— Você falou alguma coisa com ela?

— Com Annamaya?

— Com Rebecca.

— Só perguntei o que ela estava fazendo lá. Algo do tipo.

Cat não olhou nos olhos de Han.

— E então? — disse Han com impaciência. — O que ela disse?

— Disse que também estudava aqui.

— Você falou alguma coisa sobre mim?

Cat olhou para ele de cara feia.

— Por que eu falaria de você? Você acha que o mundo todo cheira sua bunda?

Han lançou um olhar sério para Dançarino, que estava sorrindo.

— Achei que talvez ela estivesse traindo você com o cabo Byrne, e que era por isso que estava espionando ele traindo ela — prosseguiu Cat. — Ela fugiu antes de eu perguntar.

— Por que ela fugiria? — perguntou Han.

Cat era capaz de falar por horas sem dizer o que você precisava saber.

— Como eu vou saber? — Ela fez uma pausa e acrescentou, com relutância: — Bom... eu estava com minha faca na mão.

Han e Dançarino se entreolharam.

— Sua *faca*? — disse Dançarino, franzindo a testa.

— Bem, eu vi ela andando sorrateira e não reconheci de cara, e não sabia o que ela queria, e meio que esqueci que estava segurando a faca.

— Claro, isso acontece — disse Han secamente.

— Falei com Annamaya, e ela disse que ela e o cabo Byrne vão se casar. Só que vai demorar. Eu já acho que, se você vai se casar, é melhor fazer isso de uma vez.

Han limpou a garganta.

— Você sabe onde ela está morando? Rebecca, quer dizer.

— Não sei. Você pode tentar o Salão Grindell. Do outro lado do rio. É onde o cabo Byrne mora.

CAPÍTULO VINTE E TRÊS

ENCONTRO DE EXILADOS

Raisa descobriu que havia um lado ruim de ter amigos: eles sempre tentam animar você quando tudo que se quer é ficar quieto, se lamentando.

As semanas após Raisa ter seguido Amon até seu encontro foram uma confusão dolorosa, e então chegaram as provas de fim de período. Raisa estava ocupada demais para sofrer, e Hallie e Talia estavam ocupadas demais para reparar. Mas, conforme os Lobos Gris foram terminando suas provas, começou a sobrar mais tempo para se lamentar. E para suas amigas repararem. As festas do fim do semestre começaram e culminariam na celebração do solstício.

Raisa não sabia o que Hallie e Talia tinham dito para os outros Lobos, mas as conversas eram frequentemente interrompidas quando ela entrava em um aposento. Cada um tentava ajudá-la de seu próprio jeito. Garret se ofereceu para dividir a garrafa de uísque que guardava embaixo de uma tábua solta do piso do quarto, e Mick tentou dar a ela um alforje artesanal feito nos clãs, do qual Raisa gostava.

Agora era ela quem ficava longe do Salão Grindell o máximo que podia. Quando Amon estava no dormitório, ela ficava no quarto. Quando eles precisavam se encontrar, ela era educada, cooperativa e calma.

Ela não estava com raiva, mas não conseguia suportar a expressão sombria e culpada no rosto dele, como se quisesse dizer alguma coisa, mas não encontrasse as palavras. Nem os olhares significativos trocados entre os outros.

Ela podia estar se lamentando, mas não queria que sentissem pena dela.

Uma vez, quando os outros tinham saído, Amon bateu na porta do quarto dela.

— Rai — disse ele. — Não aguento mais isso. Venha conversar comigo.

— Agora não posso — falou ela, mantendo a voz firme e leve. — Estou estudando.

— Rai — repetiu ele, e ela sabia que ele estava com a testa apoiada na porta. — Por favor. Você é minha melhor amiga.

— E você é o meu. Mas não consigo fazer isso agora, está bem?

Um soluço se alojou em sua garganta e ela não conseguiu falar mais, então ficou sentada, de punhos fechados, respirando fundo até Amon ir embora.

Na véspera do solstício, o salão comum estava cheio de conversas sobre os planos para as festas que aconteceriam naquela noite, culminando em fogos de artifício. Parecia que Amon iria assistir do Templo, junto de Annamaya. Ele deu essa notícia da sala ao lado, fingindo não ouvir enquanto os outros tentavam convencer Raisa a sair.

— Venha com a gente — pediu Talia. — Pearlie vai se encontrar com a gente na Rua da Ponte. Vamos jantar e encontrar um lugar legal para ver os fogos.

— Você estudou como uma louca o período todo — acrescentou Hallie. — Eu vou para casa amanhã, então essa é nossa única chance de sairmos juntas.

Hallie era a única dos Lobos Gris que viajaria para casa nas férias de solstício. Apesar de o percurso de ida e volta ser mais longo do que o período que ela passaria lá, para ela valia a pena passar as férias com a filha, Asha.

Raisa esperou até Talia ir ao banheiro e puxou Hallie para um canto.

— Hallie, você estaria disposta a levar uma carta até Fells, para minha mãe? — perguntou ela baixinho. — Está quase pronta, e posso terminar e deixar na sua cama, para você levar.

— Claro que sim — disse Hallie. — Mas como vou encontrar sua mãe? Onde ela mora?

— Lorde Averill é amigo da minha mãe — disse Raisa. — Se você levar até ele, ele vai cuidar para que ela a receba. E, se tiver resposta, você pode trazer para mim. — Raisa fez uma pausa. — Mas tome cuidado de só deixar na mão dele. De mais ninguém. Tudo bem?

— Pode deixar — disse Hallie, assentindo.

— E não conte para mais ninguém — disse Raisa. Principalmente Amon Byrne, pensou ela.

Hallie deu de ombros.

— Se é assim que você quer. Agora, que tal irmos jantar? Sei que você não gosta de tabernas, mas estamos de férias, afinal.

Raisa balançou a cabeça.

— Obrigada por me convidar, mas vou comer no salão de jantar, ler um pouco e ir dormir cedo. — Ela deu um bocejo exagerado. — Se eu ainda estiver acordada à meia-noite, vou até a praça e vejo os fogos de lá.

— Então vamos ficar para ir jantar com você — disse Talia. — Vamos fazer companhia. Talvez você mude de ideia sobre os fogos.

— Não — cortou Raisa. — Eu estou *bem*. Não estraguem seus planos por minha causa.

Ela ergueu o olhar. Amon estava na porta, com olhos cinzentos escuros de dor.

Então eles saíram, lançando muitos olhares para trás, mas sem nenhuma outra tentativa de convencê-la a ir.

Raisa andou até o salão de jantar quase vazio. Pela primeira vez, havia carne de sobra, além de bolinhos e biscoitos do solstício, com um glacê que os faziam parecer pequenos sóis. Ela andou de volta para Grindell e reescreveu a carta para a rainha Marianna. Depois de deixá-la na cama de Hallie, espalhou os livros pela mesa do quarto e abriu *Uma breve história das guerras nos Sete Reinos*. Apesar do título, ele tinha oitocentas páginas. Que bom que ela não precisava ler a versão estendida.

Ela, sem dúvida, teria aulas com Tourant de novo, no período seguinte, de História da Guerra II. Supondo que conseguisse passar na primeira parte. Parecia-lhe impossível reprovar em uma matéria que achava tão fascinante. Ela queria que mestre Askell aplicasse as provas, em vez de Tourant.

Raisa abriu o livro e se perdeu na leitura. Vários dos capítulos sobre uso de magia na guerra faziam referência a Hanalea, que usara uma abordagem de três direções, depois da Cisão, para se defender de piratas, bandidos e uma invasão do sul. A rainha guerreira fora inovadora, correra riscos. O legado dela chegava aos dias atuais.

Que tipo de legado ela, Raisa, deixaria? Um de sofrimento e decepção?

Raisa se recostou e esfregou os olhos. O dormitório estava silencioso como uma tumba. Do lado de fora, os sinos do templo bateram a hora. Nove horas.

De repente, ela não conseguiu suportar a ideia de ficar sozinha no quarto, na mais festiva das noites, uma noite sem toque de recolher. Estamos dando as boas-vindas a um ano novo, pensou ela. Época de novas oportunidades. Talvez seja uma noite para correr riscos.

Não faria mal sair para tomar um pouco de ar, concluiu ela, tirando a capa do gancho na parede.

Depois de passar pela porta, Raisa se virou na direção do rio. Dava para ouvir a música vinda da Rua da Ponte, onde os fogos de artifício teriam início, em poucas horas. Seria tão arriscado ir lá, só dessa vez? Ela poderia encontrar Hallie e Talia e fazer um brinde, pelo menos. Fazia tanto tempo que não via fogos de artifício. Era uma pena não passar a última noite de Hallie em Vau de Oden com ela.

Enquanto andava na direção do rio, ela não conseguia afastar a sensação desagradável de que alguém a observava. Mas, quando se virou, não viu ninguém. Havia muita gente nas ruas, mais e mais à medida que se aproximava do rio.

Havia ramos de sempre-viva amarrados em postes, e lampiões pendurados pelas ruas para guiar a luz de volta aos Sete Reinos. Os templos estavam bem iluminados, cobertos de redes cintilantes e velas para afastar a escuridão. Neles, oradores e corais cantavam hinos ao Criador e bebiam *wassail*, como em casa. O ânimo de Raisa melhorou um pouco.

Ela foi seguindo pelas estreitas ruas de pedra daquela velha cidade, e lobos cinzentos pulavam nos dois lados dela, latindo e ganindo, como se quisessem atrair sua atenção. Ela parou e olhou ao redor. Não viu nada. Tentou acalmar seu coração disparado.

Lobos às vezes significavam um momento decisivo. Talvez aquela noite de solstício significasse novas oportunidades.

Seus dias de brincadeiras acabaram, disse ela para si mesma, tentando não pensar em Amon. Ela não podia se casar, nem mesmo *ficar*, com Amon Byrne. Aquele caminho estava fechado. Que outro caminho ela poderia tomar?

Ela podia se casar com alguém de fora de Fells. Liam Tomlin, de Tamron, deixou claro que estava interessado — ela só não sabia com que objetivo. Liam poderia ser a melhor opção de casamento, do ponto de vista político, mas ela precisava de mais informações para ter certeza.

Não atrapalhava em nada o fato de Liam ser mais jovem, mais bonito e mais atraente do que qualquer outro príncipe com quem ela pudesse se casar. Ela não o amava, mas ele era infinitamente preferível a Gerard Montaigne, que lhe provocava arrepios na espinha.

Ela podia fazer o que a mãe pretendia, e se casar com Micah Bayar, o que geraria uma cascata de consequências, possivelmente incluindo uma guerra com os clãs. Mas ela era mais forte que a mãe, mais obstinada. Os laços mágicos criados pelos oradores poderiam protegê-la. Uma união entre a linhagem Lobo Gris e o Conselho dos Magos podia ser poderosa. A guarda e o exército continuariam leais à rainha. Provavelmente.

Ela podia se casar com alguém da realeza dos clãs, como a mãe tinha feito. Isso agradaria aos clãs e enfureceria o Conselho dos Magos. Reforçaria a terceira base do poder Lobo Gris. Reid Demonai era uma possibilidade, e havia candidatos prováveis em outros Campos.

Hanalea não se casara por amor. Ninguém nunca ouvira falar nada sobre o consorte com quem ela se casou depois da Cisão. Ela se concentrou em salvar o reino. Era um exemplo a ser seguido.

Raisa estava tão absorta em estratégias que quase deu de cara com uma parede de tijolos. Olhou ao redor e percebeu que a música tinha diminuído. Tinha entrado em um labirinto de vielas de tijolos. Ela se virou para onde tinha vindo e encontrou uma pessoa bloqueando seu caminho.

— Olha só quem está andando sozinha por aí na véspera do solstício — disse ele. — Não tem nenhum encontro para o feriado?

Era Henri Tourant, caindo de bêbado e fedendo a cerveja, vestido em seu estilo espalhafatoso característico.

Raisa ficou imóvel por um momento, avaliando suas possibilidades. Por fim, assentiu e disse:

— Proficiente Tourant, feliz Ano-Novo. Que o sol nasça de novo. — Ela tentou passar por ele para chegar à rua.

Mas Tourant segurou seu braço, a puxou para perto e a empurrou contra a parede, com o braço pressionado contra o pescoço de Raisa.

— Me solte! — Raisa tentou gritar, mas a pressão na traqueia a impediu de falar alto.

A viela se encheu de lobos cinzentos, com os pelos eriçados no pescoço. Os uivos ecoavam nas paredes dos dois lados.

— Talvez você queira um encontro comigo — disse Tourant com voz arrastada. — Estou... disponível.

Raisa empurrou o braço dele com as mãos.

— Eu disse para me soltar.

— Você precisa aprender a guardar suas opiniões para si mesma — disse ele. — Você me criou problemas com mestre Askell, e agora não vou dar aula no próximo semestre.

— Talvez — ofegou Raisa, a raiva a deixando imprudente — seja um bom momento para você refletir sobre o cretino que você é.

Não foi uma decisão inteligente. O braço de Tourant apertou com mais força o pescoço dela, como se para interromper a respiração que alimentava aquelas opiniões. A cabeça dela começou a girar.

O que Amon sempre dizia? *Se alguém agarrar você na rua, bata com força e rápido, porque você pode não ter uma segunda chance.*

Apoiando-se na parede, ela bateu com o calcanhar da bota, com todo o peso, em um dos ridículos mocassins de veludo de Tourant. Ossos estalaram.

Ele berrou de dor e relaxou o aperto o bastante para ela conseguir respirar. Então ele bateu com a cabeça dela na parede. Raisa viu estrelas.

— Eu desprezo as mulheres do norte — disse ele, sacudindo-a. — Vocês são prostitutas e vadias, todas vocês. Vou lhe mostrar como nós tratamos vadias, no sul.

Ele pressionou o rosto contra o dela, em um beijo bêbado, usando o corpo para mantê-la presa contra a parede.

Tourant segurou os dois lados do rosto de Raisa e a manteve parada. Raisa agarrou o dedo mindinho da mão direta dele e puxou, quebrando-o. Ele berrou e cambaleou para trás, aninhando a mão machucada, e ela chutou o joelho dele. Tourant caiu no chão e rolou de um lado para o outro, berrando de dor.

Raisa sabia que tivera sorte, porque a bebida retardara as reações de Tourant; sabia que devia sair correndo, mas não conseguiu se segurar. Toda a raiva e frustração das últimas semanas explodiram. Ela puxou a faca e encostou no pescoço de Tourant.

— Quando falaram sobre as mulheres do norte, contaram para você que elas carregam facas? — perguntou ela.

Os olhos de Tourant ficaram quase vesgos, fixos na lâmina.

— Não — sussurrou ele.

— Se você tocar em mim de novo, seu porco ardenino arrogante, eu juro pelo sangue de Hanalea guerreira que vou *castrar* você. Está entendendo?

Tourant assentiu com força, a testa molhada de suor. Ela recuou, se virou e saiu correndo pela viela, na direção da rua.

Havia alguém na entrada da viela, uma pessoa alta com silhueta destacada contra as luzes da rua. Raisa ficou apreensiva. Será que era um capanga ardenino de Tourant que estava ali para participar?

— Saia do meu caminho — avisou ela, ainda andando —, senão você vai ganhar o mesmo tratamento que ele.

— Inclusive a castração? — perguntou ele na língua de Fells. — Já ouvi falar de ladrões que ficam manetas, mas isso já é demais.

O medo virou confusão. Ele era de Fells. Não ardenino.

— Manetas?

Ele fez um movimento de corte no pulso.

— A justiça peculiar da rainha. Faz ficar mais difícil para um ladrão ganhar a vida de outra forma.

O reconhecimento a arrepiou. Ela estreitou os olhos na escuridão.

— Quem é você?

— Eu jamais irritaria uma garota do norte. Sei sobre as facas. — A voz dele era familiar, mas as feições ainda estavam escondidas nas sombras. — Eu ia arrancar aquele sujinho com cara de bacon de cima de você, Rebecca, mas acho que você não precisava da minha ajuda.

Ela parou de andar e seu coração se acelerou a um ritmo intenso.

— Alister? — sussurrou ela. E então, mais alto: — *Alister*, é você?

— Venha aqui e confira.

Ele deu dois passos para trás e a luz dos lampiões iluminou seu rosto.

Ela saiu da viela, ergueu a cabeça e encontrou um par de olhos azuis que achava que jamais voltaria a ver. Seu coração cresceu no peito e quase explodiu, e ela se esforçou para respirar, para forçar o ar a passar pelo nó na garganta.

— Hanalea abençoada, *é* você — sussurrou ela, com os olhos ardendo com lágrimas súbitas demais para serem controladas.

— Oi, Rebecca — disse Alister Algema e acrescentou rapidamente: — Ei, calma. Não fique tão assustada. Não sou um fantasma, se é o que você está pensando.

— Mas me disseram que você estava morto — disse Raisa, quase acusatoriamente. — Encontraram suas roupas cheias de sangue na margem do rio.

Algema deu de ombros.

— Eu precisava tirar os casacos azuis do meu encalço. Então fingi minha morte. — Ele abriu um sorriso estranhamente dolorido. — Acho que deu certo.

A ressurreição parecia lhe ter feito bem. Ele estava com roupas melhores do que ela se lembrava. Nada extravagante, mas os trajes pareciam novos, com tecido de boa qualidade. Caíam bem nele e revelavam um corpo alto e magro, com ombros largos por baixo de uma capa de lã.

Na última vez que Raisa o vira, o cabelo dele estava desgrenhado, tingido de marrom sujo, e ele estava usando roupas dos clãs. Agora, o cabelo tinha sido recém-cortado. Cintilava como fios de ouro sob a luz da rua. Parecia um daqueles romances antigos em que o mendigo troca de roupa e vira um príncipe.

O rosto dele também estava diferente. Na última vez que o vira, Han estava machucado pela surra que a Guarda da Rainha dera nele. Agora, ela via que ele tinha maçãs do rosto altas e nariz reto e comprido, com uma saliência no meio, como se já tivesse sido quebrado. Havia sombras nas feições dele que não existiam antes, uma história e uma expectativa de dor.

— O que você está *fazendo* aqui? — questionou Raisa, as perguntas borbulhando e escapando dela.

— Eu estudo aqui. Assim como você. — Algema olhou por cima do ombro para a viela. — Vamos sair daqui agora, antes que seu amigo recupere a coragem. — Ele fez uma pausa e inclinou a cabeça. — Ou você quer chamar os guardas?

Ele provavelmente não tinha o hábito de chamar os representantes da lei.

Raisa imaginou aquela cena confusa, a multidão que atrairia, e balançou a cabeça.

— Então vamos.

Ele a guiou para a esquerda, na direção do rio, com a mão entre as omoplatas dela. Havia um zumbido no toque dele, um calor e um formigamento, quase como...

— Você quer ir até a Rua da Ponte? — perguntou ele. — Poderíamos tomar uma sidra e conversar.

Raisa parou de supetão. Algema olhou para ela como se estivesse com medo de ter ido longe demais.

— A não ser que você tenha outros planos, claro. É que... eu queria conversar com você.

— Eu preferia não ir para a Rua da Ponte — disse Raisa. — Depois de tudo que aconteceu, não quero ficar no meio de uma multidão.

— Tudo bem, então — disse ele, passando os dedos pelo cabelo. — Eu posso levar você de volta pra Grindell.

Alarmes dispararam na mente dela.

— Como você sabe onde eu moro? — perguntou ela.

— Bem, eu... há... segui você de lá até aqui.

— Você estava me *seguindo*?

Ele levantou as mãos e olhou ao redor, para a rua cheia, como se estivesse com medo de que alguém os ouvisse.

— Vou explicar. Quando a gente conversar.

Raisa imaginou voltar ao dormitório, para os olhos xeretas dos Lobos Gris. Sem mencionar a possibilidade de encontrar Amon Byrne.

Era provável que todo mundo fosse demorar horas para voltar. Mesmo assim, não havia garantia.

— Também quero conversar com você, mas não podemos voltar para Grindell.

Para a surpresa de Raisa, Algema não fez perguntas.

— Poderíamos ir para meu alojamento e ficar no salão comum de lá — sugeriu ele. — Moro no Salão Hampton, do outro lado da ponte.

— Hampton? Não conheço esse alojamento. Em que área fica?

Ele limpou a garganta, mas manteve os olhos fixos no rosto dela, como se não quisesse perder nenhum detalhe.

— Na Academia Mystwerk.

— Mystwerk! Mas é... uma escola para magos.

A cabeça dela estava doendo da pancada na parede. Talvez tivesse entendido errado.

— Muita coisa aconteceu — disse Algema.

Ele mexeu debaixo da própria capa e puxou uma joia reluzente pendurada em uma corrente — uma serpente entalhada em pedra verde transparente. Sua mão envolveu a peça e a pedra brilhou nos dedos dele, absorvendo poder.

Raisa deu um passo involuntário para trás.

— Você é um mago?

Ele assentiu, quase se desculpando, e guardou rapidamente o amuleto.

— Mas... mas... como pode? — A voz dela aumentou, e Algema balançou a mão, como se tentasse fazê-la se calar. — Quem mandou você para cá? Você veio atrás de mim?

— Não — disse ele. — Como eu disse, eu vim estudar. É... complicado. Vou explicar, mas... — ele olhou ao redor de novo — não no meio da rua, tá?

— Bom, eu não posso ir para Hampton — disse ela, ainda abalada pela revelação. — Não quero que ninguém de Mystwerk me veja com você.

Ele hesitou, sua expressão ficou tensa, e ela percebeu que ele interpretara de maneira errada; ele achou que ela estava com vergonha de ser vista com ele.

— Não foi isso que eu quis dizer — disse ela, tocando o braço dele. — Quer dizer... tem algum lugar onde a gente possa conversar em particular? Só nós dois?

Ele ergueu as sobrancelhas e observou o rosto dela, como se querendo ler nele o que ela queria dizer.

— Bem, tenho um lugar na biblioteca, no terreno de Mystwerk — disse ele. — É meio difícil de chegar lá, mas ficaremos sozinhos, pelo menos.

— Na *biblioteca?* — Isso parecia bem seguro. — Mas a biblioteca não está fechada?

— Não pra mim. — Ele deu aquele sorriso malicioso que a encantou desde o começo. — Mas precisamos confiar um no outro. Preciso saber que você não vai contar para ninguém sobre isso. E você… bem, você vai ver.

Para chegar lá, eles teriam que atravessar a proibida Rua da Ponte.

Talvez seja a hora de correr um risco, ela repetiu para si mesma. Ela olhou ao redor e os lobos não estavam por perto.

— Tudo bem — disse ela. — Vamos.

Algema observou silenciosamente quando ela colocou o capuz e enrolou o cachecol no rosto, embora a chuva tivesse diminuído.

A Rua da Ponte estava cheia de gente comemorando, muitos bebendo na rua, erguendo os copos pela volta do sol. Música ecoava pelas portas, e marionetes emplumadas faziam shows improvisados em varandas. Raisa olhou ao redor, de olhos arregalados. Havia a Hanalea guerreira, toda de branco, matando o Rei Demônio de plumagem vermelha.

Algema pegou a mão de Raisa e entrou na multidão, abrindo caminho para ela. Raisa sentiu o ardor do poder de mago nos dedos dele.

Isso é um sonho, pensou ela. Um sonho de solstício. Dizem que tudo que você sonha no solstício vira realidade.

— Ei, Alister! — chamou alguém da varanda de uma taberna. — Quem é a garota? Não vai nos apresentar?

Algema balançou a cabeça e seguiu em frente. Logo eles saíram da ponte, no lado de Mystwerk, a segunda vez que ela atravessava o rio desde que chegara. A última vez a deixara de coração partido. Agora… quem poderia saber?

À frente, Raisa conseguia ver a estrutura da Torre Mystwerk, com o relógio iluminado mostrando as dez da noite. Faltavam duas horas para os fogos. Passarelas cobertas ligavam os prédios e atravessavam o terreno, protegendo os alunos das chuvas torrenciais do sul.

No fim da ponte, Algema entrou em uma rua lateral e depois em uma viela estreita. A apreensão de Raisa aumentou rapidamente. Temos que confiar um no outro, dissera ele. E se ela tivesse conseguido fugir de uma encrenca só para se meter em outra?

Um lado do caminho era uma parede de pedra áspera. Algema parou para amarrar a beira da capa ao redor da cintura, para que ela não se embolasse em suas pernas. Falou para Raisa fazer o mesmo. Depois subiu pela lateral do prédio, como um gato, e desapareceu no telhado.

— Ei! — sussurrou ela, olhando para cima e piscando contra a neblina. — O que você...?

Ele se inclinou lá de cima e estendeu as mãos.

— Aqui. Me dê as mãos.

Ela esticou os braços para cima e ficou na ponta dos pés, tentando aumentar sua pouca altura. Ele a segurou pelos pulsos, puxou no ar e a colocou ao lado dele no telhado, sem lhe soltar. O poder a invadiu como uma bebida potente.

— Pode me soltar agora — sussurrou ela, apoiando os calcanhares e tentando se soltar das mãos dele.

— Cuidado — sussurrou ele. — Está escorregadio por causa da chuva. — Ele a puxou para longe da beirada e a soltou. — Promete que não vai cair e quebrar o pescoço?

Ela assentiu sem falar nada enquanto massageava os cotovelos.

Ele olhou para o sul, por um mar de telhados interligados.

— Podemos andar pelas passarelas até a biblioteca, mas você tem que pisar leve, tá?

Ela o seguiu quando ele saiu caminhando com confiança pelo telhado que levava ao prédio ao lado. Ele se abaixou quando eles atravessaram a passarela, para não serem vistos de baixo, e ela imitou sua postura. Eles passaram para o telhado do prédio seguinte. Telhas frouxas estalaram debaixo dos pés deles, e o coração de Raisa disparou no peito, mas ainda estava ventando e, sem dúvida, o pequeno ruído se perdeu.

Do outro lado do telhado, Algema pulou com destreza no telhado da passarela abaixo, incrivelmente silencioso. Ele se virou e abriu os braços para ela.

— Pule.

Ela pulou e ele a segurou, dando um passo para trás, apertando-a contra o peito. O rosto dela se comprimiu contra o ombro molhado dele. Mais uma vez, ela sentiu o calor da magia — a capa estava praticamente soltando vapor, com cheiro de lã quente e úmida. Ele deslizou a mão por entre os dois, levando-a até o pescoço, e o calor diminuiu um pouco.

— Desculpe — disse ele. — Eu ainda deixo escapar, às vezes, se não esvazio no amuleto.

Eles subiram engatinhando para uma parte mais alta, no lado extremo da passarela. Ela começou a escorregar nas telhas molhadas, e ele segurou seu braço para firmá-la. Raisa olhou ao redor quando eles chegaram ao topo, tentando identificar o local. Eles estavam no alto de uma ala do que devia ser a biblioteca.

— Aqui embaixo.

Ele pulou no espaço do ângulo entre dois telhados, onde ficariam escondidos da visão da rua. Raisa escorregou sentada e caiu com um chapinhar de água. Agora ela estava encharcada.

— Sangue do demônio — resmungou ela, ficando de pé com dificuldade.

Uma pequena janela de chumbo e vidro se abria no telhado inclinado. Algema a forçou e abriu.

— Eu entro primeiro. — Ele entrou pela janela, com os pés na frente, e ela ouviu o baque suave dele tocando o chão. Ela olhou pela janela e o viu de pé, lá embaixo, olhando para ela, com luz e chuva caindo nele. — Venha.

Ela deslizou pelo parapeito e ele a segurou e a firmou quando ela tocou o chão.

Algema enfiou a mão no bolso, pegou uma vela e acendeu com os dedos. Deixou que queimasse um momento, depois derramou cera em um prato de metal. Depois de grudar a vela de pé na cera, ele a colocou em uma mesa.

A sala era cheia de estantes cobertas de poeira. Mas a mesa estava bastante organizada e limpa. Tinha uma pilha de papel, um pote de tinta e uma pena, e livros com marcadores em várias partes. Em uma parede havia uma pequena lareira com uma pilha de madeira ao lado. Havia também cobertores embolados em um canto, com um travesseiro de pena em cima.

Ele se mexe muito enquanto dorme, pensou ela, lembrando-se da noite que eles passaram em Feira dos Trapilhos. Parecia uma coisa íntima demais para ela saber sobre ele.

Tanta coisa acontecera depois daquilo. Parecia até ter acontecido em outra vida.

— Você está certo, é mesmo difícil chegar aqui — disse ela.

— Não é tão difícil quando não está chovendo — respondeu ele. — Quando a biblioteca está aberta, eu uso a escada.

— Você não deve receber visita com frequência.

— Você é a primeira.

Algema tirou a capa e pendurou em um gancho ao lado da lareira. Passou as mãos pela lã, e ela estalou e secou sob o toque dele. Depois colocou lenha na lareira e a acendeu com um gesto e uma palavra.

Ele está se exibindo, pensou Raisa. *Fazendo truques de mago*. Ele ficava enfiando a mão na camisa e murmurando encantamentos. Onde tinha aprendido a fazer feitiços?

Em Mystwerk. É claro.

Algema ficou de pé e se virou para ela, parecendo não saber o que fazer.

— Já não fizemos isso antes? — Raisa tirou a capa pesada de água. — Lembra? Em Feira dos Trapilhos. Você me sequestrou no Templo de Ponte Austral e me arrastou pela chuva.

— Parece que chove muito onde quer que você esteja — disse ele.

— Eu achava que era você — disse ela com seriedade, entregando a capa para ele.

Ele a torceu para tirar o excesso de água e a secou com as mãos. Depois, pendurou ao lado da dele.

Parecia que era mais fácil discutir com Alister do que deixar aquele silêncio gritante entre eles ir aumentando. Ocorreu a ela que Alister Algema *não era* de confiança, que ir até ali fora uma burrice.

O coração dela disparou no peito. Alister Algema era um mago. Líder de uma gangue, ladrão, possivelmente assassino — e agora, mago. Ele tinha dado algum sinal disso no último encontro deles?

O sangue lhe subiu ao rosto quando ela se lembrou de cada vez que ele tocou nela. Ele passara um braço ao redor dela e a apertara contra si, com uma faca em seu pescoço. Ele a carregara, a revistara em busca de armas, segurara sua mão e a puxara por Ponte Austral. A pele dela se arrepiou e ardeu com a lembrança, mas ela não conseguia se lembrar de nenhuma picada de magia. Nada daquele tipo.

E os ladrões de rua assassinados? Eles foram queimados e torturados — por demônios, segundo algumas pessoas. Mas e se tivesse sido um mago, o chefe de uma gangue rival?

Não. Ela se recusava a acreditar.

Uma melancolia tomou conta dela, como se Alister Algema lhe tivesse sido roubado uma segunda vez. Primeiro, estava morto. Agora, era um mago. E, portanto, intocável. A base deles se movera de novo, e uma porta de possibilidades se fechara entre eles.

Que possibilidades? Você preferia que ele estivesse morto do que fosse um mago?

— Rebecca.

Assustada, Raisa olhou para Algema. Ele jogou uma moeda para ela, e ela pegou por reflexo. Era uma de cinco centavos.

— Por seus pensamentos — disse ele. Mas não sorriu.

— Onde estamos, exatamente? — perguntou ela.

Tremendo, ela esticou as mãos na direção do fogo. Era melhor do que o esconderijo de Algema em Feira dos Trapilhos, pelo menos.

— Estamos entre as estantes do sexto andar da Biblioteca Bayar — disse Algema.

— Biblioteca *Bayar*? — Raisa estremeceu e envolveu o próprio corpo com os braços.

Algema inclinou a cabeça e a observou com olhos estreitados.

— Está tudo bem. Ninguém vem aqui em cima, a não ser que queira ler registros de mil anos antes da Cisão.

— Então — disse Raisa — esse é seu novo esconderijo.

— Sempre tenho que ter um lugar — disse ele.

Ele parecia tranquilo, quase tímido. Enfiou as mãos nos bolsos e se balançou nos calcanhares, sem olhar nos olhos dela.

— Eu achei que tinha visto você — disse Raisa. — No começo do semestre do outono. De cavalo, perto do estábulo, no lado do rio da Academia Wien.

— Era eu — admitiu ele. — Eu achei que era você. — Ele apertou os olhos na direção dela. — Seu cabelo está diferente — disse ele, mexendo no dele.

Raisa escolheu um livro aleatório e tirou da estante.

— Eu não fazia ideia que você era mago — disse ela, folheando o livro... alguma coisa sobre aveia e cevada.

— Eu não era. Não antes.

— As pessoas nascem magos — falou Raisa. — Nunca ouvi falar de um que virou mago depois.

Ela colocou o livro de volta na prateleira.

Ele só deu de ombros para aquele mistério.

— Estranho, né? Por favor. Sente-se. — Ele indicou a única cadeira. — Quer chá? Deve aquecê-la.

Ele parecia estar se esforçando para ser um bom anfitrião e exibir seus bons modos hesitantes.

— Chá parece bom — disse Raisa. E então, sem conseguir se controlar: — Como você veio parar *aqui*?

As bochechas dele ficaram vermelhas.

— Eu estudo aqui, como falei — disse ele, um pouco na defensiva.

— De onde veio o dinheiro para pagar? — disse Raisa, de repente. Mas se arrependeu na mesma hora, achando a pergunta arrogante e intrometida.

Ele olhou para ela por um longo momento, como se avaliasse como responder. Depois falou:

— Vendi meus braceletes. O preço foi bom.

Ele levantou os pulsos para ela ver. As algemas de prata tinham sumido, mas a pele embaixo ainda estava branca e lisa.

Isso a surpreendeu. As algemas eram a marca registrada dele. Parecia que ele não abriria mão delas.

Ele devia estar querendo muito estudar, pensou ela.

Ele foi até uma caixa no canto e pegou uma caneca, colocou erva para chá que estava em uma lata, aqueceu uma jarra de água entre as mãos e serviu. Depois, entregou para Raisa.

— Você já aprendeu muita feitiçaria — disse Raisa, bebendo o chá. Era uma mistura escura, das montanhas, e ela sentiu saudade de casa. — Estou impressionada. Você deve aprender rápido.

Algema fez pouco caso do elogio.

— Tenho me dedicado bastante. É só o que tenho pra fazer aqui. E tenho um... tutor. Que está me ajudando. — Ele parou de repente e molhou os lábios.

Raisa procurou alguma outra coisa para dizer, querendo que ele falasse mais de si mesmo.

— Escute, Algema. Eu queria saber se...

— Eu não uso esse nome aqui — interrompeu ele. — Desde que... sabe... tirei as algemas. Meu nome de verdade é Hanson Alister. Han.

Uma lembrança voltou a Raisa: a cena no estúdio do orador Jemson, Alister Algema com o braço ao redor da cintura dela, com a faca em seu pescoço e o coração disparado contra as costas dela.

O orador Jemson dizendo: *Hanson! Você é melhor que isso. Solte a garota.*

Jemson acreditava em Hanson Alister. Será que tinha se enganado?

Raisa ergueu o rosto e viu Algema/Han esperando ansiosamente pela pergunta que ela havia começado a fazer. Mas a pergunta tinha fugido da mente de Raisa enquanto ela se dividia entre o que pensava e o que falava para ele.

Ele deve pensar que tenho miolo mole.

— A escola oferece os amuletos ou você teve que encontrar o seu sozinho? — perguntou ela.

— Nós trazemos nossos amuletos — disse ele. — Comprei o meu usado de um comerciante, antes de vir para o sul.

Soou como uma história bem ensaiada. Ele não fez nenhum gesto para lhe mostrar o amuleto novamente.

Raisa sabia alguma coisa sobre artefatos mágicos, por ter trabalhado com o pai. Eles a fascinavam, aquele casamento de magia e metal e pedra, elaborado em um todo mágico. Quase todos eram belas peças de arte.

— Posso ver de novo? — perguntou ela.

— Se você quiser — disse ele, como se não quisesse realmente lhe mostrar, mas não conseguisse pensar em um motivo para não fazê-lo.

Ele enfiou a mão pela gola, puxou o cordão e balançou o amuleto na direção dela. O objeto girou diante dos olhos dela, brilhando em verde e laranja como uma opala de fogo na luz do sol.

Era uma serpente de pedra preciosa, delicadamente esculpida, com olhos de rubi e as curvas envoltas em ouro. A boca da serpente estava aberta, e tinha tantos detalhes que Raisa conseguia ver as gotas de veneno nas pontas das presas.

— Ah!

Impulsivamente, ela esticou a mão para tocá-lo, e Han o puxou para si.

— É melhor não tocar. Ela morde — disse ele, protegendo-o com a outra mão.

— O quê? Você quer dizer... a cobra...?

Ele balançou a cabeça.

— É imprevisível. Já queimou alguns dedos curiosos.

Raisa olhou para o faz-feitiço e sentiu o despontar de uma lembrança.

— Acho que já vi isso antes. É reprodução de alguma peça antiga? De antes da Cisão?

Han assentiu.

— Foi o que me disseram. — Ele colocou o amuleto debaixo da camisa. E então, para mudar o assunto, ele disse: — O que *você* está fazendo aqui? Se é que *eu* posso fazer alguma pergunta.

Isso soou mais como o antigo Algema.

Raisa espirrou e limpou o nariz. A sala poeirenta a estava afetando.

— O mesmo que você. Vim estudar. Estou na Academia Wien.

— Academia Wien! — Han olhou para ela de cima a baixo, ceticismo e diversão suavizando suas feições. Fez com que ele parecesse mais jovem, mais como o garoto selvagem e arrogante que ela conhecera no Templo de Ponte Austral. — Você vai ser uma casaco azul ou do exército das terras altas ou o quê?

— Ah, não. Nada disso. — Raisa tentou desesperadamente se lembrar das histórias que tinha contado. Precisava prestar mais atenção em suas mentiras. — É que meu empregador ofereceu de me mandar aqui para a escola, se eu estudasse na Academia Wien.

O rosto de Han ficou severo e indiferente, os olhos como lascas de safira.

— Lorde Bayar, você quer dizer?

Raisa quase engasgou com o chá.

— O quê?

— Por que eles mandariam a tutora deles para a Academia Wien? Para a Escola do Templo... eu entenderia.

Raisa ficou confusa por um momento. Mas logo se lembrou. Ela dissera para Algema que trabalhava para os Bayar, naquela noite, em Feira dos Trapilhos. Por que Han Alister Algema precisava ter uma memória tão boa?

Ela olhou de relance para Han. Ele a encarava com os lábios apertados, e a mão direita tinha deslizado para a faca na cintura. Inconscientemente, pensou ela.

— Você ainda trabalha pros Bayar, Rebecca? — perguntou ele, em tom suave e calmo. Alguma coisa na voz dele a fez tremer.

— Bem, não, não exatamente. Estou... ah... tentando melhorar minhas habilidades — disse Raisa. — O capitão da guarda pessoal de lorde Bayar achou que eu tinha potencial. Foi ele que pagou meus estudos. Ele disse que, se eu fosse bem, teria chance de... — Ela parou de falar. Han parecia distraído, perdido em lembranças. — Por quê? — perguntou ela. — Você conhece os Bayar?

Han parou por um segundo e disse:

— Estudo com dois deles. Em Mystwerk. Micah e Fiona. Micah morava no mesmo dormitório que eu.

Hanalea acorrentada, pensou ela. Então eles *estão* aqui. Só precisaria que Han mencionasse para os Bayar que tinha se encontrado com a ex-tutora deles, Rebecca. Ou que sugerisse que eles se reunissem para tomar uma sidra na Rua da Ponte.

Mas isso parecia improvável. Conhecendo Micah e Fiona, sabia que eles tratariam um mago crescido em Feira dos Trapilhos como esterco.

— Escute — disse ela, inclinando-se na direção dele e unindo as mãos. — Por favor, por favor, não conte para eles que estou aqui. Seria estranho, sabe? Eles não me consideram exatamente uma colega.

Ele olhou para ela sem entender, intrigado.

— Mas você é sangue azul — disse ele. — Você fala como uma nobre e é...

— Eu sou mestiça — interrompeu ela. — Meu pai era de um clã e minha mãe era do Vale. Talvez você tenha reparado que os Bayar não gostam de gente dos clãs.

— Sim — disse ele, assentindo, parecendo um pouco menos confuso. — Eu reparei.

Hmm, pensou Raisa. Talvez a chave para mentir bem fosse contar a verdade de uma forma deturpada.

— Sua vez — disse ela. — Você disse que me seguiu?

— Ah, segui. É que Cat me contou que viu você. Em frente à Escola do Templo. — Ele limpou a garganta. — Ela disse que você talvez morasse em Grindell porque... hã... o cabo Byrne mora lá.

— Ah, é? — Raisa apertou os lábios com força e sentiu o sangue ferver em suas bochechas. O que Cat teria contado a ele, depois de ver Raisa espionando Amon?

— Então, eu... quis descobrir se era mesmo você. Fiquei vigiando seu dormitório e vi todo mundo sair.

Você não tinha nada melhor para fazer, na véspera do solstício?, pensou Raisa.

— Aí, vi você saindo sozinha. E fui atrás.

— Você me perseguiu, isso sim. Isso foi inapropriado, Alister. Você teve sorte de eu não ter quebrado o *seu* dedo.

Ele ergueu as sobrancelhas de uma forma que significava: *Isso nunca teria acontecido.*

— Bom... Eu queria falar com você — disse ele. — Mas não sabia... se seria bem recebido. Nem como estavam as coisas entre você e o cabo Byrne.

— O que minha amizade com o cabo Byrne tem a ver com você? — perguntou Raisa com voz gelada.

— Quer mais chá? — perguntou Han, esticando a mão para a xícara dela, como se quisesse quebrar um pouco da tensão que estalava entre eles.

As mãos deles se tocaram, e Raisa puxou a xícara para trás em um impulso, derramando o que ainda havia dentro.

— Me desculpe — disse ela. — Estou desajeitada hoje.

Ela estava muito consciente de que eles estavam sozinhos, continuamente medindo o espaço que os separava. Os olhos dela ficavam se desviando para os cobertores no canto. O que Alister tinha que a fazia pensar assim toda vez que eles se encontravam?

Os sinos na Torre Mystwerk tocaram. Raisa contou. Onze. Uma hora até os fogos.

Han pareceu encarar aquilo como sinal para chegar ao cerne da questão.

— Escute, Rebecca — disse ele. — O motivo de eu ter seguido você é que quero lhe pedir um favor.

Raisa ergueu o rosto e ficou surpresa ao ver Han olhando para as próprias mãos. Obviamente, ele não estava acostumado a pedir favores para ninguém. Nem que as pessoas fizessem, quando ele pedia.

— Ah — disse ela, confusa. — É claro que eu... O que posso fazer por você?

— Eu só queria saber... você aceitaria... ser minha professora?

— *Sua* professora?

Ela observou o rosto dele para ver se ele estava brincando. Han estava completamente sério, mas não olhava nos olhos dela.

— Pensei que você já tivesse um tutor — falou ela.

— É. Tenho. Mas tem coisas que preciso saber que ele não ensina.

— Mas... você sabe que não sei nada sobre feitiços — disse ela. — Não posso ajudar você com isso.

— Num é... não é isso que eu quero — disse ele, mexendo no pulso, onde antes ficava a algema.

Raisa não sabia mais o que dizer sem insultá-lo. Será que um dono da rua tinha algum estudo? Se não, ele deveria estar tendo dificuldade com as aulas em Vau de Oden.

— Bem... você precisa de ajuda com o quê? História? Gramática ou retórica? Línguas? Aritmética? — Raisa citou as disciplinas em que era boa. Ela torcia para ele querer ajuda com aritmética. Ela havia ficado muito boa com números, depois de ter passado tanto tempo no comércio dos clãs. — Tenho alguns livros que...

Han balançou a mão com impaciência para interrompê-la.

— Não, sou bom nisso tudo. Jemson me deu uma boa base. E enchem a gente disso tudo nas aulas, todos os dias.

— Então o que eu poderia...?

— Rebecca. — Han se inclinou para a frente e olhou bem nos olhos dela. Os olhos dele eram límpidos e azuis como gelo em águas profundas. — Quero que você me ensine a me passar por um sangue azul.

— O quê? — Raisa o encarou.

— Eu pagaria — disse ele. — Tenho dinheiro. Pode dizer seu preço. E eu não tiraria muito tempo dos seus estudos. A gente pode se encontrar umas duas vezes por semana, e você pode, sabe, me dar tarefas pra fazer sozinho.

— Por que você iria querer se passar por um sangue azul? — perguntou Raisa. — Quer dizer, por que quer tanto, a ponto de pagar por aulas?

O dono da rua começou a andar de um lado para o outro, como se estivesse agitado demais para ficar parado.

— Olha, só tenho dois amigos aqui na academia. Um nasceu e cresceu em um clã e a outra cresceu na rua. Dançarino e eu somos dois deslocados na Academia Mystwerk. O resto dos novatos são todos chiques. Sangues azuis, nascidos e criados. Mas é com eles que a gente vai ter que que lidar, se a gente quiser fazer alguma coisa da vida. São eles que vão tomar conta do Conselho dos Magos quando a gente voltar pra casa. Eles é que vão ditar as regras.

Han parou de andar e se encostou na lareira.

— Eu sabia fazer negócios em Feira dos Trapilhos. Sustentava minha família e mais uns 12 Trapilhos. Eu era mais inteligente do que qualquer dono da rua da cidade. Mas isso é diferente. Agora, tenho que conseguir encarar magos. Por isso, preciso falar a língua, dançar as danças, pegar o garfo certo e saber que roupas usar, senão eles nunca vão me levar a sério.

Raisa não havia pensado no antigo Alister Algema interagindo com magos. Em Feira dos Trapilhos, sua reputação violenta o protegia. Como devia ser para ele dividir uma sala de aula com a nobreza mágica? Eles deviam desprezá-lo e rir dele. Deviam lembrá-lo todo dia de sua origem pobre. Os professores deviam ser condescendentes. Ele devia se autossabotar cada vez que abria a boca.

— Por que quer que eles o levem a sério? — perguntou ela, pensando que os outros jamais o aceitariam, de qualquer jeito. — O que você quer fazer da vida?

Han olhou para o fogo.

— Estou cansado de ver pessoas morrendo porque nasceram em Feira dos Trapilhos ou Ponte Austral. Estou cansado das pessoas com poder maltratando os fracos. Vou ajudar eles. — Ele passou a base da mão pelos olhos e limpou a garganta.

Ele estava *chorando*? Raisa deu um passo na direção dele, esticando as mãos, mas ele se virou de costas e mexeu no fogo com um atiçador.

— Você não precisa de aulas sobre essas coisas, sabe — disse Raisa, tocando o ombro de Han. — De língua e etiqueta, quer dizer. Aqui na escola, você vai conviver com todo tipo de gente. Você é inteligente. Vai pegar os hábitos deles, naturalmente, com o tempo.

Han balançou a cabeça.

— Isso demora muito. E, para falar a verdade, os sangues azuis não querem conviver comigo fora da aula. — Ele olhou para ela e revirou os olhos. — Preciso aproveitar enquanto estou aqui, porque não sei quanto tempo posso ficar.

Por quê? Seria dinheiro?, ela quase perguntou. Mas, felizmente, não falou nada. Uma coisa não tinha mudado. Han Alister ainda a abalava, fazia com que ela perdesse sua agilidade natural.

Seria por ele ser um tanto imoral?, perguntou-se ela. Como Micah Bayar? Como Liam Tomlin e Reid Andarilho da Noite? Como todos os garotos que ela achava atraentes?

Porque ele é proibido? Como Micah? Será que você é como sua ancestral Hanalea, cuja paixão pelo homem errado derrubou os Sete Reinos?

Não. Ela não passaria a vida pisando em ovos por medo de repetir os erros de um milênio atrás. Havia muitos erros novos para serem cometidos.

— Tudo bem — disse Raisa. — Se você acha que vai ajudar, eu ensino.

Ele se afastou do fogo e olhou para ela.

— Mesmo? Está falando sério?

Ele achou que eu diria não, pensou Raisa. Ela assentiu.

Então Han sorriu, um sorriso brilhante e encantador que iluminou aquela pequena sala, mais perigoso do que qualquer lâmina.

Tudo de que você precisava era desse sorriso, pensou ela. Eu teria aceitado na mesma hora.

Atravessando a sala para se aproximar dela, ele mexeu no bolso da calça e puxou uma bolsa.

— Quanto você...?

Raisa levantou a mão.

— Não vou cobrar pelas aulas — disse ela, lembrando-se de Dimitri e do conceito de *gylden*. — Mas você vai ficar me devendo. Um dia, vou cobrar a dívida.

Han a encarou por um momento.

— Eu preferia pagar — disse ele. — Não sei se vou poder pagar favores.

— Eu vou me arriscar — disse Raisa. — O que você *vai* fazer é me pagar cinco centavos cada vez que disser "num" e "tá". Vou ficar rica só com isso antes do fim do período.

— Ei — disse Han, levantando as mãos em protesto. — Eu num vou...

Ela esticou a mão e mexeu os dedos.

— Cinco centavos, por favor. É o acordo. É pegar ou largar.

Resmungando, ele enfiou a mão na bolsa e pegou outra moeda de Fells, de cinco centavos. Ele a jogou para ela, e Raisa a guardou na bolsa.

A nova moeda de cinco centavos tinha a imagem de Mellony gravada. Raisa não ousaria pedir uma coroa, chamada de "menina" nas ruas. Essa moeda tinha sua imagem, de perfil.

— Vamos precisar de um lugar para nos encontrarmos — disse ela. — Não quero que Micah ou Fiona me vejam aqui no lado de Mystwerk.

— Podemos nos encontrar no seu lado da Rua da Ponte — sugeriu Han. Ele fez uma pausa. — Tem uns quartos no andar de cima da taberna Tartaruga & Peixe que são alugados por hora.

E como você sabe disso?, Raisa teve vontade de perguntar.

— Talvez não na Rua da Ponte — disse Raisa. — Os Bayar devem ir comer lá todas as noites.

Han riu.

— Não no Tartaruga. O lugar é todo da Academia Wien. Vou arriscar a pele indo lá. — Ele fez uma pausa e franziu a testa. — Você devia saber disso. Não sai nunca?

— Não — admitiu Raisa. — Não saio.

— Que tal terças e quintas? — perguntou Han.

— Terças e quintas, por enquanto — concordou Raisa, perguntando-se como encaixaria isso em sua agenda já tão apertada. — Enquanto isso, tem um livro que quero que você procure na biblioteca. Chama-se *Heráldica e Tradição de Fells*, de Hauldron Faulk. Leia o máximo que conseguir até terça. E não faça essa cara. Tive que ler esse livro todo e fazer citações quando era bem mais nova do que você.

— Parece fascinante — disse Han, rabiscando o nome em um pedaço de papel mesmo assim.

Um estrondo sacudiu as janelas. Luz entrou pelo vidro e deixou a sala escura iluminada como se fosse meio-dia.

— Os fogos — disse Raisa. — É melhor descermos. — Ela indicou a janela, alta demais para ser alcançada. — Voltamos pelo mesmo caminho?

— Vamos para cima — disse ele. — Tenho uma ideia de onde podemos ver o show.

Ele pegou a capa de Raisa e segurou enquanto ela vestia, uma tentativa estranha de galanteio. De pé atrás dela, ele a segurou pela cintura e a ergueu para que pudesse alcançar a janela. Ela se impulsionou com os braços e passou para o outro lado. Ele pulou, segurou o parapeito de pedra e passou com facilidade pela abertura.

— Por aqui — disse ele.

Ele a guiou ao redor da base da torre do sino, até o lado oposto, onde o telhado se inclinava para baixo até uma junção com outra das alas. Ele abriu a capa pelas telhas ásperas. Apoiando os pés na calha, Han se deitou no telhado inclinado, olhando diretamente para o céu. Ele deu um tapinha no lugar ao seu lado.

— Aqui.

Raisa se deitou ao lado dele.

Bum! A explosão aconteceu quase em cima da cabeça deles, espalhando filetes de fagulhas coloridas pelo gramado.

— É espetacular — disse Raisa, virando a cabeça para sorrir para Han.

— Achei que seria um bom lugar — disse Han, parecendo satisfeito consigo mesmo.

Os fogos subiram no ar, brilhando em vermelho, roxo, verde, prateado e dourado. Grandes carruagens atravessaram o céu, puxando o sol atrás. Dragões rugiram, cuspindo fogo, causando gritos animados nas multidões abaixo. Os fogos de artifício eram quase todos feitos nos clãs, e algumas pessoas diziam que havia magia neles.

— Oooh — dizia a multidão em uníssono. — Aaah.

Raisa foi tomada por uma imensa saudade de casa. A rainha Marianna presidia a queima dos fogos de artifício, em Fellsmarch, com as cores explodindo sobre Hanalea e Lissa e todas as outras montanhas. Eles iam até o templo, à luz de velas, e agradeciam à Senhora pelo retorno do sol.

Que o sol nasça de novo, mãe, pensou ela, sinceramente.

— De que você mais gostava no solstício, em Fells? — perguntou ela, olhando para Han.

— Da comida — disse ele sem hesitar.

— Que tipo de comida? — perguntou Raisa, lembrando-se das mesas fartas do palácio.

— O bastante para encher a barriga — disse ele com simplicidade.

Apoiando a cabeça em um dos braços, ele esticou a mão e segurou a dela.

Você é ousado, pensou ela, mas não afastou a mão.

— Antes de a guerra piorar — ele continuou —, sempre havia muita comida, na época do solstício. Os templos tinham a mais, e algumas das casas ricas davam sobras das festas. Desde que a guerra começou, não tem muito, mas ainda é mais que o normal.

"Os mercados tinham brinquedos e doces, bolinhos fritos de mel e estrelas de vidro que você nunca vê em outras épocas do ano. Minha irmã Mari adorava esses bolinhos e sóis de açúcar. Eu podia levar um carrinho inteiro da padaria, e ela ainda ia querer mais. Ela ficava com açúcar de confeiteiro na cara toda."

Ele suspirou e ficou em silêncio, perdido em pensamentos.

— Eu sinto falta da neve — disse Raisa, limpando a névoa fria do rosto com a manga da capa. — Fazia a cidade parecer a terra das fadas.

A família dela passava pelas ruas em trenós puxados por cavalos, envoltos em peles, com os sinos tocando.

— E o rio não fedia tanto quando congelava — disse Han.

Ela riu.

— Isso mesmo.

Mesmo com vidas diferentes, eles compartilhavam o fedor do rio.

— A gente saía, à noite, e escorregava pela ladeira da rua Quarry em tampas de lata de lixo, até os casacos azuis nos expulsarem — prosseguiu ele. — Às vezes, os sangues azuis passavam em grandes trenós. A gente pegava carona, de pé, atrás, até os soldados nos baterem.

Raisa arfou.

— Eles *batiam* em vocês?

— Ah. — Ele olhou de lado para ela. — Se você fosse bom, eles não conseguiam.

Uma sucessão de rápidas explosões, no céu, chamou a atenção deles. Era o clímax do show, uma sinfonia de sons e luzes. Logo acabou, deixando imagens brilhantes no interior das pálpebras fechadas de Raisa e um eco em seus ouvidos.

Ela conseguiu sentir Han mudando de posição ao lado no telhado, chegando mais perto. Ficou deitada ali, sem querer se mexer. Desejando poder ficar ali em cima e evitar a confusão de sua vida lá embaixo.

Por fim, ela abriu os olhos e o viu apoiado no cotovelo de novo, olhando para ela com indecisão nos olhos. Olhando para os lábios dela, mais especificamente.

Ele quer me beijar, ela percebeu. Mas está pensando no que aconteceu mais cedo, com Tourant, e não quer forçar nada.

— Obrigada — disse ela, erguendo o corpo, e o momento passou. — Minha véspera de solstício acabou sendo melhor do que eu esperava. Mas é melhor eu voltar.

Ele ficou de pé e a ajudou a se levantar, firmando-a nas telhas escorregadias.

— Vou levar você, para ter certeza de que vai chegar bem.

Antes daquela noite, ela teria recusado a oferta. Apesar da presença de Micah, Vau de Oden parecia segura, longe do mundo real. Ela se enganara.

Eles voltaram pela ponte ainda cheia, cada um perdido em seus próprios pensamentos. Por todo o caminho, ela questionou sua decisão de dar aula para Han Alister. Seria sua frustração sobre Amon que a fizera dizer sim? Um desejo de fazer algo que ela sabia que ele não aprovaria? Primeiro, a carta para a rainha Marianna. Agora, isso.

Não seria melhor ficar longe de qualquer pessoa ligada a Fells? Não seria melhor ficar longe de uma pessoa que fazia o coração dela disparar e a língua se enrolar? De uma pessoa que a fazia querer esquecer as regras?

Será que havia alguém nos Sete Reinos menos indicado para ela do que Han? Alguém que seria menos aceitável em todas as facções de Fells do que Han Alister?

Bem. Ela também não estava querendo casar com ele, nem nada.

No começo do terreno da Academia Wien, ela parou.

— Já está bom — disse ela, apontando. — Meu dormitório fica bem ali.

— Está preocupada de o cabo Byrne ver a gente? — perguntou Han, inclinando a cabeça na direção de Grindell.

E era isso mesmo que a preocupava.

— Por que acha que eu estaria preocupada com isso? — perguntou ela.

— É só um palpite.

— Você parece achar que tem algum tipo de... de coisa entre nós — disse ela. — Não sei o que Cat lhe disse, mas, seja o que for, não é verdade.

— Bom — disse ele, coçando o queixo —, é claro que existe alguma *coisa* entre vocês. Só não sei bem que tipo de *coisa* é.

Ela bufou para mostrar o que achava disso.

— Obrigada, novato Alister, pelo chá e pelos fogos — disse ela, inclinando a cabeça. — Eu me diverti muito. Agora, com licença.

Ela seguiu pelo terreno na direção de Grindell, com a cabeça erguida. Quando estava quase lá, ele gritou com voz ecoante:

— Vejo você amanhã à noite, novata Morley!

Ela se virou.

— O quê?

— Amanhã é terça — disse ele, fazendo uma mesura. Então ele se virou e desapareceu na noite.

Raisa ficou olhando para ele, com uma dezena de respostas sarcásticas surgindo e morrendo nos lábios.

CAPÍTULO VINTE E QUATRO

NOTÍCIAS DE CASA

Quando Raisa subiu os degraus do Salão Grindell e abriu a pesada porta da frente, havia uma única luz acesa na sala, deixando os cantos do cômodo na penumbra. Amon Byrne estava sentado ereto à mesa de estudo, com um livro fechado em sua frente. Quando viu que era Raisa, relaxou um pouco, parecendo aliviado.

— Finalmente — disse ele. — Onde você estava? Mandei Mick e Talia atrás de você. Fiquei com medo de alguma coisa ter acontecido.

— Eu estava vendo os fogos — disse ela. — Voltei direto para cá.

— Fogos? Pensei que você fosse ficar em casa.

Amon massageou a testa com a base da mão.

— Mudei de ideia — disse Raisa. Ela tirou a capa e pendurou perto da lareira.

Amon olhou para o relógio acima da lareira.

— Os fogos terminaram uma hora atrás — disse ele. — Você demorou tanto tempo assim para voltar?

— Por que *você* já está em casa? — perguntou Raisa, irritada. Para o dia mais curto do ano, aquela tinha sido uma das noites mais longas de sua vida, e parecia não ter acabado ainda. — Você e Annamaya brigaram, por acaso?

— Rai — disse Amon. — Não.

— Bom, você está *me* interrogando.

A culpa sempre a deixava de pavio curto. Imagens de Amon e Han reverberavam em sua cabeça dolorida.

Ele suspirou.

— Nós jantamos, mas decidi não ficar para os fogos. Estávamos cansados, os dois.

E ele parecia cansado. E triste. Raisa sentiu remorso imediato.

— Não tem toque de recolher hoje, você sabe — disse ela com mais delicadeza. — Ainda tinha muita gente na Rua da Ponte quando eu estava voltando.

— Rua da Ponte? — Amon apertou os olhos. — Era lá que você estava?

Ela estava cansada demais para mentir ou mesmo contar a versão mais longa da história.

— Decidi ir procurar Hallie e Talia. Henri Tourant me atacou em uma viela no caminho. Ele achou que eu precisava de uma lição.

— O quê? — Amon pulou da cadeira e segurou os cotovelos dela enquanto olhava seu rosto. Ele tinha ficado pálido, com os lábios brancos, e seus olhos cinzentos pareciam quase negros. — Eu *sabia* que alguma coisa tinha acontecido. Foi por isso que saí depois do jantar, para procurar você. Mas aí pareceu... Você está bem? O que ele...? Você...?

— Estou bem — disse Raisa rapidamente, para deter o jorro de palavras. — Só com alguns hematomas e um galo na cabeça. Graças a você, que me ensinou luta de rua. Acho que ele não esperava aquilo de mim.

Amon esticou os braços, ainda segurando-a, e olhou-a de cima a baixo para avaliar os danos.

— Você chamou os guardas? Ele está detido? *Por que não mandou me chamar, Rai?* — A voz dele quase falhou na última frase. — Sei que as coisas andam estranhas, ultimamente, mas você precisa saber que eu...

Raisa balançou a cabeça.

— Eu não queria chamar atenção — disse ela. — Além do mais, acho que ele aprendeu a lição.

Amon ainda parecia abalado, como se todos os seus piores medos tivessem virado realidade.

— Já chega. Você não pode mais andar por aí desacompanhada.

— Me escute — disse Raisa, empinando o queixo. — Isso podia ter acontecido com qualquer garota que tenha ferido o orgulho de Henri Tourant. Não foi por quem eu sou. Um acompanhante não é a solução. Como explicaríamos para os Lobos Gris e para todos os outros alunos?

Eles se olharam seriamente por um momento.

— Vou conversar com mestre Askell — disse Amon. — Ele vai cuidar de Tourant. Askell não vai deixar isso passar. — Delicadamente, ele passou as pontas dos dedos pela parte de trás da cabeça dela e localizou o inchaço onde ela bateu com a cabeça na parede. — Como está se sentindo?

— Bem. Que bom que tenho cabeça dura.

— E depois que isso tudo aconteceu, você foi ver os fogos? — Amon ergueu a sobrancelha.

— Depois disso, Alister Algema apareceu.

Amon apertou os dedos nas têmporas de novo.

— Estou sonhando, certo? Eu peguei no sono e isso é um pesadelo.

Ele voltou para a mesa e se sentou.

— Alister fingiu o próprio assassinato para tirar a Guarda da Rainha da cola dele — disse Raisa, sentando-se na cadeira em frente a Amon. — Lembra quando pensei ter visto ele perto do estábulo? *Era* ele mesmo. — Ela sentiu certa satisfação ao dizer isso, depois de Amon tê-la convencido de que estava enganada. — Ele estuda na Academia Mystwerk.

Amon colocou as mãos na mesa.

— Mystwerk? Mas... o que ele...?

— Alister Algema é um mago — disse Raisa. — E não é mais Algema. Ele vendeu os braceletes de prata para pagar a escola e agora é chamado de Han.

Amon ficou pensativo, a testa franzida.

— Não pode ser. As pessoas não viram magos de uma hora para a outra. Ele deve sempre ter sido. — Ele olhou para ela. — Por que um mago moraria em Feira dos Trapilhos?

Raisa deu de ombros.

— Nunca vi nenhum sinal de magia antes. E nunca senti poder vazando pelas mãos dele, antes de hoje.

Ao ouvir isso, Amon levantou a cabeça rapidamente.

— Ele... *tocou* em você?

Se espera que eu explique isso, vai se decepcionar, pensou Raisa.

— Nós vimos os fogos juntos e ele me trouxe de volta.

— Alteza, me perdoe, mas você *está maluca*? — O cansaço de Amon desapareceu e foi substituído por agitação. Ele se levantou e andou de um lado para o outro. — É a ideia mais imbecil que você...

— O que você esperava que eu fizesse? Que desse uma porrada na cabeça dele e o jogasse no rio? Ele me conhece como Rebecca Morley, o nome que estou usando aqui. O que você acha que despertaria mais desconfiança? Fugir ou continuar fingindo?

— Você não precisava ir ver os fogos com ele. Nem... nem deixar que ele *acariciasse* você.

— Acariciasse? — Raisa ergueu as sobrancelhas. — Quando falei em carícias?

Amon parou de andar e se virou.

— Você está fazendo isso para se vingar de mim por causa de Annamaya? Porque se for, você...

— Você acha que tudo isso é sobre você? — Raisa balançou a cabeça. — Pelo contrário, espero que você e Annamaya sejam muito... *felizes*!

Teria sido bem mais convincente se ela tivesse conseguido impedir a voz de tremer.

Alguém limpou a garganta na escada e fez os dois darem um pulo. Hallie estava de pé no alto da escada, de pijama.

— Desculpe interromper — disse ela —, mas vocês dois estão falando muito alto, e eu estou tentando dormir porque tenho que viajar em poucas horas.

— Desculpe — disse Raisa, com o rosto vermelho. — Vou para a cama em um minuto.

Os dois ficaram de pé vendo Hallie desaparecer de novo.

— Você sabe que Alister está tramando alguma coisa — murmurou Amon, cutucando o fogo com raiva. — Deve estar. Talvez tenha seguido a gente até aqui.

— Por que ele seguiria a gente até aqui e se esconderia durante quatro meses? — perguntou Raisa com irritação. — Aliás, por que ele nos seguiria até aqui?

Ele seguiu você hoje, disse uma voz irritante em sua cabeça. *Ele veio procurar você.*

— Não sei — disse Amon. — Só estou dizendo que as coisas estão ficando mais e mais emboladas, e alguém vai puxar um fio e a coisa toda vai se desenrolar.

Ele se sentou perto da lareira e afundou o rosto nas mãos.

Toda a raiva desapareceu de Raisa, como se alguém tivesse furado a bolha da indignação dela, deixando só a dor.

Raisa se sentou ao lado dele, apoiou a mão em seu joelho e a cabeça em seu ombro.

— Amon, me desculpe. Eu sinto muito mesmo. Estou tentando reagir bem, de verdade. Mas não sou muito boa nisso. Seria mais fácil se não precisássemos passar o tempo todo juntos. E se não tivéssemos esse peso nos ombros.

Ela tremeu. O fogo tinha se apagado e a sala estava fria. Ela só queria se deitar em uma cama quente e dormir.

— Você devia tirar essas roupas molhadas — disse Amon abruptamente, como se sua mente estivesse seguindo um caminho próprio. — Mas... eu queria lhe contar: tenho notícias de Fells.

— Ah! — disse Raisa, dando um pulo. Isso explicava a distração de Amon. Era a primeira vez que eles tinham notícias desde que chegaram ali, quatro meses antes.

— Recebi uma carta do meu pai — falou Amon. — Tem dois meses e foi enviada de navio de Penhascos de Giz, o que ele deve achar mais seguro do que mandar por terra.

Ele sorriu brevemente para a expressão ansiosa dela. Remexeu debaixo do uniforme e tirou uma carta amassada, com um selo liso de cera, sem a insígnia da espada e do lobo do capitão da Guarda da Rainha. O selo tinha sido quebrado.

— Ele estava com medo de cair nas mãos erradas — disse Amon.

Como as mãos da rainha, pensou Raisa, com culpa.

Amon esticou a carta para ela.

— Leia e você vai entender por que eu estava preocupado. Depois, é melhor nós dois irmos dormir.

Raisa pegou a carta da mão de Amon. Desdobrou-a e reconheceu a caligrafia pequena e precisa do capitão Edon Byrne.

Filho,

Que esta carta encontre você e seus colegas cadetes bem e em segurança. Espero que você esteja limitando seu tempo na Rua da Ponte e se dedicando aos estudos de forma a honrar nosso sobrenome.

Recebi sua mensagem sobre os Andarilhos das Águas. Estou fazendo tudo em meu poder para resolver essa situação. O tenente Gillen foi chamado de volta a Fellsmarch. O cabo Sloat morreu em uma luta, perto da Muralha Ocidental. Escolhi com cuidado o substituto de Gillen. O Ministério da Rosa Agreste alocou fundos para comprar mantimentos para os Pântanos, além de Feira dos Trapilhos e Ponte Austral. Assim, o relacionamento com os Pântanos melhorou, embora, como você pode imaginar, ainda esteja tenso.

Estamos passando uma época difícil, aqui na capital. Sua Majestade está sob tremenda pressão do Conselho dos Magos e outros entre a nobreza, dada a ausência contínua da princesa Raisa e a especulação sobre o paradeiro dela.

O relacionamento entre a rainha e o Grão-Mago está abalado. O Grão--Mago sugere que, ao sair de Fells contra o desejo expresso da rainha, a prin-

cesa-herdeira renegou o direito ao trono Lobo Gris. Ele também especula que a princesa Raisa possa estar morta ou sob controle estrangeiro. Lorde Bayar argumenta que a falta de clareza sobre a sucessão coloca Fells em risco. Ele é a favor de nomear a princesa Mellony como princesa-herdeira até e a menos que a princesa Raisa volte a Fells para tomar o lugar que é seu de direito.

Raisa olhou para Amon, consternada.

— Mellony, princesa-herdeira? Por que eles...?

Amon bateu com o dedo na carta e se mexeu, até estar sentado encostado a ela.

— Continue lendo — disse ele.

Pode ser apenas uma ameaça com a intenção de alcançar os ouvidos da verdadeira herdeira e trazê-la de volta para a corte. O Grão-Mago e os outros integrantes do Conselho dos Magos, mancomunados com ele, não mantiveram essas opiniões em segredo. Os clãs se manifestaram com a mesma força contra qualquer mudança na sucessão. Averill Demonai, o consorte real e pai das duas princesas, deixou a posição dos clãs clara. A nobreza está dividida quanto à questão da sucessão. A tensão na corte é palpável.

Esse debate público resultou em um efeito inesperado. Quando a notícia de que a princesa Raisa podia ser descartada como herdeira se espalhou, surgiram protestos por toda a Feira dos Trapilhos e Ponte Austral. Por causa do Ministério da Rosa Agreste, a princesa tem muito apoio entre o povo da capital, que a vê como a heroína deles. O Grão-Mago agora é objeto de desconfiança e desdém. Ele não pode andar nas ruas sem escolta armada.

Ha!, pensou Raisa. Bem feito. Mesmo assim, ela não tinha ilusões de que o povo pobre podia vencer contra Gavan Bayar.

Fundos continuam a chegar ao Ministério da Rosa Agreste, apesar da ausência da princesa.

Raisa ergueu o rosto de novo.

— Quem você acha que está mandando dinheiro para o Templo de Ponte Austral? — perguntou Raisa.

Amon deu de ombros.

— Não sei. Podem ser cidadãos comuns, alguns entre a nobreza e talvez seu pai.

Isso fazia sentido. Averill era uma das poucas pessoas, além do orador Jemson, que sabiam como o ministério fora fundado.

Ela voltou a ler a carta.

Os clãs ameaçaram acabar com o comércio com os seis outros reinos, se a princesa for descartada. Eles podem não conseguir controlar o comércio pelo mar, mas a perda de rotas até Arden, Tamron e os outros reinos reduziria de forma significativa o fluxo de impostos que sustentam o tesouro real. Eles também restringiram o envio de amuletos e outros artefatos mágicos para os magos do reino. O Conselho dos Magos reclama disso com amargura e sugere que essas ações dos clãs ameaçam a segurança do reino. O relacionamento entre o Conselho dos Magos e os clãs não anda bom.

Até agora, Sua Majestade resistiu a fazer mudanças na sucessão. Ela passa mais tempo com os oradores no templo, e isso parece ser uma fonte de forças para ela. Poderíamos dizer que a questão está em um impasse e, portanto, tão estáveis quanto podem ficar. No entanto, está claro que há pessoas no reino cujos planos podem ganhar vida com a morte ou o desaparecimento permanente da princesa Raisa. Parece que elas veem a princesa Mellony como uma herdeira mais fácil de lidar.

Raisa olhou para Amon. Ele atiçava o fogo, e um músculo tremia em seu maxilar. Isso explicava o grupo de busca, o alívio dele com a volta dela e a desconfiança quanto a Han Alister.

Ela continuou lendo.

Peço desculpas por compartilhar notícias tão perturbadoras por carta. Sei que você vai usar seu bom senso para decidir o quanto contar para seus colegas cadetes. Desaconselho todos vocês a agirem por impulso. Se, depois de ler isso, você tiver vontade de voltar imediatamente para Fells, devo aconselhar com veemência que não faça isso. Fique onde está, estude, fique alerta e se prepare para as tarefas desafiadoras que virão. Vou avisar se precisarmos de você aqui.

E vamos orar para que a princesa-herdeira, onde quer que ela esteja, permaneça sob os cuidados do Criador até poder voltar com segurança para o lado da rainha, sua mãe.

Com carinho, seu pai.

Não tinha assinatura nenhuma além disso.

Raisa ficou olhando para a carta. Seus olhos se encheram de lágrimas, deixando as letras na página embaçadas. Tudo aquilo tinha sido desencadeado pela decisão dela de fugir de Fells. Parecia impensado e covarde, olhando em retrospecto. Agora, a rainha Marianna estava sozinha, exceto pelo capitão Byrne e da ajuda que Averill pudesse dar. Ajuda essa que Marianna podia não estar disposta a aceitar.

Raisa vivia reclamando de sua vida amorosa, aprendendo história e brincando de guerra, apreciando a independência de ser a anônima Rebecca Morley. Enquanto isso, sua mãe, seu pai e Edon Byrne lutavam para manter o reino unido.

E agora ela podia estar correndo o risco de perder o trono.

— Isso é tudo minha culpa — disse ela, respirando fundo, trêmula.

— Raisa. Pare com isso. Não é. — Amon deu um tapinha constrangido nas costas dela.

— É *sim* — afirmou Raisa, como uma criancinha que não aceita consolo. — Estraguei tudo. Eu devia ter ficado.

Ela afastou a mão dele e ficou de pé, olhando para Amon.

— Nós *devíamos* voltar para casa — disse ela. — Eu nunca devia ter deixado minha mãe sozinha.

— Ela é a rainha, Rai — disse Amon delicadamente. — Não você. E nós concordamos que você não podia correr o risco de ficar e se casar com Micah.

— Eu podia lidar com Micah — disse Raisa. — Talvez não tivesse sido tão ruim.

— Ele pode ser jovem, mas é poderoso — comentou Amon. — E, mesmo se você conseguisse lidar com Micah, teria lidado com lorde Bayar e o resto do Conselho dos Magos?

— Vou ter que lidar com todos eles, mais cedo ou mais tarde — disse Raisa. — Posso muito bem começar agora.

— Aos 16 anos? — Amon ergueu uma sobrancelha.

— Algumas das rainhas Lobo Gris eram ainda mais jovens quando foram coroadas.

— Mas você não é rainha — observou Amon. — Sua mãe é rainha e tomou algumas decisões ruins.

— Ela ainda é rainha — disse Raisa com agressividade. Depois, suspirando: — Me desculpe. Não consigo deixar de defendê-la. Ela não cedeu, você não vê? Tem cinco meses que parti, e ela se manteve firme. Eu devia voltar para aliviar as coisas para ela.

— A carta tem dois meses — observou Amon. — Quem sabe como está a situação agora? Papai disse para ficarmos longe, que é perigoso demais ir para casa. Eu acredito nele.

— A carta tem dois meses — repetiu Raisa. — Pode ser que as coisas estejam diferentes.

Ha, pensou Raisa. Certos ou errados, não conseguimos deixar de defender nossos pais.

— E os clãs? — persistiu Amon. — Eles nunca aceitariam que você se casasse com um mago. Fariam uma guerra por causa disso. Os Demonai prefeririam matar Micah a deixar isso passar.

Ele provavelmente tinha razão nisso. Raisa massageou o pescoço dolorido. Como poderia voltar para casa e defender seus direitos à sucessão, mas sem ter de aceitar um casamento forçado?

Com sorte, Hallie traria uma resposta de Marianna.

Ela olhou para Amon, que a observava como se tentasse adivinhar o que ela faria a seguir.

— Se você insistir em ir — disse Amon —, vamos todos com você.

— Vou pensar no assunto — disse Raisa e devolveu a carta para Amon.

Ele a jogou no fogo, onde ela murchou e virou fumaça e cinzas.

CAPÍTULO VINTE E CINCO

MODOS DE SANGUE AZUL

— Como estou? — perguntou Han, dando uma voltinha com as roupas novas.

A costureira tinha medido bem: o casaco e a calça lhe caíam como uma segunda pele. A parte difícil tinha sido escapar dela.

Dançarino ergueu o olhar do livro. Quando voltaram do jantar, ele se acomodou em uma cadeira confortável com um dos livros velhos e horríveis de Firesmith.

— Lindo — disse ele. — Qual é a ocasião?

— Vou ver uma garota.

— Nunca vi você se vestir assim para sair com uma garota — disse Dançarino. Ele ergueu um sobrancelha. — Você não vai se casar, vai?

Han balançou a cabeça.

— Vou ter aulas de sangue azul com aquela garota que te falei. Rebecca Morley.

— Hmm. Bom, você já está com a aparência de um. Só incline a cabeça para trás e olhe com superioridade. — Han fez o que ele disse. — Isso. Perfeito. Você tem talento natural.

— Deve ser minha linhagem Waterlow.

Os olhos azuis de Dançarino brilharam com diversão.

— Agora diga: "Os cabeças de fogo são como sanguessugas no corpo da sociedade. Um mal necessário."

Han riu.

— Acho que não consigo. Acho que não nasci pra isso.

Dançarino deu de ombros.

— Quanto tempo vai demorar essa aula? Cat vai fazer outro recital hoje, na Escola do Templo. Eu vou. Quer ir?

Han balançou a cabeça.

— Não posso. Estou cheio de trabalho.

Ele levantou o exemplar de *Heráldica*, de Faulk, um tijolão. Quantos professores ele tinha? Corvo, Abelard e agora Rebecca. E o novo semestre ainda não tinha nem começado.

Dançarino marcou a página com o dedo e suspirou. Observou Han por alguns minutos e disse:

— Estou preocupado com Cat.

— O quê? Por quê?

Han tentou se lembrar da última vez que a viu. Fazia um tempo. Até parecia que ela o estava evitando. Ou talvez fosse porque ele nunca estava livre.

— Parecia que ela gostava muito daqui, que estava se acertando na Escola do Templo e tal — disse Dançarino. — Mas, de repente, ela parece infeliz de novo. Eu queria saber se ela lhe disse alguma coisa.

— Não — disse Han. — Você acha que ela tirou notas baixas?

Ele e Dançarino tinham acabado de receber as notas do semestre do outono. Até Gryphon tinha dado notas na média para eles, apesar de o mestre ter escrito uma nota no boletim de Han: *O novato Alister devia se esforçar para chegar à aula na hora e preparado, e depois devia conseguir ficar acordado.*

Dançarino balançou a cabeça.

— Acho que não é isso. Só ouvi coisas boas sobre as aulas de Cat, e ela é uma instrumentista brilhante. Era por isso que eu queria que você fosse comigo. É mais fácil ela falar com você sobre o que está incomodando ela.

— Eu queria poder ir. Mas prometo que vou tentar falar com ela logo.

Os sinos da Torre Mystwerk tocaram uma vez, indicando um quarto de hora.

— Sangue e ossos, tenho que ir — falou Han, em pânico repentino. — Estou atrasado. Diz pra Cat que peço desculpas por perder o recital.

Quando estava descendo a escada, ele ouviu Blevins gritar:

— Se você continuar assim, vai cair da escada de novo!

O salão do Tartaruga & Peixe estava parcialmente cheio. O atendente estava atrás do balcão do bar, com cara de quem tinha experimentado demais de sua própria mercadoria. Ele ergueu a cabeça quando Han entrou, examinado as roupas com seus olhos amarelados.

— A garota está lá em cima, esperando você — disse ele, tentando lhe dar uma piscadinha, mas fechando os dois olhos em vez de um. — Ela não quis esperar aqui embaixo.

Cabeças se viraram pelo salão. Han subiu a escada com o livro debaixo do braço.

Rebecca ergueu o olhar quando ele entrou, e seus olhos verdes avaliaram o traje sem fazer comentários. Ela estava usando uma saia longa e escura de lã e uma blusa branca de manga comprida, como uma das professoras mais rigorosas de Jemson.

— Você está atrasado, Alister — disse ela sem preâmbulos. Parecia mal-humorada.

— Desculpe — disse ele. — Fiquei preso em…

— Algumas das regras mais importantes de etiqueta dizem respeito à pontualidade — ralhou Rebecca, ignorando suas desculpas. — Em compromissos de negócios, você tem que chegar na hora ou alguns minutos mais cedo. Em encontros sociais, você nunca deve chegar cedo. É melhor chegar alguns minutos atrasado. Quanto mais importante você for, mais atrasado chega. — Ela fez uma pausa. — Este é um compromisso de negócios.

Han ficou olhando para ela, sem entender. Para ser sincero, chegar na hora nunca fora prioridade para ele. Ele fazia seus horários em Feira dos Trapilhos. Ser dono da rua significava que as pessoas e os eventos esperavam por ele. Um julgamento aproximado, baseado no ângulo do sol e nas sombras já bastava. Nem Jemson era rigoroso quanto aos horários das aula. Apenas ficava feliz quando ele aparecia.

— Entendo — disse ele, escolhendo as palavras com cuidado. — Peço desculpas. Vou tentar chegar na hora, no futuro.

— Você *vai* chegar na hora, no futuro — disse Rebecca, empinando o nariz e jogando o cabelo preto para trás —, senão esta vai ser nossa última aula.

Onde está a garota do telhado?, Han teve vontade de perguntar. A que se deitou ao meu lado para ver os fogos. A que eu quase beijei.

Querendo mudar de assunto, ele olhou ao redor. Havia uma mesinha arrumada para dois, com pratos rasos, pratos fundos, copos, guardanapos e um monte de garfos, facas e colheres.

— Você pediu jantar? — perguntou ele. — Pensei que tínhamos combinado de jantar antes de virmos.

— Não vamos comer de verdade — disse Rebecca. — Pensei na melhor forma de ensinar e decidi que deveríamos experimentar na prática. Hoje, vamos falar sobre chegadas e partidas e modos à mesa.

Chegadas e partidas?, pensou Han. O quanto isso pode ser complicado?

Podia ser muito complicado, no fim das contas. Sangues azuis pareciam pensar mais em chegadas e partidas do que no que acontecia entre um e outro. Havia todo tipo de regras para quem chegava e em que ordem, e quem fazia reverências e mesuras para quem e quando; quem dizia o que para quem; quem saía da sala primeiro e como o fazia. Por exemplo, se você saísse antes de alguém mais importante do que você, tinha que ir de costas, fazendo reverência até chegar à porta.

A única ocasião em que Han saía de costas de uma sala era quando a pessoa que ficava para trás tinha grande chance de esfaqueá-lo pelas costas.

Também havia regras para entender quem era mais importante do que você, que era praticamente todo mundo.

Rebecca mudava de papéis, às vezes bancando a empregada, às vezes a anfitriã, às vezes um lorde, às vezes uma lady, primeiro uma pessoa mais importante do que ele, depois alguém menos importante.

— Você é boa atriz — disse Han. — É tão boa quanto qualquer um dos atores que vi em Palisade. — Palisade era um teatro aberto, em Ponte Austral, onde havia lugares de pé por até cinco centavos. E dava para entrar escondido, sem pagar.

— Bom — disse Rebecca —, essa é uma das coisas nas quais os sangues azuis são bons: atuar.

Finalmente, eles passaram aos modos à mesa. Havia muita coisa sobre se levantar e se sentar, o tamanho da porção a comer, quanto deixar, que alimentos comer em qual ordem, que utensílios usar, onde colocar o guardanapo, e para tocar, não esfregar o guardanapo na boca. O tempo todo, você tinha que manter a conversa. E todas as vezes em que Han escorregava e dizia "num" e "tá", Rebecca esticava a mão.

No final, Han estava consideravelmente mais pobre e sua cabeça estava girando.

— Alguma vez você fica paralisada, sem conseguir lembrar o que tem que fazer? — perguntou ele. — Ou fica com tanta fome e frustrada que acaba pegando a comida com as mãos? Ou fica em uma situação em que não consegue se lembrar de nada que tenha permissão de dizer?

— Ah — disse Rebecca seriamente —, algumas moças recorrem a desmaios. Os homens têm que se virar.

Han riu.

— Eu achava que a vida nas ruas era difícil — disse ele. — Eu não fazia ideia.

Lá fora, os sinos tocaram dez vezes. Duas horas tinham se passado.

— Vamos nos encontrar na quinta, então, e espero que você chegue na hora — disse Rebecca. — Leia os capítulos quatro a seis. Na quinta, vamos falar sobre regras de herança e classes de nobreza, e vou fazer perguntas sobre modos à mesa.

— Posso fazer uma pergunta? — disse Han, embora soubesse que tinha que ir para a Biblioteca Bayar se encontrar com Corvo.

— Bem, nosso tempo acabou… O que é?

— Quais são as regras para encontros? — perguntou ele, virando as páginas do livro. — Tem algum capítulo sobre isso?

— O que quer dizer? — perguntou Rebecca, embora Han suspeitasse de que ela sabia.

— Ah, você sabe. Flerte. Casamento. Essas coisas. Tem que ter regras para isso. Quem sai com quem. Quem pode se casar com quem. Quem você pode beijar, com que frequência, e quem começa. — Ele olhou direto para ela, e as bochechas dela ficaram vermelhas.

— É claro que há regras — disse ela. — Sempre há regras.

Ela ficou de pé, de repente, e fez uma reverência, querendo dizer que não ia contar para ele quais eram.

Ele também ficou de pé e fez uma mesura.

— Obrigado, Rebecca, por dedicar seu tempo como minha tutora — disse ele. — Já aprendi muita coisa.

Ela desceu na frente dele com a cabeça erguida e as costas muito eretas. Eles estavam quase embaixo quando alguém gritou:

— Ei, Rebecca!

Rebecca parou tão de repente que Han se chocou nela. Ele segurou os braços dela para que não caísse.

Duas cadetes da Academia Wien ocupavam uma mesa ali perto. Eram duas garotas, e com grandes sorrisos no rosto. Uma tinha barras de corpo docente no uniforme.

— Oi, Talia — disse Rebecca, praticamente engasgando. — Oi, Pearlie.

Elas ergueram as canecas.

— Quem é seu amigo? — perguntou Talia, piscando.

— Meu amigo? — disse Rebecca, fingindo não entender o que elas queriam dizer. — Ah. — Ela olhou por cima do ombro para Han, como se estivesse surpresa de encontrá-lo ali. — Este é... hã... Han. Alister. Eu o conheço da minha cidade.

— É um prazer conhecer vocês — disse Han, assentindo para Pearlie e Talia.

— Você não se chamava Algema? — perguntou Talia.

Han assentiu.

— Antigamente.

— Uau, Rebecca. — Talia sorria ainda mais. — Vivendo perigosamente, é?

Rebecca parecia achar que a situação precisava de mais explicações.

— Ele... hã... estou dando aulas para ele.

— Está mesmo — disse Han solenemente. — Ela é muito boa. Estou aprendendo muito.

Pearlie riu.

— O que ela está ensinando?

— Ah — disse Han —, estamos cobrindo muita coisa.

As duas cadetes gargalharam, mas Rebecca não pareceu achar graça. Ela saiu pela porta, ignorando as amigas.

Corvo demonstrou certo interesse arrogante pelas aulas de Han com Rebecca.

— Quem é essa jovem? — perguntou ele. — Onde você a encontrou?

— O nome dela é Rebecca Morley — disse Han. — Ela era tutora em uma casa nobre. Conheci ela lá na minha cidade, antes de vir pra cá.

— *Tutora* — disse Corvo, franzindo o nariz. — Você sabe alguma coisa sobre a família dela?

— Ela não é tão bem relacionada quanto eu gostaria — disse Han com sarcasmo. — Mas a rainha Marianna estava ocupada.

— Rainha Marianna? — Corvo pareceu confuso, depois compreendeu. — Ah, sim. Claro.

Por mais brilhante que fosse, Corvo às vezes parecia um pouco lento, principalmente quando a questão era entender as piadas de Han. Talvez o humor sangue azul fosse diferente. Corvo *era* engraçado, mas de um jeito meio amargo.

Corvo insistiu.

— Tem certeza de que essa Rebecca...?

— Ela foi tutora dos Bayar — disse Han. — Ao que parece, era boa o bastante para *eles*.

— Dos Bayar? — perguntou Corvo, se enrijecendo. — Ela trabalha para a Casa Aerie?

— Trabalhava — disse Han. — Agora, estuda aqui.

— Como sabe que ela não é uma espiã? — perguntou Corvo. — Ou uma assassina?

— Eu não sei — disse Han. — Mas não tive um monte de candidatos. Tive praticamente que ficar de joelhos para convencê-la a me dar aulas. Estamos nos encontrando há um mês e não estou morto.

— Bem — concluiu Corvo —, vamos ver. Espero que você ao menos esteja tomando cuidado. — Ele olhou para Han com expressão crítica. — Sua escolha de roupas está melhorando. Sua fala também.

Han apenas revirou os olhos. No começo, ele não tinha dado muita importância para essa história de virar sangue azul — exceto por ser o preço de Corvo pelas aulas. Agora, percebia o quanto havia para aprender. Como aquilo podia abrir portas para ele.

Por algum motivo, ele estava se dando melhor com Corvo. Ultimamente, as farpas do professor eram menos afiadas. Além disso, ele tinha ampliado o currículo para incluir outros aspectos mais intrincados da magia, que ia além de pequenos feitiços. Han via que Corvo adorava aquilo tudo e adorava ter alguém com quem compartilhar. Quando Han dominava um feitiço complicado, Corvo virava o rosto para o céu e dizia:

— O garoto é brilhante! É mesmo!

Havia um toque de sarcasmo, mas era um elogio mesmo assim.

Han comparava Corvo e Rebecca, sua outra tutora particular. Ele admirava a firmeza dela, mesmo quando isso atrapalhava seus planos. Tentava não ficar olhando para seus olhos verdes, que cintilavam na pele morena, ou para os vislumbres de tornozelo debaixo da saia comprida. Ele reparava em tudo: na forma como as sobrancelhas escuras se franziam e em como ela mordia o lábio inferior quando estava pensando; na forma como balançava as mãos ao falar; na silhueta debaixo do uniforme.

Ele deixou claro que estava interessado nela. Normalmente, isso bastava, mas ela ignorara seus sinais por semanas. Talvez sangues azuis agissem de forma diferente.

Ou talvez ela não tivesse interesse em sair com um rato de rua que virara um mago.

— Vamos falar de gerenciamento de poder — disse Corvo, arrancando Han de seus pensamentos e sinalizando que era hora de trabalhar. — Há formas de alavancar o poder que você tem, para não gastar tudo em tarefas relativamente menores.

— Alavancar — repetiu Han, obediente.

— Por exemplo, é necessário menos poder para persuadir alguém a fazer uma tarefa para você do que você usar magia para fazer sozinho. Você pode explodir uma rocha ou influenciar magicamente alguém a fazer isso com uma picareta. A segunda opção exige menos poder, principalmente se for uma pessoa de mente fraca.

— Menos poder para você — observou Han. — Mas não para pessoa com a picareta.

— É claro — disse Corvo, desconsiderando o comentário como se fosse óbvio. — Eis outro exemplo. Você poderia incendiar o jovem Bayar, o que exigiria poder considerável, ainda mais se ele resistir, como é provável. Seria menos oneroso, embora mais arriscado, queimar o alojamento enquanto ele está dormindo.

Ele ainda incitava constantemente que Han agisse contra os Bayar, antes que fossem atrás dele de novo. Han tentava aprender o que podia em suas aulas com Corvo, sem se permitir ser instigado. Ele logo teria que encarar os Bayar, e seu alvo principal estava em Fells. Era mais fácil ignorá-los agora que eles tinham saído do dormitório.

Além disso, Han tinha perguntas a fazer.

— Às vezes, depois que volto de Aediion, parece que não consigo acordar — disse ele. — Quando acordo, ainda estou exausto. É normal o encontro sugar tanto de mim?

Corvo o observou com olhos estreitados.

— Com que frequência isso acontece?

Han deu de ombros.

— Quase todas as vezes.

Corvo esfregou o queixo.

— É possível que os Bayar tenham colocado algum tipo de magia nesse amuleto antes de ele chegar às suas mãos.

— Mas só acontece depois de Aediion — insistiu Han.

— A outra possibilidade é que esteja acontecendo porque a magia que estamos fazendo aqui é bem mais exigente do que qualquer outra coisa que você esteja fazendo nas aulas — disse Corvo. — Seja como for, a resposta é acumular o máximo de magia possível antes de você vir. Isso não só vai neutralizar qualquer coisa que os Bayar tenham feito, mas vai também permitir que você faça seu trabalho sem ficar completamente esgotado.

Essa era sempre a resposta de Corvo — acumular mais poder. Era fácil para ele dizer.

— Há formas de sugar magia dos outros — prosseguiu Corvo — sem eles perceberem. Posso mostrar como.

Ele olhou nos olhos de Han, como se para avaliar sua reação.

— Não preciso roubar poder dos outros — disse Han. — Não sou mais um ladrão.

Corvo deu de ombros.

— Somos todos ladrões, de um tipo ou de outro.

A aula seguinte de Han com o grupo de Abelard também estava pesando em sua mente.

— Lembra que eu falei antes que a reitora Abelard reúne um pequeno grupo de alunos? — disse ele.

Corvo assentiu.

— Eu me lembro disso, sim — disse ele. — Os gêmeos Bayar também estão nesse grupo, pelo que você disse.

Han concordou.

— Agora, Abelard quer que eu ensine como viajar para Aediion. Ela acha que seria útil se eles entrassem em guerra contra os clãs.

— Ela está certa, claro — falou Corvo. — Mas é improvável que eles tenham sucesso, com os amuletos que têm. E isso é uma coisa boa. Não queremos ninguém encontrando a gente no meio de uma aula.

— Eu não quero falar sobre isso — disse Han. — Principalmente com os Bayar. Os amuletos deles podem ser mais poderosos do que a gente pensa. Mas vou ter que falar. Abelard ameaçou me expulsar se eu não ensinar.

— Hmm — disse Corvo, franzindo a testa. — Tem um jeito de você trazê-los com você, em vez de deixar que venham sozinhos. Vamos falar sobre isso em nosso próximo encontro.

Han abriu os olhos contra uma luz cinza e poeirenta. Ele piscou, confuso e desorientado. Será que tinha passado a noite na biblioteca de novo? Ele se sentou, apoiando as mãos no chão. Soube, sem precisar verificar, que o amuleto estava completamente vazio, embora o poder estivesse voltando a ele, aos poucos.

Esfregando os olhos, Han olhou ao redor, intrigado. Estava na biblioteca, cercado de estantes de livros que iam do chão ao teto, mas a sala não lhe era familiar. O ar estava parado, como se ninguém respirasse ali havia muito, muito tempo.

Ele ficou de pé, foi até a janela e limpou a poeira da vidraça imunda. Estava claro lá fora, e ele estava na Biblioteca Bayar, em um andar mais alto do que qualquer outro em que já estivera, olhando para o norte do terreno de Mystwerk. Como tinha chegado ali?

Han limpou a poeira da calça e olhou melhor para os livros nas prateleiras. Eram livros velhos. Muito velhos. Faziam os livros de Firesmith parecerem novos. Han pegou um na prateleira e virou as páginas frágeis com cuidado. Eram escritas à mão, com tinta, e em uma língua arcaica que Han não conseguia decifrar. As ilustrações efervesciam na página. Era um texto mágico, páginas de feitiços e gestos.

A última coisa da qual ele se lembrava era de estar em Aediion com Corvo. Ele entrara no mundo dos sonhos de seu local habitual, vários andares abaixo de onde estava agora.

Ele observou as outras prateleiras. A maioria dos livros era de encantamentos e feitiços. Uma prateleira tinha uma coleção de diários: cada página trazia uma data da época da Cisão. Muitos daqueles livros estavam limpos, e a poeira no chão em frente às prateleiras tinha sido varrida. Alguém tinha mexido ali recentemente. Todos tinham o mesmo emblema — Han traçou o desenho com o indicador. Era uma serpente retorcida e um cajado passando por uma coroa elaborada. Deve ser uma das Casas de magos, pensou Han. Talvez tenham doado os livros para a biblioteca.

Quem quer que tivesse estado ali, parecia já ter ido embora.

Han tocou o amuleto e permitiu que o pouco de poder que tinha fosse transferido enquanto ele avaliava suas possibilidades. Será que era sonâmbulo? Louco? Várias vezes antes ele tinha dormido na Biblioteca Bayar — mas, em todas elas, acordara no mesmo lugar.

Havia um alçapão de madeira aberto no chão. Ao espiar por ele, Han viu uma escada de metal que descia ao andar inferior. Ele desceu com cuidado, a mão no amuleto. O andar de baixo era mais do mesmo, fileiras de estantes lotadas de livros antigos. Mais um alçapão, mais uma escada de metal, e ele chegou a um andar familiar — o sexto andar da Biblioteca Bayar, onde ficava seu esconderijo.

Mas como ele tinha ido parar no oitavo andar, considerando que nem sabia como subir até lá, antes daquele momento?

Então ele ouviu passos subindo a escada do quinto andar.

Han correu para o meio das estantes e se posicionou de forma a conseguir ver a escada por entre as prateleiras. Momentos depois, uma pessoa apareceu, vinda do andar de baixo.

Era Fiona Bayar, com uma bolsa pendurada no ombro. Ela olhou ao redor, passou pelo esconderijo de Han e andou até a escada retrátil que levava ao sétimo.

Han xingou em silêncio. Ele não tinha colocado a escada no lugar.

Fiona parou no pé da escada e olhou ao redor de novo, com a cabeça inclinada, escutando.

Han continuou calado e imóvel.

Fiona deu de ombros, segurou na escada e começou a subir.

Han sabia que o que devia fazer era aproveitar a oportunidade para ir embora antes que fosse visto. Mas estava muito curioso. O que Fiona Bayar estava fazendo em um andar tão alto da biblioteca, subindo tão sorrateiramente, como se não quisesse ser vista? Han esperou alguns momentos e subiu atrás dela.

Quando passou a cabeça cautelosamente pela abertura do sétimo andar, Fiona não estava por perto. Depois de atravessar o alçapão, ele passou entre duas estantes, indo na direção dos fundos da biblioteca.

— O que *você* está fazendo aqui?

Han se virou com a mão em seu amuleto inútil.

Fiona estava entre ele e o alçapão aberto. Suas roupas normalmente impecáveis estavam sujas de poeira, e havia uma mancha preta em sua bochecha direita, como uma marca de gangue.

— Estudando — disse ele. — Lendo. O que mais poderia fazer em uma biblioteca?

— Sem anotações? Sem papéis?

Han olhou para as mãos vazias como se nunca as tivesse visto antes.

— Deixei tudo lá embaixo. Estava pesado demais para carregar. — Não foi seu melhor ato como mentiroso.

Ela colocou as mãos nos quadris.

— Você estava me seguindo?

— Não de propósito — disse Han. — Ouvi um barulho e vim ver o que era. — Assim era melhor. — O que *você* está fazendo aqui?

Ele balançou a mão na direção das estantes de livros mofados.

— Estudando — debochou ela. — Lendo. O que mais?

Han não ia voltar para seu esconderijo, não com ela ali. Então se virou para a estante atrás dele e fingiu examinar os títulos. Ele a observou com o canto do olho, para o caso de ela tentar qualquer coisa.

Não que fosse capaz de se defender, considerando o quanto estava esgotado. Ele torceu para que ela não conseguisse perceber.

Ela chegou mais perto.

— *Registros do dízimo na catedral*?

Fiona estava lendo por cima do ombro dele. Ele conseguia sentir o hálito dela na nuca.

— Você pode me dar licença? — disse Han. — Está me atrapalhando.

— Alister — disse Fiona baixinho. — Por que a reitora Abelard está protegendo você?

Han se virou e acabou quase nariz com nariz com ela, as costas contra a estante.

— O que faz você pensar que ela está me protegendo?

— Micah disse que ela o mandou deixar você em paz — disse Fiona.

— Talvez ela só esteja fazendo o trabalho dela — respondeu Han. — Você sabe. Impedindo que os alunos matem uns aos outros.

— Micah e eu não concordamos sobre tudo — disse Fiona, tocando seu amuleto. — Nossos interesses nem sempre coincidem. — Ela fez uma pausa, considerando se devia continuar. — Você já pensou que pode fazer sentido *nós* trabalharmos juntos?

— Nós? — repetiu Han. — Você quer dizer eu e você?

Fiona assentiu.

— Não — disse Han, atônito demais para mentir. — Nunca pensei que isso poderia fazer sentido.

— Você está diferente de quando nos conhecemos — disse Fiona, franzindo as sobrancelhas claras. — Sua fala, suas roupas... parece que sua aspereza foi polida. — Ela esticou a mão e encostou as pontas dos dedos no maxilar dele. O toque fez arder sua pele fria. — Apesar de termos passados muito diferentes, talvez sejamos mais parecidos do que você pensa. Você não segue as regras. Nem eu.

Han sustentou sua posição, recusando-se a recuar.

— Por essa lógica, os Trapilhos e os Austrinos deviam se dar bem, porque eles não seguem a lei da rainha — disse ele.

— Preste atenção — insistiu Fiona. — Algumas pessoas no Conselho dos Magos dizem que querem fazer mudanças. Talvez elas não sejam radicais o bastante.

Han estava perdido, mas sabia que não devia abandonar o assunto.

— O que você sugere?

— Meu pai quer casar Micah com a linhagem Lobo Gris — disse Fiona.

— Eu já ouvi isso — disse Han, dando de ombros para indicar que não se importava. — E daí?

— Ele quer estabelecer uma nova linhagem de reis magos casados com rainhas Lobo Gris — prosseguiu Fiona.

— Os clãs nunca vão deixar isso acontecer — disse Han.

— Exatamente — disse Fiona, assentindo. — Se vamos fazer isso, por que não fazer direito? Por que precisamos da linhagem Lobo Gris? De que isso nos serve? Os clãs vão à guerra de qualquer jeito.

— Qual é seu plano? — disse Han, curioso a contragosto.

— Por que não uma rainha maga? — perguntou Fiona.

Han finalmente entendeu. O atual esquema de lorde Bayar deixava a pobre Fiona de fora. Ser de uma rica e nobre família mágica não bastava. Aparentemente.

— Imagino que você já tenha alguém em mente. — Han ergueu as sobrancelhas.

Fiona segurou os antebraços de Han, olhando atentamente para seu rosto.

— Por que não pode ser eu, em vez de Micah? Eu sempre fui uma aluna melhor. Sempre fui mais dedicada. Micah sempre se distrai com sua conquista mais recente. Eu penso com a cabeça, não com...

— Por que está me contando isso? — interrompeu Han. — Pensei que você guardaria segredo desse tipo de coisa. Não somos amigos.

— Poderíamos ser — sussurrou Fiona. — Poderíamos ser muito amigos. — Ela o puxou para si e o beijou, os lábios formigando nos dele, as mãos mergulhando em seu cabelo. — Poderíamos ajudar um ao outro, você e eu — murmurou ela, apertando-se contra ele.

Han a segurou pelos ombros e se afastou.

— Você ainda não respondeu minha pergunta — disse ele. — Por que eu? Por que não o seu queridinho... Por que não Wil?

— Não sei. — Fiona limpou a garganta, os olhos ainda fixos na boca dele. — Tem alguma coisa em você. Alguma coisa tão... irresistivelmente perigosa... — Ela tentou se aproximar de novo, mas Han colocou as mãos nos ombros dela e a manteve longe.

— Alguma coisa em mim? — perguntou Han. — Alguma coisa irresistivelmente perigosa? — Ele soltou os ombros de Fiona, pegou o amuleto e o balançou diante dos olhos dela. — Isso, talvez?

Ela olhou a peça por algum tempo.

— Bem — admitiu ela, a contragosto —, isso também. Mas não é só isso.

— Quem você pensa que eu sou? — disse Han, colocando o amuleto de serpente debaixo da camisa. — Um qualquer do interior, passando o fim de semana na cidade? Você vai ter que se esforçar mais que isso.

— Tenho informações sobre o amuleto — disse Fiona apressadamente. — Informações que você precisa. O amuleto é a chave. É mais importante do que você imagina, mas também é perigoso. É por isso que meu pai quer tanto ele de volta. Posso ajudar você a tirar o máximo proveito dele.

— Não preciso da sua ajuda.

— É mesmo? — disse Fiona com ceticismo. — Você está dizendo que o amuleto nunca lhe causou problema? Que você não teve nenhuma... experiência incomum? — Ela inclinou a cabeça.

— Minha vida é cheia de experiências incomuns — disse Han. — Mas estou me virando bem sozinho

— O amuleto não é o único risco — afirmou Fiona. — Se você algum dia voltar para Fells, meu pai vai esmagá-lo como uma barata.

— E você acha que pode impedir?

— Você ficaria surpreso com o que sou capaz de fazer — sussurrou Fiona, olhando nos olhos dele.

— E onde eu fico, no final? — perguntou Han. — Enterrado com as rainhas Lobo Gris?

— É claro que não — disse Fiona, recuando um pouco, irritada. — Haveria um papel para você, claro. Uma posição na minha corte. Você seria bem recompensado.

— Como garoto de recados? Fiscal de magia? Sustentado por mulher? — Han balançou a cabeça. — Já tenho meus próprios planos. Num... Não vou ser seu servo nem seu soldado.

Ele passou por ela e a deixou em meio às estantes de livros antigos.

Han saiu da Biblioteca Bayar pela rota de sempre, evitando o proficiente rearrumando livros no segundo andar.

Durante todo o caminho, ele remoeu o que tinha acontecido. A proposta de Fiona fora só parte da questão. Será que ela sabia mesmo alguma coisa útil sobre o amuleto? Seria possível que os Bayar *tivessem* colocado uma maldição nele? Será que Fiona tinha alguma coisa a ver com o fato de ele ter ido parar no oitavo andar? Ou será que ele estava enlouquecendo?

CAPÍTULO VINTE E SEIS

DANÇA PERIGOSA

O semestre de primavera já tinha começado, e Hallie ainda não voltara de Fells. O caminho até Fellsmarch é longo, disse Raisa para si mesma. Ainda mais longo em tempos conturbados.

Talvez Hallie tivesse decidido não voltar para a escola. Talvez, depois de ver a filha, não tivesse conseguido partir de novo.

— Por que não tem lugar para crianças aqui? — perguntou ela para Amon um dia, quando eles estavam treinando com os bastões.

— O quê?

Ele defendeu o ataque rápido dela à sua barriga e golpeou com o bastão na direção da cabeça dela. Raisa se abaixou e o bastão passou assobiando por sua orelha. Enquanto ele estava desequilibrado, ela invadiu suas defesas e deu uma bela batida em seu traseiro.

Raisa ficava feliz de ainda terem aqueles momentos juntos. Era uma forma relativamente segura de diminuir a tensão entre eles. Ela só tinha que tomar cuidado para não bater com força demais.

— Você está falando de aulas? — ofegou ele, girando e erguendo o bastão para bloquear um golpe dela. Ela bateu o bastão no dele e sentiu a vibração subir pelos braços.

— Bem, sim, um lugar para os alunos morarem com os filhos.

— Você não acha que seria uma distração? — perguntou Amon. Ele girou o bastão bem embaixo e quase a derrubou.

— Você não acha que distrai mais ficar com saudade do filho?

— Os cadetes precisam criar laços entre si — disse Amon. — Isso aconteceria se eles estivessem cuidando de uma família?

— Acho que não podemos ignorar o fato de que alguns alunos têm família — disse Raisa. — Se a filha de Hallie estivesse aqui, ela não teria viajado para casa sozinha. — Depois de secar o suor do rosto, ela levantou a mão, sinalizando o fim da luta. — A Escola do Templo poderia oferecer aulas para elas, como acontece em Ponte Austral. Mas não tem alojamento para crianças na cidade.

— Hmm — disse Amon. — Bom, se você quer correr atrás disso, comece com mestre Askell. Ele é do conselho administrativo da academia.

O semestre de primavera estava sendo academicamente mais fácil do que o anterior. Primeiro, porque Raisa não tinha que aturar o proficiente Tourant. Ele tinha deixado a academia de vez, e parecia que ninguém lamentava sua partida.

O treino de infantaria fora substituído por equitação, e Raisa era excelente nisso. Adorava cavalgar Switcher, que tinha ficado gorda e preguiçosa no semestre anterior. Ela gostava de sair para cavalgar no campo, mesmo sendo uma planície.

Askell era agora um visitante raro de suas aulas. Então ela precisou marcar hora para falar com ele sobre sua ideia de um dormitório familiar.

— Sente-se, novata Morley — disse Askell quando um servente a levou até a sala dele. — Fique à vontade. Quer chá?

Ele indicou a chaleira no fogo.

— Não, senhor — disse ela. — Obrigada. Não vou ocupar muito seu tempo.

Ela se sentia diferente, mais confiante do que da última vez. Nas duas ocasiões, ela fora até lá fazer pedidos. Mas dessa vez pensava ter base, como se não precisasse pedir desculpas por sua presença. Tinha conseguido notas altas em quase todas as matérias, menos na de Tourant. Nessa, fora reprovada.

Como se tivesse lido sua mente, Askell disse:

— Se está aqui por causa das notas em História da Guerra, esse registro foi consertado.

— Ah! — disse Raisa, surpresa. — Não vim aqui por isso, mas obrigada, senhor.

— Então por que veio aqui?

Raisa explicou sua ideia e os motivos para isso.

Askell franziu a testa.

— Nunca foi feito antes e, ainda assim, continuamos funcionando por mais de mil anos.

— E as matrículas na Academia Wien andam diminuindo dramaticamente — disse Raisa.

Askell ergueu a sobrancelha.

— Quem disse isso?

— Arden sempre mandou mais cadetes a Vau de Oden do que o resto dos Sete Reinos — disse Raisa. — Mas está em guerra há uma década, então os jovens que *teriam* vindo para cá já estão lutando. Para conseguir alunos de qualidade, vocês têm aceitado alguns mais velhos e menos tradicionais. E muitos deles têm família.

Askell se recostou.

— Não acho que isso afete muitos de nossos alunos — disse ele.

— Um a cada cinco — disse Raisa. — Um a cada três proficientes e mestres.

— Como você sabe disso? — perguntou Askell. — Parece mais do que um palpite.

— Eu pesquisei nas seis turmas de cadetes — disse Raisa. — É claro que não pude perguntar aos que nunca vieram para cá por que não podiam correr o risco de deixar as famílias para trás. — Ela se inclinou para a frente. — Os dormitórios da Academia Wien estão parcialmente vazios. Haveria espaço para, pelo menos, algumas famílias. Poderíamos começar com a Academia Wien e expandir para as outras escolas, se der certo.

— Você andou ocupada, Morley — disse Askell. — Está claro que sua carga de trabalho está leve demais este período. — Ele mergulhou a caneta em um pote de tinta e rabiscou algumas notas. — Não posso prometer nada. Os militares são uma organização muito conservadora, particularmente meus conterrâneos. Mas você forneceu dados sólidos para investigarmos a questão.

— É tudo que peço — disse Raisa, mas não conseguiu resistir a acrescentar: — E espero que essa investigação não demore muito.

— Eu tenho uma pergunta — disse Askell, olhando para ela por cima da xícara de chá. — O comportamento do proficiente Tourant foi horrendo durante todo o período, mas você nunca reclamou — disse ele. — Por quê?

Raisa deu de ombros.

— Se eu não conseguir lidar com os Tourant do mundo, não tenho muita chance de ser bem-sucedida como rainha de Fells. Há dias em que parece que estou cercada de Tourants.

— Imaginei que você fosse voltar para Fells, no solstício — disse Askell.

— Estou esperando notícias de casa — disse Raisa. — Devo partir assim que receber garantias de que é seguro. — Se isso acontecer, pensou ela.

— Há alguma chance de você voltar para cá no ano que vem? — perguntou Askell, batendo com a caneta no mata-borrão.

Raisa balançou a cabeça.

— Não consigo imaginar que haja. Eu aprendi muito, mas já estou longe há tempo demais.

— Entendo — disse Askell. Ele limpou a garganta. — Eu queria que soubesse que, se voltasse ano que vem, eu planejava lhe oferecer o comando de um grupo de novatos. Seu desempenho este ano foi impressionante. — Um leve sorriso surgiu no rosto dele. — E não só porque minhas expectativas eram muito baixas.

— Obrigada, senhor — disse Raisa, um pouco corada. — Fico lisonjeada. E seria uma honra servir, se eu voltasse.

— Entendo que o papel de cabo fica um passo abaixo do de princesa — disse Askell —, mas eu queria que soubesse dos meus planos.

— Obrigada — disse Raisa. — Eu quero que *o senhor* saiba que jamais esquecerei o tempo que passei aqui em Vau de Oden. Tem sido um presente inestimável sair do papel de princesa e entrar no de aluna.

Askell ficou de pé, sinalizando que era hora de ela ir.

— Se ainda estiver aqui, espero vê-la no Baile dos Cadetes.

— Ah. Sim. Bem. Eu ainda não tinha pensado nisso.

As pessoas só falavam disso havia semanas: a festa de fim de período da Academia Wien. Era algo pelo que esperar, uma desculpa para deixar passar o trabalho que faltava ser feito.

— Não está tão longe — disse Askell, sorrindo. — Espero que, se você partir antes, venha se despedir de mim.

— Obrigada, senhor, eu virei.

Ela fez uma saudação para Askell, com o punho sobre o coração, e saiu.

O maldito Baile dos Cadetes, pensou Raisa enquanto descia os degraus. Eu não vou.

Amon continuara a cortejar apropriadamente Annamaya. Todo fim de semana que não estava trabalhando, ele colocava o uniforme de gala e atravessava o rio para visitá-la na Escola do Templo. Raisa conseguia imaginá-los sentados, as costas retas, no jardim. Pelo menos, ela não precisava vê-los de verdade. Mas, no baile, não poderia evitar.

Talia e Pearlie iam juntas. Como Hallie não tinha voltado, Raisa ficaria sobrando. Uma princesa sem cartão de dança no baile. Isso jamais aconteceria em casa.

Ela também não tinha amigos em casa — não amigos de verdade, para perturbá-la tanto.

— Não sei por que você não convida Han — disse Talia, como se ela e Han fossem velhos amigos.

Nos últimos tempos, ela e Pearlie apareciam no Tartaruga & Peixe, nas noites de terças e quintas. Às vezes, Mick e Garret também iam. Quando a aula de Han acabava, ele pagava uma rodada de bebidas, e Raisa acabava ficando até mais tarde.

— Ele é tão bonito e encantador, e o jeito que ele olha para você... me provoca um monte de arrepios — suspirou Talia. — As garotas se esfaqueavam por causa de Alister Algema em Feira dos Trapilhos, sabe. Ele não é meu tipo, mas se fosse...

— Ele também não é meu tipo — disse Raisa, e acrescentou rapidamente: — Quer dizer, eu gosto dele, mas... sei que não teria futuro.

Talia ergueu a sobrancelha em um gesto que dizia: "Ah, é?"

— Sei que você é sangue azul, mas não precisa se casar com ele nem nada.

Falando nisso, eram quase seis horas. Hora de encontrar o incrível Han Alister para a aula.

— Tenho que ir — disse Raisa.

— Diga oi por mim! — Talia piscou para Raisa.

Ele estava esperando por ela no cômodo superior do Tartaruga & Peixe. Ele sempre chegava cedo, desde aquela primeira aula, quando chegara atrasado e levara uma bronca. (Ele aprendia rápido.) E passara a pedir o jantar (dizia ele que como pagamento), então adquiriram o hábito de comer juntos antes ou depois da aula. Han alegava que precisava treinar os modos à mesa com comida de verdade.

— E se eu usasse o garfo certo, mas enfiasse a salsicha inteira na boca ou bebesse a cerveja como um bêbado? — perguntou ele. — Todo o seu trabalho teria sido em vão.

Han se esforçava bastante. Fazia as leituras que ela passava e participava sem reclamar das encenações de Raisa. Sua fala melhorara drasticamente ao longo daqueles dois meses. Embora ele ainda usasse gírias de ladrão, de vez em quando, já não precisava pagar cinco centavos por isso. Seus modos à mesa eram quase perfeitos quando ele estava prestando atenção.

Mas, às vezes, ele parecia exausto e ficava bocejando depois do jantar. Duas vezes, chegou a cochilar.

— Você devia mesmo gastar seu tempo com isso agora? — perguntou Raisa uma noite, quando percebeu que ele estava cansado. — Como falei, você pode aprender bons modos sozinho.

— Peço desculpas — disse ele. — Não é a companhia. Se tem alguém para quem quero estar desperto, é você. Só fiquei acordado até muito tarde ontem.

Parecia que ele ficava acordado até tarde todas as noites. Será que está saindo com alguém?, perguntou-se ela.

Não é da minha conta, se estiver.

Era óbvio que Han estava acostumado a conseguir o que queria com as garotas, e ele deixou claro de várias maneiras que estava interessado nela. Raisa sentia a pressão dos olhos dele e se virava para pegá-lo olhando para ela como se olharia para uma pintura complicada, cheia de camadas. A intensidade da atenção dele era sedutora.

Às vezes, ele aproximava a cadeira para que os dois pudessem ler juntos o mesmo livro. Ele se sentava a dois centímetros dela, sempre mantendo essa pequena distância, como se soubesse exatamente onde ela estava o tempo todo.

Quando ele inclinava a cabeça sobre o livro de Faulk, ela se pegava observando a curva do maxilar com a barba clara por fazer, a cicatriz irregular que passava perto do olho direito, os antebraços musculosos cheios de veias.

Ela reparava em tudo; a forma como ele bocejava e se espreguiçava, arqueando as costas como um gato e cobrindo a boca com a mão, atrasado; as muitas cores em seu cabelo, amarelo-claro e creme, dourado-avermelhado e platina; a maneira como ele repetia uma pergunta, como se para ganhar tempo para formular a resposta; a forma como sempre sentava de frente para a porta, talvez um resquício dos tempos em Feira dos Trapilhos, e levava a mão à faca quando se assustava; o modo como ele enfiava a mão sob a camisa, constantemente, liberando poder para o amuleto.

Han não era orgulhoso nem arrogante, mas havia uma autoconfiança nele que dizia que sabia o que queria e que ia conseguir, e que era melhor não ficar em seu caminho. Aquilo devia ter sido bem útil, na época em que ele era dono da rua, na gangue dos Trapilhos.

Como podia reparar em Han Alister quando ainda estava de coração partido por causa de Amon Byrne? Será que a destruição de um sonho deixava um vácuo que exigia preenchimento por outro?

Será que um coração partido é mais vulnerável?, perguntou-se ela. Sou volúvel ou autodestrutiva?

Não vou passar por isso de novo.

Mas começou a esperar pelos encontros bissemanais mais ansiosamente do que gostava de admitir.

Era comum que eles continuassem para além das duas horas combinadas. No começo, Raisa tentou impor o horário de encerramento, mas acabou desistindo. Han Alister sempre conseguia convencê-la a ficar mais um pouco.

Naquela noite, quando ela chegou, havia sanduíches e sidra na mesa, com uma bela caixa de música esmaltada e incrustada de pedras preciosas.

— Que lindo — disse ela, abrindo a tampa e examinando o mecanismo intrincado com olhar de comerciante. Era artesanato dos clãs, provavelmente uma antiguidade. Ela olhou para ele, intrigada. — Para que é?

— É para você — disse ele, fazendo um gesto constrangido. — Um presente.

— Não posso aceitar isso — disse ela, sentindo o sangue subir ao rosto.

Ela tentou devolver, mas ele colocou as mãos nas costas, e ela apoiou a caixa na mesa de novo.

— Eu trouxe por motivos egoístas — disse ele. — Quero que você me ensine a dançar.

Raisa olhou para ele, assustada.

— O quê? Por quê?

— Sempre tem a chance de eu ser convidado para uma festa — disse ele. — Quero estar pronto, se for o caso. — Os olhos azuis dele estavam arregalados e inocentes.

— Tem tantos outros tópicos que ainda não cobrimos — protestou Raisa. — Funcionários da corte, roupas apropriadas para situações sociais, protocolos de caça, guias de correspondência...

— Ouvi dizer que muitos negócios são feitos em festas — disse Han, empinando o queixo. — Sei algumas danças dos clãs, mas preciso saber como dançar no estilo da cidade.

— Que tipos de dança você quer aprender? — perguntou Raisa, revirando os olhos.

— O tipo em que se segura a parceira — disse ele, dando corda na caixa de música. — Como chamam essa?

Chamamos de problema, pensou Raisa quando a música começou.

Era uma música do norte, "Flor das Montanhas". Uma onda de saudade de casa tomou conta dela.

— Ah! — disse ela. — Adoro essa música. Onde conseguiu isso?

— Tem uma loja de música no lado de Mystwerk, perto da Escola do Templo — disse Han. Ele ficou de pé na frente dela e esticou as mãos na altura da cintura.

Raisa afastou as próprias mãos.

— Primeiro, deixe-me lhe mostrar os passos. Esse se chama "Passo das Terras Altas". — Ela demonstrou. — Agora tente você. — Ela o viu fazer uma tentativa. — É quase isso, mas é passo-passo-atrás-passo-desliza. — Ele tentou de novo. — E então para a frente.

Depois de mais algumas tentativas, Raisa levantou as mãos.

— Vamos tentar juntos agora, me segue.

Ela colocou a mão direita dele em seu quadril esquerdo e segurou a esquerda com sua direita. A magia nas mãos dele estava bem controlada, sutil e potente. Subiu à cabeça dela como vinho de Bruinswallow.

— Agora passo-passo-atrás, bom, bom, para a frente...

Eles treinaram sem parar, dando corda na caixa de música sempre que necessário, tomando goles de sidra e mordiscando os sanduíches nas pequenas pausas.

Que bom que gosto dessa música, pensou Raisa.

Quando Han dominou o Passo das Terras Altas, eles seguiram para o Círculo Quadrado, Se Meu Amor Fosse Sincero e Rosa Entre Espinhos. O último era complicado e, apesar de Han ser naturalmente um bom dançarino, eles embolaram os pés várias vezes.

— Espere! Espere! — disse Raisa quando eles pareciam prestes a cair. — Pare, pare, pare!

Eles acabaram se segurando um no outro para não caírem, corados e rindo, ofegando de cansaço.

— Acho que preciso treinar mais — disse Han, balançando a cabeça.

— Ninguém acerta esse — respondeu Raisa. — Deixe para lá. Acho que você está pronto para dançar.

— Que bom — disse ele, sorrindo. — Agora me convide para o Baile dos Cadetes.

— Baile dos Cadetes! Quem lhe falou sobre o...? — disse Raisa, perplexa, então entendeu. — Talia falou! Só podia ser ela. — Ela balançou a cabeça. — Eu não vou.

— Por favor, Rebecca — insistiu ele. — O baile é bom, não só pelas danças. Seria uma oportunidade de eu treinar tudo: modos à mesa, conversas de sangue azul, tudo. E não é só isso. Eu quero ir com você. — Ele colocou as mãos nos ombros dela. — A não ser que você já esteja saindo com alguém.

Raisa pensou em mentir, mas sabia que Talia já devia ter contado a verdade a ele.

— Não. — Ela balançou a cabeça e evitou o olhar dele. — Não estou saindo com ninguém.

Não ouse, pensou ela. Não ouse me dizer que você vai me fazer esquecer Amon Byrne.

Mas ele não disse isso. O que ele fez foi colocar os dedos sob o queixo dela e erguer seu rosto para que seus olhares se encontrassem.

— Sorte minha — murmurou ele, e a beijou. Devagar e delicadamente, como alguém que sabia o que estava fazendo.

Raisa tinha adorado beijar Amon Byrne, mas parecia que eles nunca haviam se beijado sem serem interrompidos.

Com Micah, cada beijo era uma luta na guerra contínua deles. Eram excitantes, mas brutais.

Reid Demonai era bem talentoso e sem dúvida experiente...

Mas ela nunca tinha sido beijada daquele jeito.

E, como uma tola, ela retribuiu o beijo. Beijou-o de um jeito que não deixava dúvidas sobre o que sentia por ele. Beijou-o porque sabia que as chances de ter outros beijos assim na vida eram poucas.

O que era muito triste quando se tinha apenas 17 anos.

Ele recuou até encostar em uma cadeira e se sentou, puxando-a para o colo. E se beijaram ainda mais; beijos famintos que pareciam ter se acumulado durante as semanas em que vinham se encontrando. Ela se entregou a eles completamente, enfiando os dedos pelo cabelo claro de Han, puxando sua cabeça, querendo mais.

Havia magia nos beijos dele, mas era sutil, como o eco de algo intenso e intoxicante por si só.

Ela acabou com os braços ao redor dele, tremendo, a bochecha apertada contra o peito de Han, respirando com dificuldade, sem querer soltar. Mas sabendo que precisava.

— Não podemos fazer isso — sussurrou Raisa, quase para si mesma. — Só vai piorar as coisas.

Han acariciou seu cabelo e se moveu sob ela, fazendo o coração de Raisa disparar.

— Por quê? De que você tem medo? De ladrões ou de magos?

— Dos dois — disse ela.

— É porque não sou sangue azul? — Ele fez a pergunta de forma direta, como se realmente quisesse saber.

— Isso é o que menos importa — disse Raisa, com respiração trêmula. — Isso só vai levar a sofrimento, e me recuso a ter o coração partido de novo. — Ela olhou para ele. — Eu achei que podia brincar com amor. Achei que tinha o direito, como... como qualquer cortesã ou... dono da rua.

Ele balançou a cabeça.

— Rebecca, escute, eu...

— Mas descobri que não sou assim — interrompeu ela. — Não consigo brincar disso se meu coração não estiver envolvido. É meu jeito. Não estou julgando os outros.

— Entendo — disse ele. Han a abraçou mais apertado e deslizou os dedos por seus ombros, fazendo os nervos dela formigarem. — O que seu coração está dizendo agora?

Ela queria ser sincera com ele, embora provavelmente fosse pagar por isso.

— Que estou encrencada — sussurrou.

Han não disse nada por algum tempo.

— Não posso garantir que não vou magoar você — disse ele, por fim —, porque tem muita coisa que não posso controlar. O que posso dizer é que magoá-la é a última coisa que quero fazer.

— Você não vai poder evitar — disse Raisa, secando os olhos. — E não é só uma questão de você me magoar. Eu também vou magoá-lo, mesmo sem querer. Não sou a garota que você pensa que eu sou. E você vai se lembrar dessa conversa e desejar ter me ouvido. — Ela colocou as mãos nas dele. — Como você pode querer isso, se já sabe, desde o começo, que vai terminar mal?

Conte a verdade para ele, disse uma voz em sua cabeça. Mas ela não podia. Não ousava.

Ele observou o rosto dela, tentando identificar a história por trás das palavras. Então beijou suas pálpebras, a ponta do nariz e os lábios de novo. A cada beijo, a resistência dela diminuía.

— Eu vivo no presente — disse Han —, porque o futuro é sempre arriscado. Quando a questão é estar com você, estou disposto a correr o risco. Você está?

— Agora vou me sentir uma covarde se não estiver. — Raisa se encostou nele. Olhou para o rosto de Han e delineou com o dedo a cicatriz acima do olho. — Como você arrumou isso?

— Eu me arrisquei — disse ele, os olhos azuis fixos no rosto dela.

— Valeu a pena?

Ele pensou no assunto.

— Sim.

— Tudo bem — disse Raisa, cedendo. — Vamos correr o risco. Mas vamos devagar.

Os braços de Han a apertaram de novo. Ela sentiu o bater do coração dele.

— Eu não quero ir devagar — sussurrou ele no ouvido dela. — Como eu disse, vivo no presente. Cada vez que tento guardar alguma coisa para o futuro, ela é tirada de mim.

— Eu sei — disse Raisa. — Mas nós *vamos* devagar mesmo assim.

CAPÍTULO VINTE E SETE

QUANDO OS SONHOS VIRAM PESADELOS

Han abriu os olhos e se pegou encarando o teto de seu esconderijo na Biblioteca Bayar.

Estava deitado no chão de madeira, e soube imediatamente, pela rigidez em suas juntas, que ficara deitado ali por horas. Passou a mão pelo rosto. Sua barba parecia maior que o habitual. Quanto tempo ficara ali? Como sempre, havia grandes lacunas em sua mente.

Massageando as têmporas, ele se lembrou do que tinha acontecido na aula com Corvo. Ele mostrara a Han como levar outros magos para Aediion com ele, demonstrara a técnica e o fizera decorar o feitiço.

Han se sentou e esperou a tontura passar, depois se levantou. Alguma coisa estalou sob seu casaco. Enfiou a mão ali dentro e encontrou várias páginas dobradas. Com cuidado, ele as desdobrou. Amareladas e frágeis, elas pareciam páginas arrancadas de um dos livros antigos dos andares de cima.

Uma era um mapa, com tinta meio apagada e respingos de água. Um título tremido formava um arco no desenho. "Lady Gris." Ele se apoiou nos calcanhares. Lady Gris era a montanha na extremidade do Vale, onde ficava a Casa do Conselho dos Magos e as casas dos magos mais proeminentes do Vale. Ele olhou o desenho. No mapa, a montanha parecia cheia de túneis, com várias entradas marcadas.

Havia um bilhete rabiscado atrás, com sua própria letra. *Mantenha escondido; mantenha em segurança. — H. Alister.*

Não era nem um pouco familiar. De onde aquilo tinha vindo? O que significava?

Será que Aediion estava se misturando com a vida real?

Ele olhou as outras páginas. Eram encantos escritos em uma língua tão arcaica que ele mal conseguia entender. Embaixo, havia uma série de letras grandes e elaboradas. *SMRAW.* E uma insígnia: a serpente com o cajado e a coroa que ele vira antes.

SMRAW?

Han foi até a janela e olhou para fora. Os acendedores estavam acendendo os lampiões pendurados nos prédios da academia. Isso queria dizer que ele tinha perdido o jantar. Estava se sentindo fraco, faminto e completamente esgotado de poder.

Mas aquilo não fazia sentido. Ele tinha se encontrado com Corvo depois do jantar. Os lampiões teriam sido acesos muito tempo atrás. Será que o amuleto estava tão cheio de poder maligno que o estava deixando doente?

Praguejando, Han pegou seus livros e papéis, enfiou tudo na bolsa e colocou as velhas páginas por cima. Descartou a rota mais longa pelos telhados e arriscou a escada dos fundos até o térreo da biblioteca. O proficiente na mesa de entrada ergueu o olhar do livro que estava lendo.

— A biblioteca fechou, Alister. Achei que todo mundo já tinha saído.

— Desculpe — disse Han. — Peguei no sono. — Ele fez uma pausa em frente à mesa. — Que dia é hoje?

O proficiente sorriu.

— Você precisa parar de estudar tanto. É domingo.

Domingo. Ele tinha se encontrado com Corvo na noite de sábado. Portanto, perdera um dia inteiro. E ganhara um mapa de Lady Gris. E alguns feitiços.

De repente, percebeu o que estava acontecendo. Ele era um tolo, claro.

Han passou correndo pelo proficiente e empurrou com o ombro a grande porta dupla.

Depois de atravessar o terreno de Mystwerk, ele subiu os degraus do Salão Hampton de dois em dois, torcendo para Dançarino estar lá. Mas o dormitório todo parecia deserto. Será que todo mundo estava jantando?

Han parou em frente à porta de seu quarto, se inclinou e pegou o fósforo que tinha caído da maçaneta. Alguém tinha aberto sua porta desde a última vez que ele esteve lá.

Colocou a mão na capa e a apoiou no cabo da faca que ainda carregava para todo lugar. Seu amuleto vazio não ajudaria muito agora. Ele abriu a porta devagar e espiou lá dentro. Nada estava fora do lugar. Não havia ninguém lá.

Ele entrou, fechou a porta, trancou e olhou com mais atenção. A princípio, tudo parecia intocado. Mas ele reparou que alguns objetos tinham sido movidos. Os papéis espalhados em sua mesa estavam um pouco deslocados. Ele abriu a gaveta no armário. As lentilhas que colocara cuidadosamente na beirada de uma prateleira tinham caído em uma gaveta. O pó que soprara na tranca do baú estava espalhado.

Nas últimas semanas, Han deixara de colocar barreiras mágicas para economizar todo o poder possível para as aulas com Corvo. Tinha montado as pequenas armadilhas dois dias antes, depois de voltar ao quarto e encontrar aberta uma janela que deveria estar fechada.

Ele esfregou o queixo. Será que Micah se arriscaria, depois do que acontecera aos primos? Só se tivesse descoberto algum tipo de contrafeitiço ou talismã.

Era possível que Dançarino tivesse entrado lá, procurando alguma coisa.

Alguém bateu com força na porta e quase fez seu coração parar.

— Caçador Solitário! — chamou Dançarino, do outro lado.

Han abriu a porta e deu de cara com Dançarino, usando as roupas formais de Mystwerk.

— Onde você estava? — perguntou ele. — Hoje era o Jantar da Reitora. Abelard não ficou feliz de você não aparecer. Ela me disse para lembrá-lo de ir à sala dela na quarta, às sete, senão você vai ver só. Disse que você ia saber qual é o assunto.

O assunto era a "aula" sobre Aediion.

Han falou um palavrão e caiu na cama, o rosto apoiado nas mãos, se sentindo encurralado.

Dançarino colocou a mão no ombro dele.

— Você está bem? Está doente?

Han balançou a cabeça.

— Meu problema é que não sei onde estive o dia todo.

Ele explicou o que acontecera.

Dançarino balançou a cabeça com uma expressão de "eu avisei" no rosto.

— Acho que você é um idiota se voltar lá. Não quero nem saber se Corvo ensinou você a transformar bosta em ouro, não vale a pena se você vai ficar maluco. Não confio nele. Acho que ele está armando alguma coisa.

— Tenho que voltar para Aediion na quarta que vem, lembra? Abelard está insistindo para eu ensinar aos queridinhos dela como se faz, ou vou ser expulso.

Dançarino passou a mão pelo cabelo.

— Ainda bem que sou só um cabeça de fogo, que não merece atenção.

— Corvo acha que ninguém vai conseguir, com os amuletos que eles têm. Ele me mostrou como levar o grupo comigo. — Han ficou sentado, em um silêncio infeliz, por um longo momento. — Quer ouvir minha teoria?

Dançarino se sentou à mesa de Han e apoiou as mãos nos braços da cadeira.

— Por favor.

— Algumas vezes, Corvo meio que entrou em minha cabeça para demonstrar um feitiço ou uma técnica. Não sei outra forma de descrever.

— Entrou em sua cabeça? — Dançarino ergueu as sobrancelhas. — Ele *possuiu* você?

Parecia ainda pior quando dito em voz alta.

Han assentiu, olhando para as próprias mãos.

— Agora, acho que ele está fazendo isso na hora que fecho o portal e atravesso. Acho que ele atravessa comigo. E toma o controle. — Ele olhou para Dançarino. — Uma vez, acordei no oitavo andar da Biblioteca Bayar, sem ideia de como cheguei lá. Hoje, estava com documentos que nunca vi dentro da camisa.

— Que tipo de documentos?

— Papéis velhos e mapas. Da biblioteca, parece.

Han pegou os estranhos documentos na bolsa e os espalhou pela cama.

Dançarino olhou e balançou a cabeça.

— Não volte — disse ele. — Essa é a solução.

— Eu vou voltar — disse Han. — Não vou deixar Corvo me excluir de Aediion. Num... Não é território dele. Mas preciso encontrar um jeito de manter ele fora da minha cabeça.

— Você precisa é de um talismã — disse Dançarino, esticando as pernas. Ele estava usando calça e botas do clã por baixo da túnica de mago. — Um que proteja contra magia mental.

Han se lembrou do que Mordra tinha dito, que os clãs desenvolveram talismãs contra possessão, tornando essa magia menos útil como estratégia.

— Você sabe onde posso conseguir um? — disse Han, um pouco esperançoso.

Dançarino fez que não com a cabeça.

— Lá no Campo, talvez. Aqui, eu teria que pesquisar e depois fazer um. Vou falar com Firesmith sobre isso.

As esperanças de Han diminuíram um pouco.

— Você consegue mesmo fazer?

Dançarino deu de ombros.

— Nunca fiz. E não tem nenhum jeito bom de testar antes. — Ele inclinou a cabeça para trás. — É por isso que você não devia ir.

— Como falei, não tenho muita escolha.

— Você volta depois de amanhã?

Han assentiu.

Dançarino ficou de pé.

— Então vou começar a trabalhar.

Han levantou a mão.

— Dançarino. Mais uma coisa. Você entrou no meu quarto hoje?

O amigo fez que não com a cabeça.

— Não. Só agora. Por quê?

— Alguém entrou aqui. Achei que você podia ter vindo pegar alguma coisa.

Dançarino balançou a cabeça.

— Pode ser que você tenha entrado e não saiba — disse ele, revirando os olhos.

— Você viu mais alguém por aqui? Os Bayar?

Dançarino negou.

— Eles estavam no Jantar da Reitora. Foi a primeira vez que os vi hoje. Eu estava com Cat o dia todo, até ter que vir me arrumar.

— Você estava com Cat? — perguntou Han, surpreso. Desde quando eles passavam tempo juntos por vontade própria?

Dançarino assentiu.

— Ela disse que talvez saia da academia.

Ele lançou um olhar para Han. Não exatamente de acusação, mas quase.

Han o encarou de volta.

— Por quê?

— Por que você não pergunta para ela? — questionou Dançarino objetivamente.

— Vamos falar com ela agora — disse Han, se sentindo culpado.

— Vai você — sugeriu Dançarino. — Preciso pesquisar seu talismã.

Mas, quando Han foi até a Escola do Templo, Cat não estava lá.

CAPÍTULO VINTE E OITO

RESPOSTA DE CASA

Depois de uma tênue visita de três meses a Vau de Oden, o inverno voltou para o norte e deixou para trás flores se abrindo, como fogos de artifício de despedida.

Já estava quente o bastante para as três horas de cavalgada deixarem Raisa suada e vermelha e Switcher ofegando. Raisa acariciou a égua enquanto murmurava palavras carinhosas e cantava trechos de "Flor das Montanhas".

Você não costuma ser uma pessoa avoada, disse Raisa para si mesma. É isso que estar apaixonada faz com você?

Ela veria Han Alister naquela noite. Seu coração bateu um pouco mais rápido com o pensamento.

Quando estava levando Switcher para o estábulo, Raisa reparou que a baia ao lado agora estava ocupada por um pônei das montanhas, cinzento e sujo, com uma marca branca na cara.

A montaria de Hallie.

Raisa se obrigou a terminar seus deveres, serviu a comida de Switcher com mãos trêmulas e reabasteceu a água. Hallie pode ter trazido qualquer tipo de notícia, ela disse para si mesma. Boa ou ruim. Ou nenhuma.

Raisa correu pelo pátio do estábulo, seguiu por entre os prédios e atravessou o terreno gramado. Subiu correndo os degraus até o Salão Grindell. Mick estava sentado em frente à janela aberta do salão comum, olhando irritado para os exercícios de matemática. Ergueu o rosto quando Raisa entrou como um furacão.

— Ela está lá em cima, no quarto, guardando as coisas. — Ele parou por um momento e disse: — Ela trouxe bolinhos de mel.

Raisa subiu correndo até o terceiro andar. Hallie estava ajoelhada ao lado do baú, guardando roupas ali dentro. Ficou de pé quando Raisa entrou e abriu os braços.

Abraçar Hallie era como abraçar um carvalho firme.

— Estou tão feliz de você ter voltado! — disse Raisa. — Senti tanta saudade e estava começando a ficar preocupada. Como está Asha?

— Também senti saudade — disse Hallie, as bochechas ficando rosadas. — Asha está bem. Está enorme, maior do que todas as outras crianças de 2 anos. — Ela soltou Raisa e enfiou a mão na bolsa sobre a cama. — Aqui. Lydia, a irmã do cabo Byrne, fez outro desenho.

Ela mostrou um desenho a lápis, emoldurado, de uma garotinha séria com queixo determinado e um laço no cabelo.

— Ela é linda — disse Raisa, devolvendo o desenho. — É muito parecida com você.

— Ah, ela não seria bonita se fosse parecida comigo — disse Hallie, sorrindo. — Mas é bem inteligente. Aprendeu a falar "mamãe" quando eu estava lá. — Hallie fez uma pausa. — Já falei com o capitão Byrne sobre ter voltado atrasada. Perdi quase o período todo. Não devia ter acontecido, mas foi difícil deixar minha filha, quando chegou a hora de voltar. Saí muito em cima da hora e peguei muito tempo ruim no caminho.

É bom que mestre Askell me escute sobre abrigar crianças aqui, pensou Raisa.

— Eu trouxe uns bolinhos de mel para você — disse Hallie, apontando para o saco de tecido na cama de Raisa. Ela olhou para o teto. — Espera, tinha outra coisa...

— Hallie! Não provoca — disse Raisa.

— Eu trouxe uma carta para você. Da sua mãe. — Hallie mexeu em sua mala e tirou uma bolsa militar de estilo carteiro. Entregou para Raisa. — Lorde Averill disse para entregar isso diretamente nas suas mãos.

Raisa ficou paralisada, segurando a bolsa de couro contra o peito.

— Vou descer para conversar com Mick — disse Hallie. — Pode ler e descer quando quiser.

Raisa se sentou na cama, ainda agarrada à bolsa. Com dedos trêmulos, soltou as fivelas e ergueu a aba.

Dentro havia outro envelope, grande, com *Pés Ligeiros, lorde Demonai* escrito. Estava selado. Ela rompeu o selo.

Dentro havia um envelope com *Lady Rebecca Morley* escrito na frente. Dentro havia outro envelope, selado com o Lobo Gris.

Usando a adaga no cinto, Raisa abriu o selo e tirou a folha de papel que havia dentro. A carta exibia a caligrafia elegante de sua mãe.

Filha,

Não é fácil para quem tem sangue real pedir desculpas. As estrelas se realinham e o mundo se refaz para que nossos erros pareçam previstos, em retrospectiva.

Eu nunca quis afastar você. Só queria salvar sua vida, e talvez tenha conseguido, por enquanto. Há muitos no Conselho dos Magos que não querem você no trono Lobo Gris. Mesmo em sua idade, você é vista como difícil, determinada e próxima demais dos clãs.

Governar Fells sempre foi um ato de equilíbrio, com cada movimento estratégico precipitando consequências não intencionadas. Meu casamento com Averill acalmou os clãs, mas fez com que o Conselho dos Magos criasse uma aliança com o exército. O general Klemath está aliado ao Conselho. Ele encheu o exército de mercenários leais apenas a ele.

Seu pai mandou você para o Campo Demonai para aprender a ser uma guerreira. Ele e os outros Demonai veem você como uma deles, por causa do seu sangue Demonai. Elena Cennestre, em particular, acredita que o sangue Demonai é forte em você. Uma facção de guerreiros quer me botar de lado para coroá-la como uma rainha mais ao gosto deles.

Quando o Conselho dos Magos soube disso, criou um plano para assassinar você. Era para acontecer quando você voltasse do Campo Demonai.

Fiquei com medo de eles conseguirem. Para impedir, propus um casamento entre você e Micah Bayar, sabendo que lorde Bayar veria isso como oportunidade de expandir seu poder e talvez até colocar o filho no trono. Os conspiradores desapareceram convenientemente.

Isso nos fez ganhar tempo, pelo menos até seu rebatizado. Capitão Byrne tem trabalhado para aumentar a guarda e desfazer o mal que Klemath fez ao exército, mas é um processo lento e difícil de executar com discrição. Eu pretendia adiar sua núpcia até que isso acontecesse, mas, com a aproximação de seu rebatizado, lorde Bayar me pressionou para cumprir nosso acordo.

Assim, decidi permitir que o casamento acontecesse. Acreditei erroneamente que você aceitaria Micah porque já se encontrava com ele escondido.

Eu me enganei. Somos tão diferentes. É difícil, para mim, prever o que você vai fazer.

Sua ausência minou a oposição, por enquanto. Os Demonai não têm candidato. Lorde Bayar não quer agir sem saber onde você está. Enquanto você viver, eu vivo, porque uma Marianna é preferível a uma Raisa.

Não me escreva de novo — há risco demais de nossa correspondência ser rastreada. Como você deve ter visto pelo conteúdo da carta, está perigoso aqui. Vou fazer contato quando sua volta for segura. Enquanto isso, não confie em ninguém. Saiba que estamos cercadas de inimigos.

Com amor, mamãe.

A carta escorregou dos dedos inertes de Raisa. Ela se encostou à parede, os olhos ardendo com lágrimas quentes.

Você não podia ter me contado, mãe? Não podia ter confiado um pouco em mim? Poderíamos ter trabalhado juntas, em vez de uma contra a outra.

Era exatamente isso. Podia ter sido por influência de lorde Bayar, mas Marianna não confiava na filha. Talvez até desconfiasse que Raisa estava tramando com os Demonai para tirar o trono dela. Imagine se soubesse que Amon Byrne já estava ligado a ela.

Talvez aquele fosse o verdadeiro objetivo do casamento com Micah. Teria acabado com as tramas Demonai. Uma rainha Marianna era preferível a uma Raisa casada com Micah.

E os Demonai — será que realmente tinham planejado destronar sua mãe e colocá-la no lugar? Será que tinham pensado que Raisa concordaria com aquilo? Será que seu pai e sua avó estavam envolvidos?

Uma lembrança ressurgiu: Reid Andarilho da Noite pedindo que ela fosse com ele para o Campo Demonai em vez de fugir do país. *Ninguém vai tocar em você em Demonai*, dissera ele. *Ninguém deveria afastá-la do seu direito de nascença.*

Será que a vida dela não passava de uma série de mentiras? Seria esse seu futuro — uma vida manipulando os outros para alcançar seus objetivos?

Não é só a realidade, mas a percepção da realidade que conta, mãe, pensou ela. Se as pessoas veem você como fraca, você é fraca, mesmo que seja uma estratégia de sobrevivência.

Era interessante a mãe não ter mencionado Mellony, nem a pressão do Conselho dos Magos para nomeá-la princesa-herdeira. Será que não queria preocupá-la? Não queria que ela voltasse correndo para o perigo?

Ou será que Marianna queria que Raisa ficasse no sul até que uma mudança na sucessão pudesse ser conseguida?

Não confie em ninguém. Sua mãe nunca dissera palavras tão verdadeiras.

Raisa sentia mais confiança em sua amizade com Talia e Hallie do que em qualquer outra pessoa da corte, exceto Amon.

Será que Raisa tinha feito alguma coisa para encorajar as intrigas que a envolviam? Por que o Conselho estava tão convencido de que ela seria um problema?

E agora? O semestre estava quase no fim. Será que devia esperar placidamente até a mãe chamá-la para voltar para casa? Se voltasse, será que isso derrubaria o frágil castelo de cartas que era seu reino?

Teria como ela ficar mais solitária?

Raisa se deitou de costas, com lágrimas escorrendo dos olhos até seus cabelos.

CAPÍTULO VINTE E NOVE

INOCENTE

Han atravessou os gramados verdejantes na direção da Rua da Ponte. Era terça, véspera de sua aula com a reitora Abelard. Ele tinha passado metade da noite acordado pela segunda vez seguida. Ele e Dançarino passaram a tarde fazendo experiências com um talismã que Dançarino produzira de uma sorveira-alta. Era um desafio criar um talismã que não fosse interferir com a magia de Han enquanto o protegia da de outra pessoa.

E agora ele estava atrasado para seu encontro com Rebecca.

Os vendedores de flores ladeavam a rua que levava à ponte. Essa era uma coisa que havia mais em Vau de Oden do que na cidade dele: flores. Havia amores-perfeitos durante todo o inverno, as flores vermelho-escuras chamadas sangue de hanalea, estrelas de solstício brancas, cactos floridos de todos os tipos de Angra de We'en, magnólias com flores grandes como pratos em que dava para servir o jantar, orquídeas de todas as cores e tamanhos. E agora, tulipas, narcisos e íris.

Rebecca adorava flores. Ela disse que sentia falta do jardim que tinha em casa.

Impulsivamente, Han parou para comprar um pequeno buquê.

Quando entrou no Tartaruga & Peixe, o salão estava cheio de cadetes, mas Talia e Pearlie não estavam lá. Han cumprimentou Linc, o atendente, passou direto pelo bar e subiu a escada até o segundo andar.

Quando colocou a mão na maçaneta da sala onde se encontravam, a porta se abriu e Rebecca surgiu na frente dele, com a bolsa no ombro e as bochechas vermelhas de raiva, obviamente de saída.

— Ora! — disse ela, olhando para ele de cima a baixo. — Se não é Hanson Alister. — Ela fez uma pausa ameaçadora. — O *atrasado* Hanson Alister.

Havia um tom irritado na voz dela, uma vibração emocional que ele nunca tinha ouvido. Sangue azul ou não, ela conseguia desarmá-lo melhor do que qualquer outra garota que ele já tivesse conhecido.

Ele procurou a coisa certa a dizer.

— Rebecca, escute. Sei que estou atrasado. Desculpe. Eu estava... trabalhando em um projeto... e perdi a hora.

— Eu avisei — cortou ela. — Você acha que as regras mudaram porque nos beijamos?

— Vou me encontrar com a reitora amanhã — disse ele. — Eu estava me preparando para isso. — Ele fez uma pausa e, como ela não disse nada, acrescentou: — Por favor, me perdoe. Não vai acontecer de novo.

— Foi o que você disse da última vez. — Ela olhou para ele com raiva. — Era *você* quem queria aulas. Você acha que não tenho nada melhor para fazer? Você pode desperdiçar seu tempo, mas o *meu*...

— É valioso. Eu entendo.

Normalmente, ele conseguia tirá-la de qualquer mau humor, mas naquele dia ela era só nuvem e chuva — tensa, arredia e desanimada.

Lembrando-se das flores, ele as tirou de debaixo do casado e esticou na direção dela. Íris e sangue de hanalea, amarradas com um laço.

— Para você. Você disse que gostava de flores.

Ela olhou para as flores, parecendo atônita, depois olhou para o rosto de Han, como se ele tivesse sido trocado por outra pessoa.

— *Outro* presente?

Ele admitia que não era do tipo que dava presentes e comprava flores. Nunca tinha precisado disso. Nem tido o dinheiro.

— Para compensar o tempo perdido — disse ele. — E, para ser sincero, o último presente foi tanto para mim quanto para você.

Ela pegou as flores, mal-humorada, e cheirou.

— Obrigada.

— Algum problema? — perguntou ele, tirando vantagem da pausa nas hostilidades para abrir mais a porta.

Ela se permitiu ser levada de volta para a sala.

— O problema é que você está atrasado — disse ela.

— Eu pago o jantar quando terminarmos — sugeriu ele. — Onde você quiser.

Ela colocou a bolsa em uma cadeira e se sentou à mesa de sempre.

— Vamos ver. Primeiro, quero provas de que você leu o capítulo 12.

Felizmente, ele *tinha* lido o capítulo 12, que era sobre os protocolos da corte de Fells e tão interessante quanto ler relatórios de colheita. Mas, quando Rebecca falava daquilo, o assunto ganhava vida. Han ficava impressionado com o quanto ela sabia sobre a história e os acontecimentos internos da corte de Fellsmarch. Ela fez perguntas sobre o papel do Conselho dos Nobres, do Conselho dos Magos e do Gabinete do Supervisor Real.

Algumas partes ela teve que preencher, as partes que não estavam nos livros de Han. Faulk se concentrava demais na família real.

— Qual é a diferença entre a Assembleia dos Magos e o Conselho dos Magos? — perguntou Han. — Por exemplo, como eles escolhem os integrantes do Conselho?

Rebecca se recostou na cadeira, os olhos estreitados, parecendo considerar o que ele pretendia fazer com aquela informação.

— A Assembleia é composta de todos os cidadãos com o dom registrados em Lady Gris. O Conselho é que realmente detém todo o poder. As grandes Casas de magos têm lugar no Conselho dos Magos desde antes da Cisão — disse ela. — O primogênito do integrante do Conselho substitui o pai ou a mãe, a não ser que abra mão disso. Também há um lugar que é ocupado por meio de uma votação da Assembleia, e um integrante escolhido pela rainha. O Conselho elege o Grão-Mago dentre os que participam dele.

— Se a rainha morrer, o Grão-Mago permanece? — perguntou Han.

— Não — disse Rebecca. — Cada Grão-Mago está ligado a uma rainha específica. Então, quando a princesa-herdeira é coroada rainha, um novo Grão-Mago é nomeado.

— Mas não é uma posição herdada — disse Han. — Qualquer mago pode ocupar, certo?

— Bem, teoricamente — disse Rebecca. — Mas a maioria, se não todos os Grão-Magos, vieram de Casas proeminentes.

— Que são...?

Parecia que todos os dias Han percebia o quanto sabia pouco e o quanto precisava saber.

— Os Bayar, os Mathis, os Abelard, os Gryphon — disse Rebecca vagamente. — E algumas outras.

— O que impede o Grão-Mago de dominar a rainha? — perguntou Han. — Magicamente, quer dizer.

Rebecca ergueu a cabeça, de repente, e o encarou.

— Por que essa pergunta?

Han deu de ombros.

— Bom, parece óbvio que isso poderia ser um problema. Não foi isso o que aconteceu após a invasão?

Ela umedeceu os lábios.

— A Conexão deveria impedir isso.

— O que você quer dizer com *deveria*? — disse Han, captando a inflexão estranha naquela palavra.

Rebecca desviou os olhos.

— A Conexão controla o Grão-Mago — disse ela, assentindo como se para se reafirmar. — O orador conduz uma cerimônia que conecta o Grão--Mago tanto à vontade da rainha quanto ao bem do reino.

Han bateu os dedos na capa do livro.

— Aqui diz que o Grão-Mago trabalha como conselheiro da rainha em assuntos mágicos, representa ela no Conselho dos Magos e usa magia para apoiar e proteger o exército, o reino e o trono.

Rebecca assentiu, deixou os ombros caírem um pouco e o cabelo escondeu seu rosto como uma cortina.

— Isso mesmo.

— Mas ele não manda nada — disse Han. — Quem manda é a rainha, certo?

Ela fez que sim.

— A rainha governa sozinha. A Rainha de Fells é proibida de se casar com magos, e o homem com quem ela se casa só ganha o título de consorte.

— Mas já existiram reis magos — insistiu Han. — Certo?

— Certo — disse ela. — Mas não depois da Cisão. Depois que eles quase destruíram o mundo, concluíram que era má ideia. — Ela pegou o livro de Han, parecendo ansiosa para mudar de assunto. — Eu não fazia ideia de que você se interessava tanto por política. Agora vamos revisar as regras sobre a sucessão real e os feitos de algumas rainhas.

— Como você consegue se lembrar de todos esses nomes? — perguntou Han.

— Minha família está na corte há gerações — disse Rebecca. — Algumas coisas acabam sendo absorvida. Você já ouviu as músicas, não ouviu, que citam as rainhas Lobo Gris em ordem?

Na verdade, ele conhecia algumas músicas de bar que citavam as rainhas, mas não podiam ser repetidas para uma sangue azul.

— Não preciso decorar isso, preciso? — perguntou ele. — Eu prefiro pular essa parte. Para falar a verdade, não estou nem aí para as rainhas.

Ela se encolheu como se tivesse sido estapeada.

— Tudo bem, eu só pensei...

— As rainhas, a nobreza, esse pessoal todo... são todos sanguessugas que se alimentam das pessoas. Não se importam nem um pouco com o que acontece nas ruas.

— Você não sabe se isso é verdade — disse Rebecca, com as bochechas pálidas ruborizando. — Você não sabe nada sobre a rainha Marianna e o que ela...

— É você que não sabe nada — disse Han. — Me perdoe por ser cínico, mas sei como as pessoas são tratadas fora da área do castelo.

— O que faz você pensar que eu não sei? — replicou Rebecca, erguendo a voz. — Eu fui à Casa da Guarda em Ponte Austral, lembra? Vi como você foi surrado, vi o que aconteceu com seus amigos. Mas você não pode achar que a rainha teve alguma...

Han falou por cima das palavras dela.

— A rainha tem tudo a ver com cada coisa ruim que aconteceu comigo no último ano.

Raisa congelou, os olhos verdes fixos no rosto dele, sem palavras, pela primeira vez.

Por que você está dizendo isso para ela, Alister?, pensou Han. Pare de falar. Não é o melhor jeito de agir, depois de dar flores. Mas ele abriu a boca e a história se despejou.

— Eu, minha mãe e minha irmãzinha morávamos em cima de um estábulo, em Feira dos Trapilhos — disse ele. — Minha mãe lavava roupa para a rainha até ser dispensada por ter estragado um vestido. Eu tinha parado de roubar, então estávamos totalmente sem dinheiro. Esse foi só o começo.

Rebecca se inclinou para a frente e entrelaçou os dedos.

— Eu nunca soube que sua mãe trabalhava para a rainha — disse ela. — Pode ser... pode ser que tenha um jeito de ela voltar. Eu... conheço algumas pessoas e...

Han balançou a cabeça.

— Não tente consertar isso. Não dá. Só escute. A rainha é responsável pelos serviços públicos, não é? Pelo fornecimento de água e essas coisas. Mas os poços ficaram ruins em Feira dos Trapilhos, e minha irmã, Mari, pegou a febre. Enquanto eu estava longe, tentando arrumar dinheiro para comprar remédio para ela, os casacos azuis foram me procurar, porque achavam que eu tinha matado os Austrinos. Como não me encontraram, botaram fogo no estábulo com as duas dentro.

— O quê? — sussurrou Rebecca, seu rosto agora branco.

— Elas morreram queimadas, Rebecca — disse Han, com voz baixa e intensa. — E foram os casacos azuis, por ordem da rainha. Mari tinha 7 anos.

Ela olhou para ele, balançando a cabeça.

— Ah, não — sussurrou ela. — Não. Não pode ser verdade.

Os lábios dela continuaram formando a palavra *não* mesmo sem sair nenhum som.

— Você *disse* que a rainha é quem comanda. — Han sabia que devia parar, mas aquilo tudo o sufocava havia tanto tempo que parecia que uma represa tinha estourado. — Depois disso, alguém voltou e assassinou os Trapilhos e os Austrinos. Alguns eram *lytlings* também. Os que você salvou da Casa da Guarda de Ponte Austral... estão todos mortos.

Lágrimas surgiram nos olhos de Rebecca.

— Então... Sarie e Velvet e Flinn estão...

— Todos mortos, até onde eu sei — disse Han. — Cat foi a única que escapou.

— Foi tudo perda de tempo? — A voz de Rebecca vacilou. — Por que não me contou? Sobre sua família e... e tudo?

— Você nunca perguntou — disse Han. — Pessoas morrem em Feira dos Trapilhos e Ponte Austral todos os dias. Elas não contam no mundo dos sangues azuis. É só mais uma história triste.

— Mas... não somos todos assim — disse ela, o lábio inferior tremendo.

— Claro que não. — Ele riu sarcasticamente. — A maldita Alteza princesa-herdeira joga uns trocados para nós, e temos que ficar de joelhos e agradecer.

— Não é isso que ela quer — sussurrou Rebecca, parecendo abalada. — Ela não quer gratidão. Só...

— É claro que você está do lado dela — disse Han. — Os sangues azuis sempre ficam do lado uns dos outros.

Desta vez, Rebecca não tentou responder. Apenas ficou sentada, girando um anel de ouro no indicador e olhando para a frente, com o rosto tão pálido quanto uma folha de papel.

Conforme o silêncio cresceu entre eles, a culpa tomou conta de Han. Claro que ela os defenderia. Ela havia crescido na corte, e seus amigos eram todos sangues azuis. Ela não era o inimigo.

— Olha, desculpe — disse Han. — Eu não queria ter sido tão agressivo. Você pode ser sangue azul, mas não tem culpa do que aconteceu.

Ele fechou a mão na dela.

Nada do que ele disse pareceu fazer com que ela se sentisse melhor.

Não era culpa dela a vida dele ser um desastre. Ele estava tentando encontrar um jeito de dizer isso quando ela empurrou a cadeira para trás, quase a derrubando, e ficou de pé.

— Tenho que ir. — Ela pegou a bolsa. — Por favor, aceite minhas... sinceras... condolências pela perda da sua família — disse ela, com a voz embargada. — Eu... sinto muito mesmo.

Ela saiu correndo pela porta, como se estivesse sendo caçada por demônios, deixando as flores para trás. Ele a ouviu descendo a escada. E então, nada.

Han ficou paralisado de surpresa por um momento.

— Rebecca — gritou ele. — Espere!

Ele juntou os livros e papéis e enfiou na bolsa, depois correu escada abaixo.

Quando chegou ao salão, Rebecca já tinha saído. Os clientes olharam para Han com interesse ávido. Ele saiu correndo para a Rua da Ponte, olhou para os dois lados e a viu de cabeça baixa, voltando para a Academia Wien e seu dormitório.

Ele correu atrás dela, desviando de alunos e professores que estavam passeando pelas ruas e apreciando o clima de primavera.

As pernas compridas dele eram uma vantagem — isso e o fato de que Rebecca estava chorando copiosamente e não devia estar enxergando para onde ia. Han a alcançou e segurou o braço dela.

— Rebecca, por favor, por favor, não fuja — disse ele. — Me desculpe. Eu não devia ter dito aquelas coisas.

Ela só balançou a cabeça com os olhos bem apertados, como se pudesse fazê-lo desaparecer. Lágrimas escorriam pelos cantos dos olhos dela e caíam pelas bochechas.

— Me deixe em paz. Vou voltar para meu quarto.

Mas ela não se mexeu, só ficou ali, no meio da rua, com os punhos fechados, enquanto a multidão se abria de cada lado dela, olhando e cutucando uns aos outros.

— Venha — disse ele, passando um braço pelo ombro dela e guiando-a na direção da ponte. Ele ergueu o olhar e viu uma placa balançando sobre uma porta. Taberna O Acadêmico e o Cão. — Vamos entrar aqui.

Ela não disse sim, mas também não disse não, e ele a guiou pela porta até o interior iluminado. Estava cheio, mas ele viu dois alunos com expressões cansadas desocupando uma mesa no canto. Abriu caminho pelas pessoas de pé e pegou a mesa, encarando um enorme cadete com casaco manchado de cerveja que ia na direção dela.

— A garota precisa se sentar — disse Han. — Saia.

O cadete recuou, mas lançou a Han vários olhares irritados. Han colocou Rebecca em uma cadeira de frente para o canto, para deixar seu rosto manchado de lágrimas menos exposto. Ele se sentou virado para o salão, na posição habitual, e fez sinal para a garçonete. Ele levantou dois dedos e apontou para a barriga, e ela assentiu e foi na direção da cozinha.

Han olhou para Rebecca; ela passara por uma transformação. Tinha limpado as lágrimas do rosto e sua respiração não estava mais irregular. Até o cabelo fora arrumado. As bochechas e a ponta do nariz ainda estavam vermelhas; se não fosse isso, Han jamais saberia que ela andara chorando. Ela havia colocado em uso aquela parte de si feita de aço, se recompôs e assumiu uma expressão neutra para esconder sua infelicidade.

A garota é bem durona, para uma sangue azul, pensou Han. Talvez durona o bastante para ficar comigo. Mas alguma coisa está incomodando Rebecca. Eu devia me preocupar por ela ser tão boa em guardar segredos?

— Me desculpe — disse ela. — Eu não pretendia desmoronar daquele jeito. Eu só... estou com muita coisa na cabeça... e... quando ouvi sobre sua família e... e os Trapilhos... eu senti que tudo que fiz... ou que tentei fazer... foi perda de tempo.

— Também me deixa arrasado — disse Han. — É como ser atropelado por um carro de boi.

— Como você suporta?

Ela observou o rosto dele como se realmente quisesse saber.

— Não tenho muita escolha, tenho? — Ele deu de ombros, pensando que, de certa forma, era bom compartilhar o segredo que o consumia. Era como furar uma bolha: aliviava a dor e a pressão. — Mas não vou esquecer. Por isso estou aqui. Para a próxima vez.

Ela franziu a testa e mordeu o lábio.

— O que você...?

Ela levou um susto quando a garçonete colocou canecas de sidra na frente dos dois, com tigelas fumegantes de cozido.

— Espero que cozido esteja bom para você — disse Han. — Não comi nada o dia todo.

— Cozido está ótimo. Eu também não comi.

Ela olhou para o jantar, mas não se mexeu para começar a comer.

Querendo dar o exemplo, Han comeu uma colherada.

— Está bom — disse ele com a boca cheia. — Desculpe. — Ele limpou a boca com o guardanapo. Às vezes, quando estava cansado, não conseguia fazer o papel de sangue azul. — Não posso obrigá-la, Rebecca, mas você vai se sentir melhor se comer.

Ela assentiu de forma mecânica e comeu uma colherada e depois outra. Depois que começou, ela foi até o fim, bebendo junto a sidra até acabar também.

— Você disse que estava com muita coisa na cabeça — disse Han quando ela soltou a colher na tigela. — O que está acontecendo?

Ela massageou as têmporas com as pontas dos dedos.

— Só não sei o que fazer. Sinto que devia voltar para casa. Eu... minha mãe precisa de mim.

— Por quê? Ela está doente? — perguntou Han, pedindo mais sidra.

— Bem — disse Rebecca —, não exatamente. Mas ela anda um tanto estranha. E mesmo quando está bem, ela... — A voz dela morreu, como se, de repente, tivesse percebido que falara demais.

— Ela pediu que você voltasse para casa?

— Não — disse Rebecca. — Ela me mandou ficar longe. Mas ela pode não estar raciocinando bem. E pode não ser a melhor coisa, para mim, ficar longe.

— Ah — disse Han. — Olha, não sei nada sobre sua família. Mas estar aqui em Vau de Oden... é uma oportunidade e tanto para você, não é?

Ela assentiu, empurrou sua caneca vazia e pegou a de Han, que estava cheia.

É melhor pegar leve nisso, pensou Han. *Sidra não é uma bebida forte, mas você é pequena.*

— Tem outra pessoa com quem você possa conversar, para descobrir o que está acontecendo? — perguntou Han. — E seu pai?

— Ah, ele e minha mãe nem sempre se entendem — disse ela. — E ele sempre viaja muito a trabalho.

— Irmãos e irmãs?

— Tenho uma irmã — disse Rebecca. — Mas acho que ela pode ser parte do problema. — Ela fez uma pausa. — Tenho medo de perder tudo se não voltar agora.

Han franziu a testa, confuso. E então ele entendeu. Famílias como as de Rebecca... tinham legados.

— Você quer dizer que podem cortar você? Deserdar você?

Ela assentiu.

— Talvez. É uma possibilidade.

Os instintos de Han lhe disseram que ela não estava contando tudo. Era como espiar pela fechadura de um quarto que queria invadir. Dava para perceber parte do que estava acontecendo, mas podia haver uma surpresa ruim esperando na parte do cômodo que não dava para enxergar.

— Acho que não posso lhe dar nenhum conselho — disse ele. — E não sei o quanto você pode perder. — Ele esticou a mão e tocou o cabelo dela. — Se você não sabe o que sua mãe quer, devia pensar no que *você* quer e na melhor forma de correr atrás disso. Se é ficando aqui ou voltando e acertando as coisas com sua mãe.

O rosto de Rebecca ficou enevoado de novo.

— Não se trata só do que eu quero — disse ela. — Tem um monte de gente que depende de mim.

— Por que *não pode* se tratar do que você quer... pelo menos às vezes? — perguntou Han, segurando a mão dela. — Você só precisa... você só precisa reivindicar. Aprendi que ninguém nunca vai lhe dar nada. Você não consegue o que não se esforça para ter.

Ela olhou para as mãos deles, unidas.

— Não sei em quem confiar — sussurrou ela.

— Confie em mim — disse ele, inclinando-se na mesa e beijando-a.

O fato era que ele queria que Rebecca ficasse em Vau de Oden, e não era apenas por estar aprendendo coisas com ela que não aprenderia com mais ninguém.

Rebecca tinha pavio curto e era orgulhosa, estava acostumada a dar ordens e a conseguir o que queria. Era inteligente e tinha opiniões fortes, conseguiria convencer um cachorro a entregar o próprio rabo. Mas tinha um bom coração — atravessava a rua para dar uma moeda a um mendigo e sempre apoiava o mais fraco em qualquer briga. Ela havia chorado pela mãe dele e por Mari, mesmo sem nunca tê-las conhecido.

Ela exigia muito dos outros, mas exigia ainda mais de si mesma.

Ele segurou a mão dela e passou o polegar pela palma. As mãos dela eram incrivelmente pequenas, mas calejadas. Mãos que não tinham medo de trabalho duro. Ela usava um anel pesado de ouro no indicador, entalhado com lobos.

Han queria ver um daqueles sorrisos que iluminavam os olhos dela. Queria vê-la feliz de novo. Queria ser quem a faria feliz.

Ele queria Rebecca Morley de todas as formas. Estava vivendo como um iniciado havia meses.

Por fim, ele acompanhou Rebecca até o Salão Grindell. Ela estava trôpega de sono, mais do que qualquer outra coisa, e daquela vez ele quis se assegurar de que ela chegaria bem em casa.

Ainda não estava na hora do toque de recolher quando eles chegaram ao dormitório. Han pretendia deixar Rebecca na porta, mas o salão comum estava vazio.

— Onde está o mestre do dormitório? — perguntou ele.

Se aparecesse em Hampton com uma garota, Blevins já estaria em cima deles.

— Não temos — murmurou Rebecca, bocejando. — Só Amon. Quer dizer, o cabo Byrne.

— Onde ele está?

Rebecca massageou as têmporas com a base da mão.

— Já deve estar na cama. Ou na Escola do Templo, visitando Annamaya — disse ela, sem emoção.

O dormitório tinha um aspecto militar. Era bem mais arrumado do que o Salão Hampton.

— Quem mais mora aqui? — perguntou Han.

— O resto do meu grupo — disse Rebecca. Ela pegou a mão dele e o puxou para a escada. — Sobe comigo?

Han hesitou, com o coração disparado dizendo sim.

— Tem certeza? Não quero lhe causar problema.

— Não tem problema — disse ela, com o rosto meio rosado. — Durmo com Hallie e Talia. Talia vai ficar feliz de ver você. Ela anda bancando a casamenteira, sabe. Hallie acabou de voltar de Fells. Se ainda estiver acordada, pode nos contar notícias de casa.

Ah, pensou Han, eu não quero saber as notícias.

Eles subiram a escada estreita, ainda de mãos dadas, mais e mais, passando pelos roncos vindos dos quartos do segundo andar, até o patamar do terceiro.

Ali havia uma salinha com algumas cadeiras ao redor de uma lareira. Uma porta em arco levava a um quarto adjacente. Era o tipo de quarto que o cabo devia ter. Ou o mestre do dormitório.

— Isso deixa Hampton na sarjeta — disse Han, olhando ao redor.

Rebecca riu.

— É para ser do mestre. Mas somos três cadetes mulheres em Grindell, então dormimos aqui.

Ela abriu a porta do quarto, chamando:

— Hallie? Talia?

Han torceu para que elas não estivessem dormindo. Torceu para que elas não estivessem lá.

Ela fez sinal para ele avançar.

— Elas não estão aqui.

Ele hesitou na porta e olhou ao redor. Havia três camas de solteiro enfileiradas e encostadas na parede, cada uma arrumada com precisão militar, cada uma com um baú grande no pé. Três mesas tinham sido colocadas debaixo da janela para obterem a melhor luz.

A familiar bolsa escolar de Rebecca estava em uma das mesas, com os instrumentos de escrita ao lado e a caixa de música no centro, em uma posição de honra sobre o mata-borrão.

— É chique — disse Han. Quem disse que a vida dos militares era difícil?

A echarpe roxa de Rebecca estava pendurada em um gancho ao lado da porta. Ela pendurou a bolsa ao lado e esticou a mão para pegar a bolsa e a capa de Han.

— Tem certeza de que eu não devia ir embora? — disse ele, entregando ambas. — Está quase na hora do toque de recolher.

Qual era o problema dele? Ele nunca tinha sido tão bem-comportado.

Rebecca se sentou na cama e praticamente quicou na colcha esticada. Ela bateu no lugar ao seu lado. Ele se sentou e passou os braços ao redor dela. Han a beijou e ela recuou, surpresa, levando os dedos aos lábios, olhos arregalados.

— Seus lábios parecem estar... bem potentes hoje.

— Desculpa — disse Han. Ele segurou o amuleto e permitiu que o poder fluísse para a peça. — Vamos tentar de novo.

Com cuidado, ele encostou os lábios nos dela, mas manteve os olhos abertos para ver sua reação.

— Assim está melhor — disse ela, passando os braços pelo pescoço dele.

Ela se deitou e puxou-o para seu lado, apertando o corpo ao dele, o que fez o coração de Han disparar. Ele a beijou de novo e começou a abrir os botões do casaco do uniforme dela. Ficou feliz de não ter entrado para o exército, afinal. Os militares gostavam demais de botões.

— Sabe, nenhuma garota me disse isso antes — murmurou Han, tirando o casaco dos ombros dela e jogando para o lado. — Que meus lábios eram potentes.

— Eu digo isso para todos os magos que eu beijo — respondeu ela. — Acho que você devia saber.

— Entendo — disse ele, se esforçando para não pensar em que magos ela já teria beijado. Não Micah Bayar, pensou ele. Que não seja Micah Bayar.

— E como é? — perguntou ele.

— Como assim?

Ela olhou para ele com olhos apertados desconfiados.

— Ser beijada por um mago.

— Por quê? Você nunca beijou uma? — perguntou ela, parecendo surpresa.

Houve Fiona. Ele afastou aquele pensamento.

— Ser beijada por um mago, sem ser um, foi o que eu quis dizer.

— Hmm. — Rebecca franziu a testa, pensando. — É como uma picada que arde e desce pela garganta, como quando a gente bebe conhaque.

Han apertou os dedos na boca.

— Como conhaque? É mesmo?

— E às vezes sobe à cabeça e... — Ela parou de falar e estreitou os olhos. — Sangue do demônio — resmungou ela, ajeitando a camisa. — Não deboche de mim.

— Não, não — disse Han, rindo. — Eu quero saber. É fascinante.

Ela pegou o travesseiro e bateu nele. E se seguiu uma guerra que destruiu a cama bem-arrumada e quase acabou com Han várias vezes. Eles terminaram cansados e rindo, embolados um no outro.

Apoiando uma das mãos na nuca de Rebecca e a outra na cintura, ele a beijou de novo, um beijo longo e lento, pois muito tempo se passara desde que tinham se beijado e não sabia quando poderia beijá-la de novo.

Ele distribuiu beijinhos pelo maxilar de Rebecca, puxou a camisa de seus ombros e beijou a pele nua, deixando-a arrepiada. Ela usava uma camiseta de seda por baixo da camisa. Ele não pôde deixar de reparar na pequena rosa tatuada acima do seio esquerdo.

Han se afastou por um momento, tentando acalmar sua respiração, controlar a cadência intensa de seu coração. *Calma, Alister. Só porque você está ansioso não quer dizer que ela também esteja.*

— Rebecca — disse ele, apoiando a testa na dela —, podemos trancar a porta? Como falei, quando eu adio as coisas, elas acabam desaparecendo.

— Eu sei — respondeu ela. — Mas eu... as coisas já estão bem complicadas. Não estou tomando erva-de-donzela e não sei onde conseguir por aqui. E Hallie e Talia podem voltar a qualquer momento.

Como se para desmentir as próprias palavras, ela esticou a mão e desamarrou a gola da camisa dele, mexeu nos botões, enfiou a mão sob o tecido e acariciou a pele. Antes que Han percebesse, ela estava tocando seu amuleto.

— É tão lindo — sussurrou ela com o objeto aninhado na mão. Ele brilhava com uma luz esverdeada, parecendo deixar a pele dela translúcida. — Eu nunca percebi...

— Rebecca! — disse Han, afastando a mão dela. — Não...

Luz e poder explodiram entre eles com um estalo alto, deixando os ouvidos de Han ecoando e Rebecca sugando os dedos.

— Você está bem? — perguntou Han, preocupado, segurando a mão dela. — Queimou você ou...?

Rebecca fez que não com a cabeça.

— Nem machucou. Eu...

Passos soaram na escada. A porta se abriu e o cabo Amon Byrne apareceu, sem camisa, ofegante, com a espada na mão.

— Sangue do demônio! — exclamou Han, ficando de pé.

— Afaste-se dela! — gritou Byrne, avançando com a espada.

Han recuou. Byrne ficou entre ele e a porta, mas havia a janela atrás.

— R...Rebecca, você está bem? — perguntou Byrne, ainda avançando, até ficar entre Han e Rebecca.

— Estou *bem*, Amon — disse Rebecca, olhando de um para o outro. — Escute, isso tudo é...

— O que houve, senhor?

Três cadetes desgrenhados apareceram à porta. Quando viram Byrne com a espada na mão, encarando Han, correram para entrar, como porcos passando por um portão.

— Levem Morley lá para baixo e a mantenham em segurança — disse Byrne, sem tirar os olhos de Han. — E arrumem uma camisa para ela.

— Capitão Byrne! — gritou Rebecca, com uma postura de general do exército, mesmo só com a blusa de baixo. — Pare agora! Han Alister é meu *convidado.*

Han não sabia quase nada sobre militares, mas achava que cadetes não tinham permissão para gritar com seus capitães. Muito menos dar ordens.

Byrne olhou de Han para Rebecca e para Han de novo. Pareceu perdido por um momento, mas sua determinação aumentou.

— Cadete Morley, você sabe que convidados não são permitidos no Salão Grindell depois do toque de recolher. Ordeno que você vá para o salão comum agora mesmo e aguarde uma ação disciplinar enquanto resolvo as coisas com seu *convidado*.

Han não gostava das poucas chances que tinha contra o cabo Byrne.

— Tudo bem, cabo — disse ele. — Não precisa resolver nada comigo. É um prazer ver você de novo, mas eu estava de saída.

— Han — disse Rebecca. — Espere! Você não tem que ir.

— Eu sempre digo sim para o cara com a espada — disse Han.

Àquela altura, ele já estava encostado na moldura da janela. Virando-se, ele a abriu. Segurou-se na parte de cima e passou as pernas pela abertura, rezando para haver um parapeito embaixo. Ao olhar para baixo, viu um telhado e se soltou.

Caiu desajeitado, torceu o tornozelo e ralou as palmas das mãos. Pelo menos não quebrou o telhado e desabou.

— Até quinta! — gritou Rebecca pela janela. Sua capa e bolsa caíram ao lado dele nas telhas.

Depois de vestir a capa, Han saiu mancando pelo telhado até a passarela ao lado. Acima, ele ouviu a janela ser fechada.

Sua mente corria mais rápido do que seus pés.

Havia algo ali, para além da preocupação de um capitão com o toque de recolher ou com a virtude de uma das cadetes. Será que Byrne queria tudo — tanto Annamaya quanto Rebecca?

Ele não parecia ser do tipo ambicioso. Mas Han não o conhecia tão bem assim.

Será que Rebecca estava usando Han para provocar ciúmes em Byrne? Se fosse isso, ela estava disposta a ir bem longe para conseguir o que queria. O cinismo e a sabedoria que tinha aprendido nas ruas não lhe deixavam acreditar nisso.

Han riu e balançou a cabeça. Pobre Alister. Você pode ser ladrão, dono da rua e patife, mas é um inocente no meio desses sangues azuis.

No fim das contas, mesmo que tivesse sido manipulado, ele não tinha motivo para reclamar. Rebecca não lhe fizera nenhuma promessa. Também não tinha exigido nada dele. Eles se beijaram. Dançaram algumas vezes. Fizeram guerra de travesseiro.

Mas ele tinha gostado muito dos beijos. Queria mais, na verdade. Ele guardava a lembrança do toque dela em sua pele. Ela mexia mais com ele do que qualquer garota de quem se lembrasse.

O cabo Byrne tinha estragado sua noite, mas ele tinha a sensação de que a recíproca era verdadeira. A ideia o alegrou.

Até quinta!, dissera ela.

Você não consegue o que não se esforça para ter, dissera ele.

Em algum lugar ali perto, os sinos do templo soaram a meia-noite.

Ele pensou que seu tornozelo fosse melhorar, mas só pareceu ficar mais rígido conforme seguia mancando. Isso dificultaria fugir dos guardas, se o vissem. Por isso, ele caminhou por ruas secundárias, na penumbra, o máximo que pôde.

Atravessou a ponte, evitando os guardas em busca de retardatários. Ao seguir na direção de Hampton, sua nuca se arrepiou, como se alguém o estivesse observando. Chegou a se virar, uma vez, ao ouvir passos atrás de si. Mas não viu nada nem ninguém.

Byrne não enviaria alguém atrás dele para se vingar, pensou Han. Não. Byrne era do tipo honrado, cheio de escrúpulos. Além do mais, talvez ele e Rebecca estivessem ocupados, se beijando e fazendo as pazes. O ciúme ardeu nele.

Quando chegou ao Salão Mystwerk, preferiu não atravessar o terreno descoberto, onde poderia ser visto, então ficou perto do prédio, usando-o como cobertura enquanto se aproximava de Hampton. Talvez subisse no telhado de novo. Já tivera muita ação por aquela noite. Não queria ter que encarar mais nada.

Han entrou no caminho de pedra que levava aos jardins dos fundos. Havia um beco escondido entre os prédios que tinha bons apoios para ele subir.

Apoiou uma bota em um vão, esticou a mão e se segurou nas pedras ásperas dos dois lados. Esperava que seu tornozelo não fosse um problema.

Então alguém atrás dele disse:

— Fique com as mãos onde estão. Tenho uma faca e vou usar.

A voz era baixa e rouca. Quem quer que fosse, era inteligente o bastante para não tocar Han e entregar sua posição.

— O que você quer? — perguntou Han, pensando que, se idiotice fosse crime capital, ele talvez pagasse o preço agora.

— Você tem uma bolsa?

Han tinha, mas não queria entregar.

— Uh-uhn — disse Han. — Está quase no final do semestre. Não tenho mais nada.

— Mentiroso.

Uma lufada de ar, sua orelha ardeu e o sangue escorreu pelo pescoço. O ladrão cortara o lóbulo da orelha dele, com uma faca tão afiada que ele quase não sentira.

— Sua bolsa — repetiu o ladrão. — Ou vou cortar sua mão.

A voz tremeu um pouco, como se ele estivesse nervoso. O ladrão parecia jovem, também. Isso não era bom. Um ladrão nervoso com faca afiada era perigoso. E Han não conseguiria ser rápido o bastante, com o tornozelo como estava.

— Tudo bem. Eu tenho uma bolsa — admitiu Han. — Quer que eu pegue?

Não seria uma boa ideia fazer movimentos repentinos.

— Diga onde está — disse o ladrão.

— Está presa no meu cinto, enfiada na calça, na parte da frente — disse Han. Era onde um ladrão carregava a bolsa, onde um mão-leve que tentasse pegá-la não fosse passar despercebido. Se o ladrão fosse atrás da bolsa, talvez Han tivesse uma oportunidade.

Mas o ladrão não foi. Han sentiu o sussurro do aço por perto, e sua capa caiu no chão, cortada nas costas na altura do ombro.

Foi inteligente — tirar todo aquele tecido do caminho primeiro. Ele esperava que o ladrãozinho de rua não pretendesse também cortar sua calça.

— O que é isso no seu pescoço? — perguntou o ladrão.

O amuleto de Han brilhou levemente, iluminando o beco escuro à sua frente.

— Nada — disse Han, inclinando a cabeça para escondê-lo. — Só uma coisa que comprei nas ruas, para o festival. Ele acende.

— Parece caro — disse o ladrão. — Deve valer dinheiro.

— Eu vendo para você — disse Han. — Paguei cinco centavos por ele, vendo por uma "menina".

Você gosta do perigo, pensou ele, desejando poder voltar atrás nas palavras. O grande mago campeão dos clãs morreria cortado por um ladrãozinho de rua. O assassino de Abelard seria derrotado por um bandido qualquer.

— Tire e jogue para mim — disse o ladrão. — Devagar.

— Olha — disse Han. — Que tal eu jogar minha bolsa? Minha garota me deu esse colar e vai me esfolar se eu perder.

Se ele enfiasse a mão na calça, poderia pegar a faca.

— *Eu* vou esfolar você, se não me der — disse o ladrão.

— Tudo bem. Estou pegando agora. Lá vou eu.

Han baixou os braços lentamente da parede e levou as mãos à nuca, mexendo no fecho da corrente.

Ele se perguntou quanto poder havia no amuleto; se distrairia seu agressor o bastante para Han ter a chance de atacá-lo. Tinha reagido a Rebecca, pelo menos.

— Tire a corrente pela cabeça — disse o ladrão. — Você não precisa soltar o fecho.

Como ele sabe disso?, pensou Han. A não ser que o objetivo todo daquele ataque fosse pegar o amuleto. O medo escorreu por suas costas.

Han passou a corrente pela cabeça. Colocou o amuleto na mão e sentiu-o vibrar levemente ao toque. Não havia muito com o que trabalhar. Ele começou a se virar.

— Não se vire — disse o ladrão, secamente. — É só jogar por cima do ombro.

Sim. Havia alguma coisa de familiar naquela voz.

Han jogou o amuleto por cima do ombro esquerdo com a mão direita. Enquanto o objeto passava por sua orelha, ele continuou a se virar, tirando a faca da cintura. Como esperava, o ladrão ficou momentaneamente distraído e desviou o olhar para a estrela cadente que era o amuleto.

Han se jogou contra o agressor, batendo nele com o ombro, usando todo o seu peso. O ladrão caiu, a cabeça acertando a parede de pedra. Ele desabou de cara no chão, com os braços abertos à frente, apagado.

Han olhou para ele. Estava todo de preto; calça preta apertada, botas pretas e um casaco com capuz bem justo no corpo. Vestido como um assassino. Então por que não tinha cortado a garganta de Han e roubado o que quisesse de seu cadáver?

A coisa toda acontecera quase silenciosamente. Han pegou o amuleto e passou a corrente pela cabeça, mantendo-o na mão. Ficou meio agachado, com a faca na outra mão, esperando ver os cúmplices do ladrão partirem para cima dele.

Mas uma única figura saiu das sombras, na lateral do prédio, e andou em sua direção.

— Fique longe — disse Han, brandindo a faca. — Ou eu furo você e seu amigo.

— Não a mate — disse Dançarino, entrando sob a luz que vinha da rua. — Precisamos descobrir por que ela fez isso e para quem está trabalhando.

Ela? Han se encostou na parede, a faca frouxa em sua mão e a cabeça girando. Isso é um sonho, pensou ele.

Dançarino se ajoelhou ao lado da ladra desmaiada e tirou a faca da mão dela. Virou delicadamente seu corpo.

Era Cat Tyburn.

CAPÍTULO TRINTA

ESSA MAGIA INTENSA

Mick e Garret seguraram os braços de Raisa e tentaram tirá-la do quarto, enquanto Han recuava na direção da janela. Amon avançou para ele com a espada em riste.

— Tudo bem, cabo — disse Han. — Não precisa resolver nada comigo. É um prazer ver você de novo, mas eu estava de saída.

O olhar dele encontrou o de Raisa por um momento, os olhos azuis duros e brilhantes como safiras. Ele se virou, abriu a janela e saiu com os pés primeiro, escapando. Amon baixou a espada e pulou para tentar pegá-lo, mas não conseguiu.

Raisa se soltou de Mick e Garret, correu até a janela e parou ao lado de Amon. Ele segurou o braço dela, como se achasse que ela poderia pular atrás de Han.

Ela se inclinou pela janela a tempo de ver Han mancando pelo telhado, para longe deles.

— Até quinta! — gritou Raisa atrás dele.

Ela pegou a capa e a bolsa de Han no gancho e as jogou pela janela. Han as pegou e seguiu andando, sem olhar para trás quando Amon fechou a janela.

— Tudo bem — disse Amon. — Ele foi embora. Vocês todos, para fora. Quero falar com Morley em particular. Se Abbott e Talbot chegarem, façam com que fiquem lá embaixo.

Mick e Garret lançaram olhares solidários para Raisa antes de saírem. Raisa ouviu as botas deles na escada. E então, silêncio.

Raisa apoiou o quadril no peitoril da janela e disparou olhares cortantes para Amon Byrne. Ele retribuiu com olhares tempestuosos. Cada um esperou que o outro começasse.

Finalmente, Amon cedeu.

— Você convidou mesmo Alister Algema para vir ao seu quarto?

— Han — disse ela.

— O quê?

— Ele se chama Han Alister agora.

Amon revirou os olhos.

— Han Alister, então.

— E daí? — perguntou Raisa, furiosa, constrangida e frustrada, tudo ao mesmo tempo.

— Você conhece as regras — disse Amon. — Não é porque não temos mestre do dormitório que não existem regras. Não são permitidos convidados no segundo e no terceiro andares. Nenhum convidado depois do toque de recolher. Eu prometi a Taim Askell que...

— Taim Askell não tem nada a ver com isso e você sabe muito bem! — disse Raisa. — Se você encontrasse uma garota escondida no quarto de Mick, não teria puxado uma espada para expulsá-la.

— Se ele estivesse se agarrando com uma ladra e líder de uma gangue conhecida, talvez sim — respondeu Amon. — Principalmente se essa ladra já tivesse sequestrado Mick com uma faca e o mantido em cativeiro por uma noite. Principalmente se essa ladra tivesse virado feiticeira, de repente. — Ele esticou a cabeça, como uma tartaruga para fora do casco. — Na verdade, eu estaria me questionando seriamente se Mick tinha perdido o juízo.

— Eu sei o que estou fazendo — disse Raisa, vestindo a camisa. — Não tentei guardar segredo, nem nada. Eu falei para você que ele estava aqui em Vau de Oden.

Pare de falar, pensou Raisa. Você não tem por que se sentir culpada.

— Você disse que não ia fingir que não o conhecia — disse Amon. — Não me disse que ia... ia... — Ele balançou a mão na direção da cama bagunçada. — Rai, você nem o conhece direito. E o que você sabe dele não é recomendação nenhuma.

— Sei mais sobre ele do que você pensa — devolveu Raisa. — Dou aulas para ele há meses.

— *Aulas?* — Amon arqueou as sobrancelhas. — Era *isso* que você estava fazendo?

Ele pegou a espada e a colocou de volta na bainha, como se estivesse furando um inimigo, enquanto murmurava alguma coisa sobre *aulas*.

— O que foi? — disse Raisa. — O que você disse?

— Eu *disse*: se você estava dando aula para ele, qual era a maldita *matéria*?

— Não é da sua conta — disse ela. — De qualquer jeito, você está sempre atravessando o rio para encontrar Annamaya.

— É diferente. Não estamos... — Mais uma vez, ele indicou a cama de Raisa.

Raisa colocou as mãos nos quadris.

— E você, pelo menos, *quer*? Não devia se casar com alguém por quem não está apaixonado.

— Ah, não tenho muita escolha, tenho?

Ele se sentou perto da lareira e apoiou a cabeça nas mãos.

Raisa o encarou por um longo momento, depois foi se sentar ao seu lado. Ela apoiou a mão no joelho dele.

— Eu sei — disse ela. — Desculpe.

— Nenhum de nós pode deixar de ser o que é — disse Amon por entre os dedos. — Você tem que fingir que sou seu capitão, mas assim que eu lhe dou uma ordem, você vira a princesa-herdeira. Enquanto isso, o resto dos Lobos está olhando. Devo culpá-los se começarem a pensar que as ordens que eu dou são opcionais?

— Desculpe — disse Raisa de novo —, mas não ajuda quando você expulsa meus convidados com uma espada.

Amon baixou as mãos para o colo e mexeu no anel do lobo. Olhou para ela com os olhos escuros cheios de dor.

— Não tenho direito de perguntar, mas... o que existe entre você e Alister? É... é só uma aventura ou...

— Não é para me vingar de você, se é o que quer saber — cortou Raisa.

As bochechas de Amon ficaram vermelhas.

— Eu não estava sugerindo...

— Foi tentador, mas não — disse Raisa. Ela pensou por um longo momento. — Não sei o que dizer. Ele é brilhante, e não facilita as coisas para mim. Aprendi tanto com ele... Acho que ele me torna uma pessoa melhor.

Amon revirou os olhos.

— Parece que ele é seu padre, não seu amante.

— Ele não é meu amante! — retorquiu Raisa. — Bem, não exatamente.

— Não exatamente? Ou não ainda?

— Amon.

Amon esfregou os olhos com cansaço.

— Pela Senhora, Raisa. Estou fazendo o melhor que posso.

— Eu sei.

Raisa mordeu o lábio. O que ela podia dizer para ele? *Eu reparo em tudo nele, desde o nariz torto até as cicatrizes das brigas, aos olhos azuis como um lago das montanhas, no verão. Às vezes, vejo o garoto que ele teria sido se não fosse pela vida em Feira dos Trapilhos. A dor é aparente em seu rosto, quando ele baixa a guarda; e, algumas vezes, consigo ver o quanto ele é perigoso.* Não, ela não podia dizer nada disso.

— Eu vou ao Baile dos Cadetes com ele — disse Raisa. — Só para você saber.

— Rai — disse Amon, segurando as mãos dela. — Independentemente do que você fizer, não se apaixone por ele.

Raisa assentiu, sabendo que já era tarde demais.

CAPÍTULO TRINTA E UM

TRAIÇÃO

Sentado na rua de pedra, Han ficou olhando para Cat. Um hematoma roxo surgiu acima do olho direito, onde ela batera na parede. Sua testa estava inchada e deixava o rosto dela torto. Se o ângulo tivesse sido um pouco diferente, ela poderia ter perdido o olho.

Ele olhou para Dançarino.

— Você sabia que ela estava me seguindo? — perguntou ele.

— Shhh. — Dançarino levou um dedo aos lábios e olhou de um lado para o outro da rua. — Eu sabia que ela estava tramando alguma coisa, por isso vim atrás dela — disse Dançarino. — Eu não ia deixar ela cortar sua garganta nem nada.

— Isso me tranquiliza. — Han ficou de pé e pegou a capa cortada. — Quando você planejava aparecer?

— Vamos levá-la para dentro antes que os guardas apareçam — disse Dançarino.

— Por quê? Ela que vá presa — disse Han. — Cansei.

Han tinha sido atacado por alguém que considerava uma amiga. Nunca teria esperado que ela tentasse atacá-lo e roubá-lo. Depois de tudo que tinha acontecido, ele estava no limite.

Dançarino não se dignou a responder.

— Venha — disse ele. — Não podemos arrastar ela pelo telhado e pela janela. Eu carrego Cat, você vai na frente e distrai Blevins, se ele estiver acordado.

Dançarino guardou a faca de Cat e passou as mãos por baixo do corpo dela, para levantá-la. Ela gemeu, mas não abriu os olhos.

Han entrou no dormitório na frente deles e procurou por Blevins no salão comum. O mestre estava dormindo profundamente na cadeira ao lado da lareira. Esperando-os. Ele ia ficar irritado de não pegá-los entrando escondido depois do toque de recolher.

Han fez sinal para Dançarino entrar, e eles passaram em silêncio por Blevins e subiram a escada, pisando nas pontas dos degraus para que não rangessem.

Felizmente, eles chegaram ao quarto andar sem encontrar ninguém na escada. Han abriu a porta de seu quarto, e Dançarino entrou atrás, colocando Cat em sua cama.

— Vou pegar água fria para a cabeça dela — disse Dançarino.

Ele pegou a bacia e saiu na direção do banheiro do terceiro andar.

Ele tem muita consideração por alguém que cortou minha capa novinha e me ameaçou com uma faca alguns minutos atrás, pensou Han.

Han acendeu duas velas para afastar as sombras. O amanhecer ainda estava a horas de distância.

Cat gemeu e apertou as mãos contra a testa. Han a revistou minuciosamente e encontrou mais três facas. Dançarino voltou com a bacia, molhou um pedaço de pano e colocou no galo na cabeça de Cat. Ela ergueu a mão e tirou o pano, mas ele colocou de volta. Ela bateu na mão dele e abriu os olhos.

— Fica longe de mim, seu comedor de bosta... — Ela parou de falar abruptamente, quando a lembrança pareceu lhe voltar. — Sangue e ossos — sussurrou ela. Ao fitar o rosto de Han, ela se encolheu e fechou os olhos. — Por que não me matou? — sussurrou ela, molhando os lábios.

— Ainda posso matar — disse Han. — Mas Dançarino achou que você teria alguma coisa a dizer primeiro.

— Não tenho nada a dizer — sussurrou Cat. — Corte logo minha garganta e acabe com isso.

Ela inclinou a cabeça para trás e expôs o pescoço, um lobo se submetendo ao alfa da matilha.

Dançarino se sentou na cama ao lado dela.

— Não. Você salvou nossa vida em Arden. Merece ser ouvida. Quero saber qual é o problema com você. Nessas últimas semanas você anda diferente. Parece desesperada.

— Do que está falando? — perguntou Han, irritado. — Você nem conhece ela direito, então não sei como ia...

— Você nunca está por perto — disse Dançarino. — Não faz ideia do que está acontecendo com seus amigos.

Han fez um gesto na direção de Cat.

— Isso é uma amiga? — Ele revirou os olhos. — Amigos não atacam amigos em vielas.

— Algema está certo — disse Cat, abrindo os olhos e encarando Dançarino. — Você *não* me conhece direito. Sou uma ladra. Eu traio meus amigos. Mereço morrer. — Lágrimas surgiram nos cantos dos olhos dela e escorreram para o cabelo. — Eu devia ter ido embora, mas precisava de dinheiro para voltar para casa — disse ela. — Não tem nada aqui para mim. Não fui feita pra escola.

— O que você queria com o amuleto? — perguntou Han, com uma desconfiança horrível crescendo em sua mente. — Se você precisava de dinheiro, devia ter pegado minha bolsa.

— Eu não podia enfiar a mão na sua calça — disse Cat. — Você podia muito bem ter um monte de armas guardadas lá.

— Você estava atrás do amuleto o tempo todo — disse Han. — Não estava?

Depois de uma longa pausa, ela assentiu.

— Eu... achei que poderia vender — disse Cat — Você age como se fosse valioso. E está sempre usando, então eu tinha que tirar de você.

Han piscou quando uma peça do quebra-cabeça se encaixou.

— Foi você quem entrou no meu quarto — disse ele. — Estava procurando o amuleto.

— Eu nunca entrei no seu quarto — resmungou Cat. Quando Han ergueu uma sobrancelha, ela murmurou: — Como você descobriu? Eu botei tudo onde estava.

— Foi na noite do Jantar da Reitora, então você sabia que nenhum de nós dois estaria aqui — disse Dançarino.

Ele olhava Cat, e ela o encarava, e Han, de repente, se sentiu um intruso, um espectador no quarto.

— Eu... eu vim aqui porque achei que podia ajudar — disse ela com os olhos fixos no rosto de Dançarino, como se estivesse hipnotizada. — Eu me senti mal. Achei que podia... compensar o que aconteceu em Fellsmarch. — Ela engoliu em seco. — Eu devia ter ficado longe.

— O que você quer dizer com o que aconteceu em Fellsmarch? — perguntou Dançarino, com voz baixa e tranquila.

— Com Algema. Com a mãe e a irmã dele. Com... com os Trapilhos — sussurrou Cat.

Dançarino pegou o pano, molhou, torceu e colocou de volta na testa dela.

— Por que você achou que *você* tinha que compensar alguma coisa? — perguntou ele.

Cat tirou o pano da testa e jogou longe.

— Porque foi minha culpa.

Han a encarou. Cat era culpada de muita coisa, mas ele não ia deixar que ela assumisse responsabilidade por aquilo.

— Não — disse ele. — Essa é minha. Minha culpa.

Ele se lembrou do quanto Cat estava agitada na noite do incêndio, que ela e os outros Trapilhos o impediram de entrar no estábulo atrás da mãe e de Mari. Ela salvava a vida dele naquela noite também.

— Não tinha como você salvar as duas, se é isso que está pensando — disse ele, suavizando o tom. — Você não pode se culpar.

Ela só balançou a cabeça.

— Você não sabe de nada.

Ela se sentou, oscilando, como se pudesse cair para trás. Dançarino passou o braço ao redor dela para firmá-la e, pela primeira vez, Cat não o afastou.

— Para quem você achou que poderia vender? — perguntou Han. — O amuleto.

Cat revirou os olhos, como se Han fosse idiota.

— O bruxo Bayar foi me ver, algumas semanas atrás. Me ameaçou. Ele disse que ia contar pra você se eu não roubasse o faz-feitiço de volta pra ele. Disse que era dele e que você tinha roubado primeiro.

Aquilo devia ter acontecido depois que Bayar e os primos tinham sido despejados de Hampton. Depois que a reitora mandara Bayar ficar longe de Han.

Mas faltava algo, alguma coisa que Cat não estava querendo dizer.

— O que Bayar ia me contar? — perguntou Han. — O que você não queria que eu soubesse?

Cat respirou fundo e as palavras saíram de uma vez, como se ela estivesse esperando há uma eternidade para confessar.

— Fui eu — disse ela. — Fui eu que contei para o garoto Bayar onde você morava, quando estavam caçando você em Feira dos Trapilhos. Eles tinham pegado Velvet, disseram que iam matá-lo se eu não contasse. Então eu contei. Achei que era ele ou você, e eu amava Velvet, e não amava você. Achei que ele ia revirar sua casa, encontrar o que você tinha roubado dele e pronto.

Nunca achei... Nunca pensei que... — A voz dela falhou e as lágrimas correram por suas bochechas.

— Você nunca imaginou que eles iam botar fogo na minha mãe e em Mari — disse Han.

Ele se afastou de Cat até encontrar a parede. Apertou-se contra ela, desejando poder desaparecer, se apagar como um carvão para não ter que ouvir mais nada.

Lágrimas surgiram nos olhos dele.

— Você não sabia com quem estava lidando.

— Eu descobri — disse ela, a voz amarga como fel. — Eles mataram Velvet de qualquer jeito. Depois, voltaram e mataram todo mundo. Foi uma carnificina. Estavam procurando você, tentando fazer alguém contar onde você estava. Eu mesma estaria morta, se estivesse lá. — Ela inspirou, trêmula. — Eu queria estar.

Han devia ter imaginado, desde o começo. Ele tinha pensado que fora Taz Mackney, mas não. Fazia sentido ele ter sido traído por alguém próximo, alguém capaz de ensinar à Guarda da Rainha o caminho pelo labirinto de ruas estreitas, em Feira dos Trapilhos, capaz de mostrar o estábulo correto em um lugar sem números e sem nomes.

— Depois, eu quis matá-los — disse Cat. — Quis matar todo mundo. — Ela abriu um sorriso amargo. — Sempre achei que era boa com a faca. Mas sou esperta o bastante pra saber que, como assassina, não sou nada perto deles. Seria como me jogar no fogo. Mas eu teria feito de qualquer jeito, se achasse que podia levar uns deles comigo.

"Então aceitei a proposta de Jemson de vir pra Vau de Oden. Eu não queria ver Feira dos Trapilhos nunca mais. Cheguei até Delfos, mas parei. Estava com medo demais pra continuar e não podia voltar. Quando dei de cara com vocês, quando descobri que você ainda estava vivo, pensei que talvez não fosse tão ruim vir para o sul, com você aqui. Eu sabia que você ia se dar bem em qualquer lugar. Você foi o melhor dono da rua que eu já conheci. Mas eu sabia que se você descobrisse que fui eu que entreguei você, ia arrancar meu coração."

Ela olhou para Han com certa esperança.

— Pois então. Me mate. Você tem direito. Assim eu não preciso ficar pensando nas coisas que devia ter feito diferente.

Han deslizou, encostado na parede, até sentar no chão. Encolheu as pernas e passou os braços ao redor delas. Sentia-se entorpecido. Estava acalentando aquela culpa por tanto tempo... e não pretendia entregar nenhum pedaço dela para Cat.

— Não vou matar você, Cat — disse ele. — Desculpe, mas não vou. Você só estava no caminho quando os Bayar foram atrás de mim, só isso. Você e todo mundo. É isso que vou carregar pelo resto da vida.

Eles ficaram em silêncio por um tempo.

— E agora? — perguntou Dançarino, para ninguém em particular. Ele pegou a mão de Cat e aninhou na dele. Mais uma vez, ela não resistiu.

— Vou embora, se você quiser — disse Cat, olhando para as mãos. — Você seria um idiota se confiasse em mim de novo. E você nunca foi idiota. — Ela olhou para ele. — Mas quero ficar e ajudar você. Sei contra quem você está lutando e prometo que faço o que você disser.

— Não — disse Dançarino. — Essa luta é nossa, não podemos fugir dela. Mas você não faz parte disso.

— Eu também faço parte, sim — rosnou Cat. — Por Velvet e Jonas e Sweets e Sarie e... todo mundo. Mari era um bebê. E eles botaram fogo...

— Pare — disse Han, levantando a mão. — Eu só... para. — Ele esperou até achar que conseguiria controlar a voz. — Vou entrar em guerra em pouco tempo, provavelmente contra os Bayar e um monte de outros feiticeiros — disse ele. — Vai ser diferente do que você está acostumada. Não é só briga de rua, apesar de poder ter um pouco disso. Vai ser política e espionagem e apoiar a quem for melhor. E vai ser no reino todo: nas montanhas, em Feira dos Trapilhos e Ponte Austral, na área do castelo também.

— Você vai precisar de ajuda — disse Cat. — Não pode fazer tudo sozinho.

— Você devia ficar aqui — disse Han. — É incrível o tanto que você fez em pouco tempo. Jemson estava certo. Você poderia ser uma dama de companhia ou governanta. Poderia dar aula de música. É sua chance de sair de Feira dos Trapilhos de vez.

— Você acha que eu ficaria tranquila na cama de alguma mansão sabendo que você está em guerra? — perguntou Cat. — Quero jurar fidelidade a você de novo. Quero ajudar você. Eu não podia encarar os Bayar sozinha, mas talvez possa encarar com você.

Han observou Cat, refletindo. Esperança surgiu no rosto dela.

— Você estaria colocando Cat em risco — argumentou Dançarino. — Ela estaria lutando contra magos. Ficaria indefesa.

— Não sou indefesa! — explodiu Cat, tirando uma faca de algum esconderijo desconhecido e brandindo na direção Dançarino. Ele recuou a cabeça a tempo de salvar o nariz.

Han esfregou o queixo.

— Preciso de gente que faça o que eu mandar, seja ir à escola ou roubar ou ficar de olho em pessoas que precisam ser vigiadas. Não vou ter tempo para argumentar com você. Você não pode ficar escolhendo os trabalhos que gosta.

Cat assentiu, com os olhos fixos no rosto dele.

— Eu prometo que vou fazer o que você disser.

— Você precisa continuar estudando — disse ele. — Música, artes, línguas, tudo isso. Precisa poder se misturar com os sangues azuis. Se eu tenho que fazer, você tem que fazer.

— Você já fala como um sangue azul — murmurou Cat.

— Não vai ter divisão de nada entre a gangue, não como antes — prosseguiu Han. — Tenho um pouco de dinheiro, mas pode acabar, dependendo de para que lado eu pular. E você não pode fazer nenhum extra se estiver trabalhando para mim. Você pode desistir a qualquer momento, mas, se decidir trabalhar com outra pessoa, tem que vir me dizer e sair em paz.

— Entendi — disse Cat. — Sem trabalhinhos extras.

— Pelo menos você sabe quais são os riscos — disse Han, mais para si mesmo. — Não me sinto tão mal de pedir porque você está entrando nisso sabendo de tudo.

— Caçador Solitário — disse Dançarino. — Não deixe que ela jogue a vida fora.

Cat lançou um olhar para calar Dançarino. Então escorregou da beirada da cama até ficar de joelhos.

— Eu, Cat Tyburn, faço um juramento a você, Alister Algema — disse Cat. — Juro lealdade, minhas facas e armas para seu uso, e me coloco sob sua proteção. Vou fazer o que você disser. Seus inimigos são meus inimigos. Não vou fazer nenhum trabalho por fora. Prometo trazer tudo que conseguir pra você e aceito minha parte, que você vai me entregar como achar melhor. — E abriu aquele seu sorriso radiante e perigoso.

CAPÍTULO TRINTA E DOIS

NOVAS ALIANÇAS

O grupo de Abelard foi chegando à sala de reuniões da reitora, se amontoando do lado oposto ao que Han estava, na mesa, olhando para ele com desconfiança. Micah suspirou e revirou os olhos, como se esperasse bem pouco daquele encontro, mas, por baixo do tédio, Han conseguia sentir o cheiro de um medo visceral. Parecia que ninguém estava ansioso para ir a lugar nenhum com Han Alister, naquele momento em particular.

Exceto Abelard e Gryphon. E talvez Fiona. A expressão dela de tranquilo divertimento dizia a Han que ela ainda não tinha desistido de conquistá-lo para sua causa.

O amuleto do Rei Demônio estava pendurado no pescoço de Han. Junto dele estava um talismã Demonai, entalhado, de sorveira-alta e carvalho. Ele devia proteger Han da possessão. Ele e Dançarino não tinham podido testar, claro, porque, apesar do seminário de Mordra, nenhum dos dois sabia possuir uma pessoa.

O amuleto de Han estava cheio de poder. Corvo tinha falado sobre roubar poder de outra pessoa, mas Dançarino descobrira um feitiço que permitia que ele doasse poder para Han, ao unir seus amuletos.

— Tudo bem — dissera Dançarino, sorrindo. — Eu não tinha nenhum grande plano mágico mesmo.

Assim que Han entrou na sala, os olhos de Micah se fixaram no amuleto de serpente. Ele encarou o objeto, depois ergueu o olhar e fitou Han. Devia estar se perguntando se Cat já tinha tentado roubá-lo. Micah provavelmente esperara que Han aparecesse em frente à reitora sem a peça.

— Agora que estamos todos aqui, vamos começar — disse a reitora Abelard. — Quando Alister se juntou ao nosso grupo de estudo, falei que ele tinha sido bem-sucedido ao viajar para Aediion. Hoje, ele vai compartilhar o que sabe conosco. Espero que todos tenham vindo com amuletos completamente carregados. — Ela assentiu para Han. — Agora é com você.

— Tudo bem — disse Han. Ele não sabia se devia se levantar ou ficar sentado. Preferiu se levantar. — Vocês devem saber que não é fácil ir para Aediion. Alguns magos pensam que nem existe. Mas existe. A primeira vez que fui até lá foi na aula de mestre Gryphon. Mas já fui lá várias vezes depois disso.

— E voltou de lá em todas elas, ao que parece — disse Micah, como se preferisse que ele não tivesse voltado.

— Bom, isso é importante, não é? — disse Han, inclinando a cabeça para trás e olhando de cima para Micah. — Você não vai querer ficar preso lá. Isso seria ruim.

Ele encarou Micah até o outro desviar os olhos.

— Algumas pessoas acham que a chave para ir a Aediion está no amuleto que você usa — prosseguiu Han. — Outras acham que, quando você consegue ir uma vez, fica mais fácil depois. Como se você estivesse abrindo uma trilha que vai poder usar várias vezes. — Ele olhou para as pessoas ao redor da mesa. — Quantos de vocês tentaram ir a Aediion?

Todos levantaram a mão.

— Quantos conseguiram?

— Sejam sinceros — disse Abelard.

Ninguém levantou a mão.

— Como podemos saber que *você* esteve lá? — perguntou Mordra, tocando o próprio amuleto.

Han olhou para Abelard, que disse:

— Eu estou convencida disso, e é tudo que vocês precisam saber.

Mordra deu de ombros e Han prosseguiu.

— Hoje vou ajudar vocês a chegarem lá, usando meu amuleto e a trilha que eu abri — disse ele. — Não posso garantir que vocês vão conseguir ir sozinhos depois, mas pode tornar mais fácil na próxima vez que tentarem.

Aquilo era tudo besteira — uma história que ele e Corvo tinham elaborado juntos —, mas Han era um ótimo mentiroso, e todos assentiram, até Gryphon, apesar de parecer um pouco intrigado.

— Agora, temos que nos tocar — disse Han. — Vamos nos deitar em círculo.

Ele tinha pedido a Abelard para colocar sete colchões de palha em um círculo, perto da janela. Todos se deitaram, com as cabeças quase se tocando no meio. Han ouviu alguns murmúrios e risadinhas debochadas quando eles assumiram suas posições. Ele ajudou Gryphon a se acomodar e deitou no último colchão.

Han sabia que eles se sentiam ridículos, mas não queria corpos vazios desabando no chão.

— Estão vendo? — disse ele. — É como uma sessão na Escola do Templo.

Risadas nervosas brotaram no círculo.

— Muito bem, todo mundo está se tocando?

Han sentiu o zumbido de poder de Gryphon de um lado e de Abelard do outro. Pensou que os dois quiseram ficar ao lado dele para garantir que não seriam deixados para trás.

— Tem algumas coisas que vocês precisam lembrar — disse Han, olhando para o teto. — Vocês já devem saber disso, mas preciso repetir. Vocês podem mudar de aparência em Aediion: as roupas, as características físicas. Experimentem fazer isso. Vocês podem criar ilusões; é o mundo dos sonhos, lembrem-se disso. A magia funciona, então tomem cuidado com ela. E não gastem todo o poder armazenado fazendo experiências. Vocês vão precisar dele para voltar.

"Vamos todos para o mesmo lugar, para podermos nos encontrar. Vamos ficar dez minutos. Vocês vão precisar da minha ajuda para voltar, então vamos nos encontrar e voltar juntos. Se o amuleto de alguém estiver com poder baixo, me avise na hora."

Ele fez uma pausa.

— Alguma pergunta?

— Para onde vamos? — perguntou Gryphon.

— Para a Rua da Ponte — disse Han. — Tem alguém aqui que nunca foi lá?

Isso foi recebido com mais risadinhas nervosas.

— Vamos nos encontrar debaixo do relógio, em frente à taberna Coroa e Castelo — disse Han. — Não se afastem muito de lá. Dez minutos voam em Aediion. Prontos? Mãos nos amuletos. Esse é o feitiço que vocês vão usar.

Han recitou para eles e pediu que todos repetissem. Era o mesmo feitiço que Gryphon ensinara, no outono. Han usaria algo diferente, um feitiço potente que transportaria a todos de verdade.

— Tudo bem, prontos? — perguntou Han. — Abram seus portais.

Han segurou o amuleto e falou o feitiço de Corvo. O vão entre os dois mundos foi maior desta vez, o bastante para ele ter medo de ficar preso no meio. Quando a escuridão finalmente sumiu, ele estava sozinho debaixo do relógio na Rua da Ponte. Gryphon se materializou imediatamente em frente a Han, de olhos fechados, apertando com força o amuleto.

— Gryphon — disse Han suavemente.

Gryphon abriu os olhos. Era um Gryphon inteiro, sem suportes e muletas. Ele olhou para si mesmo, e um sorriso satisfeito surgiu em seu rosto. Ele deu alguns passos hesitantes e se reajustou, ficou mais alto, mais musculoso, para combinar melhor com suas belas feições.

Abelard apareceu, depois Hadron, deVilliers e os Bayar por último. Quando Micah e Fiona chegaram, a roupa de Gryphon se tornou um pouco mais sofisticada, mais ajustada.

— Que bom — disse Han —, todo mundo está aqui. Agora, tentem mudar um pouco o cenário. — Han fez um gesto e grandes flores roxas surgiram na calçada até a altura da cintura. — Mas vão com calma, não queremos acabar enrolados.

Os outros conjuraram flores e fogos de artifício, campos e cachoeiras, embora Micah não parecesse se divertir, como os demais. Ele ficou mais atrás, com a mão no amuleto, olhos fixos em Han, como se esperasse ser atacado.

— Vocês também podem mudar as roupas, se quiserem, e dos que estão ao seu redor.

Uma batalha de duelos de roupas teve início, conforme eles foram manipulando os trajes uns dos outros. Até Abelard participou. Em pouco tempo, todos estavam rindo.

— Pelo que eu sei — disse Han —, o que é real em Aediion são os magos, os amuletos e a magia. O resto todo é ilusão. Nós todos viemos da mesma sala — prosseguiu ele —, mas poderíamos estar em vários cantos dos Sete Reinos, e mesmo assim nos reunirmos em um lugar comum, se fosse planejado com antecedência. Senão, nunca nos encontraríamos.

— O tempo está ficando ruim? — perguntou Mordra, tremendo e olhando para o céu. — Parece real.

Um vento frio soprou entre os prédios e deixou Han arrepiado. Nuvens escuras e pesadas apareceram, transformando o dia claro em um fim de tarde peculiar. Han conjurou uma jaqueta de pele de cervo forrada de flanela. Os outros fizeram o mesmo, cobrindo-se de roupas mais quentes por causa da temperatura mais baixa.

— Você fez isso? — perguntou Gryphon a Han, olhando para o céu. — Mudou o tempo?

Han balançou a cabeça, sem conseguir explicar. Será que tinha sido algum dos outros? Micah ou Fiona? Eles ainda estavam segurando os amuletos, mas olhavam para o céu com apreensão, então parecia improvável. Han nunca tinha ido a Aediion em grupo. Era difícil dizer quem estava no controle.

Um relâmpago atravessou o céu e deixou-o em tons de verde e roxo. Um estrondo de trovão os fez cobrir os ouvidos.

— Já chega, Alister — disse Mordra, encolhendo a cabeça como uma tartaruga. — Você já demonstrou o que queria.

Han pegou o amuleto e tentou conjurar um tempo melhor, sem sucesso. Ilusão ou não, a tempestade que se aproximava era difícil de ignorar.

— Quem é aquele? — perguntou a reitora Abelard, protegendo os olhos e fitando o espaço atrás de Han.

Han se virou e ficou boquiaberto de surpresa.

Era Corvo, mais bem-vestido do que Han já tinha visto, em um tom dourado cintilante que destacava seu cabelo negro, e com uma espada cheia de pedras preciosas na mão. Agora já estava escuro como a madrugada, mas não importava. Corvo iluminava a rua toda.

Ele avançou na direção deles, determinado, a espada esticada e um sorriso apavorante no rosto, com chamas brilhando ao seu redor como uma aura em torno de um santo.

Han ficou entre Corvo e o grupo de Abelard.

— O que está fazendo aqui? — perguntou ele.

Ele não tinha dito nada sobre a hora da visita, nem o local da reunião. Como Corvo os encontrara?

— Alister! — disse Abelard. — Explique isso agora! Essa pessoa é criação sua ou alguém que você conhece?

Corvo tremeu de irritação. Ele se virou, fez um gesto, e um muro de chamas surgiu na rua, separando Han e os Bayar do resto. Com outro aceno, ele fez o fogo rolar, afastando o resto do grupo pela rua. Atrás das chamas, Han conseguia ouvir gritos e berros.

Han se virou para encarar Corvo de novo.

— O que você está fazendo?

— Meu negócio é com você e os Bayar — disse Corvo. — Não precisamos da interferência deles. — Ele parou na frente dos gêmeos Bayar e cresceu em tamanho e brilho até que os dois parecessem anões. — Ah — disse ele, feliz da vida —, finalmente. Estou esperando por isso há tanto tempo.

— Do que está falando? — perguntou Micah, protegendo os olhos com o antebraço. — Não conheço você.

— Mas eu conheço vocês — disse Corvo. — Sei quem e o que vocês são.

Ele fez surgir uma chama na ponta da espada. Ela disparou na direção de Micah, e o rapaz desviou.

Os olhos de Fiona passaram de Han a Corvo, e de volta a Han.

— Por que está fazendo isso? — perguntou ela.

Han balançou a cabeça.

— Vá embora — disse ele para Corvo. — Saia daqui. Você não foi convidado.

— Estou cumprindo uma promessa — disse Corvo. — Eu prometi destruir a Casa Aerie. Vou começar com esses dois.

— Alister, se isso é sua ideia de piada, não estou achando graça — disse Micah. — Eu sabia que não devia ter aceitado essa história.

— Arrogante. Como toda a sua raça — disse Corvo.

Ele lançou outra chama na direção de Micah e Fiona. Eles pularam para os dois lados e rolaram ao cair no chão. Fiona respondeu lançando chamas também, mas Corvo deixou que o fogo passasse por ele, sem efeitos aparentes.

Micah ergueu uma parede cintilante, como luz solidificada, entre ele e Fiona e Corvo e Han. Corvo lançou um jato de fogo que passou direto por ela, e, mais uma vez, Micah e Fiona desviaram. Corvo parecia estar brincando com eles, cada ataque mais perto do alvo.

Han se colocou entre Corvo e os Bayar, com a pele ardendo, esperando um novo ataque de chamas, sabendo que provavelmente sairia todo queimado. Ele se sentia traído, manipulado como um idiota.

— Pare com isso, Alister — disse Fiona —, ou eu paro você.

Ela segurou o amuleto e esticou a mão na direção de Han.

— Corvo! — disse Han. — Esqueça isso. Não vou deixar você matar os dois.

— Por quê? — perguntou Corvo. Ele se moveu para tentar conseguir um disparo certeiro. — Eles tentaram matar você várias vezes. E não derramariam uma lágrima pela sua morte.

— Eu tenho um plano — disse Han. — E não é esse.

— Talvez você queira ter o prazer de matá-los — Corvo fez uma pequena reverência. — É justo. Fique à vontade. — Ele desapareceu.

Han sentiu uma espécie de pressão, então um empurrão mental, como se sua mente estivesse sendo perfurada. E outro e outro, como se alguém estivesse batendo em seu crânio. Era Corvo tentando entrar e sendo rechaçado. Han tocou o talismã de sorveira-alta e fez um agradecimento silencioso a Dançarino.

— Desista — disse Han, conseguindo por pouco desviar das esferas de fogo que Fiona atirou nele. — Não vai funcionar desta vez.

Corvo bateu na mente dele de novo. E de novo e de novo.

— Pare com isso, não posso lutar três contra um deste jeito — disse Han. — Você quer que eu morra?

Ele gritou quando uma das explosões de Micah raspou nele e incendiou suas roupas. Han apagou as chamas, freneticamente, e então, com um gesto, transformou a rua debaixo de Micah e Fiona em um lamaçal. Eles afundaram até a cintura.

— Mate-os, Alister — sussurrou Corvo em seu ouvido. — Ou eles vão matar você.

— Mate você, seu valentão aproveitador — disse Han, erguendo um escudo para se proteger de uma série de pequenos tornados cheios de cacos de vidro. — Não vou lutar suas batalhas para você.

Por que Corvo *não* os matava? Ele sabia mais magia do que os três juntos. Ele, com certeza, podia lançar algum feitiço de morte que os Bayar não conseguiriam rechaçar. Seus ataques de fogo pareciam passar pelas defesas de Micah, mas cada disparo tinha errado ou sido desviado ou não dera certo. Han, Micah e Fiona estavam causando mais danos uns aos outros do que Corvo tinha causado a qualquer um deles.

Uma desconfiança surgiu na mente de Han.

Corvo mudou de estratégia. Enquanto Micah e Fiona lutavam para sair da lama, Micah cambaleou, como se tivesse sido atingido, e seus olhos se arregalaram de surpresa. Ele ficou imóvel por um longo momento. E então segurou o amuleto, se virou e esticou a mão na direção de Fiona.

— Micah? — Fiona o encarou, confusa. — O que você...?

— Fiona! Cuidado! — gritou Han, e empurrou Fiona para o chão quando Micah lançou um feitiço e uma labareda passou voando sobre suas cabeças.

— Micah! — gritou Fiona, levantando-se. — O que está fazendo?

O disparo seguinte de Micah queimou o braço de Fiona antes de ela conseguir pular para o lado.

Enquanto Micah estava concentrado em transformar a irmã em carvão, Han o agarrou pela cintura e os dois caíram de cara na lama.

— Corra, Fiona! — gritou Han, cuspindo lama. — Saia daqui, ou ele vai matar você.

— Não vou abandonar meu irmão — gritou ela para ele. — Você vai matá-lo!

— Este não é seu irmão! — respondeu ele. — Não dá para perceber? Ele está possuído.

Han tirou a mão de Micah do amuleto pela terceira vez.

Fiona hesitou, com a mão no amuleto e a outra esticada, incapaz de disparar diretamente em Han sem acertar o irmão.

— Se você me matar, não vai sair daqui nunca — gritou Han, exasperado.

Micah lutou e chutou, fez o que pôde para se livrar de Han e tentar apagar a irmã. Mas Micah tinha muito a aprender no quesito brigas de rua.

Han não sabia como tirar Corvo dali sem matar Micah. Mas tinha uma teoria.

Segurando Micah com força, arrancou o amuleto dele.

Corvo se materializou novamente, furioso como um gato em um temporal. Um momento depois, sua consciência atacou Han de novo. E, mais uma vez, não conseguiu entrar.

Enquanto Han estava distraído, Micah deu um soco na lateral de sua cabeça, fazendo-o ver estrelas.

— Devolva meu amuleto, seu mentiroso da sarjeta!

Han lançou um feitiço de imobilização e Micah finalmente caiu e ficou imóvel, olhando para o céu. Funcionou tão bem que Han fez o mesmo com Fiona.

— Agora mate-os, Alister — disse Corvo, de pé acima dos irmãos Bayar, como o Destruidor ansioso para agarrar almas. — Mate agora.

— Uh-uhn — disse Han, limpando o sangue da lateral do rosto. Ele indicou Fiona e Micah. — Se você os quer mortos, mate você.

— Rápido — disse Corvo. — Você está ficando com pouco poder. Vai ter que voltar logo.

Han firmou a postura e cruzou os braços em desafio.

— Você não consegue fazer magia sozinho, consegue? Estava usando a minha o tempo todo.

Corvo hesitou, e Han soube que tinha acertado.

— Como você pode dizer que não consigo fazer magia? — disse Corvo. — Como eu poderia estar aqui se não conseguisse? Como poderia fazer isso? — Ele lançou labaredas espiralando pela rua.

— Você consegue fazer ilusões — disse Han. — Me mostrou isso no primeiro dia. Mas não consegue fazer magia no mundo real. Não consegue fazer magia para matá-los — ele apontou para os Bayar —, sem mim.

— Não vou me dar ao trabalho de responder a isso — disse Corvo com arrogância. — Já esqueci mais magia do que você vai saber a vida toda.

— Você sabe — disse Han. — Mas não consegue fazer.

— Você está louco — respondeu Corvo. — Vai matar os vermes Bayar ou não?

Os olhos de Micah desviaram de Corvo para Han, observando a conversa com interesse e mais do que um pouco de medo.

— Mostre como se faz — disse Han, apontando.

Corvo fez mais uma tentativa desanimada de entrar na cabeça de Han.

— Como você está se protegendo? — perguntou ele.

— É você quem devia explicar qual é seu jogo — disse Han. — Não eu. Você vai apagar os dois ou não? Se não, vamos embora. Como você disse, já estamos aqui há muito tempo.

Corvo olhou para Han por um longo momento, como se tentasse enxergar através dele.

— Eu subestimei você — disse ele, por fim, balançando a cabeça.

— É um problema comum — respondeu Han. — Principalmente com sangues azuis.

Corvo desapareceu como uma chama se apagando.

Han esperou alguns instantes para ver se Corvo reapareceria. Então se agachou ao lado de Micah e Fiona.

— Vocês dois, me escutem. Vou soltar vocês. Vamos procurar os outros para irmos embora. Se quiserem brigar comigo, esperem até termos voltado. Se contarem qualquer coisa para Abelard, deixo vocês para trás. Se me matarem ou incapacitarem, nenhum de nós volta, e essa é a verdade. *Entenderam?*

Han esperou, e claro que eles não fizeram nem disseram nada, já que estavam imobilizados, mas ele sabia que não eram idiotas, então deu a eles o benefício da dúvida e desfez o feitiço.

Eles ficaram de pé, colocaram as mãos nos amuletos e olharam para Han como se ele fosse um animal selvagem.

— Venham.

Sem olhar para trás, Han andou pela rua na direção da parede de fogo de Corvo, que tinha morrido na ausência dele.

— Alister! — Uma figura alta e angulosa veio na direção dele, passando cuidadosamente pelo local queimado onde a parede estivera. — É melhor você ter uma explicação para isso.

Era a reitora Abelard, com a mão em volta do amuleto. Os outros estavam atrás, exceto Gryphon, que tinha corrido para segurar as mãos de Fiona e olhar ansiosamente o rosto dela.

— Você está bem? — perguntou ele.

Fiona assentiu sem falar nada. Gryphon passou um braço ao seu redor quando ela pareceu prestes cair.

— Alister! — repetiu Abelard, com voz firme. — O que aconteceu?

Han balançou a cabeça.

— Não sei — disse ele. — Quem dera soubesse. Isso nunca aconteceu antes, nenhuma das vezes em que atravessei. Nunca vi ninguém que não planejei encontrar ou trazer comigo.

— Vocês estão feridos — disse a reitora, olhando para cada um deles com as sobrancelhas escuras franzidas.

— Aquele sujeito tentou nos matar — disse Han. — Veio para cima de nós como um louco, jogando chamas e um feitiço atrás do outro. A gente se defendeu, mas nem três de nós foi o bastante. — Ele tremeu. — De repente, ele sumiu. Desapareceu. Deve ter ficado sem poder.

Abelard franziu a testa.

— Você não conhece esse homem? Também nunca o viu antes no mundo real?

— Nunca — disse Han. Ele lançou um olhar de aviso para Micah e Fiona. — Vocês já?

Eles só balançaram as cabeças, com olhos arregalados e rostos brancos como gesso.

— Não sabíamos onde vocês estavam, nem se estavam... se ainda estavam vivos — disse Hadron, olhando para o relógio da Rua da Ponte. — Já faz bem mais que dez minutos... uns trinta, pelo menos.

— Os proficientes deVilliers e Hadron tentaram voltar sozinhos quando vimos que já tinha passado da hora de retornar — disse Abelard. — Mas não conseguiram.

Todos eles estavam com os lábios brancos e morrendo de medo, exceto Gryphon e Abelard.

O rosto da reitora estava repleto de confusão e desconfiança. Gryphon parecia mais feliz do que em qualquer outra ocasião que Han tivesse visto, sem as camadas de dor, frustração e amargura. Ele parecia um iniciado que vira o rosto do Criador.

Peculiar.

— Eu adoraria conversar mais sobre isso — disse Han, desviando os olhos de Gryphon —, mas estamos aqui há tempo demais, e não quero correr o risco de outra emboscada.

— *Vamos* — disse Mordra, olhando ao redor, agitada.

— Estiquem as mãos e se segurem em mim.

Os outros seis fizeram um círculo ao redor de Han e ajeitaram as posições até todos estarem segurando nele.

— Agora, falem o feitiço para abrir o portal enquanto eu falo o meu.

O mundo ficou escuro em uma confusão de vozes. Han abriu os olhos na sala de reuniões de Abelard e sentiu o peso de alguém em cima dele. Era Fiona. Eles estavam emaranhados nos colchões. Han se libertou rapidamente e ficou de pé.

Ele contou. Todos tinham voltado. Soltou um suspiro de alívio.

Abelard também fez a contagem.

— Bom — disse ela bruscamente —, pelo menos não perdemos ninguém, mesmo havendo alguns ferimentos. — O tom dela sugeria que não dava para fazer omelete sem quebrar ovos. — Parabéns por viajarem a Aediion, coisa que poucos podem dizer já terem feito. Vou avisar se haverá uma continuação desta lição. Enquanto isso, acho que não preciso lembrá-los de não falar sobre isso para ninguém.

— Me perdoe, reitora Abelard — disse Han —, a senhora pode fazer o que quiser, mas eu não vou voltar. Não vale o risco.

Vários dos outros assentiram em concordância.

Abelard apertou os lábios, mas não disse mais nada enquanto eles saíam em silêncio.

Micah e Fiona esperavam por Han no pé da escada.

— Quero falar com você — disse Fiona, segurando o braço dele e afundando os dedos em sua pele.

— Tire a mão — disse Han, encostando a faca no pescoço de Fiona. — Vou contar até três. Um.

Ela o soltou. A faca de Han desapareceu.

— Não é porque não apaguei vocês em Aediion que somos amigos — disse Han. — Quero esclarecer algumas coisas com vocês. Vamos lá para fora, um lugar agradável e público. Não vou me encontrar com um par de bandidos como vocês em um canto deserto.

Ele andou até o meio da praça em frente e se sentou em um banco no pavilhão ao redor do Chafariz Bayar.

Os Bayar o seguiram. Han indicou um banco próximo. Eles se sentaram.

— O que você estava pensando, Micah, ao mandar uma ladra de rua contra um mago? — disse Han, jogando a faca para o alto e pegando novamente. — Não foi justo. Ela é talentosa, eu admito; não tem muitos iniciados do templo capazes de arrancar seu coração por cima das roupas. Mas ela nunca teve mão firme para roubar.

— Não sei do que você está falando — disse Micah ao mesmo tempo em que Fiona perguntou:

— Quem?

— Cat Tyburn não trabalha mais para você — disse Han. — Sinto muito.

— Quem é Cat Tyburn? — perguntou Fiona, olhando de Han para Micah com desconfiança.

Micah olhou para ele, a curiosidade claramente lutando contra o desejo de continuar negando o que Han já sabia.

— O que aconteceu? Onde ela está? — perguntou ele.

— Onde você acha? — Han jogou a faca para o alto e pegou.

— Você a matou? — A expressão de Micah era de fascinação horrorizada.

Han deu de ombros.

— Não quero falar sobre Cat.

— Bom, eu quero — cortou Fiona, olhando com irritação para o irmão. — O que você anda fazendo?

— Depois — disse Micah. — Vamos falar sobre o que aconteceu em Aediion. Quem é Corvo? Ou ele foi uma criação sua, feita especialmente para nós?

Han experimentou a lâmina da faca no polegar.

— Para falar a verdade, eu não faço ideia de quem é Corvo e nem o que ele quer. Fiquei tão surpreso quanto você quando ele apareceu.

— Mas você o conhece — insistiu Fiona. — Isso ficou óbvio.

— Eu já me encontrei com ele — disse Han, guardando a faca. — Não posso dizer que o conheço. Vamos apenas dizer que a visita a Aediion foi demais para vocês. Magicamente, quer dizer. — Han fechou a mão no amuleto do Rei Demônio. — Precisamos deixar uma coisa clara. Já estou cansado de ficar sempre alerta, de esperar que alguém me roube ou me enfeitice ou enfie uma faca nas minhas costelas. — Han balançou o amuleto. — Se você quer isso, venha pegar.

Micah balançou a cabeça.

— Não somos burros. Você vai nos atacar. Ou vamos ser expulsos por atacarmos você.

— Eu juro. De verdade. Não vou atacar você. Se conseguir pegar, é seu. — Han sorriu de canto de boca, exibindo os dentes. — Qualquer um dos dois. Podem vir. Quem vem primeiro?

— Jogue para cá — disse Fiona.

— Isso seria burrice, não é? — disse Han. — Vocês com três amuletos e eu sem nenhum. — Ele ergueu o amuleto pela corrente. — Não. Você venha tirar de mim.

Micah balançou a cabeça de novo.

— Não. Eu não confio em você.

Han suspirou.

— Acho que você é inteligente demais para mim. Sabe, essa coisinha é criteriosa quanto a quem usa. Se você tocar nele, não vai passar de uma mancha de cinzas e um fedor na brisa.

— Você está esquecendo que já usei esse amuleto antes — disse Micah.

— Então venha pegar — disse Han, sorrindo e acariciando a cabeça da serpente. — Agora ou nunca.

Fiona repuxou os lábios.

— Você está dizendo que pode tocar nele e nós não? Quando somos os verdadeiros donos?

— Vocês, Bayar, ficam dizendo que esse faz-feitiço é de vocês — disse Han. — Não é. Vocês roubaram de Alger Waterlow, mil anos atrás. Era para ter sido destruído, mas sua família tem um monte de armas mágicas ilegais, não é?

Os dois Bayar ficaram perfeitamente imóveis, sem piscar, segurando seus próprios amuletos, que também deviam ser roubados.

— Você não tem como provar nada disso — disse Fiona.

— Claro que tenho. Só preciso entregar este amuleto para os clãs e dizer onde consegui. Eles vão acreditar em mim. Eu diria que minha palavra com eles vale mais do que a de vocês. Além do mais, Hayden Dançarino de Fogo estava lá, naquele dia, em Hanalea, e ele tem boas ligações nos clãs das Espirituais.

— Você não vai entregar — disse Micah. — Os clãs destruiriam a peça.

— Talvez — disse Han. — Talvez não. Mas prometo uma coisa: você não vai ter ele de volta. Seu pai assassinou minha mãe e minha irmã. A Guarda da Rainha trancou as duas em um estábulo e colocou fogo. Elas morreram queimadas. Lorde Bayar não acendeu o fogo, mas foi como se tivesse feito. Minha irmã tinha 7 anos.

Micah desviou o olhar.

— Você era procurado por assassinato. A rainha...

Han ergueu a mão para interromper aquele discurso.

— Assassinatos que não cometi. Ah, tem muita culpa para ser distribuída. A rainha também está na lista. Mas não sou burro. Nunca cometa o erro de pensar isso.

Fiona balançou a cabeça, o olhar fixo no rosto de Han.

— Não. Não vou fazer isso.

— Depois disso, alguém do seu pessoal ou da rainha assassinou meus amigos em Feira dos Trapilhos para tentar arrancar deles onde eu estava. Alguns deles eram *lytlings*, também. Eles não escolheram a vida nas ruas, sabe? Era isso ou morrer de fome. — Han inclinou a cabeça. — Vocês vão querer me convencer de que a rainha estava me caçando por causa de uns Austrinos que morreram?

— Você enfiou uma faca em nosso pai quando ele estava tentando negociar a devolução do amuleto — disse Fiona. — Quase matou o Grão-Mago do reino. Eu diria que isso é motivo suficiente para a Guarda ir atrás de você.

— Negociar? — Han a encarou. — *Negociar?* Vocês, sangues azuis, têm seu próprio jargão. Nas ruas, chamamos de *tomar chá com os porcos*. Ele me disse claramente que ia me levar para sua casa e me torturar até a morte.

Micah se mexeu, impaciente.

— Onde você quer chegar?

— O que quero dizer é que paguei um preço alto por este amuleto — disse Han. — Não tem como nenhum de vocês dois usarem. E eu preferiria que ele fosse derretido e destruído do que que voltasse para as mãos de vocês. Vocês acreditam em mim?

— Eu acredito — sussurrou Fiona, com o rosto ainda mais pálido do que o habitual. — Mas você é um tolo se continuar a usá-lo. Você não sabe o quanto é perigoso.

— Vou me arriscar — disse Han. — Sabe, Micah, naquela primeira noite, quando vi você na Rua da Ponte, eu quis matar você. Quis cortar sua garganta e ver seu sangue escorrer para a terra. Quis enrolar uma corda no seu pescoço e socar enquanto você chutava e sujava as calças.

— Estou tremendo nas botas — disse Micah, olhando diretamente nos olhos de Han.

Han ficou de pé e deu um passo na direção dele.

— Eu sou quem está escondido nos becos escuros, enquanto você volta para casa, da Quatro Cavalos — disse ele. — Sou a sombra na travessa Greystoke quando você sai para mijar. Sou os passos no corredor quando você vai visitar aquela garota no Salão Grievous.

Micah estreitou os olhos e sua autoconfiança diminuiu um pouco. Han sabia que ele estava relembrando umas cem visões e sons suspeitos.

— Você andou me seguindo?

— Posso entrar e sair do seu quarto a hora que eu quiser — disse Han. — Sei o que você diz quando fala dormindo. Sei o que sua namoradinha sussurra no seu ouvido. — Han gargalhou. — Você não pode me manter fora de um lugar onde quero entrar. Eu saberia sobre Cat, mais cedo ou mais tarde, mas você sempre se encontrava com ela quando eu estava em aula.

Micah umedeceu os lábios.

— Talvez você sinta algum tipo de prazer perverso em me perseguir, mas...

— O que estou dizendo é que, se eu quisesse você morto, a esta altura você já estaria morto mais de dez vezes. Eu deixo você viver porque agora tenho um plano diferente. Vocês, Bayar, precisam aprender que não podem ter tudo o que querem. Vou ensinar isso a vocês. E é só o começo.

Micah estreitou os olhos.

— Isso é uma ameaça?

— É claro. — Han sorriu. — Quando se começa uma briga, é bom saber contra quem está lutando. — Ele ficou de pé. — Vejo vocês por aí.

CAPÍTULO TRINTA E TRÊS

MATRIMÔNIO OU ASSASSINATO

Era uma quinta-feira cinzenta e sombria, embora mais quente e mais úmida do que qualquer dia de abril tinha o direito de ser. As aulas de Raisa tinham acabado por aquele dia, mas ela não queria voltar para o Salão Grindell e ficar olhando Amon observando-a. Ele estava irritadiço havia dias, mesmo antes do episódio com Han.

— Qual é o seu problema? — perguntara ela, na noite anterior, no campo de treino. — Nunca vi você tão tenso.

— Tenho a sensação de que você está em perigo — dissera ele. — Não consigo me livrar dela.

— É por causa de Han Alister? — questionara ela, parando com o bastão cruzado na frente do corpo.

Ele balançara a cabeça em negativa.

— Não. Ao menos, não completamente. Estou sentindo isso desde que Hallie voltou. Como se uma coisa ruim estivesse para acontecer. — Ele ajustou a forma como estava segurando o bastão, posicionando as mãos com cuidado. — Aprendi a não ignorar esses instintos. Por favor, tome cuidado, Rai.

Ela se questionou se devia mostrar a carta da rainha Marianna a Amon, mas decidiu que não. Será que as preocupações de Amon podiam ter alguma coisa a ver com aquilo? Será que ele conseguia sentir o quanto ela estava perturbada, o quanto estava tentada a voltar para casa?

No meio de tudo isso, Raisa tinha que estudar para as provas e se decidir sobre o que vestiria no Baile dos Cadetes. Cadetes mulheres tinham a opção de usar o uniforme de gala ou um vestido. O uniforme de gala seria mais fácil, mas Raisa tinha medo de ficar parecendo algum jovem escudeiro que teve permissão de ficar acordado até mais tarde.

Às vezes, ela sentia falta de se arrumar.

Mas talvez fosse tarde demais para contratar uma costureira e era improvável que conseguisse achar alguma coisa nas lojas de segunda mão na Rua da Ponte.

Naquela noite, ela se encontraria com Han. Seu coração disparou. Ela havia mandado uma mensagem para o Salão Hampton.

> *Han, peço desculpas por nossa noite ter terminado de forma tão abrupta. Estava maravilhosa até aquele momento. AB também pede desculpas. Bem, isso não é exatamente verdade, mas eu peço desculpas por ele. Estou ansiosa por quinta-feira e pelo baile.*
>
> *Rebecca*

Não houve resposta.

Talvez eu devesse ver se ele vai aparecer para a aula, antes de procurar um vestido, pensou Raisa com tristeza. Ela ficou tentada a atravessar a ponte e procurar Han em seu dormitório, mas isso poderia terminar mal de muitas maneiras.

A tensão de Amon era contagiosa. Raisa se viu olhando constantemente para trás e sentindo um formigar na nuca que lhe dizia que estava sendo observada. Lobos cinzentos se amontoavam pela praça, com orelhas baixas, encostadas nas cabeças, e ela ouvia os uivos de súplica deles à noite.

Por fim, ela se escondeu em uma sala de leitura no andar de cima na biblioteca da Academia Wien e tentou estudar. Mas Han Alister ficava invadindo seus pensamentos. E Amon Byrne. E Marianna, sua mãe. Em um momento, ela decidia voltar para casa, em Fells, assim que os exames acabassem, no seguinte ela sentia medo de que voltar fosse precipitar uma crise. Ela leu o mesmo parágrafo várias vezes até adormecer, com o rosto apoiado nos braços.

— Novata Morley?

Raisa ergueu o rosto e viu um cadete de aparência nervosa, de pé na porta. Ela piscou para ele, sonolenta.

— Ah! Devo ter dormido! Que horas são?

— Passa das nove horas — disse ele. — A biblioteca fechou. — Ele olhou para a sala, como se para se certificar, e acrescentou: — Todas as outras pessoas foram embora.

Então, ela se deu conta. Nove horas! Ela devia ter se encontrado com Han às oito. Na Rua da Ponte. Ela recolheu os papéis e livros, desesperadamente, e os enfiou na bolsa. Será que ele tinha esperado? Será que ele tinha ido?

O estalo do trinco a fez erguer o rosto. O cadete tinha entrado e fechado a porta.

Olhando melhor, ele não parecia ser um cadete. Talvez fosse o uniforme com caimento ruim e o fato de ser mais velho do que a maioria dos colegas de Raisa. Talvez fossem seus olhos negros sem emoção e a forma como seu nervosismo desapareceu como uma capa que ele usasse para se proteger do tempo.

Talvez fosse pela maneira como ele se moveu na direção dela, como um predador.

— Obrigada por me acordar, cabo — disse Raisa, com o coração disparado debaixo do casaco. — Qual é seu nome?

— Meu nome é Rivers — disse ele. — Cabo Rivers.

Ele contornou a mesa, parecendo não perceber o fato de que estava usando uma insígnia de cadete. Não de cabo.

Os lobos surgiram nas paredes, ganindo, agitados.

Quando Rivers chegou perto o suficiente, Raisa pegou o vidro de areia do mata-borrão e jogou no rosto dele.

Ele era rápido. Quase conseguiu desviar, mas entrou um pouco em seus olhos. Ele limpou o rosto com a base das mãos, e foi quando ela viu o garrote pendurado em seu punho. Raisa pegou o lampião de estudo na mesa, acertou a lateral da cabeça dele e correu para a porta.

De alguma forma, ele estava em cima dela antes de Raisa conseguir abrir a passagem. Ele agarrou um punhado de seu cabelo e puxou a cabeça para trás, passando a corda por seu pescoço. Quando ele recuou para apertar o laço, Raisa enfiou a mão entre o garrote e a traqueia — outro truque de Amon Byrne —, firmou os pés na porta e se jogou para trás, batendo com a cabeça no queixo do assassino, com um estalo alto.

A cabeça do homem bateu na beirada da mesa e os dois caíram de costas, com Raisa por cima. Raisa arrancou a corda, ficou de pé e pegou a faca.

Mas Rivers estava imóvel, com a cabeça em um ângulo impossível.

Raisa se virou e moveu a tranca, com as mãos tremendo tanto que quase não conseguiu. Quando a porta finalmente se abriu, deu de cara com Micah Bayar.

Ele a segurou, prendendo os braços dela contra as laterais do corpo. Erguendo-a, Micah a carregou até o fundo da sala e a virou para que Raisa ficasse com as costas pressionadas contra o peito ele.

Ela lutou, gritou e chutou e se contorceu e bateu com os cotovelos, usando todas as habilidades de luta de rua que Amon lhe ensinara. Micah a segurava de um jeito que tornava difícil conseguir causar qualquer dano verdadeiro. Ela bateu com o calcanhar na patela dele, e sua respiração ficou rasa de dor, mas ele não a soltou. O que Micah fez foi bater na parede a mão dela que segurava a faca, até que Raisa a soltasse. Ele chutou-a para longe, e a lâmina estalou ao bater na parede. Ela tentou memorizar a localização, para o caso de ter a chance de recuperá-la.

Raisa sentiu o poder dele, uma corrente que desceu por seu braço e sumiu no anel-talismã que Elena lhe dera. Uma fração da energia habitual de Micah.

— Esse é seu melhor? — disse Raisa, ainda lutando para soltar os braços. — Estamos magicamente impotentes hoje, é?

Inesperadamente, Micah riu.

— Estou um pouco esgotado no momento, admito. Senti saudades — murmurou ele, puxando-a para perto, com os lábios no cabelo dela. — De verdade. E pensar que você estava bem aqui, o tempo todo. Quantas oportunidades desperdiçadas de encontros clandestinos, longe daquela sua ama maldita.

— Eu não senti saudades de *você* — retorquiu ela. — Vá embora, e eu aviso quando sentir. Se não cortar minha própria garganta antes, para me impedir.

— Precisamos conversar — disse Micah. — Eu posso ficar segurando você, o que estou adorando fazer, mas é difícil conversar com a parte de trás da sua cabeça. Eu preferiria olhar para seu rosto. Se eu soltá-la, podemos ter uma conversa civilizada, sem eu correr o mesmo risco do infeliz no chão?

Bem. Se eles iam conversar, Raisa também queria poder ler o rosto de Micah e tentar discernir o que estava por trás das palavras.

— Tudo bem — disse ela. — Prometo que vou ouvir você.

Micah a soltou e deu um passo para trás. Quando ela se virou para encará-lo, ele a olhou de cima a baixo e avaliou a túnica de soldado, o cabelo desgrenhado e curto, o emblema da Academia Wien bordado na frente.

— Você está diferente, Alteza — disse ele. — Está mesmo na Academia Wien?

— Estou em um programa especial para realeza exilada — respondeu Raisa. — Para princesas que se recusam a casar sob a mira de uma espada. Estamos aprendendo a rechaçar pretendentes indesejados.

— Pelo que lembro, não havia espadas — disse Micah. Ele parou por uma fração de segundo. — Meu pai ficou muito insatisfeito comigo quando deixei você escapar na noite que era para ser a do nosso casamento. Eu queria que você estivesse lá para ver.

— A insatisfação do seu pai ou nosso casamento? — perguntou Raisa.

Micah riu de novo.

— As duas coisas. O mundo tem estado menos interessante sem você.

Micah estava diferente da última vez que ela o vira. O cabelo estava mais curto, aparado em um corte estudantil. O rosto parecia mais fino, como se ele tivesse perdido peso, embora fosse difícil ter certeza, por baixo da capa. Mas ele continuava lindo como sempre, com os olhos escuros encimados pelas sobrancelhas negras e com sombras destacando a bela estrutura óssea de seu rosto.

Ele também parecia maltratado e machucado, como se tivesse brigado recentemente.

Micah olhou para o homem no chão.

— Bravo, Alteza — disse ele. — Ele é muito bom.

Ele tirou as luvas de couro e bateu pensativamente com elas na palma. Estava tentando irradiar confiança, mas suas mãos tremiam um pouco.

— Nem tão bom assim — disse Raisa, tentando parecer indiferente. Tentando controlar seus próprios tremores.

— Ao contrário, ele é. Só subestimou você. Todos subestimamos. Estamos procurando por você há meses. Eu devia saber que você estaria aqui com o cabo Byrne. E que aquele seu pai cabeça de fogo estava envolvido na conspiração.

— Não sei do que está falando — disse Raisa.

Droga, droga, droga, pensou ela. Os Bayar adorariam uma oportunidade para se livrar dos Byrne e de lorde Averill, para afastar aquelas vozes do ouvido da rainha.

— Estranhamos quando uma cadete de Vau de Oden visitou lorde Demonai, e Demonai foi até a rainha — disse Micah. — Então, quando a garota partiu, achamos que valia a pena segui-la. Ela veio direto para cá, para o Salão Grindell. Com um foco tão estreito, não demorei para encontrá-la.

— E mandou um assassino atrás de mim — disse Raisa.

— Quatro, na verdade — disse Micah. — Os outros três esperaram lá embaixo enquanto Rivers vinha atrás de você. Ficaram intrigados quando você não saiu na hora que a biblioteca fechou.

— Por que me matar? — perguntou Raisa, concluindo que era melhor saber antes de morrer. — Foi porque recusei você no altar ou...

— Bem, nós, Bayar, somos muito sensíveis à rejeição, depois daquele episódio com a rainha Hanalea. Mas meu pai também se preocupa com sua natureza rebelde e sua ligação com os clãs. Você tem até a aparência de uma mestiça.

— Eu *sou* mestiça — disse Raisa, erguendo o queixo.

— Mellony também, mas não parece uma cabeça de fogo. Ela se parece com a mãe. Por isso, meu pai está de olho nela. Ele gostaria de ver uma rainha mais maleável no trono. Ele não tem sido bem-sucedido em convencer a rainha a deserdar você, então precisa tirá-la do caminho para seguir em frente com os planos de me casar com Mellony — Micah disse tudo isso objetivamente, os olhos negros fixos no rosto dela.

Raisa encarou Micah, com o estômago se contraindo, infeliz. Que bom que ela havia perdido o jantar, ou o teria posto para fora naquele momento.

Ela se sentia impotente, frustrada... e assustada. Como os Montaigne já tinham provado, ninguém corria mais risco do que alguém que competia por um trono... e perde. Os Bayar cortariam a garganta dela ou a estrangulariam e a deixariam em um beco escuro, vítima aparente de um ladrão de rua. Uma pena que a rebelde Raisa deixara a proteção de Fellsmarch e acabara sendo assassinada.

— Mellony tem 13 anos — disse Raisa. — Espero que você tenha experiência em ser babá, Micah, porque vai precisar. Supondo que os Demonai não assassinem você primeiro. Casada aos 13 anos, viúva aos 14. Pobre Mellony.

Lágrimas de raiva ardiam em seus olhos.

— Mesmo se você sobreviver, vai governar um país dividido pela guerra civil. Fells vai virar a Arden do norte. Você nunca vai vencer contra os clãs das montanhas, isso eu posso garantir.

Ela esticou a mão na direção de Micah e cuspiu uma maldição digna de qualquer de seus ancestrais dos clãs.

— Pelo sangue e pelos ossos de Hanalea, se você se casar com Mellony *ana'*Marianna e subir ao trono Lobo Gris, que você lute pelo resto de sua vida curta e infeliz. E que os bebês de Mellony sejam cabeças de fogo, todos eles.

Micah a encarou, em um silêncio perplexo. Seu olhar baixou para a mão esticada e ele arregalou os olhos. Ele segurou a mão de Raisa e a puxou para a luz. Cutucou o anel de lobo de Elena com o indicador e virou a mão dela para que refletisse a luz.

— Onde conseguiu isso? — perguntou ele.

Raisa deu de ombros, fingindo indiferença, mas seu coração estava disparado.

— Acho que foi presente de algum pretendente. No meu rebatizado.

— Parece trabalho de clã — disse Micah, franzindo a testa.

— A maioria das joias é feita nos clãs — respondeu Raisa, tentando puxar a mão, sem sucesso. — Isso não é novidade. Eles são os melhores ourives dos Sete Reinos.

Micah puxou o anel de lobo, hesitante, depois com mais força. Ele nem se mexeu.

— Tire — disse ele, soltando a mão dela.

— Você virou ladrão, além de assassino? — perguntou Raisa. — Os Bayar já não são ricos o bastante?

— Esse anel parece um talismã — disse Micah. — Pode ser o responsável por sua resistência à magia.

— É só um anel — disse Raisa, puxando-o. Mesmo que ela estivesse se esforçando, o que não estava fazendo, ele não iria a lugar nenhum. — E parece estar agarrado. Então, a não ser que você queira cortar meu dedo, vai ter que deixar ele aí.

— Tudo bem — disse Micah, levantando as mãos. — Vamos deixá-lo aí. Por enquanto.

— E por que você está aqui, afinal? — perguntou Raisa. — Queria molhar as mãos no meu sangue e me amaldiçoar pelo crime de não querer me casar com você? Queria ver se seu assassino fez o trabalho direito ou queria participar?

Micah cutucou o morto no chão com o pé.

— Na verdade, ele é um assassino do meu pai — disse ele. — Não meu.

Raisa o encarou, sem palavras.

— Eu vim lhe oferecer uma escolha — disse Micah, girando o anel em sua própria mão. — Posso levar você lá para baixo e entregá-la aos assassinos que estão esperando lá fora. Ou você pode voltar para Fells e se casar comigo.

Raisa caiu sentada na cadeira.

— *O quê?*

Micah abriu um sorriso fraco.

— Acho que você está certa. Os cabeças de fogo não vão ter a menor dúvida sobre quem é o responsável pelo seu assassinato. Mesmo se você estiver morta, nomear Mellony como princesa-herdeira e me casar com ela vai provocar uma tempestade de protestos. Os clãs vão se rebelar. Lançaria uma sombra sobre nosso reino e quaisquer filhos que tivéssemos.

Nosso reino, pensou Raisa. Nossos *filhos*? Micah e Mellony? A ideia deixou Raisa arrepiada.

— Você é próxima dos cabeças de fogo — prosseguiu Micah. — Cresceu com eles e tem o sangue deles. Meu pai vê isso como algo negativo, mas eu vejo como uma vantagem. Você é a herdeira de sangue e é persuasiva. Se você se manifestasse a favor do nosso casamento, poderia ajudar muito a convencê-los a nos aceitar.

Não, pensou Raisa. Eles nunca vão aceitar um consorte mago, muito menos rei. Nunca, nunca. Mas, considerando as circunstâncias, ela não via motivo para dizer isso em voz alta.

Micah manteve os olhos fixos em Raisa, como se tentasse ler através de sua pele.

— A questão toda do casamento foi tratada de um jeito ruim. Eu implorei ao meu pai por um tempo para convencê-la a se casar comigo por vontade própria. Ele estava com pressa. Nunca viu seu consentimento como algo importante. Ele não a conhece como eu.

Sem dúvida Micah estava pensando nos meses de romance escondido, pelos corredores do castelo, antes do rebatizado de Raisa. Sem dúvida estava contando que seu charme considerável prevaleceria.

Poderíamos nos dar bem juntos, dissera ele.

Você não me conhece tão bem quanto imagina, pensou Raisa. O reino sempre vem primeiro, antes do coração.

Raisa umedeceu os lábios e escolheu as palavras com cautela enquanto sua mente continuava em disparada.

— Bem, devo admitir que me senti traída. A rainha nunca mencionou uma união entre nós antes daquela noite. Eu nunca planejei me casar tão nova. Não consegui entender por que tinha que me casar no dia do meu rebatizado.

Por que você está fazendo isso, Micah?, pensou Raisa. Por que não está agindo de acordo com o plano? Contrariar seu pai é tão perigoso quanto contrariar os clãs. Por que correr esse tipo de risco?

E então ela percebeu. Micah quer se casar *comigo*. Não com Mellony.

Aquilo era incrível. Mellony era a mais bela da família: loura, alta e graciosa, como a mãe. Sua irmã mais nova era uma criança agora, mas não seria para sempre. Enquanto isso, Micah continuaria com seus romances secretos.

Se Micah se casasse com Mellony, não poderia deixar Raisa viver. Mesmo que não tivesse estômago para o assassinato, não tinha como deixar viva uma concorrente ao trono Lobo Gris, alguém que pudesse lhe fazer uma oposição verdadeira.

Uma coisa Raisa sabia — ela não era nenhuma rainha Regina, pronta para se jogar de um penhasco para fugir de um casamento com um mago. Ela voltaria para Fells e se casaria com um açougueiro ou um ladrão ou um limpador de privadas se isso fosse necessário para sobreviver e continuar no trono Lobo Gris.

Se conseguisse viver, encontraria um jeito de vencer.

— Morte ou casamento — disse Raisa, revirando os olhos. — Vocês, Bayar, sabem mesmo encantar uma garota.

Micah deu de ombros.

— Não é como eu teria feito o pedido, mas não depende de mim.

— Você acha que seu pai vai aceitar isso? — perguntou Raisa. — Ou vai só esperar uma nova oportunidade para me matar?

O rosto de Micah ficou tenso e seus lábios ficaram brancos.

— Meu pai sabe tão bem quanto eu que um casamento entre nós é a coisa politicamente inteligente a se fazer. Ele *vai* aceitar.

Você está tentando convencer a mim ou a si mesmo?, pensou Raisa.

— Tudo bem — disse ela. — Você venceu. Vou me casar com você, se isso garantir que a sucessão permaneça inalterada.

Micah a encarou por um longo momento, como se quisesse descobrir a garota por trás da máscara.

— Talvez — disse Micah com um sorriso torto — devamos selar nosso acordo com um beijo.

Ele a segurou pelos ombros e a puxou para si, deslizando as mãos por suas costas e inclinando o pescoço para apertar os lábios nos dela.

Isso é um teste, pensou Raisa, e fez o melhor que pôde para passar nele. Micah também se entregou bastante ao beijo. Raisa ficou vermelha e sem ar, e Micah pareceu tranquilizado.

— Vamos partir em poucas horas, então — disse Micah. — Preciso arrumar minhas coisas e avisar o cavalariço. Você ainda monta aquela égua malhada?

Raisa assentiu, sua esperança crescendo. Seria possível que Micah estivesse tão confiante que ia permitir que ela fosse pegar suas coisas?

— Vou pegar seu cavalo — disse Micah, como se tivesse lido os pensamentos dela. — As roupas que você está usando terão que bastar. Você pode pegar outras com Fiona. Vamos viajar com pouca coisa e rapidamente.

Como se as roupas de Fiona fossem caber em mim.

Micah enfiou a mão na capa e pegou uma garrafinha fechada por uma rolha e cheia de um líquido roxo. Um copinho de cobre estava preso com uma corrente. Ele girou a garrafa para misturar o conteúdo, tirou a rolha e serviu.

— Tome — disse ele, entregando o copinho para Raisa. — Beba tudo.

Ela cheirou a mistura, infeliz. Tinha um cheiro forte e doce, como vinho de sobremesa.

— O que é?

— Uma coisa que vai deixá-la calminha até irmos embora, já que meus feitiços parecem não funcionar mais em você. — Quando ela olhou para ele com irritação, ele deu de ombros. — Não sou idiota a ponto de confiar em você, Raisa.

— Por que eu deveria confiar em *você*? Não sei o que tem aqui. Pode ser que você queira me envenenar.

Micah revirou os olhos.

— Você não está em posição de ditar regras — disse ele.

— E os assassinos lá embaixo? — perguntou ela. — Se isso me apagar, você vai estar com as mãos ocupadas e eu vou estar indefesa.

— Eu cuido deles — disse Micah. — Agora beba antes que eles venham nos procurar.

Sem ver outra solução, Raisa bebeu a poção roxa. Também tinha *gosto* de vinho de sobremesa, com um amargor no final.

— Alga-do-sono? — supôs ela.

Micah assentiu.

— Desculpe. Deixa uma dor de cabeça horrível depois.

— Você sempre anda por aí com alga-do-sono?

Ele balançou a cabeça negativamente.

— Nunca precisei antes.

A ação da alga-do-sono era rápida, e Raisa era pequena. Não demorou para sua cabeça começar a girar. Lobos se reuniram ao redor dela, como se tentassem segurá-la. Ela enfiou os dedos em seus pelos grossos, tentando se agarrar à consciência.

Será que Han estava esperando por ela? Ou teria ido procurá-la no dormitório?

Ninguém sabia onde ela estava.

Será que Amon saberia para onde ela havia ido e iria atrás?

— Não tenha ideias enquanto eu estiver dormindo, Bayar — murmurou ela.

Ele suspirou.

— Não posso controlar as ideias que tenho — disse ele. — Mas não se preocupe, vamos ter uma vida inteira para pôr minhas ideias em prática.

Ele passou os braços por baixo dela, levantou-a e a cobriu com a capa. Ela estava tonta, com os membros frouxos e inertes, e ondas de sono a dominavam. O coração de Micah batia sob o ouvido dela enquanto desciam a escada e saíam pela porta da frente.

Raisa tentou levantar a cabeça e olhar ao redor, mas não teve forças.

— Onde eles estão? Os assassinos?

— Já estão mortos — sussurrou Micah no ouvido dela. — Eu matei todos antes de subir. Se não fosse isso, teria chegado mais cedo.

CAPÍTULO TRINTA E QUATRO

TAPINHAS NO OMBRO

Han esperou no Tartaruga & Peixe por uma hora além do horário normal de encontro deles. Talvez ela esteja tendo problema para sair, pensou ele. Talvez o cabo Byrne esteja mantendo-a em seus aposentos.

Ou talvez Rebecca e o cabo tivessem se beijado e feito as pazes, e Han estava de fora de novo.

Han não era idiota, mas podia jurar que os beijos que ele e Rebecca trocaram tinham sido sinceros. E Rebecca não parecia o tipo de garota que o largaria sem explicação.

E o Baile dos Cadetes? Será que deveria supor que ainda estava de pé, até que ela dissesse o contrário?

Finalmente, ele deixou um bilhete na mesa e desceu a escada. Linc olhou para ele com solidariedade.

— Problemas?

Han deu de ombros.

— Não sei.

Ele pensou em ir até Grindell, mas não queria arrumar mais problemas para Rebecca. Nem aparecer onde não era desejado.

Assim, ele voltou para Hampton, cumprimentou Blevins no salão comum e subiu a escada. Esperava que Dançarino estivesse em casa. Ele tinha ficado fora toda a noite anterior, o que não era incomum. Às vezes, ele dormia na forja de Firesmith quando estava tentando terminar um projeto. Han nem tinha contado para ele o que acontecera em Aediion.

Quando chegou ao quarto andar, pedras preciosas e pedaços de metal cobriam a mesa, e a xícara de chá ao lado ainda estava quente, mas Dançarino não estava em lugar nenhum. Claramente, ele tinha estado ali, trabalhando, havia pouco tempo.

Na verdade, havia duas xícaras.

A porta de Dançarino estava fechada.

— Ei! Dançarino?

Han tentou abrir a porta, mas estava trancada por dentro.

— Não entre — disse Dançarino.

Han ouviu movimentos do outro lado da porta.

— Ah, não posso mesmo entrar, a porta está trancada — disse Han. — Você está na cama cedo assim?

Ele ouviu sussurros abafados lá dentro e soltou a maçaneta.

— Desculpe! — disse ele, recuando. — Ah... desculpe.

Ele nem sabia que Dançarino estava saindo com alguém, mas, de qualquer jeito, ele era bem discreto sobre esses assuntos.

Han se sentou à mesa de estudos e folheou o Faulk, desanimado. Podia até estudar sozinho, mas não seria a mesma coisa. Colocou o livro de lado e pegou as anotações da aula de Gryphon. Teria uma prova no dia seguinte, mas seus pensamentos ficavam voltando para Rebecca.

Depois de alguns minutos, a porta de Dançarino se abriu e ele botou a cabeça para fora.

— Achei que você tinha aula hoje à noite — disse ele. — Você voltou cedo.

— Rebecca não apareceu — disse Han, dando de ombros. — Pode ser por causa daquele incidente no dormitório dela, na terça, com o cabo Byrne.

Dançarino se apoiou na moldura da porta.

— Hmm.

— Você vai me apresentar? — disse Han, indicando a porta.

Dançarino olhou para dentro do quarto, por cima do ombro.

— Você quer ser apresentada? — perguntou ele.

Um momento depois, a cabeça da garota apareceu.

Era Cat.

— Ah — disse Han. — Hã. Quando vocês iam me contar?

— É novidade — disse Dançarino. — A gente queria esperar e ver se ia dar certo.

Han lutou para segurar o sorriso.

— E?

— Cala a boca, Alister Algema — disse Cat.

Ela passou por ele com o nariz empinado, ajeitando os cachos.

— Ei, eu quero saber — insistiu Han. — Afinal, até onde eu sabia, você odiava Dançarino. E como vocês dois são meus amigos, parece que...

— Se você quer saber, está *ótimo* — disse Cat, sentando-se em uma cadeira, esticando as pernas e dobrando os dedos dos pés descalços. Ela inclinou a cabeça para trás e olhou para Dançarino com olhos estreitados. — Ele serve.

— Bom saber que está tudo acertado — disse Han.

Dançarino estava certo: Han precisava mesmo prestar mais atenção aos amigos.

— O que aconteceu com Abelard e os Bayar? — perguntou Dançarino.

— Era sobre isso que eu queria falar com você. Tive a oportunidade de experimentar o talismã de sorveira-alta ontem — disse Han, cutucando o pássaro esmaltado com o indicador.

Dançarino inclinou a cabeça.

— E?

Han contou a ele o que acontecera em Aediion.

— Então você acha que Corvo não tem poder? — perguntou Dançarino.

Han balançou a cabeça.

— Ele me usa, como um parasita. Ou a qualquer outro mago por perto. Ele me *disse* que sabia como tirar magia dos outros. Eu devia ter percebido.

Dançarino franziu as sobrancelhas.

— O que ele é, então? Como chegou aqui?

— Bem, ele não é só um fantasma da minha imaginação, porque deixou todo mundo morrendo de medo. — Han mordeu o lábio inferior. — Será que tem alguma coisa útil na Biblioteca Bayar?

— Eu digo para deixar para lá — disse Dançarino, sentando-se de novo à mesa de trabalho. — Diga que nunca mais vai voltar lá.

— Eu nunca mais vou voltar lá — disse Han.

Dançarino escolheu uma barra de prata e a apertou na mão até a prata líquida cair em um molde.

— É melhor não deixar Blevins pegar você fazendo isso aqui em cima — disse Han. — Se não houver uma regra contra, ele inventa uma.

— Você diz isso agora, mas espere para ver o que fiz para você.

Dançarino desdobrou um quadrado de camurça. Dentro havia uma réplica incrível do amuleto de Caçador Solitário que Elena *Cennestre* fizera para Han — o que ele emprestara para Dançarino.

Dançarino colocou os dois amuletos lado a lado no tecido. Era quase impossível diferenciá-los.

— Isso é incrível — disse Han. — Eu não tinha ideia de que você conseguia fazer trabalhos assim. Nem que tinha os materiais certos.

— Não funciona — disse Dançarino, descartando o elogio. — Sou bom em entalhar a pedra e forjar o metal, mas não dominei ainda a parte mágica. Eu queria devolver seu amuleto, mas acho que preciso ficar com ele mais um pouco.

— Não tem pressa. Fique com ele.

Han passou o dedo pela réplica do faz-feitiço. Não sugava poder, a magia não estava lá. Mas provavelmente enganaria qualquer mago que não tocasse nele.

— Por que você não fez um dançarino de fogo? — perguntou Han. — Como o que você perdeu?

Dançarino deu de ombros.

— Eu não tinha o exemplar aqui para poder copiar. Achei que talvez o desenho ajudasse no funcionamento. Espero conseguir algumas respostas de mestre Firesmith no verão.

Han e Dançarino planejavam passar o verão trabalhando com mentores docentes: Dançarino com Firesmith e Han com Abelard. Ele também planejara aumentar seu tempo com Corvo. Não mais.

— Seu trabalho é lindo, Dançarino — disse Han.

Ele pesou o entalhe intrincado na palma da mão e o girou para captar a luz. Deixando a magia de lado, a qualidade do trabalho e os materiais tornavam o objeto valioso. Ele fez menção de devolver, mas Dançarino balançou a cabeça.

— Fique com ele — disse Dançarino. — Fiz para você. Achei que pode ter momentos em que você queira esconder o amuleto Waterlow.

Na manhã seguinte, Han acordou com o barulho dos passos lentos de Blevins subindo a escada até o quarto andar. Han saiu da cama e colocou a calça. Cat tinha passado a noite com Dançarino, e Han queria ter certeza de que não havia sinais disso na sala de estar improvisada deles. Ele cobriu as ferramentas de Dançarino bem na hora em que a cabeça de Blevins apareceu na escada.

— Não sei por que fazem um quarto andar nos prédios, não sei mesmo — ofegou ele. — Deviam construir mais prédios, se quer saber minha opinião, e ninguém quer.

— Está precisando de alguma coisa? — perguntou Han quando Dançarino se juntou a eles, fechando a porta atrás de si.

— Vocês não estão usando fogo aqui em cima, estão? — perguntou Blevins, olhando para a mesa de trabalho de Dançarino. — Isso não é permitido.

— Nada de fogo — disse Dançarino.

— Hmpf. — Blevins olhou para ele com hostilidade. — Ah, tem uma pessoa querendo ver você, Alister. Não quis dar o nome. É uma cabeça de fogo. — Ele lançou um olhar para Dançarino, como se a culpa pudesse ser dele.

Dançarino e Han se entreolharam. Poucas pessoas dos clãs iam a Vau de Oden.

— E por que você não mandou ele subir? — perguntou Han.

— Porque é uma garota — disse Blevins. — Assustadora, se quer saber minha opinião.

— Ninguém quer — disse Dançarino.

— E me chamou pelo nome? — disse Han.

— Ela o chamou de um nome diferente primeiro. Depois mudou para Alister quando falei que não tinha nenhum Caçador Solitário aqui. Você precisa ir se encontrar com ela no salão comum lá embaixo. — Blevins se inclinou para mais perto. — Eu teria cuidado, se fosse você. Se você foi ruim para ela, eu sairia pela porta dos fundos e não pararia de correr. Ouvi dizer que, se você irrita algum deles, eles cortam seu...

— Eu vou me cuidar — disse Han. — Obrigado.

— Eu vou com você — disse Dançarino.

Eles passaram por Blevins e desceram a escada, deixando o supervisor descendo lentamente atrás.

Han estava um pouco à frente de Dançarino na escada e a viu primeiro. Parou no meio do último lance de degraus e se segurou no corrimão para se apoiar, olhando para a sala.

Era Sabiá.

CAPÍTULO TRINTA E CINCO

VELHOS AMIGOS

Sabiá andava inquieta pela sala, com as mãos unidas nas costas. Ela olhou os livros na mesa e os quadros nas paredes, a maioria velhos murais de Casas de magos e retratos de antigos mestres de Mystwerk.

Han percebeu, pela postura dela, que estava nervosa, mas não queria demonstrar.

Dançarino chegou atrás de Han e olhou por cima do ombro dele.

— Sabiá? — sussurrou ele.

Ela se virou e os viu. A pele cor de cobre estava um pouco mais bronzeada de sol, e os cachos estavam cortados mais curtos do que Han se lembrava. Ela usava trajes de viagem no estilo Demonai: calça e túnica de pele de cervo e botas macias e gastas, com o arco e a aljava de flechas no ombro. Estava mais magra e mais musculosa do que antes.

O olhar de Han foi atraído para o cintilante amuleto Demonai no pescoço dela.

— Oi, Sabiá Cavadora — disse Han. — Que surpresa.

Ele não fez nenhum movimento para descer o resto dos degraus. Gostava de ficar em terreno mais alto.

Sabiá inclinou a cabeça, rigidamente.

— Caçador Solitário — disse ela. — E Dançarino de Fogo. Meu nome agora é Sabiá Noturna.

Seu nome Demonai. Será que ela escolhera aquele nome para combinar com o de Reid Andarilho da Noite?, perguntou-se Han com uma pontada de ciúme. Ou será que Reid escolhera para ela?

— Prima — disse Dançarino, passando por Han —, é bom ver você. Por favor, compartilhe de nosso fogo e de tudo que temos.

Era o cumprimento ritual ao visitante.

Dançarino andou na direção de Sabiá e abriu os braços, sorrindo. Ela pareceu dividida entre correr para ele e recuar.

— Está tudo bem — disse Dançarino. — O amuleto absorve. Você não vai nem sentir.

Eles se abraçaram. Sabiá apoiou a cabeça no ombro de Dançarino e fechou os olhos.

Bem, parece que Dançarino a perdoou pelo jeito como ela o tratou, pensou Han. E, se estou esperando um pedido de desculpas, provavelmente vou esperar para sempre.

— Você fez uma viagem difícil para chegar aqui, prima — disse Dançarino. — Vou esquentar a água para fazer um chá. Está com fome? Tomou café da manhã?

As palavras apressadas, incomuns para Dançarino, deixavam claro que ele também estava nervoso.

— Eu gostaria de chá — disse Sabiá, desviando o olhar para Han, ainda na escada.

Dançarino bombeou água da caixa-d'água e encheu a chaleira, colocou na lareira para esquentar e pôs folhas de chá no bule de cerâmica. A onda de hospitalidade sugeria que Dançarino sabia que Han não bancaria o anfitrião.

— Tem queijo na despensa e alguns biscoitos que eu trouxe do salão de jantar, se você estiver com fome — disse Dançarino. Ele indicou algumas cadeiras perto da lareira. — Venha se sentar perto do fogo.

Sabiá não deu sinal de que se sentaria, apenas ficou de pé, movendo o peso de um pé para o outro.

— Preciso falar com Caçador Solitário sozinha.

Han não sabia se queria uma conversa particular com Sabiá.

— Dançarino pode ouvir qualquer coisa que você tenha vindo dizer — disse ele. — Não me importo.

Ele sabia que soava petulante, mas se sentia ferido e queria feri-la também.

Sabiá olhou de Han para Dançarino.

— Não — disse ela. — Não pode.

— Ei — disse Han. — Você acabou de chegar, e Dançarino está feliz em ver você. — Ele colocou ênfase em *Dançarino*.

— Está tudo bem — disse Dançarino. — Posso conversar com Sabiá depois. Eu estava mesmo montando uma peça complicada. Vou voltar para ela.

Dançarino subiu a escada e ignorou o olhar de Han.

— Então — disse Han quando Dançarino deixou o cômodo —, estamos sozinhos.

Ele não sabia o que pensar, o que esperar.

Sabiá cruzou os braços no peito e segurou os cotovelos, um gesto familiar.

— Eu não vou gritar. Você vai descer ou eu devo subir?

Sentindo-se meio bobo, Han terminou de descer a escada e foi até a lareira, onde a chaleira já estava fumegando. Usando um pano, ele segurou a chaleira e serviu água sobre as folhas.

— Sente-se — disse ele, indicando uma cadeira perto do fogo.

Ela se sentou e ele também, apoiando as mãos nos braços da cadeira.

Han sentia a perda da amizade dela como um vazio enorme e doloroso em suas entranhas. Ele, Dançarino e Sabiá tinham sido inseparáveis durante todos os verões de sua infância. No verão anterior, o relacionamento dele com Sabiá evoluíra para algo mais. As lembranças voltaram, apesar de seus esforços para sufocá-las, de beijos lentos e do calor do verão na pele dela, de sua voz sonolenta quando eles estavam deitados à margem do rio. Ele pensara que tinha visto seu futuro nos olhos dela.

Agora havia segredos entre eles, desconfiança e traição, criando um abismo tão largo que ele duvidava ser possível atravessar. Ela era uma guerreira Demonai, comprometida com a luta de mil anos contra os magos. Escolhera essa vocação, apesar de Han ser um mago. Escolhera aquela vocação em vez dele.

— Então você é uma guerreira Demonai completa agora? — disse ele, tocando o tecido gasto do braço da cadeira.

Ela assentiu.

— Desde novembro. — O silêncio cresceu entre eles de novo, até que ela disse: — Você parece bem. Está mais alto?

Ele deu de ombros.

— Talvez. — Antigamente, eles costumavam comparar suas alturas. — Parece que ser guerreira faz bem a você.

— Ah, faz — disse Sabiá, com os olhos se iluminando de entusiasmo. — Achei que sabia sobre rastreio e viagens rápidas, mas aprendi muito sobre armas e estratégia de batalha. Andarilho da Noite é um professor maravilhoso, paciente e... — Ela parou de falar quando fitou o rosto de Han.

Ele tentou mudar o que quer que seu rosto estivesse demonstrando para que virasse uma expressão de interesse educado, para que encobrisse seus pensamentos, que eram: *Chamam ele de Andarilho da Noite porque ele visita todas as namoradas sempre que está no Campo.*

Sabiá mudou de assunto.

— Como você está? Está tendo aulas de bru... feitiçaria, então?

Han assentiu.

— Acabamos de terminar o semestre. Fizemos as provas. Acabou um ano de três ou quatro.

— Você já aprendeu muita coisa ou foi mais... preliminar? — perguntou Sabiá.

Alguma coisa no rosto dela disse a Han que ela não estava apenas conversando trivialidades. Uma apreensão formigou em um ponto entre suas clavículas.

— Aprendi muita coisa — disse Han, pensando em Corvo. — Ainda tenho muito a aprender.

Parecemos inimigos que se encontram na feira, avaliando suas posições, pensou Han.

Ele tentou pensar em outra coisa para dizer.

— Andarilho da Noite não veio com você?

Ela balançou a cabeça negativamente.

— Eu vim sozinha. Ele está ocupado organizando as estratégias para o verão. Já estamos com pouca gente, por causa de problemas na fronteira com Arden. E agora, uma nova crise. Foi por isso que vim ver você.

Nenhum pedido de desculpas, então, pensou Han. Muito menos reacender o romance.

— Reid precisa de conselho? — perguntou ele. — Ou há algum problema entre vocês?

Sabiá franziu a testa.

— Você está diferente — disse ela. — Não sei se gosto muito de você assim.

— O que você quer, Sabiá? — perguntou Han. — Tenho coisas para fazer.

Sabiá se inclinou para a frente, com as mãos nos joelhos e uma expressão grave no rosto.

— Soubemos que a rainha Marianna cedeu à pressão do Grão-Mago e planeja nomear a princesa Mellony como herdeira. — Ela se recostou, colocou as mãos no colo e olhou para Han, como se estivesse esperando que ele pulasse e gritasse: "Não enquanto eu estiver vivo e respirando!"

— Quem é a princesa Mellony mesmo? — perguntou Han, fingindo ignorância.

Sabiá franziu as sobrancelhas, perplexa.

— É a irmã mais nova da princesa Raisa.

— Ah. Hmm. Bem, o que a princesa Raisa tem a dizer sobre isso?

— Ela está escondida. Fugiu no verão, no dia do rebatizado dela.

Isso soava familiar.

— Ah, certo. Eu ouvi dizer que ela brigou com a rainha.

— Tentaram obrigá-la a se casar com Micah Bayar, o filho do Grão-Mago.

Mais uma vez, ela olhou para ele com expectativa, como se esperasse uma reação mais violenta.

Hmm, pensou Han. Que interessante. Então o pobre Micah foi largado no altar. Quem dera eu soubesse disso ontem.

— Por que os Demonai ligam para qual princesa é a herdeira? — perguntou Han. — Desde que as princesas não briguem por isso.

— A princesa Raisa é a verdadeira herdeira. É da linhagem de Hanalea. Não podemos permitir que o Conselho dos Magos coloque uma usurpadora no trono.

Han deu de ombros.

— São todas da mesma família, não são? Não me parece que faria muita diferença.

Sabiá revirou os olhos.

— Quando nomearem Mellony como princesa-herdeira, é *ela* que eles vão casar com Micah Bayar. O Conselho dos Magos vai ter o que não conseguiram antes: um mago casado com a rainha de Fells. Isso é proibido desde a Cisão.

Isso era interessante. Ele se lembrou do que Rebecca tinha dito e ficou agradecido pelas aulas.

— Mesmo se isso acontecer, não há laços mágicos que os oradores usam para controlar o Grão-Mago? Eles não podem usar isso com Micah?

Sabiá gargalhou sarcasticamente.

— Eles não estão funcionando muito bem no atual Grão-Mago. Os Bayar devem ter encontrado um jeito de contornar esses laços.

Talvez estejam usando alguma peça do estoque de ferramentas mágicas ilegais, pensou Han. Ele podia mencionar isso para Sabiá. Ou não.

— Esperamos que o jovem Bayar se declare rei — disse Sabiá.

Rei Micah. Han não gostava muito disso.

— Ele está aqui, sabe — disse Han. — Micah Bayar.

— Aqui? — Sabiá olhou ao redor e pousou a mão na faca.

— Ah, não aqui *agora* — disse Han. — Mas ele morava neste dormitório.

Sabiá mordeu o lábio inferior.

— Ele não pode se casar com Mellony se estiver *morto* — disse ela.

Han a encarou.

— Você o mataria só porque desconfia de que é isso que os Bayar estão planejando?

— Por que você está ficando do lado dele? — perguntou Sabiá. — Vocês ficaram amigos aqui, por acaso? Esqueceu o que...

— Eu não esqueço *nada* — disse Han, deixando que ela entendesse a frase como quisesse. — Mas o mundo está cheio de magos, se o que querem é casar um com a princesa. Matar Micah Bayar não vai resolver seu problema. Se a questão for matar, acho que você devia mirar mais alto.

Ele olhou bem nos olhos dela, um desafio.

Sabiá apertou os lábios, mas não respondeu.

— Você tem provas? — prosseguiu Han. — Ou é só a teoria de Reid Demonai?

— Andarilho da Noite tem uma rede de informantes no Vale. Eles contaram que vai haver um pronunciamento em breve. Lorde Demonai e Elena *Cennestre* também estão preocupados — disse Sabiá, um pouco na defensiva. — Eles acreditam que está na hora de levar a princesa-herdeira para casa, se for encontrada uma forma de fazer isso em segurança.

Han sentia-se estranhamente distante agora. Ele era uma mosca na parede, olhando para si mesmo e para Sabiá, um apostador sem dinheiro para jogar.

— Bom, boa sorte com tudo isso — disse ele.

Sabiá olhou para as próprias mãos, puxou a manga e cutucou um machucado no antebraço. Ela está nervosa, percebeu Han. Não sabe como dizer o que veio dizer.

— E então — disse Han —, você veio só para contar as novidades?

— Os Demonai pedem que você honre seu acordo — disse Sabiá, olhando diretamente para a frente. — Estão chamando você de volta para Fells para proteger a princesa-herdeira e se juntar a eles na luta contra o Conselho dos Magos.

Por um longo momento, Han não conseguiu falar. Seu rosto parecia congelado e seus lábios, dormentes.

— O quê? — sussurrou ele. — Agora? Eu acabei de começar.

— Precisam de você agora — disse Sabiá. — Não podemos deixar que o Conselho dos Magos coloque uma marionete no trono Lobo Gris. Vamos entrar em guerra para impedir. Precisamos de sua ajuda.

Han balançou a cabeça.

— Uh-uhn. Nosso acordo era que os clãs patrocinariam meus estudos em Vau de Oden em troca da minha ajuda.

— Nós fizemos isso — respondeu Sabiá, mas sem olhar nos olhos dele. — Mantivemos nossa parte do acordo. Seria melhor que você tivesse mais treinamento, mas não controlamos o Conselho dos Magos e o que eles fazem.

É minha culpa, pensou Han. Eu nunca devia ter feito um acordo com comerciantes.

Ele demorou um momento para conseguir dizer:

— Deixa eu ver se entendi: vocês querem me mandar contra lorde Bayar e o Conselho dos Magos, cheio de magos do nível mais alto, com dois semestres de treinamento?

— Você não vai estar sozinho — disse Sabiá. — Os Demonai vão trabalhar com você para...

— Espere aí — retrucou Han. — Você disse que veio *me* buscar. Não Dançarino.

Sabiá assentiu, ainda sem olhar para ele.

— Não Dançarino.

— Não que eu queira envolver Dançarino nisso, mas por que só um de nós?

Sabiá mexeu na faca. O olho sem pálpebras dos Demonai estava entalhado no cabo de osso.

— Porque os Demonai querem que Dançarino de Fogo fique na escola para continuar estudando. Sabemos que sua falta de treinamento é uma desvantagem. Então esperamos que Dançarino de Fogo possa lhe ajudar no futuro.

— Se eu ainda estiver vivo — resmungou Han.

— É natural ter medo, Caçador Solitário — disse Sabiá. — Andarilho da Noite diz...

— Sangue do Demônio! — reclamou Han. — Não cite Reid Demonai para mim. Tenho meus próprios motivos para ir atrás do Grão-Mago. Quando for, quero chances melhores. Eu não começaria nem uma guerra de gangues assim, contra um oponente cruel, se não conheço o jogo, estou em número menor e tenho menos armas. Eu quero ganhar e quero sobreviver. Não acho que seja pedir muito.

— Sinto muito, Caçador Solitário — disse Sabiá, trançando e destrançando a franja da bolsa. — Esta é a mensagem que me mandaram trazer para você. Você tem alguma resposta?

Han se lembrou da noite em que aceitara trabalhar para os clãs. Ele perguntara o que aconteceria se ele se recusasse a cumprir os termos do acordo. Averill Pés Ligeiros Demonai disse que os clãs o caçariam e o matariam.

Será que Sabiá receberia essa tarefa?, perguntou-se ele, olhando para ela. Talvez já tivesse recebido. O rosto dela era uma máscara pétrea, mas o lábio inferior tremia um pouco. Ela fora enviada para fazer o serviço sozinha. Se ele dissesse não, será que um deles acabaria morto?

Será que Sabiá era apenas isso para Andarilho da Noite: uma ferramenta descartável?

Assim como Han era para os líderes dos clãs.

Os clãs estavam fazendo suas apostas. Se Han não sobrevivesse àquela luta contra o Conselho dos Magos, eles teriam Dançarino na reserva, com sorte mais bem-treinado do que ele.

Os dedos de Han procuraram o amuleto e se fecharam ao redor dele. Ele suspirou e sentiu o alívio bem-vindo da magia crescendo nele.

— Dançarino é meu amigo — disse Han. — O que faz você pensar que ele vai concordar em ficar e me deixar ir sozinho?

— Não vamos contar para ele — disse Sabiá. — Foi por isso que quis falar com você sozinha. Se Dançarino souber que você vai voltar para Fells para lutar contra os magos, vai insistir em ir junto.

— Ele não é burro — disse Han. — Você não acha que ele vai descobrir? Ele sabe sobre o acordo que fiz com os clãs. Você aparece do nada, nós conversamos e vamos embora juntos?

— Bom... — Sabiá procurou uma solução. — Podemos inventar uma história. Podemos dizer para Dançarino que estamos juntos de novo e você vai voltar comigo para o Campo Demonai.

— Dançarino sabe o que penso dos Demonai — disse Han, sem se dar ao trabalho de suavizar o discurso. — E como os Demonai reagiriam a isso. Ele nunca vai acreditar nessa história.

A mente dele trabalhava furiosamente. Ele não queria que Dançarino nem Cat fossem com ele, e talvez desperdiçassem a vida em uma causa perdida. Além disso, não pretendia ser arrastado de volta a Fells como uma criança fujona. Ele iria sozinho, em seus próprios termos.

— Eu vou sozinho — disse Han. — Vou inventar uma história, dizer que vou a algum lugar com algum dos professores. Você vai ficar aqui pelo menos uma semana, para despistar Dançarino. Quando ele se der conta de que não vou voltar, vai ser tarde demais para ir atrás de mim.

Tarde demais para você ir atrás de mim também, pensou ele.

Sabiá balançou a cabeça negativamente.

— Tenho que acompanhar você até o Campo Pinhos Marisa — disse ela. — Andarilho da Noite disse...

— Por que isso? — perguntou Han suavemente, olhando nos olhos dela. — Você acha que não sei o caminho? Ou acha que vou fugir? O que Andarilho da Noite mandou você fazer, se eu me recusasse a ir? Se eu tentar fugir, você tem que me caçar?

Sabiá umedeceu os lábios, sem palavras pela primeira vez.

— Vou manter minha palavra — disse Han. — Estou pedindo que você acredite em mim.

Eles se encararam por um longo momento. Então Sabiá assentiu.

— Tudo bem. Vamos fazer do seu jeito, Caçador Solitário. Só saiba que os Demonai... não perdoam. E eu... estou arriscando muita coisa.

— Eu também — disse Han.

Sabiá mordeu o lábio inferior.

— Alguém sabe que você trabalha para nós?

Han deu de ombros.

— *Eu* não contei para ninguém. — Ele fez uma pausa e, como ela não disse nada, ele se levantou. — Tudo bem. Vou sair. Tenho umas coisas para resolver. Diga para Dançarino que fui falar com a reitora Abelard sobre um projeto. Vou passar os próximos dois dias na biblioteca. Depois de amanhã, vamos passar uma bela noite juntos, como nos velhos tempos. E depois vou embora.

Sabiá se mexeu na cadeira e uniu as mãos.

— Não temos muito tempo. A viagem vai ser demorada para...

Han se esforçou para não perder a paciência.

— Eu *sei* disso. Olha, eu gostaria de ter uma chance nessa luta. Quero pesquisar sobre o Conselho dos Magos e falar com alguns dos mestres daqui antes de ir. Tenho certeza de que dá para esperar um pouco. Supondo que eu não seja descartável.

Sabiá também ficou de pé.

— Caçador Solitário — disse ela, com uma expressão perturbada e os olhos fixos no rosto dele. — Eu sinto muito pelo... jeito como as coisas terminaram. Entre nós.

Não era bem um pedido de desculpas, mas era mais do que ele esperava.

— Eu também sinto muito. — Han colocou a mão no ombro dela, e ela se encolheu. — Eu volto — disse ele, virando-se para longe dela.

Pegou a capa perto da porta e saiu.

Ele seguiu pela rua na direção do rio. Atravessaria a ponte até o lado da Academia Wien e falaria com o cavalariço sobre seu cavalo. Depois, voltaria para seu esconderijo na Torre Mystwerk e pegaria alguns livros e outros itens que queria levar.

Ele estava distraído, organizando listas mentais, pensando em tudo que precisava fazer, então sua guarda estava baixa quando ele atravessou a Rua da Ponte e entrou no território da Academia Wien. Ao passar por uma rua lateral, alguém agarrou seu braço e o puxou para um beco entre dois prédios. Han lutou e chutou, tentando segurar seu amuleto, mas os atacantes sabiam o que estavam fazendo. Dois prenderam seus braços nas laterais do corpo, e o imobilizaram.

Mas não havia a picada de magia nas mãos que seguravam seus braços, e, quando ele ergueu o rosto, viu-se cara a cara com o cabo Byrne. O rosto dele estava sério, atento, concentrado. Virando a cabeça para um lado e para o outro, Han viu que estava sendo segurado por Hallie e Talia, com rostos determinados e sérios.

Sangue do Demônio, pensou ele. Bem o que eu precisava, além de todo o resto, levar uma surra por causa de Rebecca e seu ciumento… hm... capitão?

Han se lembrou do que dissera para Rebecca sobre Byrne, no solstício. *Existe alguma coisa entre vocês. Só não sei bem que tipo de coisa é.* Por que Hallie e Talia estariam envolvidas? Elas tinham encorajado Han a sair com Rebecca.

— Ei — disse ele, tentando se soltar. — O que está acontecendo?

— Você a viu? — perguntou Byrne. — Você viu Rebecca?

Ele parecia desgrenhado e agitado, como se não tivesse feito a barba nem dormido em dois dias.

— Rebecca? — Han balançou a cabeça negativamente. — Não a vejo desde que nós… ah… desde a última vez que vi você — disse ele. — Lá… lá no quarto dela.

Byrne colocou a mão na garganta de Han e empurrou a cabeça dele contra a parede, praticamente interrompendo a passagem de ar.

— Tem certeza? Tem certeza de que não a viu? — Ele estreitou os olhos. — O que aconteceu com seu rosto? Você andou brigando?

Isso não era típico de Byrne, agredir um prisioneiro.

— Me solte — disse Han calmamente — e podemos conversar. Não sou culpado de nada, está bem?

Byrne olhou nos olhos de Han por um momento, então o soltou e assentiu para Talia e Hallie. Elas também soltaram Han, mas ficaram perto, para o caso de ele tentar fugir.

— A gente ia se encontrar para uma aula, ontem à noite — disse Han. — Ela não apareceu. Achei que você podia ter restringido ela ao dormitório, ou seja lá como vocês amantes de espadas chamam.

— Mas você não foi procurá-la — observou Byrne.

Han balançou a cabeça.

— Depois da última vez, eu não sabia que tipo de recepção teria em Grindell. — Ele massageou os braços onde Talia e Hallie o seguraram. — E ganhei essa cara durante um... hã... treino de magia. Por quê? Rebecca está desaparecida? Desde quando?

— Ninguém a vê desde ontem à tarde — disse Byrne. — As coisas dela ainda estão no dormitório, mas o cavalo sumiu.

— Desde ontem? — Han massageou o queixo e se perguntou se Byrne mantinha a coleira tão curta com todos os cadetes. — Quando ela faltou ao nosso encontro, achei que não tinha permissão para ir, que não queria ir ou que estava com raiva de mim.

Byrne balançou a cabeça como se Han fosse um imbecil.

— Ela está em *perigo* — disse ele, com os olhos cinzentos brilhando como ágatas. — Preciso encontrá-la. — Ele tocou o cabo da espada. — Onde você estava ontem à noite e hoje?

Han parou para pensar. Bem, ele lutara uma batalha em Aediion, tinha ido se acertar com os Bayar, descobrira que a ex e seu melhor amigo estavam juntos e ganhara uma tarefa suicida de outra ex-namorada.

— Eu estava no dormitório — disse Han. — Passei quase o tempo todo lá, exceto pela aula prática com a reitora Abelard. Tem gente que pode confirmar isso.

Byrne olhou intensamente para o rosto dele por um momento e balançou a cabeça.

— Desculpe — disse ele, massageando a testa, parecendo cansado. — Você tem alguma ideia de para onde ela possa ter ido? Você já viu Rebecca com mais alguém? Será que pode ter ido cavalgar com alguém?

Han balançou a cabeça.

— A gente se encontrava para as aulas duas vezes por semana, mas aquela noite foi a primeira que eu... ah... vi onde ela mora.

— Você conhece Micah Bayar? — perguntou Byrne, de repente.

Os pelos da nuca de Han se eriçaram.

— Conheço — disse Han. — Por quê?

— Ele também sumiu — disse Byrne. — Ele e a irmã e os primos arrumaram as coisas e foram embora de Vau de Oden, mesmo sem as provas terem terminado. Você tem alguma ideia de para onde eles foram?

Han balançou a cabeça.

— Não somos amigos — disse ele, sentindo um nó no estômago. — Mas qual é a importância disso? Quer dizer, Rebecca trabalhava para ele, mas não trabalha mais.

Byrne apenas olhou para ele, como se não tivesse resposta para aquilo. Não uma resposta que quisesse dar, pelo menos.

Han agarrou Byrne pelas lapelas e o puxou para perto.

— Eu *perguntei* qual é a importância. O que tem Bayar? O que você sabe?

— Ei — disse Hallie, colocando a mão no braço de Han. — Não se coloca a mão no capitão.

Ela não levantou a voz, mas estava falando sério.

Han soltou com relutância.

— Por que Micah Bayar teria alguma coisa a ver com o desaparecimento de Rebecca? — insistiu ele, olhando de Byrne para Talia e Hallie.

Lembranças voltaram; Rebecca implorando que ele não contasse aos Bayar que ela estava em Vau de Oden. Dizendo que não queria atravessar para o lado de Mystwerk por medo de encontrá-los. Quando Han perguntou se ela nunca saía, ela dissera que não.

Uma possibilidade horrível lhe ocorreu.

— Bayar machucou Rebecca quando ela trabalhava para ele? — perguntou Han, com o coração disparado no peito. — Era por isso que Rebecca tinha medo dele?

O rosto de Byrne parecia feito de pedra.

— Pode perguntar o quanto quiser, não vou contar nada mais do que isso: se ela desapareceu, ele pode estar envolvido.

Fluxos de chamas corriam pelas mãos e braços de Han, e ele segurou o amuleto para descarregar o poder. Ele se lembrou do que tinha dito para Bayar da última vez que se viram.

Vocês, Bayar, precisam aprender que não podem ter tudo que querem. Vou ensinar isso a vocês.

Talvez ele estivesse errado. Talvez os Bayar sempre fossem ter tudo que quisessem. Tudo de que Han gostava. Inclusive Rebecca. Será que Micah tinha descoberto que eles estavam juntos? Será que ele iria assim tão longe para se vingar de Han?

Parecia coisa do destino, um pesadelo se repetindo sem parar.

— Para onde ele a levaria? — perguntou Han. — Estou falando de Bayar.

— É isso que estou tentando descobrir — disse Byrne. Ele estreitou os olhos para Han. — Tem alguma coisa diferente em você — sussurrou ele, quase para si mesmo. — Alguma coisa que me lembra... — Ele se interrompeu. — Se você vir Rebecca, se ouvir qualquer coisa que possa ser útil para mim, me procure. Não importa a hora. — Ele fez sinal para Hallie e Talia.

Han observou o trio de cadetes se afastar.

Durante todo o caminho até o estábulo, Han remoeu o desaparecimento de Rebecca como se fosse um pedaço duro de carne. Ela parecera estressada e infeliz na última vez que se encontraram, preocupada com a mãe, falando em ir para casa. Talvez tivesse decidido ir embora.

Mas ela teria deixado suas coisas para trás? Não.

Seria possível que o próprio Byrne fosse o responsável pelo desaparecimento de Rebecca e estivesse tentando disfarçar sua culpa? Afinal, fora ele quem expulsara Han com uma espada.

Não. Han não teria sobrevivido tanto tempo se avaliasse mal as pessoas. Byrne era um péssimo mentiroso e parecera genuinamente perturbado.

Como Han poderia ir embora de Vau de Oden com Rebecca desaparecida?

Han pagou a conta no estábulo e fez planos para que Ragger e Simon, o cavalo extra, estivessem preparados para viajar mais para o fim da semana.

— Não repasse as baias. Eu vou voltar — disse Han para disfarçar, caso alguém perguntasse. — Vou à corte de Tamron para fazer uma pesquisa.

O cavalariço resmungou, deixando claro que não se importava e que provavelmente não lembraria se alguém perguntasse.

Enquanto andava de volta para a ponte, Han viu um grupo de cadetes em frente à biblioteca da Academia Wien, e um ou outro mestre, em suas túnicas de docentes, tanto da Academia Wien quanto de Mystwerk. Ele viu a reitora Abelard com um grupo de mestres e proficientes de Mystwerk, aparentemente orientando uma investigação no local.

As pessoas zumbiam de empolgação, como a multidão em dia de execução em Chatt's Hill.

Han olhou mais à frente e viu dois curandeiros carregando um corpo envolto em um cobertor pela escada da biblioteca, seguidos de um amontoado de guardas.

Não, pensou ele, com o coração parando no peito. Ah, não.

Han abriu caminho em meio aos curiosos, recebendo olhares de raiva e xingamentos no caminho, até chegar perto da calçada, na hora em que os curandeiros estavam passando. Ele segurou a manga de uma das guardas.

— Senhora? Quem é? Quem morreu?

A guarda soltou o braço.

— Me solte, garoto. Vamos fazer uma declaração.

— Mas minha amiga... ela está desaparecida — disse Han. — Desde ontem.

A guarda parou tão de repente que a pessoa atrás quase lhe deu um encontrão. Ela saiu do caminho e puxou o braço de Han.

— Qual é o nome da sua amiga? — perguntou ela.

— Rebecca Morley.

— Venha comigo.

A guarda empurrou Han na direção da biblioteca. Ao passar por Abelard, ela lhe lançou um olhar penetrante.

Eles passaram pela pesada porta dupla e subiram a escada. Continuaram subindo e subindo enquanto o coração de Han pesava mais e mais.

Eles finalmente chegaram no alto da escada e seguiram por várias salinhas de leitura. A porta de uma delas estava entreaberta.

— Aí dentro — disse a guarda.

Han parou na porta, morrendo de medo. A sala era pequena, com uma mesa debaixo de uma janela em uma parede, uma lareira em outra, uma mesa de estudos de frente para a porta. Havia livros e papéis espalhados na mesa. Um lampião estava quebrado, no chão, e pedaços de vidro brilhavam na luz do sol que entrava pela janela. Sangue manchava o chão de madeira entre a porta e a mesa.

Um homem corpulento com vestes de mestre da Academia Wien estava olhando pela janela.

— Mestre Askell — disse a guarda. — Esse garoto diz que é amigo de Rebecca Morley.

Mestre Askell se virou para Han, seu rosto largo era marcado por anos sob o sol, e estava totalmente impassível. Ele observou a roupa de Han, o amuleto em seu pescoço.

— Quem é você? — perguntou ele, sem preâmbulos.

— Han Alister. Sou novato na Academia Mystwerk.

— Como você conhece Rebecca? — perguntou Askell.

— Ela estava me dando aulas — disse Han. — Nós nos conhecemos em Fells.

Askell apontou para a mesa.

— Veja se você reconhece os materiais na mesa como sendo de Rebecca.

Areia e vidro estalavam debaixo das botas de Han. Havia areia de mata-borrão espalhada na mesa, e o vidro estava virado. Havia anotações com a caligrafia familiar e angulosa de Rebecca. E ali estava a caneta decorada dela, e seu vidro de tinta.

Han fechou os olhos e engoliu em seco. Sangue e ossos, pensou ele. Ossos sangrentos, sangrentos. Será que a carnificina em sua vida não acabaria nunca?

— Isso tudo é dela — disse Han, olhando para Askell, sua voz soando rouca de desespero.

O mestre ergueu uma faca pela ponta.

— Achamos isso caído perto da parede.

— Também é dela — disse Han.

Ele atravessou a sala para olhar melhor. Não havia sangue na faca. Portanto, Rebecca não conseguira revidar.

Eu devia ter apagado Bayar quando tive a chance, pensou ele. Devia ter seguido o que conheço: as regras da rua.

— É melhor mandar alguém chamar o cabo Byrne — disse Han, sua voz oca.

— Ele está a caminho.

Askell colocou a faca de Rebecca na mesa.

— Como ela morreu? — perguntou Han, apoiando as mãos no parapeito de pedra e olhando pela janela. — O que a matou?

Será que Bayar seria arrogante a ponto de usar magia?

Como Askell não respondeu, Han se virou para ele e encostou-se na janela. O mestre parecia perplexo.

— Você está falando de Rebecca? — perguntou ele.

— Claro — disse Han. — Vi o corpo sendo carregado.

Askell balançou a cabeça negativamente.

— Encontramos quatro corpos, na verdade. Dois homens, duas mulheres, nenhum deles aluno, apesar de estarem todos de uniforme. Um estava aqui dentro. Ele parece ter batido a cabeça na mesa durante uma luta. Os outros três estavam lá fora e parecem ter sido mortos com magia.

— O quê? — Han encarou Askell. — Isso não faz sentido.

Askell deu de ombros.

— Há muitas coisas neste mundo que não fazem sentido — disse ele. — Rebecca pode estar morta, mas não encontramos o corpo dela.

CAPÍTULO TRINTA E SEIS

DESVIOS

Raisa abriu os olhos para a escuridão e o movimento e o fedor de lã úmida. Sentia-se tonta e confusa. Sua cabeça latejava e a boca tinha um gosto de sidra ruim do fim do barril. Ela tentou levantar os braços, mas eles estavam presos junto ao corpo com um tecido apertado, e havia um capuz na cabeça, então não conseguia enxergar.

Ela estava em um cavalo, com alguém. Conseguia sentir o calor de outro corpo em suas costas. Ela lutou para soltar os braços e poder tirar o capuz, e Micah Bayar passou um braço pela cintura dela e a puxou para perto.

— Finalmente você acordou — disse ele, com os lábios perto da orelha dela. — Cuidado para não cair. Estamos em Raider, e seria uma queda bem alta.

Conforme seus outros sentidos despertaram, ela percebeu o som de cavalos em movimento ao redor: patas na estrada de terra, o ranger do couro das selas, o murmúrio de vozes.

Raisa balançou a cabeça de um lado para o outro, tentando se livrar do capuz. Isso fez sua cabeça latejar ainda mais com a dor típica da ressaca de alga-do-sono. Por um momento horrível, ela achou que vomitaria neles dois.

— Onde estamos? — perguntou ela quando o perigo passou.

— Estamos a norte de Vau de Oden, na estrada para Vau de Grilhões — disse Micah.

Micah puxou o capuz para que ela pudesse ver, e o ar fresco ajudou. Eles estavam cavalgando por uma floresta densa, com as copas das árvores quase se encostando acima.

Raisa olhou ao redor. Switcher vinha atrás, presa por uma corda e carregada de suprimentos. À frente, ela conseguiu ver o resto do grupo, quatro cavaleiros que deviam ser os irmãos Mander, Fiona e mais um mago.

— Quem é aquele? — perguntou ela. — Com Fiona e os Mander?

— Wil Mathis — disse Micah. — Ele pediu para vir para o norte com a gente.

Raisa conhecia Wil da corte. Ele era desajeitado e tranquilo, coisa incomum para um mago. Era dois anos mais velho que os gêmeos Bayar e apaixonado por Fiona desde que Raisa conseguia lembrar.

Cada um puxava um cavalo extra com bagagens e suprimentos. À direita, em meio às árvores, Raisa viu trechos de água. Devia ser o afluente leste do rio Tamron.

— Que dia é hoje?

Micah deu uma gargalhada baixa.

— Você não dormiu tanto tempo, Alteza. É o dia seguinte ao nosso encontro na biblioteca da Academia Wien. Partimos no meio da noite. Calculo que demoraremos quatro dias para chegar a Grilhões.

— Você... nós vamos seguir pelo Vale Demonai, então? — perguntou ela. Isso poderia lhe criar uma oportunidade, caso conseguisse escapar.

— Não — disse Micah. — Vamos pelo leste, ao redor das montanhas, e depois por Delfos. Não tenho a menor vontade de encontrar qualquer um dos Demonai.

Ele bateu as rédeas e o cavalo aumentou o ritmo para alcançar os outros. Apesar de Raisa ser pequena, Raider estava sentindo o peso de levar duas pessoas.

Haveria alguma chance de Amon ir atrás dela? Parecia improvável. Até então, ela conseguira evitar Micah Bayar e os outros magos de Fellsmarch. Amon não teria motivo para desconfiar deles. Talvez até pensasse que ela decidira ir para casa sozinha. Com certeza procuraria por ela, mas não faria ideia de onde procurar.

Será que a ligação mágica entre eles lhe diria que ela estava com problemas? Será que o levaria até ela? Ela rezava para que sim, mas tinha medo do que aconteceria se ele a encontrasse.

Eles pararam para almoçar em uma pequena clareira entre a estrada e o rio. Não acenderam fogueira. Raisa, Micah e Fiona ficaram entre as árvores, comendo frios, pão e queijo acompanhados por sidra, enquanto Wil e os irmãos Mander cuidavam dos cavalos e os levavam até o rio para beberem água.

— Agora que estou acordada, acho que devia montar Switcher, para Raider não ficar cansado — disse Raisa.

— Ah, não, Alteza, estou adorando nosso tempo juntos e espero que você também esteja — disse Micah, roçando os lábios na bochecha dela. — Acho que Raider entende.

Micah podia ser arrogante, mas nunca fora burro.

Era um dia de primavera, nublado e frio, e o ar estava tão úmido que era como respirar debaixo d'água. Raisa estremeceu, a pele toda arrepiada, embora não estivesse tão frio. Ela afastou fios de cabelo do rosto, sentindo-se inquieta.

Fiona fez o melhor que pôde para ignorar a presença de Raisa, mas sua reprovação era palpável. Estava claro que ela achava que os assassinos deviam ter tido permissão de concluir o serviço.

Raisa olhou para a floresta ao redor, tentando ignorar Fiona também. O pão e o queijo secos eram difíceis de engolir. Sombras se moviam debaixo das árvores. Ela piscou e as sombras continuaram lá, formas cinzentas deslizando na névoa. Lobos cinzentos.

Parecia que ela os via com cada vez mais frequência — mas talvez isso fosse um reflexo de como andava sua vida. Será que eles estavam ali por causa da situação atual? Ou significavam uma nova ameaça?

Os lobos a cercaram, com as línguas para fora e as orelhas baixas, batendo com a cabeça na barriga dela, quase a derrubando.

— Grande ajuda vocês me dão — resmungou ela. — Por que não posso ensinar vocês a atacarem magos ao meu comando?

— O quê, Raisa? — disse Micah. Ele tocou o braço dela, parecendo um pouco preocupado. — Você estava falando comigo?

— Nada. Não foi nada.

Ela se virou e observou a floresta. Mesmo na primavera, com algumas das árvores ainda sem folhas, a floresta de Tamron parecia densa e opressiva, fechada de todos os lados. Fechada demais.

— Tem alguma coisa errada, Alteza? — perguntou Micah. — Você não está comendo.

— Você está ouvindo alguma coisa? — perguntou Raisa.

A floresta ao redor deles estava silenciosa, e até os pássaros tinham ficado estranhamente quietos. Os pelos dos braços dela se eriçaram.

— Micah — disse Raisa, colocando a mão no braço dele. — Vamos. Tem alguma coisa errada. Acho que é melhor...

A voz dela falhou quando soldados saíram da floresta, de todos os lados, com as bestas armadas e prontas.

— Coloquem as mãos para o alto. Agora! — gritou um jovem com cabelo escuro e olhos castanhos. Um lenço vermelho de oficial estava amarrado no pescoço dele, e havia o brasão de um falcão vermelho em seu casaco.

Micah e Fiona se entreolharam e levantaram as mãos lentamente. Os outros, inclusive Raisa, fizeram o mesmo.

Os soldados usavam uniformes de lã já bem gastos. Alguns usavam peças de armadura que não combinavam, outros não usavam nenhuma. Alguns tinham o falcão vermelho, outros não usavam nenhuma insígnia. Pelas aparências desgrenhadas, estavam na estrada havia meses. Poderiam ser um dos bandos de mercenários sobre os quais Amon a avisara?

— Nem pensem em tocar nesses faz-feitiços — disse o soldado.

Micah se inclinou na direção de Fiona.

— Ele tem o dom — disse ele pelo canto da boca.

— Eu percebi — cortou ela. — O que é isso tudo? — perguntou Fiona, olhando seriamente para o soldado. — Quem é você?

— Recolha os faz-feitiços e outras armas que encontrarem — disse o oficial para os homens, ignorando Fiona. — Não toquem diretamente nos amuletos. Segurem pelas correntes.

Os soldados passaram por cada um deles e recolheram os amuletos, as facas e as espadas. Quando um alcançou Raisa, ela balançou a cabeça negativamente.

— Eu não tenho amuleto — disse ela. — Nem armas. Desculpem.

O soldado olhou para seu superior, que disse:

— Ela não deve ter mesmo. Não tem o dom.

O soldado a revistou mesmo assim e saiu de mãos vazias, é claro, porque ela perdera sua faca na biblioteca.

Quando estavam todos desarmados, o oficial fez sinal para que os homens baixassem as bestas, embora eles tenham mantido as mãos nas espadas.

— Permitam que eu me apresente. Sou Marin Karn, comandante do exército do rei de Arden.

Qual rei?, Raisa teve vontade de perguntar, mas ficou quieta.

— Arden! — Micah inclinou a cabeça. — Mas estamos em Tamron. Arden fica do outro lado do rio.

— Droga! — disse o comandante Karn, sorrindo. — Acho que nos perdemos de novo, rapazes.

Os outros soldados gargalharam.

— Isso não faz sentido — disse Fiona. — Você é um mago. Mas magia é proibida em Arden. Vocês queimam magos em...

— É — disse Karn, assentindo. — É verdade. A igreja tem regras rigorosas contra magia.

Fiona franziu a testa.

— Então como pode haver soldados com o dom no exército do rei de Arden? — insistiu ela.

Karn balançou a cabeça.

— Ah, não, nós jamais admitiríamos isso. A maioria dos que esbarram com a gente não vive para espalhar essa história. Os que sobrevivem não lembram. E só magos conseguem reconhecer pessoas com o dom.

— Então vocês estão usando magia nas guerras Ardeninas — sussurrou Raisa.

— Estamos só começando — disse Karn. — Temos pouco mais que 12 bruxos. Muitos são jovens, recrutados a caminho de Vau de Oden. A maioria não teve treinamento. Alguns não têm amuletos. É aí que vocês entram.

— O que você quer dizer? — perguntou Micah.

— Acho que vocês são alunos de Vau de Oden. Estão recebendo treinamento de primeira na academia. Queremos que vocês ensinem feitiços aos nossos recrutas.

— Infelizmente, isso não vai ser possível — disse Micah, olhando para Raisa. — Temos negócios urgentes em Fells e não podemos correr o risco de nos envolvermos em sua guerra civil.

Karn não pareceu se afetar.

— Pense bem antes de dizer não — disse ele. — Temos centenas de soldados acampados deste lado do rio, e um exército com vários milhares de soldados do outro lado. — Ele olhou para o rio e ficou em posição de sentido. — Aí vem o rei.

Um pequeno grupo de homens se aproximou, vindo do rio. Quatro homens corpulentos, com armaduras e armas, cercavam um homem magro, de túnica, com o brasão do falcão vermelho, luvas e peitoral de prata, com uma espada na cintura. Ele usava um aro dourado no cabelo castanho-claro, e os pálidos olhos azuis eram frios como o gelo da Baía dos Invasores.

Era o príncipe Gerard Montaigne, o mais jovem dos irmãos Montaigne que estavam em guerra, o pretendente malsucedido de Raisa, em sua festa de rebatizado.

— Hanalea acorrentada — murmurou Raisa.

Será que as coisas ainda podiam piorar? Ela puxou o capuz para a cabeça e ficou olhando para o chão, na esperança de ele não reconhecê-la. Não era possível que reconhecesse, não ali, tão fora de contexto.

Por que Gerard Montaigne estava em Tamron? E por que tinha seu exército reunido do outro lado da fronteira? Ele devia estar em Corte de Arden, enfrentando os irmãos.

Karn fez uma reverência para seu rei.

— Vossa Majestade. Temos cinco bruxos de Mystwerk.

— Que bom — disse Montaigne, olhando para Micah e os outros. — Você explicou a eles os serviços que desejamos?

— A resposta é não — disse Fiona, empertigando-se. — Agora nos solte imediatamente.

Montaigne se moveu mais rápido do que a luz, batendo com o braço envolto em armadura no rosto de Fiona e derrubando-a ao chão.

Micah deu um pulo, mas Wil Mathis estava mais perto. Com um grito de fúria, ele partiu para cima do príncipe de Arden, que puxou a espada e perfurou-o calmamente.

Wil e Montaigne ficaram cara a cara, separados por centímetros, os olhos de Wil arregalados de perplexidade. Então Montaigne o empurrou com a bota e soltou sua espada. Wil oscilou e caiu para trás, bateu no chão e ficou imóvel, com o sangue formando uma poça ao redor dele.

— Wil! — gritou Fiona, tentando se levantar. Mas Micah se ajoelhou ao lado dela, segurou seus ombros e a manteve parada.

— Não — disse ele com firmeza. — Você não pode ajudá-lo.

— Mais alguém quer conversar sobre isso? — perguntou Montaigne.

Ninguém se mexeu e ninguém falou. Raisa precisou morder o lábio para controlar sua língua ácida. Mago ou não, Wil sempre fora um dos melhores entre eles. Mais do que isso, era um cidadão de Fells e, portanto, responsabilidade dela.

Montaigne andou de um lado para o outro, na frente deles, com a espada na mão.

— Agora que nos entendemos, talvez possamos negociar. O capitão Karn me convenceu de que bruxos serão úteis para encerrarmos esta longa guerra. Se ele estiver certo, pode ser que só precisemos dos seus serviços por tempo limitado.

Ele nunca vai libertá-los, pensou Raisa. Gerard Montaigne sempre vai ter utilidade para um exército.

— Como disse, pensem bem antes de dizer não. — Karn correu os olhos pelos prisioneiros. — E então, qual será a resposta?

— Tudo bem — disse Micah, ficando em pé. — Vamos ensinar a seus feiticeiros o que sabemos e ajudar como pudermos. Quanto antes alcançarem a vitória, mais cedo poderemos seguir em frente. Lembrem-se de que estamos no primeiro ano, e nosso conhecimento é limitado.

Ele avançou e apoiou sua mão quente no ombro de Raisa.

— Mas peço que você liberte nossa serva. Ela não tem o dom e não seria de ajuda para você.

Raisa ficou paralisada, mal conseguindo respirar. Micah estava mesmo tentando conseguir a libertação dela? Ela virou ligeiramente a cabeça para ver o rosto dele. A expressão de Micah não mudou, mas ela sentiu a pressão dos dedos quando ele apertou seu ombro.

— Sua... serva, é? — disse Montaigne. Ele olhou para Karn, que assentiu.

— Ela não tem o dom, Majestade. Eu me perguntei por que estava viajando com eles.

Montaigne colocou a espada na bainha sem se dar ao trabalho de limpar o sangue. Raisa manteve a cabeça baixa e espiou o príncipe de Arden pelo canto dos olhos. Ele mexeu no cabo da espada e mordeu o lábio inferior.

— Bem — disse ele, por fim —, vamos dar uma olhada em você.

Ele esticou a mão para Raisa e empurrou o capuz.

Raisa ergueu a cabeça e seus olhos se encontraram. Eles se encararam e Gerard Montaigne abriu um sorriso gelado. O coração de Raisa despencou.

— Ah, Karn — disse ele baixinho. — Você quase deixa passar o maior prêmio de todos.

Karn olhou de Raisa para Montaigne.

— O que quer dizer, Vossa Graça? Quem é ela?

Montaigne manteve o olhar fixo no rosto de Raisa. Ele segurou a mão dela e levou-a aos lábios.

— A princesa Raisa *ana'*Marianna — murmurou ele. — Bem-vinda ao novo reino de Arden.

Karn olhou de Raisa para Montaigne.

— Ela é uma princesa?

Montaigne assentiu.

— Nós nos conhecemos na festa de rebatizado dela, quase um ano atrás. Ela é a herdeira do trono de Fells. — Ele passou os olhos por ela. — Estava vestida de forma bem diferente, na última vez que a vi, mas não há dúvida de que é ela. — Ele apertou mais o pulso de Raisa. — Mas por que a princesa-herdeira de Fells cavalgaria por Tamron com magos iniciantes?

Raisa sabia que não fazia sentido continuar a negar sua identidade.

— Estou estudando na academia de Vau de Oden — disse ela. — Estou indo passar o verão em casa.

Montaigne balançou a cabeça com incredulidade.

— E Fells mandaria uma mulher de família nobre por Tamron, com só *isso* como guarda? — Ele indicou os Bayar e os Mander.

— Tamron não está em guerra, Alteza — disse Raisa, olhando-o nos olhos com uma confiança que não sentia. — Eu não esperaria ser atacada por bandidos no caminho. — Ela indicou o corpo inerte de Wil. — Você já assassinou um integrante da minha guarda. Agora que sabe quem eu sou, espero que nos permita prosseguir em nossa jornada sem perturbação.

Montaigne sorriu e seu rosto se iluminou de triunfo.

— Ah, não, Alteza — disse ele. — Isso é muito arriscado, como você já viu. — Ele a puxou para perto e segurou seu queixo. — Acho que está na hora de continuarmos nossa conversa sobre uma aliança entre Arden e Fells, uma aliança cimentada por nosso casamento. — Ele sorriu. — Eu vou ter Tamron, Arden e Fells. Todas as riquezas das minas das montanhas e acesso a um fornecimento ilimitado de bruxos e objetos mágicos. Vamos acabar governando os Sete Reinos.

— Isso nunca vai acontecer — disse Raisa, erguendo o queixo.

— Espere para ver. — Montaigne entregou Raisa para Karn. — Leve esses magos e a princesa para o outro lado do rio e os vigie. Leve os cavalos. Vamos conversar melhor de noite. — O príncipe de Arden ajeitou suas luvas de prata. — Ah, Karn, isso muda tudo.

Karn segurou o braço de Raisa e arrastou-a na direção da margem do rio. Os outros soldados ardeninos levaram Micah e os outros atrás dela.

Snick. Um soldado caiu logo atrás dela, com as mãos segurando uma flecha cravada no meio de seu peito.

Snick. Snick. Snick. O som de bestas. Mais soldados caíram.

— Alteza, se proteja! — Karn soltou Raisa e se jogou em Montaigne, que tateava pela espada.

Os soldados ardeninos procuraram por proteção enquanto uma tropa de soldados a cavalo explodia da floresta, ameaçando pisoteá-los. Cavalos sem cavaleiros corriam em todas as direções. Raisa correu para as árvores, na direção da estrada e para longe do rio. Pelo canto do olho, viu Micah segurar a mão de Fiona e arrastá-la para trás de uma árvore caída.

A cavalaria usava a insígnia de uma garça roxa e cinzenta, com asas abertas, pousando na água. O emblema do rei de Tamron.

— Aqui! — gritou Montaigne.

Mais soldados ardeninos surgiram, vindo da direção do rio. Uma batalha começou — o Falcão Vermelho de Arden contra a Garça de Tamron.

Raisa correu cegamente pela floresta, pulando árvores caídas e outros obstáculos, querendo ganhar o máximo de distância possível da luta. Montaigne estava se preparando para invadir Tamron, isso estava claro. Se os milhares de soldados de Arden atravessassem o rio, não havia dúvida sobre qual seria o resultado da briga. Desarmada como estava, ela não tinha muitas ilusões sobre a contribuição que poderia dar.

Ao olhar para trás, em busca de sinais de perseguição, quase deu de cara com os flancos de um cavalo.

— Hanalea acorrentada! — disse ela, parando de repente.

Era o cavalo de Fiona, Ghost, um garanhão cinza, alto e intrépido, com manchas brancas nas patas. Raisa deu um pulo e pegou suas rédeas. O cavalo baixou as orelhas e tentou se libertar, mas Raisa conseguiu subir na sela. Os estribos estavam baixos demais, mas Raisa se agarrou às costas dele como uma trepadeira e bateu com os calcanhares em suas costelas. Ghost esticou o pescoço comprido e acelerou até começar a galopar, desviando das árvores.

Ele não deve nem me notar aqui em cima, depois de carregar Fiona, pensou Raisa.

Ela se deitou no pescoço do cavalo, para evitar os galhos baixos, deu impulso e deixou que ele corresse.

Precisava se distanciar o máximo possível daqueles que logo poderiam ir atrás dela. Isso significava cavalgar para o oeste até a estrada. O tráfego na estrada esconderia sua passagem, e ela faria um bom tempo na direção que escolhesse.

Que direção?

Ela estava com as bolsas de Fiona, mas não fazia ideia do que havia nelas. Não tinha muito dinheiro em sua própria bolsa, ainda presa no casaco.

Se Micah e Fiona escapassem da batalha, pensariam que ela voltara para o sul, para Vau de Oden, a fim de se juntar a Amon e os outros. Eles não esperariam que ela viajasse para o norte sozinha, principalmente depois do que acontecera.

Já Montaigne esperaria que ela continuasse para o norte, na direção de casa, ou para o leste, para a corte de Tamron, em busca de abrigo. Com sorte, o exército de Tamron manteria todos eles ocupados por algum tempo. Montaigne não iria atrás dela, com uma invasão acontecendo. Sem dúvida, continuaria na direção da capital.

Portanto, ela iria para o norte. Se chegasse a Vau de Grilhões, talvez conseguisse mandar avisar ao capitão Byrne para que enviasse uma escolta. Eles iriam pelo norte, pelo Vale Demonai, ou pelo leste, por Pinhos Marisa, dependendo das notícias.

Ghost não precisou de encorajamento para deixar o clamor da batalha para trás. Raisa o direcionou com os joelhos e as mãos enquanto sua mente revirava os eventos passados e avaliava o futuro.

Ela desejava a segurança simples da infância, poder entregar as responsabilidades aos capitães Byrne do mundo e aproveitar a proteção deles.

Mas você fica adulto sem perceber, pensou ela. Você tinha que crescer, gostasse ou não. Ela mudara. Não era a mesma pessoa que fugira com Amon Byrne, dez curtos meses antes.

Estava mais capaz, mas menos confiante. Tinha mais habilidades para avaliar as pessoas, mas estava menos convicta de sua capacidade de fazer isso. Quando saíra de Fells, pensava nas pessoas em grupos — boas e ruins, corajosas e covardes, virtuosas e más. Agora, percebia que havia um pouco das duas coisas na maioria delas, e qual elemento prevalecia dependia das circunstâncias.

Micah Bayar, com todos os defeitos, era uma mistura de bom e ruim. Ela poderia estar morta pelas mãos de um assassino se não fosse por ele. Ele tentara libertá-la quando eles foram capturados por Gerard Montaigne. Mas agia diferente com pessoas diferentes, e seus esforços para mantê-la viva provavelmente tinham raízes egoístas.

Criada com romantismo, Raisa teria dito que era impossível amar dois homens ao mesmo tempo. Que só havia um amor verdadeiro para cada pessoa, e que sorte seria encontrá-lo.

Mas não era verdade. Ela ainda amava Amon Byrne. Seus sentimentos por ele doíam demais para serem examinados de perto. E ela amava Han Alister, se é que entendia alguma coisa de amor.

Será que voltaria a vê-lo? E, se visse, será que eles poderiam construir um relacionamento baseado em uma mentira?

E o que ela podia esperar construir sobre aquela base frágil? *A propósito, Alister, estou mentindo para você há mais de um ano; na verdade, sou parte da família real que você despreza. Não existe futuro para nós, mas eu ainda gostaria de ser sua amiga.*

Será que Raisa ficaria satisfeita com a amizade dele, quando a lembrança de seus beijos e carícias a perseguia?

E será que Amon e Han conseguiriam deixar de lado suas antipatias e montariam as peças do desaparecimento dela?

Sua mãe era uma rainha fraca — mas também tinha sido prejudicada pelas circunstâncias. Talvez, quando voltasse, houvesse um jeito de se conectar a ela, se juntar a ela, ajudá-la, e de a própria Raisa ser uma rainha melhor, um dia.

À frente, ela viu uma abertura entre as árvores, o que significava que eles estavam chegando à estrada. Controlando Ghost com dificuldade, ela diminuiu o ritmo para uma caminhada. Parou perto das últimas árvores, olhou para os dois lados da estrada e não viu ninguém.

— Vamos — disse ela, batendo os calcanhares. — Precisamos ir bem mais longe antes de descansarmos.

Eles se viraram para o norte e aceleraram o passo.

Depois de quase um ano, ela estava voltando para casa. A decisão tinha sido forçada. Mas, cada vez mais, ela acreditava que era a decisão certa.

CAPÍTULO TRINTA E SETE

CAMINHOS QUE SE SEPARAM

Han pretendia passar os últimos dias em Vau de Oden se preparando para sua viagem para o norte. Mas acabou passando esses dias desesperado, em busca de pistas sobre o desaparecimento de Rebecca.

Os mortos na biblioteca da Academia Wien não eram de Vau de Oden. Nenhum era mago. Eles tinham sido vistos nos arredores da academia por vários dias, fazendo perguntas. Ou não tinham nada nos bolsos ou quem os matou tinha levado qualquer identificação que carregassem.

Han entrou no dormitório de Micah, familiar de suas muitas visitas, e revirou os quartos. Eles tinham partido às pressas, deixando muitos pertences para trás.

Não podia ser coincidência. Será que eles tinham ido embora porque a mataram? Ou a levaram com eles? Independentemente de como Han montava a história, ela nunca fazia sentido. Três das pessoas tinham sido mortas com magia. Será que Rebecca testemunhara aquelas mortes e tinha sido assassinada ou sequestrada por isso?

Han foi até o Salão Grindell na manhã anterior à que planejava partir. O dormitório parecia uma colmeia em atividade, com cadetes subindo e descendo escadas, arrumando seus pertences.

Byrne se encontrou com ele na sala. O casaco azul tinha perdido um pouco da postura militar; seus olhos estavam contornados por olheiras e ele não se barbeava havia vários dias.

— Parece que vocês vão embora — disse Han.

— Rebecca não está mais por perto — disse Byrne. — Acredito que tenha ido para o norte. Recebemos um relatório da corte de Tamron dizendo que uma pessoa com a descrição de Rebecca foi vista no meio de uma luta com forças ardeninas, na fronteira entre Tamron e Arden. Vamos até Tamron investigar. É possível que ela esteja lá, na capital.

Han hesitou, mas resolveu falar:

— Então você acha que ela está viva.

— Ela está viva — disse Byrne, como se não tivesse dúvida. Ele passou as mãos pelo cabelo. — Mas preciso encontrá-la. Se ela estiver em Tamron, está correndo grande perigo. Gerard Montaigne invadiu pelo leste. Ele cercou a capital e exige rendição.

— E você vai entrar no meio disso? — Han balançou a cabeça. — Você é corajoso, cabo. — Han fez uma pausa. — Se Bayar levou Rebecca e ela ainda estiver viva, acho que ele a levaria de volta para Fells, não? E, se ela partiu sozinha, também iria para casa.

Byrne assentiu.

— Se não encontrarmos sinal dela em Tamron, vou seguir para o norte em busca de pistas de que ela tenha ido nessa direção. Se eu encontrar a trilha dela, vou atrás. Se não, vou atravessar os Pântanos e entrar em Fells pelo Portal Ocidental. Se souber de alguma coisa, mande uma mensagem para lá.

— Pode deixar — disse Han. — Mas vim para avisar que também vou voltar para Fells. Eu não queria que você pensasse que fugi da cidade sem você saber.

— Por qual caminho você vai? — perguntou Byrne.

— Vou para o norte, por Vau de Grilhões, depois para o leste, por Delfos — disse Han. — Vou procurar Rebecca por essa estrada, que dá no Campo Pinhos Marisa. Se encontrar alguma coisa ou tiver qualquer informação da capital, mande uma mensagem para mim lá.

Depois de um momento de hesitação, Byrne esticou a mão.

— Tome cuidado — disse ele.

Han apertou a mão estendida.

— Você também — respondeu. — Nos vemos em casa.

* * *

Abelard mandou chamar Han, naquela tarde. Quando ele entrou na sala dela, ela estava de pé, olhando pela janela.

— Você sabia que os Bayar abandonaram a escola? — perguntou ela sem preâmbulos.

— Eu soube — disse Han. — Eles saíram apressados. Com os primos. E Wil Mathis. — Ele contou a ela o que descobrira no dormitório.

Abelard se virou e olhou para ele com uma expressão indecifrável.

— Sente-se. — Ela indicou uma cadeira.

Ele se sentou.

— Aquele incidente na biblioteca da Academia Wien, aquelas pessoas que foram mortas — disse Han. — Acho que os Bayar tiveram alguma coisa a ver com aquilo.

— Acha? — Abelard brincava com uma pequena adaga incrustada com pedras preciosas. A luz do sol se refletia nela e espalhava reflexos coloridos pelas paredes. — Por que você acha isso?

— Eles desapareceram na mesma noite. Com uma amiga minha.

— Amiga? — Abelard ergueu a sobrancelha. — Quem?

— Uma cadete da Academia Wien. Rebecca Morley. Ela trabalhava para os Bayar. Desapareceu no mesmo dia que eles.

— Não sei quem é — disse Abelard, fazendo pouco caso de Rebecca. — Mas é provável que os Bayar estejam envolvidos nas mortes na biblioteca, de forma indireta. — Ela fez uma pausa e o avaliou com seus olhos verde-acinzentados. — Os quatro mortos são assassinos a serviço da Casa Aerie.

— Assassinos? — Han massageou a cabeça, como se pudesse reorganizar seus pensamentos e conseguir uma combinação melhor. — Por que eles viriam para cá? E quem teria matado esses quatro?

— Achei que talvez *você* pudesse *me* contar — disse Abelard, passando o polegar na lâmina afiada.

— Eu? — Han balançou a cabeça. — Não estou entendendo.

Abelard lançou a ele um olhar que dizia *não tente me enganar*.

— Eles trabalhavam para os *Bayar* — disse ela. — Foram mortos com *magia*. — Ela arqueou as sobrancelhas.

Finalmente, tudo se encaixou.

— Você acha que fui *eu*?

— Quem, em Vau de Oden, os Bayar poderiam querer matar? — perguntou Abelard. — Um ataque ao Grão-Mago não pode passar em branco para sempre. — Ela deu de ombros. — E quem teria mais probabilidade de sobreviver a um ataque desses?

Han se inclinou para a frente, com as mãos nos joelhos, desejando que ela acreditasse nele.

— Olha, não sei por que eles estavam aqui nem quem os apagou, mas não tive nada a ver com isso.

— O fato de lorde Bayar ter mandado quatro pessoas para fazer o serviço diz alguma coisa sobre sua reputação. Acho que, quando Micah e Fiona descobriram o que aconteceu aos assassinos dos pais, decidiram ir embora, antes que você fosse atrás deles.

Han balançou a cabeça negativamente.

— Não fui eu. Como falei, minha amiga Rebecca desapareceu da biblioteca, onde um assassino foi encontrado.

— Talvez ela tenha visto alguma coisa que não devia — disse Abelard.

Han ficou de pé.

— Isto é perda de tempo — disse ele, tentando controlar sua fúria. — Se você acha que eu teria qualquer coisa a ver com...

— Sente-se, Alister! — disse Abelard. — É do seu interesse ouvir o que tenho a dizer.

Com relutância, ele se sentou, os braços cruzados, olhando com raiva para ela.

Abelard revirou os olhos.

— Ah, não faça essa cara. Não havia nada na cena que a ligasse a você. E devo dizer que estou mais impressionada do que nunca com suas habilidades.

Han desistiu. Não havia jeito de persuadir a reitora de que ele não tinha matado aqueles quatro, não com tudo se encaixando tão bem e ele sem ter outra história para contar.

— Bom, eu acho que os Bayar foram embora por outro motivo — disse ele. — E é isso que deveríamos investigar.

Abelard assentiu e bateu com a faca na mesa.

— Você pode estar certo. Eu preferiria manter o jovem Micah Bayar à vista, já que ele é essencial para as ambições de seu pai.

— Eu também vou voltar — anunciou Han. — Amanhã. Não vou passar o verão aqui, afinal.

Ele empinou o queixo e a olhou nos olhos.

Abelard apoiou os cotovelos na mesa, entrelaçou os dedos e pousou o queixo nas mãos.

— Se está pensando em se vingar dos Bayar, eu aconselharia a não fazer nada precipitado — disse ela.

— Não se preocupe — disse Han. — Se eu me vingar, vou fazer isso com grande planejamento e deliberação.

A reitora riu.

— Você é incrível, Alister. Suas roupas, sua fala... você foi de rato de rua a cortesão em menos de um ano. — Ela fez uma pausa. — Eu o aconselharia a ficar. Se voltar agora, vai estar por contra própria. Não posso oferecer proteção daqui.

— Eu vou de qualquer jeito — disse Han.

Abelard deu de ombros.

— Mas eu tenho aliados, e vou dizer para eles tomarem conta de você. Pretendo voltar no outono para passar uma longa temporada. As questões estão se acelerando de tal forma que acho que exigem minha atenção pessoal.

Abelard enfiou a mão em uma gaveta e pegou uma bolsa pesada. Colocou-a na mesa, em frente a Han.

— Isso vai ocupar você por um tempo — disse a reitora, entregando a Han uma lista de tarefas a fazer e pessoas a encontrar depois que ele chegasse. — O mais importante é impedir que os Bayar consolidem ainda mais sua influência com a rainha — disse ela. — Me disseram que, na ausência da princesa Raisa, esperam que Mellony seja nomeada herdeira e se case com Micah. Pode ser por isso que ele voltou para casa tão de repente. Você precisa fazer tudo que puder para impedir isso.

— Tudo? — Han arqueou uma sobrancelha.

Abelard sorriu.

— Adeus, Alister. Fique vivo até eu voltar para lá.

A cabeça de Han girava enquanto ele descia a escada. Seria possível que Micah Bayar estivesse indo para Fells para se casar? E, se estivesse, o que Han poderia fazer? Assassinar a noiva e o noivo? Planejar um massacre na festa de casamento?

Han trabalhava para líderes de gangues demais.

Cat e Dançarino ajudaram Han a levar os alforjes e cestos escada abaixo, para carregar os cavalos.

— Ainda não entendo por que Abelard está mandando você para Tamron — disse Dançarino. — Mesmo se a biblioteca de lá for grande, eles não devem ter muita coisa sobre magia.

— É mais sobre política — disse Han. — Preciso mantê-la feliz se quiser voltar para a escola, no outono.

Han coçou Ragger entre as orelhas e o pônei as abaixou e mostrou os dentes, mal-humorado como sempre.

— Você gosta da preguiça de ficar comendo palha em um celeiro quente, não é? — murmurou Han. — Bom, agora você precisa voltar ao trabalho. Nós dois precisamos.

Houvera pouco tempo para cavalgadas nos últimos meses. Agora, eles compensariam todo o tempo afastados.

— Você não pode ficar pelo menos até Sabiá Cav... Noturna ir embora? — perguntou Dançarino. — Ela já vai ter partido quando você voltar.

— Sabiá Noturna e eu não temos muito o que conversar ultimamente — disse Han.

A noite deles juntos fora constrangedora, no mínimo. Segredos demais os separavam.

— Ela veio até aqui para ver a gente — disse Dançarino. — Acho que está se acostumando à ideia de que somos magos. Acho que ela se arrependeu do jeito que reagiu quando nós...

— Os Demonai são iguais a todo mundo: abandonam seus nobres princípios quando é conveniente — disse Han.

Dançarino franziu a testa e examinou o rosto de Han.

— Estamos falando de *Sabiá* — disse ele. — Você devia dar uma chance a ela.

Han não queria conversar sobre Sabiá Cavadora. Sabiá Noturna. Quem quer que ela quisesse ser atualmente.

— De qualquer jeito, você também está trabalhando sem parar desde que as provas acabaram — disse Han.

— Estou trabalhando em amuletos — disse Dançarino. — Tenho que trabalhar com a magia no verão. Não faz parte do currículo da Academia Mystwerk.

Cat estava inquieta durante toda aquela longa conversa, jogando o cabelo para trás, andando de um lado para o outro, indicando que tinha alguma coisa a dizer.

— Acho que você devia me deixar ir com você — disse ela. — Não posso cuidar de você se você estiver em Tamron e eu estiver aqui.

— Quero que você continue procurando Rebecca — disse Han, prendendo a esteira de dormir. — Que continue fazendo perguntas. Que veja se alguém tem alguma informação. Pode ser que alguém tenha visto alguma coisa. E que cuide de Dançarino. É isso que você deve fazer enquanto eu estiver longe.

Quando tudo estava pronto, Han se recostou ao cavalo, sentindo uma estranha relutância em partir. Lugares como aquele eram necessários — lugares para ler e escrever e estudar e argumentar e debater com todos os tipos de gente, sem ter que olhar por cima do ombro o tempo todo. Lugares onde a sede de conhecimento era maior do que as fronteiras e as diferenças.

Aquilo era parte do motivo de Han ter resistido a apagar Micah, durante as primeiras semanas, quando sua raiva ameaçara se transformar em violência.

Sua primeira tarefa era chegar ao Campo Pinhos Marisa sem morrer ou ser recrutado para o exército de outra pessoa. Ele procuraria Rebecca no caminho. O cabo Byrne parecia convencido de que ela estava viva, mas Han não conseguia ter tanta esperança.

Quando chegasse em casa, procuraria os Bayar e os faria falar.

Han abraçou Dançarino e Cat, depois subiu em Ragger.

— Viaje com cuidado — disse Dançarino na língua dos clãs. — Volte para nossa lareira.

Han assentiu, perguntando-se se algum dia voltaria a Vau de Oden.

1ª EDIÇÃO [2015] 1 reimpressão

ESTA OBRA FOI COMPOSTA PELA ABREU'S SYSTEM EM ADOBE GARAMOND PRO
E IMPRESSA EM OFSETE PELA GEOGRÁFICA SOBRE PAPEL PÓLEN SOFT DA SUZANO
PAPEL E CELULOSE PARA A EDITORA SCHWARCZ EM JANEIRO DE 2018